Critique du système technicien

DECONSTRUCTION DE L'HOMME, MUTATIONS, SINGULARITE TECHNOLOGIQUE, TRANSHUMANISME, NOUVELLE ANTHROPOLOGIE, ECONOMIE VIRTUELLE, TOTALITARISME DU WEB, MODIFICATIONS GENETIQUES, EUGENISME.

Cet ouvrage collectif associe des hommes et des femmes issus des sciences sociales et sciences dures, alertés par les changements en cours.

La déconstruction de l'homme
Critique du système technicien.

Éditions La Lumière (collection « Réforme », volume n°6, 2nde édition, janvier 2019, France), 7, avenue Saint-Exupéry, 81990 Le Séquestre (Tarn), France. Site Internet : http://www.editions-lalumiere.fr/.

ISBN : 978-2-900755-02-0 (papier)

Dépôt légal : Janvier 2019.

Prix indicatif : 25 euros TTC.

Imprimé par Lulu.com.

Ce livre peut être commandé directement sur Internet :
- La déconstruction de l'homme : http://deconstructionhomme.com,
- Les Éditions La Lumière : http://www.editions-lalumiere.fr/.

Pour tout contact, écrire à l'adresse email : editions.lalumiere@gmail.com.

Concernant les notes de l'éditeur en bas de page :
Sur certains points évoqués dans ce livre par l'auteur principal, Éric Lemaître, l'éditeur a souhaité exprimer des nuances et de fait moduler les convictions de l'auteur qui a nécessairement pris en compte ces nuances, reconnaissant qu'elles peuvent participer à un débat constructif en vue de la recherche commune de la vérité. Ces notes sont signalées par la mention « N.d.E. » Par ces interactions, nous voulons répondre au commandement apostolique : « Au point où nous sommes parvenus, marchons d'un même pas » (Philippiens 3:16), confiants que l'Esprit de Dieu nous éclairera et nous conduira dans toute la vérité.

Les citations bibliques proviennent de la version Louis Segond 1910.
Nous avons privilégié les appellations « Premier Testament » et « Second Testament » pour désigner respectivement les Ancien et Nouveau Testaments.

La déconstruction de l'homme

Critique du système technicien

sous la direction de :

Éric Lemaître

Paroles que l'on prête à Saint Augustin,
philosophe et théologien chrétien né en 354, mort en 430.

« À force de tout voir, on finit par tout supporter...
À force de tout supporter, on finit par tout tolérer...
À force de tout tolérer, on finit par tout accepter...
À force de tout accepter, on finit par tout approuver. »

À René LEMAITRE, mon grand-père (1908-1977), paysan et témoin
d'une révolution de l'agriculture : l'abandon du « collier » pour la force
mécanique, et qui mit en scène et en images la vie d'un village du
Laonnois, Chéry-lès-Pouilly

Remerciements

Remerciements à tous ceux sans qui ce livre n'aurait pas été publié :

Sabine, mon épouse, musicienne folk, investie dans toute la vie relationnelle.

Remerciement à ces amis, dont les relations, les réflexions, les échanges, les contributions, les corrections ont largement enrichi l'écriture de ce livre collectif.

Bertrand VERGELY, philosophe et essayiste, ancien élève de l'École Normale Supérieure, agrégé, théologien orthodoxe dont le livre *Transhumanisme : la grande illusion* est un livre de référence. Merci, Bertrand, pour vos encouragements.

Charles-Éric DE SAINT GERMAIN, philosophe, ancien élève de l'École Normale Supérieure, docteur et agrégé en philosophie. Les échanges avec Charles-Eric ont été stimulants, qu'il en soit ici chaleureusement remercié.

Gérald PECH, ingénieur R&D dans l'industrie, ancien chercheur dans le spatial, docteur en réseaux et télécommunications spatiaux de Supaero (ISAE-Supaero), président de l'association d'apologétique Bible & Science Diffusion, initiateur de notre blogue https://deconstructionhomme.com/ et contributeur.

Jérôme SAINTON, docteur en médecine, également critique du système technicien.

Étienne OMNÈS, blogueur, fondateur du blogue Phileo Sophia (https://phileosophiablog.wordpress.com/), dont la pensée est particulièrement habitée par l'intelligence, celle de l'âme traversée par la dimension d'une vie intérieure.

Bérengère SERIES, ancienne élève de Science Po Paris, directeur chez Ti Rayons Soleil.

Alain LEDAIN, enseignant en mathématiques, auteur du livre *Regards d'un chrétien sur la société,* et co-auteur du livre *Masculin Féminin Peut-on choisir ?*

Nicolas DODE, blogueur pour l'ensemble de nos échanges et partages.

Eddy MARIE-COUSTÉ, chef d'entreprise, créateur et auteur des articles et des vidéos sur le site Internet Théonoptie (www.theonoptie.com) et sur la chaine YouTube afférente.

Franck JULLIÉ, diplômé de l'École Nationale de la Statistique et de l'Administration Économique (aujourd'hui ENSAE Paris Tech), titulaire d'un D.E.A. en Économétrie et Économie Mathématique de l'Université Paris 1 Panthéon-Sorbonne, associé cogérant du cabinet de conseil en recrutement ELZEAR Executive Search.

Mes très chers amis **Edmond et Claude BOUCTON,** veilleurs et lecteurs attentifs de notre livre collectif.

Nathanaël CHONG et Sandrine CHANZEL, animateurs de Radio Phare FM qui ont permis cette liberté de partager sur l'antenne des chroniques visant à éveiller les consciences. Un grand merci à eux.

Samuel LEMAÎTRE, ingénieur informaticien.

Anne LEMAÎTRE, concepteur de la couverture. hello.annelemaitre.com.

Préface de Bertrand Vergely

La caractéristique de la postmodernité est d'avoir déconstruit l'homme afin de libérer la culture du mythe de l'homme. La caractéristique de l'ouvrage dirigé par Éric Lemaître est de déconstruire la déconstruction de l'homme par le transhumanisme afin de nous libérer de cette déconstruction.

Au cours du XIXᵉ siècle, Nietzsche a bouleversé le cours de la philosophie en entreprenant de faire sa généalogie critique. Il s'agissait alors pour lui de revenir à une philosophie libre et créatrice refoulée par le conformisme moralisant et l'intellectualisme abstrait et desséché.

Au XXᵉ siècle, Heidegger s'est inspiré de la généalogie critique entamée par Nietzsche afin de revenir à la philosophie authentique. Il y avait eu un temps où la philosophie pensait, le temps des présocratiques. La métaphysique et la morale s'étant mises à devenir la pensée de la philosophie, cette pensée avait disparu. Pour la retrouver, il n'y avait qu'une solution : relire la philosophie en essayant d'entendre ce qui pouvait se dire en elle de la pensée authentique.

Au début de années soixante-dix, s'inspirant de Heidegger et de Nietzsche, Derrida a politisé leur critique. Ce n'est pas simplement la morale et la métaphysique qui ont étouffé la pensée, authentique, a-t-il fait remarquer. C'est le mythe de l'Un. La pensée est multiple. Comme la morale. Comme la réalité. La philosophie pensée comme Un étouffe ce multiple. Il s'agit de le retrouver en faisant une lecture critique de la philosophie. Pour asseoir cette lecture critique, Derrida a forgé un concept qui a fait fortune de puis, celui de déconstruction, notamment pour des raisons politiques. Quand on déconstruit une pensée ou un discours, faisant apparaître le multiple qui est refoulé, on participe de la libération de toutes les minorités, que ce soient les minorités ethniques, culturelles, sociales ou sexuelles.

Analysant les discours de la médecine, de la psychiatrie et de l'institution judiciaire, Michel Foucault est arrivé au même constat.

Avec une idée supplémentaire. Ce n'est pas simplement l'Un, mais l'Homme qui opprime la culture, l'Homme et son mythe étant à la base d'un ordre médical, psychiatrique et judiciaire.

Avec Gilles Deleuze, l'homme a achevé d'être déconstruit, Deleuze montrant que ce qui opprime réside dans une référence première, un modèle originel. D'où, chez lui, le projet de vivre dans un monde sans modèles. Projet possible. Il suffit de penser le monde comme grande machine combinant à l'infini à travers toutes sortes de jeux possibles. Quand on pense le monde ainsi comme espace de connexions infinies, on est libre de tout. De la morale, de la métaphysique, de l'Un et de l'Homme.

Aujourd'hui, avec les nouvelles technologies, la morale hédoniste et permissive, la disparition du sexe au profit du genre, la démocratie généralisée et tous azimuts, il est possible de vivre une déconnexion à l'égard de tout ancrage avec comme perspectives l'intensification dans l'avenir de ce jeu de connexions infinies.

Si l'homme ludique se réjouit de l'avènement de ce nouveau monde, Éric Lemaître et son équipe introduisent une question : avec le dispositif qui est en train de se mettre en place, n'assiste-t-on pas à l'émergence d'un nouveau dispositif d'oppression et plus précisément de l'un des dispositifs d'oppression sans doute le plus redoutable que l'humanité ait jamais connu ?

Dans cet univers de combinaisons à l'infini qui est en train de se mettre en place, l'être humain est-il libre ? N'est-il pas l'otage, le jouet, le prisonnier des fabricants et des vendeurs de machines à jouer, à connecter, à combiner ?

En outre, vivre, est-ce passer son temps à jouer, à combiner, à connecter ? Jouer, soit. Mais jouer quoi ? Combiner, soit, mais combiner quoi ? Connecter, soit, mais connecter quoi ? S'il n'y a pas de sens dans ce qu'on vit, est-on libre ? N'est-on pas prisonnier du vide ?

La postmodernité veut nous faire croire qu'en déconstruisant l'homme nous allons être plus libres et plus humains. Est-on vraiment plus humain quand l'homme a volé en éclats et qu'il ne reste que ses miettes ? Ce qui libère l'homme, est-ce la mort de l'homme ? N'est-ce pas ce qui se passe quand, comme le dit Pascal, l'homme passe l'homme ? Ce passionnant et imposant travail nous invite à nous poser cette question et à la poser à notre temps.

Bertrand de Vergely, philosophe et auteur de
Transhumanisme : la grande illusion[1].

---

[1] Bertrand Vergely, *Transhumanisme : la grande illusion.* Le Passeur éditeur, 3 janvier 2019, 587 pages.

Préface de Charles-Éric de Saint Germain

La « déconstruction de l'homme, » voilà un titre évocateur pour signaler les nouveaux dangers qui planent aujourd'hui sur l'humanité, périls dont Éric Lemaître se fait ici le prophète et le visionnaire, sachant que la vocation du prophète biblique est bien d'avertir l'humanité des risques qui la guettent et qui la menacent.

Mais dans un monde devenu prométhéen, qui ne connaît plus de limites au fantasme de toute puissance qui semble habiter l'homme d'aujourd'hui, ce cri d'alarme peut-il encore être entendu ? Tel est le pari et l'espérance de l'auteur, qu'il ne sera jamais trop tard pour donner à l'humanité des repères éthiques dont elle semble vouloir aujourd'hui s'émanciper. La tâche est ardue néanmoins : dans le « système technicien, » comme le rappelle l'auteur qui s'inspire de son mentor Jacques Ellul (d'où le sous-titre de l'ouvrage, en référence à un célèbre livre d'Ellul consacré au « système technicien »), la technique est devenue un phénomène autonome, qui génère ses propres valeurs, celles qui ne peuvent que renforcer sa croissance et sa domination. N'est-il pas dès lors illusoire d'opposer des valeurs éthiques « traditionnelles, » empruntées à la sagesse judéo-chrétienne (comme celles que l'ouvrage se propose de rappeler avec justesse et pertinence) si la technique tend à formater notre manière de penser en nous amenant nécessairement à accepter les valeurs que véhicule avec lui le progrès technique ? Le défi que cherche à relever Éric Lemaître est de penser que l'homme conservera toujours la maîtrise de son destin, et que si le projet transhumaniste risque de conduire l'homme à une complète déshumanisation, c'est seulement en prenant conscience des dangers que l'on pourra peut-être éviter le pire, « car là où le péril est le plus grand, disait Heidegger en citant Hölderlin, là aussi croît ce qui sauve... »

Pourtant, les perspectives décrites dans ce livre ont de quoi nous effrayer... Rappelons que le transhumanisme, qui constitue la principale cible de l'auteur, se donne pour but d'augmenter le potentiel humain. Les biotechnologies ont en effet pour principale motivation de changer la vie humaine, de faire ce que la nature, par elle-même, n'a pas été capable de faire, en corrigeant les imperfections de l'humanité et en façonnant, en quelque sorte, une nouvelle humanité, par une modification du patrimoine génétique et par la sélection des gènes (c'était bien ce qu'anticipaient déjà le livre d'Aldous Huxley, *Le Meilleur des Mondes*, et le film *Bienvenue* à Gattaca). On voit dès lors la nouveauté introduite par le courant transhumaniste : alors que la médecine reposait autrefois sur un projet thérapeutique où il s'agissait avant tout de réparer, dans le vivant, ce qui avait été abîmé par la maladie (la médecine traditionnelle oscille du coup entre deux limites, celle du normal et celle du pathologique), le courant transhumaniste considère que grâce à l'émergence des nouvelles technologies (NBIC = nanotechnologies, biotechnologies, informatique, cognitivisme, c'est-à-dire les études sur l'intelligence artificielle et la robotique), il ne s'agira plus seulement de réparer l'humain, mais plutôt de l'améliorer, de travailler à son « augmentation, » à tel point que la vieillesse et la mort (qui appartenaient autrefois au « normal ») seront désormais perçues comme des maladies (au sens d'un mal pathologique), étant donné que les souffrances qu'elles engendrent sont aussi grandes, voire même plus terrifiantes que les maladies qui peuvent affecter le corps humain.

Mais si le courant transhumaniste s'intéresse surtout à l'augmentation de la quantité de la vie (de l'espérance de vie) pour caresser un rêve d'immortalité, il s'intéresse très peu à la qualité même de la vie, comme le faisaient les Anciens qui réfléchissaient sur le sens de la « vie bonne » – par où l'on voit que la domination technique est inséparable d'un projet de mathématisation du réel où le nombre vient éclipser le nom, cette réduction du réel à la quantité et à la mesure étant la condition de sa domination. Ce courant n'assigne donc pas à la technique la volonté de collaborer avec la nature (comme c'était le cas chez les Grecs), ni même seulement de la maîtriser ou de la dominer, mais ici il s'agit plutôt de se prendre pour Dieu en la recréant, en l'améliorant, bref en la rendant plus parfaite, plus performante. Qui ne voit cependant les dérives potentiellement eugénistes d'un tel projet ? On distingue traditionnellement l'eugénisme positif, qui vise à l'amélioration de l'ADN humain, à l'augmentation de l'homme et à l'amélioration de l'humanité, de l'eugénisme négatif, qui vise plutôt à l'élimination des êtres souffrants et handicapés, c'est-à-dire de tous les êtres qui pourraient contribuer à la détérioration de l'espèce humaine. Cet eugénisme rejoint ce que Nietzsche appelait, dès le XIXe siècle, la « politique de la grande santé, » politique qui a été mise en pratique dans le nazisme, et qui envisageait l'idée d'un dépassement de l'homme pour arriver à créer une sorte d'être génétiquement parfait. Mais comme le rappelle judicieusement l'auteur, le danger n'est-il pas d'oublier ici que ce qui fait notre humanité, c'est justement notre vulnérabilité, notre précarité et notre fragilité ? N'y a-t-il pas aussi le risque que l'homme devienne une sorte d'apprenti sorcier ? De même que l'exploitation de la nature par la technique peut conduire à une rupture des équilibres écologiques, de même on peut penser que l'altération eugéniste du patrimoine génétique de l'humanité risque de créer un homme uniformisé, standardisé selon des normes de perfection qui seront en réalité purement relatives à la représentation qu'une culture donnée, à un instant donné, se fait de la perfection. Mais ces critères de perfection sont finalement très arbitraires, au même titre que les canons de la beauté sont variables selon les goûts et les époques.

On le voit, les perspectives ouvertes par le transhumanisme ont de quoi terrifier. Et il faut savoir gré à l'auteur de montrer, avec une remarquable acuité, où se situe précisément le péril. Dénonçant tour à tour les illusions du progrès, la déconstruction des genres, la programmation génétique de l'humain, l'affranchissement à l'égard des limites imposées par le corps, la toute-puissance de l'image (qui humilie la Parole), le remplacement de l'intelligence humaine par l'intelligence artificielle (au prix d'une réduction de la pensée au calcul et d'une méconnaissance de ce qui fait leur différence radicale, ce qui conduira à une suppression drastique de l'emploi), la dissociation de la sexualité et de la natalité, la disparition des repères familiaux, l'oscillation entre la destruction des équilibres écologiques et la tentation panthéiste d'adorer la nature, etc., etc., tout se passe comme si l'homme avait perdu, en même temps que ses repères, le sens du réel. Car si déconstruction il y a, c'est bien de la déconstruction du réel dont il s'agit en dernière instance, et des limites que celui-ci nous impose pour nous permettre de vivre en bonne harmonie avec nous-mêmes, avec les autres et avec la nature.

Le mérite de ce livre, néanmoins, n'est pas seulement de diagnostiquer avec lucidité les maux qui nous menacent. C'est aussi de proposer des solutions concrètes et d'apporter des remèdes. Bergson disait déjà que ce qui est condamnable dans le progrès technique, ce n'est pas tant la technique en elle-même (qui n'est que de l'ordre des moyens) que le déséquilibre qui risque toujours de s'instaurer entre la puissance matérielle dont l'homme dispose (le corps) et sa croissance morale et spirituelle (l'âme). Tout se passe comme si l'âme de l'homme était devenue trop petite dans un corps démesurément grossi et devenu trop grand pour elle. Ce à quoi nous invitait Bergson, c'était dès lors à donner au progrès technique un « supplément d'âme » qui puisse permettre à l'homme de reprendre le contrôle de ses instruments. Il faut, disait-il dans *Les deux sources de la morale et de la religion*, que « la mécanique soit animée par un mystique ». Mais quelle « mystique » pourrait-elle enrayer ce désir de toute-puissance qui est au cœur de la technique, et qui nous amène à craindre que tout ce qui est techniquement faisable soit un jour réalisé, comme l'affirme la règle de Gabor ? Éric Lemaître puise dans sa foi chrétienne, qui anime et vitalise toute sa pensée, le remède à cette volonté de puissance : seule une « éthique de la non puissance » (pour reprendre une expression d'Ellul) peut mettre fin à ce fantasme de toute puissance, ce qui signifie ici retrouver le sens du réel, de la finitude humaine, des nécessaires altérité et complémentarité des sexes, bref de tout ce qui permet à l'homme de rester enraciné dans un réel dont les articulations naturelles, parce qu'elles sont créées par Dieu, doivent continuer à « faire sens » pour lui. L'homme est d'ailleurs lui-même un être qui doit respecter ce qu'il a reçu de la nature, et qui le fait à l'image de Dieu, sans chercher à modifier ou à optimiser son patrimoine génétique – raison pour laquelle le développement d'une « écologie humaine » qui puisse se décliner à l'échelle d'une ville, en créant des liens de fraternité et des lieux de proximité, est sans doute aujourd'hui l'une des exigences prioritaires. Et c'est là que le message chrétien porté par Éric Lemaître prend toute sa force et toute sa vigueur : à l'opposé d'un Dieu tout-puissant qui se manifesterait dans sa splendeur et nous écraserait de sa gloire (un tel Dieu ne serait qu'une idole, comme le sont les représentations tapageuses et clinquantes du paganisme), le Dieu des chrétiens est un Dieu incarné, qui vient rejoindre l'humanité dans ses faiblesses et ses fragilités ; un tel Dieu sauve l'humanité non pas en faisant disparaître ses infirmités, mais en les transfigurant par sa grâce, et en lui rappelant, comme le disait l'apôtre, que c'est précisément cette vulnérabilité qui le caractérise qui rend l'homme profondément « humain, » en lui révélant qu'il n'est pas auto-suffisant, qu'il a besoin des autres et besoin de Dieu. Ultimement, c'est bien à retrouver le sens même de notre condition incarnée, par-delà une diabolique tentation d'angélisme (mais Pascal ne disait-il pas que celui « qui veut faire l'ange fait la bête ? ») que nous invite ce livre stimulant et incisif.

Charles-Éric DE SAINT GERMAIN,
philosophe et auteur de *La défaite de la raison*[2].

---

[2] *La défaite de la raison : Essai sur la barbarie politico-morale contemporaine.* Salvator, collection Forum, 13 mai 2015, 356 pages.

Note des auteurs
Présentation du livre[3]

Notre époque est déterminée par un objet philosophique que l'on appelle la Technique. La Technique (décrite par Jacques Ellul dans son livre *La Technique ou l'enjeu du siècle* écrit dans les années 1950) est cette démarche de rationalisation et de mathématisation du monde au profit d'une plus grande efficacité et d'une plus grande force pour l'être humain. Le sommet de cette technique est le transhumanisme, une démarche qui vise à améliorer l'être humain par la technologie, quitte à en transgresser toutes les limites comme la mort. Voilà le principal objet du livre : **cette technique omniprésente, qui sert aujourd'hui de dieu et sauveur à notre civilisation**.
Il procède donc en trois parties :

> 1. Les fondements philosophiques de la déconstruction : une présentation plutôt complète du « *système technicien* » au travers du phénomène transhumaniste.
> 2. Les révolutions de la déconstruction : **nous décrivons aspect par aspect chaque domaine atteint par la Technique, et comment il est redéfini par celle-ci.**
> 3. Alternatives : dans cette troisième partie, nous décrivons comment il est possible de faire face à « *l'ouragan* » technologique et quel est le chemin pour y parvenir.

Globalement, **le livre peut être défini comme une suite d'essais** indépendants **qui explorent méthodiquement l'empreinte de la Technique et des idéologies progressistes sur notre monde et à tous les étages de la vie et dans toutes les dimensions anthropologiques, culturelles, sociales, économiques**...

---

[3] Les auteurs souhaitent ici exprimer leurs remerciements les plus chaleureux à Étienne Omnès pour son excellente recension du livre, recension qui a largement inspiré cette présente note.

Nous vous conseillons d'ailleurs de lire lentement notre essai, pour bien vous imprégner de ce qui est écrit. Le livre n'est pas fait pour le gobage...

L'essai *La déconstruction de l'homme* est une analyse critique des mythes qu'entretiennent ces nouvelles idéologies touchant à ce soi-disant « nouveau monde » !

Les critiques s'adressent à ce monde marchand, ces nouvelles croyances et démarches normatives qui impactent toutes les sphères de la vie sociale :

- le transhumanisme en tant que système scientiste qui vise à modifier le réel,
- l'idéologie du progrès en tant que système technoscientifique, culturel et politique qui vise à réformer les esprits pour les préparer au nouveau monde, à une nouvelle conception du récit anthropologique concernant l'homme,
- le consumérisme qui nous invite à consommer pour exister et nous conduit peu à peu à une domestication par les objets et à leurs injonctions permanentes,
- le technicisme bureaucratique (le château décrit par Kafka) qui vise à formater et à faire rentrer la vie sociale dans un monde de normes, normes consommées par l'Intelligence Artificielle (IA), ce nouveau despote prétendant être au service de l'humain,
- une techno-médecine où l'interface avec le patient sera le recours à l'assistant (IA) contribuant à davantage déshumaniser le rapport malade/médecin.

Cette critique peut étonner, parfois agacer le lecteur, mais n'a pas d'autres objectifs que d'enfoncer en quelque sorte le clou. La révolution est à la fois culturelle (conditionnement des esprits), idéologique (une croyance aveugle dans un progrès qui ne viendrait pas seulement prolonger la vie, soulager l'homme mais augmenter toutes ses facultés cognitives) et technique (les objets qui nous divertissent et nous détournent du sens de l'autre et de la rencontre avec l'autre).

Cette révolution, comme nous le rappelions précédemment, à la fois idéologique et techniciste, est en effet, à notre sens, totale ; elle vient comme absorber, consommer l'identité de l'homme dans l'ensemble des composantes liées à son humanité, à sa vie sociale et culturelle. Nous vous invitons à lire ce livre dont la dimension inédite réside dans une lecture à l'aune de ce que nous enseigne la Bible à propos de l'homme. « Qu'est-ce que l'homme pour que tu souviennes de lui... ? », demande le psalmiste dans Psaumes 8 qui évoque cette dimension d'un Dieu qui, dans sa bienveillance, à la fois prend garde à l'homme, veille sur lui et en prend soin ... Qu'en est-il pour nous, de notre attention, de notre capacité à veiller sur les autres et à en prendre soin ?

Rentrant d'un enterrement, – ce sont des moments qui paradoxalement vous ramènent souvent à la vie, à la vraie vie – Éric, l'un des auteurs du livre, croisait sur le trottoir étroit une jeune femme qui avait ses yeux rivés sur l'écran et avançait d'un pas rapide, mais sans prendre soin de regarder à son environnement. Il a dû s'écarter de ce trottoir étroit face à l'indifférence de cette jeune personne, à la fois pressée et absorbée, sans doute, par les textos lus. Éric lui fit remarquer avec humour que la vraie vie était ailleurs, ni dans les écrans l'absorbant, ni dans son monde virtuel la vampirisant, car elle faillit bien bousculer le réel ...

L'homme est ainsi comme environné, ingéré puis envoûté par la technique... N'est-ce pas Jacques Ellul qui partageait son scepticisme vis-à-vis de la technique en déclarant ceci : « *Je me méfie totalement de tout le mouvement utopiste, car il n'évitera pas le piège de la reconstruction de **la cité rationnelle et parfaite, c'est-à-dire où la Technique sera Tout et en Tous**. »*
« La cité rationnelle », comme l'écrit Jacques Ellul, a une forme utopique, le meilleur des mondes, celle de l'égrégore. L'égrégore est une collectivité universelle bienveillante, pour tous ; la bienveillance, elle s'est exprimée au travers du communisme numérique qui, en quelque sorte, vous happe, puis vous enveloppe avec ses promesses de facilité et de vie sans effort, parfois de gratuité, mais vous rend dépendant de son objet.
Dans cette cité numérique qui est en réalité dystopique, le pire des mondes, nous devenons les objets d'un système technicien nous liant tous aux projets d'une société virtuelle et en fait déshumanisante. Cet

égrégore numérique ne fait plus de l'homme un être incarné dont il conviendrait de prendre soin, un être d'abord de relations, mais cet égrégore fait de chacun, une matière connectée à d'autres matières : smartphone, tablette, montre digitale et sans doute demain biopucée... Dans ce livre *La déconstruction de l'homme*, nous osons le proclamer : l'humanité qui a voulu l'égalité avec Dieu est en passe de vivre « la honte prométhéenne » en ce sens qu'après avoir créé son Golem, fasciné par sa créature, l'homme déraciné est en passe de se déshumaniser, de céder en quelque sorte son âme. Ainsi, nous vous partageons dans cet essai, *La déconstruction de l'homme*, cette perplexité : l'homme est aujourd'hui l'auteur de quelque chose qui le dépasse désormais, sans comprendre que lui-même fut aussi « créé de peu inférieur à Dieu, sans être l'égal de Dieu ».

L'homme démiurgique, se faisant Dieu, finit en fin de compte par adorer sa propre créature.
Finissant ainsi par gommer Dieu, déclarant même sa mort, l'humanité a pris sa revanche. Elle a enfin chassé Dieu de sa cité, cette même humanité qui, plusieurs millénaires plus tôt, fut au commencement de son existence chassée du jardin.
Cette humanité iconoclaste est en passe d'adorer une nouvelle idole, produit de sa création, de reconstruire un monde idéalisé, un nouvel Éden, un nouveau monde célébrant le progrès, signant en quelque sorte la fin d'une partie de son identité... Voilà ce que nous pouvons appeler « la honte prométhéenne » que décrivit fort bien le philosophe allemand Günther Anders.

Ainsi, comme l'écrivait Bernard Charbonneau, penseur de l'écologie et ami de Jacques Ellul : « Il nous faut le temps d'oublier l'ancien Dieu pour nous en fabriquer un nouveau et recréer totalement l'univers à son image. La Totalité sur terre : depuis l'alpha du réel jusqu'à l'oméga du vrai ? Nous n'aurons de cesse que nous ne l'ayons atteinte. Voilà l'entreprise raisonnable dans laquelle l'âge de raison a engagé l'humanité. » Toute la pensée de Bernard Charbonneau est marquée par la dimension de l'écologie et sans doute par une écologie qui replace l'idée d'un homme réellement libre et non le sujet d'une « société des individus », individus qui seraient, en somme, incapables de prendre leurs distances avec l'emballement d'un monde collectif structurant et organisant la vie sociale et qui anéantit en réalité les libertés, individus sommés d'obéir à l'injonction des idéologies du progrès avec leurs instruments matérialisés par ces capteurs et ces applicatifs qui jalonneront notre vie sociale.

En définitive, la révolution numérique, phénomène brutal et massif, se déploie aujourd'hui sous nos yeux comme une véritable déferlante, un ouragan, phénomène qui est sur le point de remodeler la société de demain. Sa dynamique propre et la vitesse à laquelle elle s'étend sont de nature à rebattre toutes les cartes de la vie sociale.

Chaque révolution industrielle s'est, en fin de compte, accompagnée autrefois d'une restructuration de la vie sociale, chaque révolution industrielle a imposé une forme de réadaptation de la vie et des rapports aux autres. La rapidité avec laquelle les innovations du monde numérique s'étalent aujourd'hui et colonisent la vie ne laissera dès lors aucun répit, d'où une désorientation sociale et psychologique qui sera sans précédent dans l'histoire. Le monde numérique est en train de casser les repères culturels qui avaient été à présent les nôtres ; le nouveau monde qui se déploie sous nos yeux est sur le point d'être recomposé avec de nouvelles règles, de nouveaux codes, une nouvelle normalisation, de nouvelles oligarchies (les scientistes) dont les projets autour de la technicité sont de nature à fragiliser, à déconstruire l'homme, à renverser les valeurs, les tables de l'ancien monde, ses hiérarchies, ses institutions. Ainsi, nous faisons nôtre le propos du philosophe Éric Sadin, un des meilleurs penseurs majeurs du numérique et de ses effets et conséquences sur nos vies et nos sociétés : « Allons-nous accepter, au nom de la croissance, de voir s'instituer, par le fait de ces systèmes, un dessaisissement de notre faculté de jugement, une marchandisation intégrale de la vie ainsi qu'une extrême rationalisation de tous les secteurs de la société ?[4] »

Enfin, pour conclure, une grande partie du livre *La déconstruction de l'homme* est consacrée à cette dimension anthropologique liée à la question : « Qu'est-ce que l'homme ? ». Le livre, toutefois, ne s'enferme

---

[4] Extrait de l'interview d'Éric Sadin par le *Figaro Magazine* publiée le 26 octobre 2018 : http://premium.lefigaro.fr/vox/economie/2018/10/26/31007-20181026ARTFIG00370-l-intelligence-artificielle-est-un-assaut-antihumaniste.php.

pas dans un tableau noir, le livre offre une feuille de route et c'est tout l'objet de la troisième partie de l'essai, qui préconise un autre chemin à emprunter et les moyens d'une résilience face aux mutations promises par le nouveau monde. Le livre nous propose ainsi de revenir aux sources bibliques, de découvrir avec étonnement des préconisations parfaitement applicables au sein même de notre modernité...

La déconstruction de l'homme

Le titre d'un livre doit au fond synthétiser la pensée de son auteur ou des auteurs, puisqu'il s'agit d'un ouvrage collectif. Le titre doit être porteur de sens et traduire dans une forme de résumé l'ensemble d'une réflexion.

Cette réflexion est sur l'homme, ce n'est certainement pas le premier ouvrage qui traite de cette question.

De multiples ouvrages philosophiques, théologiques, même sociologiques ont traité de l'homme dans l'ensemble des dimensions anthropologiques et sociales. Dans ces ouvrages, la dimension contextuelle de l'homme a été considérée, également abordée, comme sujet social, culturel, dans toute son étendue, éthique et morale.
Ce livre n'a cependant pas l'ambition de traiter l'homme sur ses aspects sociologiques, philosophiques, anthropologiques, même si cet ouvrage collectif le fait par ailleurs, en évoquant en effet une idée de déstructuration de l'anthropologie, qu'y fait peser à la fois la modernité virtuelle, l'intelligence artificielle, la société des écrans, le monde numérique, la technicité de notre époque.
Notre titre peut paraître étrange, puisque, sans équivoque, nous abordons la « déconstruction de l'homme » dans un contexte d'**idéologie transhumaniste et de société numérique**. La déconstruction de l'homme comme :

- l'envie de dépassement du génome humain,
- le désir de modifier l'être humain, d'en finir avec l'encerclement du corps,
- l'aspiration à mettre fin à la finitude, qui renvoie à une échelle de l'homme dans le temps et l'espace,
- la volonté enfin de libérer l'homme des tâches corvéables, de la sueur de son front, à travers une nouvelle révolution industrielle sans précédent : l'économie numérisée et l'intelligence artificielle.

L'intitulé « Déconstruction de l'homme » pourrait faire penser à un ouvrage écrit par le philosophe Jean-François Matéï, *L'homme dévasté*. Le philosophe postule, lui aussi, la déconstruction de l'homme dans toute sa dimension culturelle, comme un être finalement destitué, limogé, et dénonce la place prise par le monde virtuel, qui s'est substitué au monde réel.

Jean-François Mattéi[5] dresse en effet un diagnostic bien sombre de notre époque : « La déconstruction a fêté un bal des adieux à tout ce à quoi l'homme s'était identifié dans son histoire (...). L'adieu à ce qui faisait la substance de l'humanité, cristallisée dans son idée, est en même temps l'adieu à l'humanisme et, en son cœur, l'adieu à la condition humaine. Rien ne semble résister au travail de la taupe qui a sapé les principes sur lesquels reposait la civilisation. »

Dans ce livre, si nous évoquons l'emprise et la fascination de l'homme pour le monde virtuel, nous dénonçons le risque d'une humanité en mal de surnaturel, qui a idolâtré littéralement l'objet technique, sans prendre conscience que cet objet technique est en train de la vampiriser, de la remplacer, de la contrôler.

« Sommes-nous, donc en train de confier nos vies à des puissances de calcul inhumaines, sortes de main invisibles qui, dotées en apparence des meilleures intentions, sèmeraient en réalité le chaos, troubleraient le débat démocratique, modifieraient le destin de nos enfants, et nous imposeraient de surcroît à notre insu une terrifiante transparence. » Commentaires de Violaine de Montclos et Victoria Gairin, journalistes du Point[6].

Une déshumanisation du monde s'organise sous nos yeux, et pire, l'économie virtuelle qui se dessine sera destructrice d'emplois. Les

---

[5] Jean-François Mattéi, 1941-2014. Professeur de philosophie grecque et de philosophie politique. Auteur du livre *L'Homme dévasté*, paru aux collections Grasset en 2015.
[6] Article du *Point* de septembre 2016, « Ces algorithmes qui nous gouvernent. »

algorithmes[7] et la robotisation vont révolutionner le monde de l'emploi, en affaiblissant la dynamique et les ressorts qui construisent le travail humain.

Ce sont sans doute les grands équilibres économiques qui sont à terme menacés, même si quelques-uns de nos lecteurs souhaitaient pondérer notre propos, en soulignant l'impact numérique, qui est forcément multiforme (positif comme négatif) et générera de l'emploi, la question est : pour qui ? Et qui sera sur la touche ?

Il y a quelque temps, je sortais d'une soirée d'entrepreneurs et dirigeants chrétiens. Un banquier m'indiquait qu'il lui était demandé de réfléchir à la numérisation de la banque, ce qui signifiait, pour lui, rationalisation et meilleure gestion des ressources, en d'autres termes réduction des effectifs, suppression de succursales bancaires, remise en question de la dimension de la banque de proximité.

En préparant ce livre nous lisions récemment que l'institut européen Bruegel[8] avait publié les résultats de l'enquête[9] menée par un économiste et un ingénieur d'Oxford. Leur constat était sans appel : c'est la moitié des effectifs, soit un emploi sur deux, à l'échelle européenne, qui dans un avenir proche sera réduit ou profondément transformé par le numérique, en partie menacé par l'évolution des services numérisés, menacé par la robotisation de la société, l'intelligence artificielle et ce, dans les prochaines décennies.

La révolution numérique, robotique, de l'intelligence artificielle est ainsi en cours. Selon la même étude, l'impact sera conséquent sur

---

[7] L'algorithme se définit comme une méthode suivant un mode d'emploi précis fondée sur une série d'instructions à exécuter, une suite finie et non ambiguë d'opérations ou d'instructions permettant de solutionner un problème ou d'obtenir un résultat.
[8] L'institut européen Bruegel est un groupe de réflexion, un observatoire d'experts de la vie quotidienne et économique européenne.
[9] Notre source est extraite de l'article « Robotisation et numérisation : Quel impact sur les emplois dans le futur ? » paru dans ITG Portage salarial : http://www.itg.fr/portage-salarial/les-actualites/Robotisationnumerisationimpactemploisfutur. Autre source : Rapport au gouvernement, Philippe   Lemoine,   novembre   2014   : http://www.economie.gouv.fr/files/files/PDF/rapport_TNEF.pdf, page 11

l'emploi, en raison de l'automatisation des tâches, de la puissance des inférences bayésiennes[10] qui permettront de gérer les fonctions, même les plus compliquées, occupées jusqu'à présent par des êtres humains, voire de résoudre des problèmes qui auraient été confiés jadis à des emplois dits qualifiés.

L'homme s'est pris de passion pour la science, ce qui n'est pas en soi un mal, mais sa passion est devenue une idole, le scientifique est devenu scientiste, se persuadant que la science nous fera connaître la totalité des choses, et répondra à toutes les formes d'aspirations et de délires prométhéens.

Dans ce livre nous abordons ces projets démiurgiques, qui transforment la vie sociale et l'être humain dans la démesure, sans que ce dernier ait pris conscience qu'il a ainsi ouvert la boîte de Pandore à un être technique, une forme de bête apocalyptique, qui prendra possession de lui. Pourtant, ce projet démiurgique, n'a ni le souffle, ni l'âme insufflée par l'Esprit de Dieu. **La bête** et son monde d'images faisant de nous des iconoclastes **seront** sans aucun doute **terrassés par ceux dont la conscience s'éveillera, pour ne pas succomber à la tentation d'être de son nombre.**

Ainsi la révolution numérique, qui se déploie aujourd'hui sous nos yeux, est sur le point de remodeler la société de demain. Sa dynamique propre et la vitesse à laquelle elle se déploie sont de nature à rebattre toutes les cartes de la vie et de l'organisation sociale. Chaque révolution industrielle s'est toujours accompagnée d'une restructuration de la vie sociale, chaque révolution industrielle a imposé une forme de réadaptation de la vie, et des rapports aux autres.

La rapidité avec laquelle les innovations du monde numérique se déploient ne laissera dès lors aucun répit, d'où une désorientation

---

[10] Inférences bayésiennes : méthode d'inférence permettant de déduire la probabilité d'un événement à partir de celles d'autres événements déjà évalués. Dans le domaine de l'intelligence artificielle, les programmes sont conçus à partir de cette méthode, ce qui confère à la machine des capacités d'autonomie et d'apprentissage, c'est cette révolution de l'intelligence artificielle qui est en marche.

sociale et psychologique, qui sera sans précédent dans l'histoire. Le monde numérique est en train de casser les repères culturels qui avaient été à présent les nôtres, la société, sous nos yeux, est sur le point d'être recomposée avec de nouvelles règles, de nouveaux codes, une nouvelle normalisation, de nouvelles oligarchies (les scientistes), dont les projets autour de la technicité sont de nature à fragiliser, à déconstruire l'homme, à renverser les valeurs, les tables de l'ancien monde, leurs hiérarchies, leurs institutions.

C'est la verticalité de l'ancien monde qui risque de disparaître, au profit de l'horizontalité, la fin des intermédiaires, y compris des représentants politiques élus. On pourrait ainsi imaginer dans un moyen terme de nouvelles formes de démocraties, « débarrassées de toute forme de représentation nationale, » ce qui n'est pas impossible, compte tenu du désaveu dont les personnels politiques font l'objet, pour une grande partie d'entre eux. Internet pourrait répondre à la crise de la représentation qui se manifeste aujourd'hui, résultant d'une abstention électorale croissante.

Sans doute, il faudra oser sortir de l'indolence, exprimer le refus de se laisser aller dans le vertige de l'innovation technologique, qui est en réalité une puissance destructrice, nous poussant à toujours consommer, et à considérer que tout devient artificiellement obsolète, y compris la culture, les institutions.

Il faudra se dégager d'une forme d'apathie et de bienveillance vis-à-vis de la technique, en menant une critique réfléchie, argumentative à l'instar de Jacques Ellul. Il faudra avoir le courage de déloger les poncifs, les lieux communs, tels que : la technique est neutre, qu'elle nous libère de la servitude, qu'elle améliore notre espérance de vie, qu'elle nous affranchit de l'aliénation des outils industriels. Ce sont aujourd'hui de véritables clichés. Bien sûr, on nous targuera de ce propos : « *la technique est ce que nous en faisons.* »

Soit, la technique « *est ce que nous en faisons,* » mais justement, quelle réflexion éthique a été faite à propos de la technique, puisqu'elle a été auréolée de neutralité, puisque nous avons pris la précaution de relativiser le discours autour de l'objet, d'édulcorer, de tempérer la critique, pour ne pas offenser le progrès. Or, aujourd'hui nous prenons la mesure que de tels discours n'ont pas permis de peser les orientations, de discerner les intentions cachées d'une technique sans conscience ; nous subissons aujourd'hui les avatars idéologiques associés à la séduction du progrès !

C'est l'essayiste et chercheur Evgeny Morozov qui indiquait dans son livre *Pour tout résoudre cliquez* que les technocrates, neutres aux postures bienveillantes et attentistes, ne s'engagent en réalité pas dans des considérations réellement réalistes, prenant la mesure de tous les effets induits par la puissance des nouvelles technologies. Pour illustrer son propos, l'auteur pointait les technologies de reconnaissance faciale, susceptibles d'être utilisées à bon escient, pour rechercher, par exemple, un enfant perdu, mais ne mesurant pas, que ces mêmes technologies de reconnaissance faciale pourraient s'avérer, à terme, être de véritables mini « big brothers » aux mains d'une nouvelle Stasi[11]. Pour Evgeny Morozov, ces technocrates neutres sont « *aveugles des multiples contextes dans lesquels les solutions pourraient être appliquées et des nombreuses manières imprévisibles par lesquelles ces contextes pourraient diminuer leur efficacité.* »[12]

Refuser de coopérer à cette puissance, bienfaisante et invisible, demandera sans doute du courage. Ce monde virtuel et numérique laissera demain une place à la machine dominante et écrasante, atomisant l'homme en lui donnant l'illusion du bonheur, le sentiment d'autonomie, mais celui d'un être ni libre, ni affranchi, puisqu'en permanence dépendant, et guidé par la machine.

Au fil de ces pages, je songeais à ce texte de l'apôtre Paul décrivant le monde à venir et le mystère de l'iniquité ; déjà au premier siècle, le mystère du mal agissait, et trouvera son épilogue dans ce système politique, économique et religieux, que décrira l'apôtre Jean.

---

[11] Le ministère de la Sécurité d'État dit la Stasi : service de police politique, de renseignements, d'espionnage et de contre-espionnage de la République démocratique allemande (RDA) créé le 8 février 1950.

[12] Extrait du livre d'Evgeny Morozov, *Pour tout résoudre cliquez, l'aberration du solutionnisme technologique*, Limoges, Éditions FYP, 2014, p. 173.

Ainsi l'apôtre Paul, en écrivant aux Thessaloniciens, leur indiquait : « Et maintenant vous savez ce qui le retient, afin qu'il ne paraisse qu'en son temps. Car le mystère de l'iniquité agit déjà ; il faut seulement que celui qui le retient encore ait disparu. Et alors paraîtra l'impie, que le Seigneur Jésus détruira par le souffle de sa bouche, et qu'il anéantira par l'éclat de son avènement.... »[13]

Le mot « iniquité » ou « anomie » décrit la nature d'un monde caractérisé par l'apostasie et dont l'apothéose sera l'avènement de l'impie, l'homme sans foi ni loi, qui rejette tout attachement à Dieu et toute norme. C'est une forme d'incrédulité extrême et de confusion qui caractérisera le mystère de l'iniquité. L'anomie est l'équivalent du mot iniquité, un terme qui fut introduit par le sociologue Émile Durkheim, qui caractérise l'état d'une société, dont les normes réglant la conduite de l'humain et assurant l'ordre social apparaîtront totalement inopérantes. Dans ces contextes de déstructuration des grands principes – la famille, la religion, la politique, le travail – qui ont régi l'homme, les humains seront prêts à s'essayer à de nouvelles technologies, idéologies, doctrines sociales, à une nouvelle vie sociale, en se libérant, en quelque sorte, des socles culturels qui ont précédé les générations passées.

Or, aujourd'hui, il n'est pas contestable que l'humanité est arrivée à cette dimension de relativisation du bien et du mal, à une forme de désintégration sociale, du fait de l'individualisation extrême dans laquelle, peu à peu, les humains cheminent, ce que Jacques Généreux décrivait comme la « Dissociété, » la société morcelée, la société fragmentée, l'émergence d'une société d'étrangers, d'hommes étrangers à la destinée des autres, comme le dépeignait également Alexis de Tocqueville : « Chacun d'eux, retiré à l'écart, est comme étranger à la destinée de tous les autres : ses enfants et ses amis particuliers forment pour lui toute l'espèce humaine ; quant au demeurant de ses concitoyens, il est à côté d'eux, mais il ne les voit pas ; il les touche et ne les sent point ; il n'existe qu'en lui-même et pour lui seul, et s'il lui reste encore une famille, on peut dire du moins qu'il n'a

---

[13] Citation extraite du Second Testament, 2 Thessaloniciens 2:6.

plus de patrie. » N'est-ce pas là les prémisses de la société numérique qui se dessine, ces réseaux sociaux où nous ne voyons pas, nous ne touchons pas, nous ne sentons pas et nous n'existons qu'en nous-mêmes, et pour nous seuls. Je trouve cette réflexion d'Alexis Tocqueville fabuleusement prémonitoire et prophétique. Ainsi, l'usage déséquilibrant du monde virtuel est une sorte d'avortement de la communauté humaine traditionnelle.

Sans doute, en nous lisant, aurez-vous le sentiment que nous dressons une prospective bien sombre de notre humanité, mais il y a sans doute urgence aujourd'hui de réformer nos pratiques et de prendre conscience que nous pourrions inverser ce processus en marche, par un acte de résistance, en ne nous laissant pas absorber par le monde digital, l'économie numérique, le monde des écrans, en retrouvant le chemin de la transcendance, le sens de l'autre, et de notre relation respectueuse de la nature, en nous réconciliant, en définitive, avec toutes les dimensions du réel, du beau, du bien et du vrai, en étant les hommes et les femmes du quotidien, et non d'un futur fascinant, mais en réalité sans espérance.

Première partie :

Les fondements philosophiques de la déconstruction

1   Un monde en mutation

Les contextes et les déterminants qui expliquent l'émergence des idéologies de déconstruction de l'homme.

Le développement économique est fondé depuis deux siècles sur l'exploitation de ressources épuisables, non renouvelables (minerais, engrais, pétrole...). La prétention aujourd'hui est de promettre la croissance sur des ressources durables (vent, soleil, algues, etc.) sur « les rails d'un nouvel âge d'or » sans rien changer à nos habitudes consuméristes.

Nous sommes également confrontés à un important métabolisme urbain : 70 % de la population humaine devant bientôt vivre dans les grandes mégapoles, sachant que d'ores et déjà 12 villes dans le monde totalisent plus de 20 millions d'habitants chacune, dont Tokyo avec ses 42 millions d'habitants, Jakarta avec 28 millions d'habitants, Séoul avec 25 millions d'habitants.

L'enjeu est d'imaginer de nouveaux modèles de vie sociale, économique et agricole, face à l'étalement des villes et à la problématique qui touche à l'artificialisation des sols qui perdent leur qualité naturelle. Pour nourrir ainsi « *la ville,* » ses habitants, il conviendra d'imaginer l'agriculture de demain, par exemple, en concevant des fermes dites verticales, qui pousseraient sur les étages des gratte-ciels, ou en faisant pousser des salades sur les murs de sa maison, ou des pieds de tomates aux balcons...

Les changements majeurs favorisant l'émergence « soudaine » des idéologies de déconstruction

Il nous semble que plusieurs facteurs constituent les principales clés de lecture d'un monde en mutation, et ont été, en quelque sorte, des déterminants favorisant le développement des idéologies transhumanistes :

❖ **L'émergence d'une mondialisation accélérée** et associée à l'accès universel aux nouvelles technologies, issues du monde numérique.

❖ **L'aspiration d'une humanité à la recherche de sens**, confrontée à sa fragilité en regard des crises majeures qu'elle traverse (migrations, économie, terrorisme, climats...).

❖ La tentation aujourd'hui pour l'homme de se tourner activement vers des solutions drastiques, pour assurer la pérennité de l'espèce humaine (société de contrôle et de surveillance).

❖ **La volonté de pallier les risques qui touchent à la vulnérabilité,** en engageant un nouveau processus réflexif qui augmente et répare l'homme, mais hélas, le déconstruit.

❖ **Une universalisation de la culture consumériste néolibérale, qui uniformise en fait les comportements et les regards.** Les livres de la Bible évoquent à plusieurs reprises la ville de Babylone, et font mention de la dimension marchande et mondialiste de cette entité. La Bible décrit les lamentations des marchands au moment où cette entité s'écroulera, « tous ceux qui ont fait commerce avec elle se lamenteront ».

Babylone, clairement dans le livre de l'Apocalypse, rayonne sur toute la surface de la terre, la ville est assise sur les grandes eaux, le sens des grandes eaux nous est révélé dans le même livre de l'Apocalypse au chapitre 17 verset 15 : « Les eaux que tu as vues, où la prostituée est assise, ce sont les peuples, et des foules, et des nations, et des langues. »

Babylone est une entité dominatrice, qui domine sur l'ensemble de l'humanité, des peuples, des foules, des nations, un véritable empire consumériste, universaliste, absorbant les autres cultures, elle s'empare de toute l'organisation économique mondiale, comme l'écrit le théologien Philippe Plet[14] dans son livre *Babel et le culte du bonheur*.

❖ **La propension de l'homme d'aujourd'hui à uniformiser les méthodes de production agricoles** via des cultures intensives, voire hors sol (le transgénisme, résultant de cette dynamique, n'étant alors que le précurseur du « transhumanisme génétique »). Depuis des milliers d'années, la Bible donne le plan d'urbanisme idéal, pour un équilibre entre les besoins de la ville en consommables végétaux et animaux, et la capacité naturelle de la terre à absorber les rejets de cette même ville.

Le péril de la libre conscience et l'effondrement de la culture

La conscience des individus représente un enjeu pour les sociétés qui soit poursuivent l'objectif de plénitude de l'individu, soit, a contrario, entendent la contrôler, ou pire, l'atomiser, pour anéantir toute révolte ou toute faculté rétive.

Toutes les sociétés totalitaires naissant du laxisme des individus, il suffit de les distraire, de les divertir. Hannah Arendt[15] avait relevé cette problématique morale d'une société plongée dans une forme de nihilisme culturel, détachée de la recherche de sens. Rappelons cette citation de la philosophe, citation fulgurante : « C'est dans le vide de la pensée que s'inscrit le mal. »

---

[14] Philippe Plet, théologien catholique auteur du livre *Babel et le culte du bonheur*, Forum Salvator. Notre citation et notre référence à Babylone se trouvent à la page 167.

[15] Hannah Arendt (1906-1975), politologue, philosophe allemande naturalisée américaine, connue pour ses travaux sur l'activité politique, le totalitarisme, la modernité et la philosophie de l'histoire.

Le refus de s'indigner, de ne plus dénoncer les formes d'injustice et le renoncement de soi conduisent inévitablement à installer le caractère liberticide et tyrannique de l'Etat. Les sociétés totalitaires ont toujours pour démarche la volonté d'anéantir la fonction de penser, la capacité de réagir.

Les facultés de conscience – savoir appréhender, savoir analyser, savoir poser les problèmes – ont toujours dérangé les gouvernances. Le changement de la conscience est engagé à l'aune d'une société galvanisée par la facilité d'accéder au plaisir des sens et aux promesses que lui font miroiter les temples de la consommation.

Dans de tels contextes, le délitement de la conscience est engagé, altération de la conscience qui puiserait son origine dans plusieurs sources : le nivellement de la culture, le divertissement, la crise économique qui épuise et déstructure l'homme, et, enfin, l'idéologie de la laïcité, et l'« idéologie » issue des études du genre, diffusée dès le plus jeune âge par l'école.

Le nivellement de la culture

La culture n'est-elle pas la dimension d'un héritage qui aide à penser par soi-même ? Ne remplit-elle pas une fonction d'épanouissement de l'individu ? Or, force est de constater que la dimension culturelle est de plus en plus contestée, y compris dans certains milieux intellectuels.

L'homme est passé d'un statut de citoyen de la cité à celui de simple consommateur urbain, devenu addict des temples de la marchandisation, où la fonction de penser par soi-même n'est pas utile quand il suffit de satisfaire des besoins, des impulsions de consommation.

Un siècle plus tôt, le discours de Victor Hugo, énoncé à l'Assemblée nationale, est frappant, interpellant. Il sonne comme un avertissement, en regard de cette puissance de la matérialité, du plaisir marchand qui appauvrit la recherche du bien commun, dans sa dimension spirituelle et culturelle : « *Eh bien, la grande erreur de notre temps, ça a été de pencher, je dis plus, de courber l'esprit des hommes vers la recherche du bien matériel. Il importe, Messieurs, de remédier au mal ; il faut redresser pour ainsi dire l'esprit de l'homme ; il faut, et c'est la grande mission, relever l'esprit de l'homme, le tourner vers la conscience, vers le beau, le juste et le vrai, le désintéressé et le grand. C'est là, et seulement là, que vous trouverez la paix de l'homme avec lui-même et par conséquent la paix de l'homme avec la société.* »[16]

La culture consumériste est finalement l'envers de la culture, une anti-culture, celle d'une forme d'anéantissement de la pensée, la construction d'une pensée unique, comme le mentionne Nabil El-Haggar, vice-président de l'Université Lille 1, pour qui « se pose la question de savoir si notre société et notre démocratie sont encore en mesure de faire face à la pensée unique et de sauver la citoyenneté de la marchandisation, ou si notre démocratie n'a pas besoin d'une bonne révolution culturelle pacifique, qui la rende capable de préserver les valeurs, pour lesquelles nos anciens ont fait la grande révolution. »
Poursuivant son propos Nabil El-Haggar ajoute : « Force est de constater que, quelques siècles après Condorcet, le nivellement de la culture par le bas n'est plus une tentation mais une réalité quotidienne. C'est ainsi que la culture est réduite à l'anecdotique et qu'il n'est pas rare d'entendre des universitaires qualifier toute exigence culturelle et intellectuelle d'élitisme mal venu et antidémocratique. »

Nous sommes tous frappés par les éléments de langage des médias qui sont devenus les « prêts à penser » de notre société, et n'offrent que trop rarement une lecture différenciée du monde. Leurs discours « lissés » deviennent profondément uniformes, ne parlant que d'une même lèvre.

L'appauvrissement de la culture, l'abaissement des niveaux d'apprentissage participent, dès lors, largement à l'uniformisation de la pensée, à l'arasement de toute réflexion qui épanouit l'homme.

Si la culture est une nécessité, par l'ouverture d'esprit qu'elle suscite, le nivellement engagé, et qui résulte de multiples facteurs, se rapproche,

---

[16] http://fr.biobble.com/membres/1042/victor_hugo/anecdotes-12500.

dans ces contextes, finalement des méthodes sectaires, qui excluent la différence, toute pensée critique.

Notre monde est prêt à basculer dans l'idolâtrie contemporaine et à se laisser fasciner par un « *autre objet que lui-même.* »

Le matérialisme et la vacuité du monde occidental nous préparent à une mutation culturelle sans précédent, et de grande ampleur, l'homme, ayant admiré ses productions techniques, en est venu à l'adorer : Dieu a créé l'homme à son image ; l'homme a créé l'homme technique, puis un avatar, un humanoïde à sa propre image, avec lequel il veut interagir, car il sera un jour capable d'empathie et d'émotion.

La société consumériste, d'une manière générale, est à l'envers d'un monde, où la frugalité et la mesure seraient la règle de vie. L'hyperconsommation a été érigée en principe de vie, nous sommes venus à valoriser le monde extérieur, le monde des sens, plutôt que le monde intérieur, virtuellement recréé avec les objets numériques. Le matérialisme est devenu un socle social, un veau d'or en quelque sorte. Et le plus pauvre convoite les objets que possède le plus riche ; au prix de sacrifices, d'endettements, de surendettements, il finit par les acquérir.

Lors de mes entretiens qualitatifs, administrés dans le cadre d'évaluations de politiques publiques, auprès de personnes estimées vivre dans la précarité, ces dernières n'entendaient nullement se priver d'objets interactifs ou de ceux de la consommation numérique, qui ne répondent strictement à aucun besoin vital, mais qui contribuent à leur divertissement, comme une nécessité, une nécessité devenue vitale.
Dans cette dimension matérialiste, de recherche de pseudo-confort à tout prix, qui affecte notre monde occidental, nous ne sommes plus enclins à développer des comportements altruistes, de donner de notre générosité dans des gestes désintéressés, généreux et souvent traduits

par des actes insignifiants, comme l'écoute de l'autre, l'aimer en interagissant dans une réponse appropriée.

Nos comportements sont hélas, de moins en moins « *pros sociaux,* » nous ne savons plus considérer l'autre dans ses besoins, tellement acculés par notre propre désir de rechercher une autre forme de conquête, celui de posséder un territoire, un territoire dérisoire, une matière, un objet. L'homme seul dans la matérialité de son époque appréhende d'être isolé, et le voilà comblé avec l'apparition de l'objet animé, de l'objet interactif. L'homme dans son monde virtuel quitte la planète Terre pour entrer dans la planète « *Taire* » qu'il se crée. L'homme à nouveau se dérobe derrière l'arbre[17] de son monde virtuel... pour ne pas être vu de son créateur tel qu'il est !

L'une des grandes mutations vécues est ainsi l'apparition dans cette modernité techniciste, de l'objet interactif. L'objet interactif, qui est devenu objet de culte, un objet de fascination, une forme d'idolâtrie contemporaine. Nous nous égarons aujourd'hui dans ces objets « culte, » ces « images animées », ces nouveaux dieux, ces nouvelles figurines divinisées, ces égoportraits qui occupent les espaces virtuels de nos moniteurs, de nos écrans.

Par analogie, la Bible rapporte plusieurs siècles avant Jésus-Christ, dans les livres des prophètes Osée et Zacharie, la vénération de statuettes.[18] À cette époque, les téraphim étaient devenus des objets de culte et de cléromancie (art de lire l'avenir par tirage au sort). Les peuples polythéistes, dans les temps bibliques, entretenaient cette relation avec l'image, des représentations de faux dieux. Ces faux dieux les fascinaient et égaraient leurs esprits, ces représentations dénaturaient déjà la dimension transcendante et unique de la divinité, en la reléguant au rang des objets.

---

[17] Genèse 3:8-9 : « Alors ils entendirent la voix de l'Éternel Dieu, qui parcourait le jardin vers le soir, et l'homme et sa femme se cachèrent loin de la face de l'Éternel Dieu, au milieu des arbres du jardin. Mais l'Éternel Dieu appela l'homme, et lui dit : Où es-tu ? ... »

[18] La Bible, Premier Testament : livres d'Osée (chapitres 3 et 4) et de Zacharie (Zacharie 10:2).

Si, certes, l'homme occidental n'adore plus les « dieux, » il est fasciné par les images qui interagissent avec ses émotions et qui aujourd'hui sont même capables d'empathie. L'homme entre dans un monde ou la réalité de l'interaction augmentera au fur à mesure des progrès de la science, et cette interaction le prépare à des formes nouvelles de substitution du prochain, d'un autre que lui-même.

La fascination pour l'objet numérique, idolâtrie animée avec les progrès de la science, interagissant avec l'usager, nous conduit littéralement à devenir captifs, dépendants. Ne s'agit-il pas au fond d'une forme d'idolâtrie contemporaine ?

L'environnement des objets numériques est venu ainsi combler le sentiment de déréliction, le sentiment de solitude qui accompagne celui qui possède l'extérieur, mais n'a pas reçu ce qui est de nature à combler l'intérieur. Or, le plus inquiétant résulte d'un monde d'humains, de plus en plus guidés à interagir avec le monde des objets numériques. Des objets de la matérialité qui deviennent si familiers qu'ils se transforment peu à peu en compagnons, des substituts palliant l'absence de l'autre, mon vis-à-vis, « *l'autre que moi-même* » en quelque sorte.

La vacuité et le vide spirituel, qui caractérisent toute notre société, font que la seule chose pouvant être considérée comme existante est la matière, et si cette dernière interagit, elle vient alors m'apporter une forme de réponse à mon vide existentiel, un ersatz, un bonheur paradisiaque.

C'est dans ce contexte de vide spirituel, de déréliction morale que les dernières avancées technologiques montrant l'interaction croissante homme-robot deviennent inquiétantes. En effet, les dernières avancées technologiques laissent penser que la reconnaissance des capacités affectives et émotionnelles d'un autre objet que l'on appelle robot est maintenant possible.

La science technologique considère que le robot est d'ores et déjà doué d'empathie, déjà capable de discerner des comportements humains, d'interagir avec lui, et même de comprendre, d'interpréter les émotions humaines[19].

L'article que nous produisons est extrait du site Internet d'IBM, et il fait allusion à notre précédent propos sur les capacités du robot d'épouser par mimétisme les comportements de l'homme. Ce robot porte le nom de Pepper. *« Il est le premier robot humanoïde à destination du grand public à être capable de comprendre les émotions de son propriétaire et de générer artificiellement les siennes en conséquence. Équipé d'un système de reconnaissance faciale, il repère une personne à plus de trois mètres. Il comprend des expressions basiques du langage verbal et corporel humain, comme le sourire, le froncement de sourcil et des émotions comme la surprise, la colère, la tristesse. Pepper est également capable d'analyser l'intonation de la voix de son interlocuteur, ainsi que son champ lexical.*
Toutes ces données récoltées par le robot d'1 m 20 pour moins de 30 kg lui permettent de déterminer l'attitude à adopter en fonction des circonstances. Ainsi, s'il détecte de la tristesse, il pourra vous proposer d'écouter une musique ou de raconter une blague pour vous remonter le moral. De plus, son intelligence artificielle est cognitive. En d'autres termes, il apprend au fur et à mesure de ses interactions avec sa famille d'accueil. Au fil du temps il adaptera également ses réactions selon le caractère de son propriétaire. » [20]

Or, dans un avenir très proche, dans un horizon de temps très court, l'humanoïde sera en mesure de simuler des émotions, d'adapter des comportements, d'ajuster des types de dialogues interactifs.
Les ajustements de l'humanoïde se construiront à partir d'indices audio et visuels, le timbre de la voix, le profil d'utilisateur fera partie des niveaux d'interprétation permettant au robot de détecter l'émotion humaine, et en conséquence le robot sera en mesure de faire usage d'une méthode comportementale.

---

[19]http://lesclesdedemain.lemonde.fr/technologie/pepper-le-robot-doue-d-emotions-qui-comprend-les-votres_a-88-5213.html.
[20] https://www.ald.softbankrobotics.com/fr/cool-robots/pepper.

Mais le plus inquiétant est à venir. Ces robots pourraient demain envahir le quotidien, devenir des humanoïdes de compagnie, remplaçant nos animaux. Des « *êtres* » domestiqués, mais sans âme et sans esprit, reproduisant artificiellement des comportements dans une apparence humaine. L'humanoïde pourrait ainsi être à terme le compagnon d'une vieille dame isolée, le substitut pour un enfant d'une maman trop souvent absente, ou bien pire, être une poupée sexuelle interactive, un partenaire interactif, comblant les besoins émotionnels et affectifs de personnes isolées[21].

La dimension affective apportée par l'humanoïde est ainsi la conséquence du vide spirituel de l'être humain, comme cette façon de prêter des sentiments humains à un robot est une forme d'anthropomorphisme, une divinisation de l'objet qui nous renvoie finalement à ce texte du Lévitique, au chapitre 19, verset 4 : « Ne vous tournez pas vers les faux dieux, ne vous fabriquez pas des dieux en forme de statue. C'est moi le Seigneur, votre Dieu. »

Ce vide spirituel que ne comblera pas un objet humanoïde, conçu artificiellement, qui interagira en l'absence de toute identité le reliant à la transcendance. Une machine dotée de l'apparence d'un corps, mais sans réelle conscience humaine, sans âme, sans vie réelle, sans esprit : « En supposant qu'on parvienne à construire un robot androïde, dont la complexité s'approcherait de celle de l'homme, il lui manquerait cette ouverture à la transcendance, qui ne peut jaillir spontanément de l'interaction des causes immanentes. »[22]

En revanche, l'être humain se livrera en quelque sorte à une forme de démon humanoïde, il se livrera, comme l'écrivait Baudelaire de manière quasi-prémonitoire, à Satan :

« Se livrer à Satan, selon Baudelaire, c'est croire qu'on en a fini avec lui et que l'on s'en tirera bien tout seul, grâce à ses bons sentiments et ses puissantes machines : « Nous périrons par là où nous avons cru vivre.

---

[21] http://www.ohmymag.com/insolite/les-sex-dolls-vont-elles-remplacer-les-partenaires-humains_art99225.html.

[22] Citation empruntée à Joseph-Marie Verlinde, scientifique et philosophe tirée de son livre *La fabrique du post-humain*, Collections Livre Ouvert, p. 107.

La mécanique nous aura tellement américanisés, le progrès aura si bien atrophié en nous la partie spirituelle que rien parmi les rêveries... antinaturelles des utopistes ne pourra être comparé à ses résultats positifs. »[23]

---

[23] Citation de Charles Baudelaire, *Fusées*, « Le monde va finir » (publié à titre posthume en 1880).

2 Critique du progressisme

« Un jour, tout sera bien, voilà notre espérance / Tout est bien aujourd'hui, voilà l'illusion, » avait écrit le philosophe des Lumières Voltaire, en 1756. Une pensée pleine de sagacité, qui résume bien la vanité de la pensée progressiste, qui déjà au XVIIIe siècle prétendait changer le monde, en l'arrachant de l'obscurantisme religieux. Dans ce propos, pourtant nous sommes loin d'être nostalgiques d'une époque où la libre conscience fut bafouée, et où nous serions à regretter une époque, où les inégalités sociales étaient particulièrement criantes. Mais nous restons toutefois circonspects sur l'idée d'un progrès, technique, social et sociétal, sans éthique et sans curseur.

Vers un processus de désolidarisation résultant d'une technologie atomisant la vie sociale

Nous adressons ce chapitre aux **progressistes ouverts à la critique du progrès,** car nous prenons conscience que la modernité idéologique vantant l'affranchissement des codes culturels d'un ancien monde, soumet, quant à elle, subrepticement, tous les aspects de la vie humaine, au règne d'un nouveau monde soi-disant libéré du carcan culturel et appartenant à un monde ancien jugé dépassé. Cette idéologie de la modernité techniciste et progressiste installe peu à peu un processus de dévitalisation humaine : une forme d'anesthésie sociale, engendrée par la modernité hautement technique, sous l'emprise d'un empire numérique qui encourage chaque innovation technologique comme étant l'expression du bien-être, la source d'une liberté humaine à conquérir, le jaillissement du progrès humain.

Nous pourrions nous interroger, dès lors, sur le sens de la recherche technique et des résultats concernant les orientations sociales auxquelles elle nous conduit. Je m'interroge, en effet, sur les services que rend cet univers technique. L'univers numérique n'est-il pas finalement responsable de l'atomisation sociale au détriment du collectif ? Ne renforce-t-il pas l'individualisation au détriment de la personne ? Finalement, la science n'est-elle pas au service d'une auto-divinisation de l'homme s'affranchissant de toute transcendance ?

D'ailleurs, en reprenant cette citation de Jacques Ellul, reprise de son livre *La technique où l'enjeu du siècle*, nous percevons l'acuité de son jugement porté sur la modernité : « ce qui caractérise aujourd'hui notre société, ce n'est plus ni le capital ni le capitalisme mais le phénomène de la croissance technicienne. » La technique est devenue en soi, comme le prédisait Jacques Ellul, un phénomène autonome, en passe de nous échapper, d'échapper à tout contrôle, vampirisant l'homme devenu son sujet, faisant de l'homme son propre produit, puisque devenu totalement dépendant de la technique.

Changer le monde « par d'autres mœurs et d'autres manières, » vers un monde postchrétien

Ainsi, le progressisme est une idéologie déjà très ancienne, qui entendait déjà deux siècles plus tôt, s'affirmer comme le tenant d'une vision de l'avenir ; les progressistes du XVIIIᵉ siècle étaient déjà habités par une forme de spiritualité humaniste, se donnant comme faculté de déconstruire le monde ancien, pour réinventer le présent et créer pour l'avenir humain, une vision de progrès éclairé. Il fallait aussi, pour des économistes comme Adam Smith, libérer les marchés mieux à même de connaitre les besoins et les envies. Aujourd'hui, nous voyons une puissante révolution des marchés guidés, cette fois-ci, par l'intelligence artificielle, en prise avec la connaissance des usages et des besoins de ses consommateurs.

À l'aube de cette nouvelle ère contemporaine, nous voyons ainsi l'étrange ressemblance avec ce qui motive le courant progressiste du XVIIIᵉ siècle et celui du XXIᵉ siècle.

Avec l'idée de progrès portée par les idéologues contemporains, ceux de la modernité, nous relevons bien sur le plan philosophique cette proximité entre l'idéologie progressiste du XXIᵉ siècle et la philosophie dite des Lumières.

Rappelons que le siècle des Lumières a émergé dans la seconde moitié du XVIIIᵉ siècle. Ce mouvement, à l'époque, se voyait déjà alors comme une élite avancée, œuvrant pour une transformation radicale du monde, dénonçant la vision chrétienne du monde, enfermée dans le péché, et l'idée d'une transcendance qui s'est incarnée dans le monde pour le sauver. L'élite du XXIᵉ siècle est celle de la technocratie, car pour elle c'est la loi et l'éducation étatique qui doivent changer les mœurs, même si la république ne veut pas apparaitre tyrannique, elle s'emploie dès le plus jeune âge à former les esprits pour changer « les manières, » comme le préconisait Montesquieu : « il suit que, lorsque l'on veut changer les mœurs et les manières, il ne faut pas les changer par les lois, cela paraîtrait trop tyrannique : il vaut mieux les changer par d'autres mœurs et d'autres manières... »[24] Nous discernons, de fait, les subtilités politiques employées de nos jours pour ne pas apparaitre brutal aux yeux de l'opinion, mais la préparer à cette lente soumission, et cette transformation de nos mœurs, pour accepter un monde technique, syncrétique, multiculturel et babylonien.

Nous saisissons bien que l'idéologie progressiste s'inscrit radicalement dans le pathos de la modernité. Habilement, dans une forme d'humanisme postchrétien, elle entend aussi se débarrasser des oripeaux de la religion chrétienne, en donnant des coups de butoir à cette dimension de la filiation, de l'altérité, en soutenant un capitalisme de la consommation, l'ubérisation de la société. Cette idéologie du progrès appelle de ses vœux l'ère du tout numérique, qui détruira finalement le lien social, les solidarités et l'héritage culturel issu de l'annonce de l'Évangile. Nous entrons avec le progressisme dans une logique numérique, une logique horizontale, celle de la consommation et du divertissement.

Ce mouvement dit des Lumières au XVIIIᵉ siècle, à l'instar d'un XXIᵉ siècle, se fondant sur une république progressiste, se persuadait déjà de changer le monde à partir de la diffusion d'une nouvelle conception sociale, nécessaire à la mise en cause et à la transformation de la société de l'ancien monde.

---

[24] Montesquieu, *L'Esprit des lois*, Livre XX, extrait du chapitre XIV.

Cette philosophie entendait ainsi briser les codes, les structures politiques et culturelles héritées de plusieurs siècles de christianisme. Or, aujourd'hui nous observons les mêmes motifs de volonté de transformation de la vie politique, de sortir des divisions sociales, des clivages d'opinions ou idéologiques et des conflits culturels, pour s'engager sur une nouvelle idéologie marxiste du progrès humaniste, d'égalité sociétale. Cette nouvelle idéologie marxiste est fondée sur la puissance technologique, cette nouvelle ère des robots qui libèrent enfin l'homme de l'asservissement des tâches. Cette nouvelle idéologie marxiste, au plan sociétal, s'inscrit dans la dimension de l'égalité et l'interchangeabilité des sexes, qui devront être demain les nouvelles normes, les nouveaux codes et stéréotypes culturels. Il faut ainsi apprendre à l'enfant, et le plus tôt possible, que le masculin et le féminin sont de pures conventions, et qu'il lui appartient de s'en délier, de s'en défaire. Tout cela s'impose de manière sournoise et subrepticement. Si vous le dénoncez, vous êtes alors invectivé, vilipendé, comme de vieux ringards réactionnaires, hostiles à toute idée de progrès.

Le progressiste ne veut donc plus ainsi les règles héritées d'un christianisme qu'il faut absolument dépoussiérer. Il faut ainsi casser les prescriptions d'une époque révolue, se libérer de la transmission des stéréotypes, se désaffilier, ouvrir les frontières du genre, jeter des passerelles vers un monde nouveau ou la confusion peut demain devenir le règne social partagé par une multitude d'hommes et de femmes sans repères.

Un monde postchrétien qui veut redonner à l'homme d'autres aspirations spirituelles

En d'autres termes, notre monde contemporain incarné dans cette nouvelle vision du progrès exprimerait alors le besoin d'un progressisme qui redonne leur place à de nouvelles aspirations spirituelles et à de véritables emblèmes symboliques compris de tous ; en un mot, d'un nouvel humanisme, un nouvel évangile, raisonné à une nouvelle sauce humaniste et éclairé tel qu'a cherché à le construire le siècle des Lumières, qui n'a pas su achever au cours de la Révolution française cette vision de l'humanisme sans Dieu. N'est-ce pas cette vision qu'incarna Maximilien de Robespierre, député de l'Artois, qui prononça ce discours à la Convention, dans lequel il réaffirma ses valeurs révolutionnaires et républicaines : « L'homme est né pour le bonheur et pour la liberté, et partout il est esclave et malheureux ! La société a pour but la conservation de ses droits et la perfection de son être, et partout la société le dégrade et l'opprime ! Le temps est arrivé de le rappeler à ses véritables destinées ; les progrès de la raison humaine ont préparé cette grande révolution. » Les progrès de la raison humaine ont préparé cette grande révolution, c'est ainsi la foi dans la raison humaine qui est au cœur de ce changement pour Robespierre, et qui le conduira au progrès.

Le progressisme n'est pas seulement un courant philosophique et social, mais c'est aussi une idéologie qui a su s'appuyer sur le libéralisme prôné par le capitalisme mondialiste, s'adossant à ce monde consumériste et universaliste.

Nous entrons ainsi inévitablement, et avec ce courant progressiste, dans une nouvelle ère, une nouvelle époque. Je crains qu'elle ne soit funeste et chargée d'illusions.

Qui sont les responsables des grandes déstructurations sociales ?

N'apercevez-vous pas, d'ores et déjà, les résultats de cette idéologie progressiste, de cette vision mondialiste ? Des états affaiblis, des multinationales qui prennent le pouvoir sur tout, des migrations massives, car les états riches, dans leurs égoïsmes patentés, n'ont jamais su développer, ni entrer dans des stratégies de coopération, avec les nations africaines en crise, pire, l'Occident est largement responsable de la déstructuration des peuples d'Afrique et de l'entretien des illusions d'un monde d'opulence factice.
Les responsables de ces déstructurations ? Les multinationales, qui vont remplacer les lois des états à l'image des accords transatlantiques, qui, tôt ou tard, reviendront sur le tapis et remettront en cause les principes de subsidiarité, de souveraineté dcs nations. Cette

démocratie des nations, autour d'une dimension locale et d'une relation institutionnelle de proximité, vit sans doute ses derniers jours et sera dominée par le technicisme d'un monde fédéraliste et multipolaire, sans frontières, plus ouvert, mais sans humanité, puisque sans cette relation de proximité et de contre-pouvoir au plan local.

Nous le voyons bien aujourd'hui, des multinationales dominées par quelques hommes fortunés célébrant Mammon, exercent un monopole dévastateur et absolu sur les marchés. Comme c'est le cas dans le monde agricole, dont les semences sont de plus en plus cadenassées de par le monde, comme c'est également le cas dans le monde des médias faiseurs d'opinions, muselés par quelques empires financiers, lobotomisant et manipulant allègrement la conscience. N'oublions jamais l'avertissement du prophète Ésaïe : « Malheur à ceux qui ajoutent maison à maison, et qui joignent champ à champ, jusqu'à ce qu'il n'y ait plus d'espace, et qu'ils habitent seuls au milieu du pays ! Voici ce que m'a révélé l'Éternel des armées : certainement, ces maisons nombreuses seront dévastées, ces grandes et belles maisons n'auront plus d'habitants... » (Ésaïe 5:8-9).

Finalement, l'oubliée de cette mondialisation, de ce « progressisme, » c'est l'humanité, la grande perdante, c'est la biodiversité. Les inégalités n'ont jamais été aussi importantes ; jamais la pollution n'a été aussi élevée, jamais les peuples des pays en voie de développement n'ont été autant dominés, dédaignés, niés, oubliés. Qui se soucie du Centrafrique chrétien qui subit les coupes d'assommoirs de la barbarie djihadiste, dont les maisons sont brûlées avec leurs habitants ? Nous pleurons les victimes européennes, et tout le monde déclame sa compassion sur les réseaux sociaux, mais qui ose dire : « je suis centrafricain, nigérien, sénégalais » ?

Nous entrons dans l'ère d'une république progressiste et multiculturelle, qui nous bercera d'illusions avec son monde humaniste, mais qui laminera les plus fragiles, en encourageant à la fois le développement d'un monde plus eugéniste que jamais et l'ubérisation de la société, en encourageant les investissements autour de l'économie numérique, et en ouvrant la boîte de pandore de l'eldorado transhumaniste, promettant l'homme nouveau, augmenté et performé.

Les nouveaux prêcheurs

Une nouvelle idéologie se façonne sous nos yeux, portée par l'oraison des prêcheurs qui envahissent nos écrans cathodiques. Ce sont eux, ces prêcheurs télévangélistes de l'idéal progressiste, qui sont chargés de nous apporter la bonne nouvelle, ils ont ce pouvoir de conditionner les esprits pour l'avènement d'un monde ouvert, tournant la page à l'ancien monde baignant dans ses stéréotypes de souveraineté des peuples.

Ces prêcheurs qui occupent l'espace médiatique ont hélas le pouvoir, ils sont prêts à tout pour réussir l'entreprise, atomiser la personne libre, en la façonnant en individu corvéable. C'est bien là le projet du nouveau monde, passer du monde de la personne à celle de l'individu, puis passer de l'individu à celui d'un nombre numérisé.

Enfin, pour conclure, je cite ici ce propos extrait d'un article d'Agora Vox du 21 mars 2016, dans lequel je me retrouve : « Face à eux, des gens isolés, déstructurés, des personnes devenues travailleurs et consommateurs, à leurs ordres, soumis à leur pensée uniformisée, d'où ils croient que l'humanité en sera apaisée, grandie, quand elle en ressort laminée, détruite, et nullement pacifiée. »

Leur œuvre, c'est une régression uniformisée, mondialisée de l'humanité, dont il sera difficile de se débarrasser.

Après les religions, dont nous ne sommes toujours pas sortis, l'humanité, avec le nazisme, le communisme, puis ce « progressisme, » est-elle vouée à ne pas progresser intellectuellement ? À préférer la quantité à la qualité ? À prôner l'union uniforme et inculte ?

Depuis les premiers penseurs, l'humanité n'a pas évolué, ou si peu. Nos connaissances et nos technologies ont progressé de façon gigantesque, mais nous, nous n'avons pas évolué. Au fond, si ces idées, ces régimes, ces religions s'imposent, ne serait-ce pas parce que nous le désirons, n'est-ce pas parce que nous recherchons ce genre de facilités ? Une vie qu'on nous impose, aseptisée, uniformisée, ou l'on se croit supérieur aux autres, tout en étant identique ?

Chers amis progressistes ouverts à la critique, « est-ce vraiment cela que vous voulez ? »

Notre espérance à l'envers des promesses d'un monde ou le progrès est sans curseur

Pourtant, la lettre qui vous est écrite ne se veut nullement marquée par le désespoir concernant l'idéologie que vous portez, car l'histoire nous apprend toujours la temporalité des idées qui déconstruisent l'homme, tandis que l'Église, non la religion, mais le corps vivant de Christ, traverse, elle, les temps, les générations et reste une lumière dans un monde ou le lien se délite.

Si la civilisation qui se construit devient plus impersonnelle et à l'envers de la proximité, souvenons-nous que le message de l'Évangile doit être marqué par la relation en face à face, la solidarité, empreint par la dimension de l'autre, le prochain.

Face à l'offensive depuis des siècles d'un monde des idées et des techniques qui étiolent et dégradent notre humanité, l'Église authentiquement façonnée par Christ doit devenir sans aucun doute un lieu de ressourcement, une communauté ouverte sur les autres, un lieu de réparation, de restauration, de socialisation.

L'Église comme communauté permanente et vivante, régénérée par l'Esprit saint, doit être un lieu d'espérance essentiel, vital pour le monde qui a soif de vérité, de justice, elle doit assurer à la personne la reconnaissance d'autrui, car il n'y a plus ni Juif, ni Grec, ni étranger, ni autochtone, mais une personne aimée de Christ, qui a besoin de retrouver du sens, et la vraie vie qui vient d'en haut. Les plus défavorisés doivent trouver dans l'Église les services et les ressources, pour tisser et entretenir des liens capables d'assurer une aide, afin d'ouvrir des perspectives d'avenir.

Il est urgent sans doute de retrouver l'espérance et le sens de l'autre, mais également la persévérance, dans l'aide et l'entraide, auprès de ceux qui ont soif et faim de justice. Soyons alors débonnaires et plein d'enthousiasme à servir notre communauté, en incarnant notre service auprès du prochain.

3 L'apparition du transhumanisme !

Dépendance et fascination pour les nouveaux pouvoirs de la technologie

Dans ce chapitre et les chapitres suivants, nous mettons en évidence le cheminement idéologique postmoderne qui voit l'avènement simultané de la technoscience[25] et du transhumanisme.

Le transhumanisme se définit d'emblée comme une idéologie intriquant une vision scientiste et une conception progressiste de l'homme. (Nous reviendrons plus largement sur cette vision dans ce chapitre).

Cette idéologie remet en cause les fondements touchant à la fois l'essence humaine en tant qu'identité et à la nature qui caractérise le vivant, l'origine humaine, puisqu'il s'agit de casser les barrières entre l'homme et la machine, de casser les codes du vivant et de la matière inerte, en les intriquant, en les entremêlant. Selon une nouvelle formule définissant l'homme dans cette vision postmoderne, l'être humain se réduit à un programme. Un programme, puisqu'en effet la génétique a su déchiffrer le génome, et en déchiffrant, il serait donc possible de codifier, puis pas moins de reprogrammer l'homme.

En découvrant, puis appréhendant la charpente du génome, la science sans conscience s'autorise à manipuler, à modifier la structure du corps, à combiner et implémenter les pièces de la matière et les pièces de la nature humaine. Le savant transhumaniste s'ingénie à se transformer en couturier démiurgique, assemblant le monde

---

[25] Néologisme mettant en évidence le caractère intriqué des liens entre les sciences et les techniques.

cybernétique et l'ADN humain. Ainsi, l'être humain ne sera plus « anthropos », mais un être technique.

Cette idéologie n'est pas seulement fondée sur la foi inconditionnelle dans les progrès illimités de la science, mais elle est ancrée également dans une vision réformatrice qui touchera à toutes les dimensions de la vie sociale, culturelle et économique. Le transhumanisme, en proposant une redéfinition de l'homme, fonde ainsi une vision rénovatrice de la société, en l'articulant autour de l'économie numérique et de l'intelligence artificielle, poussé par une envie de survie et d'immortalité.

Dans un texte[26] de Hannah Arendt, extrait de son livre *Conditions de l'homme moderne,* de manière quasi-prémonitoire, l'auteur prédit les dérives du monde moderne : « *Il se pourrait, créatures terrestres qui avons commencé d'agir en habitants de l'univers, que nous ne soyons plus jamais capables de comprendre, c'est-à-dire de penser et d'exprimer, les choses que nous sommes cependant capables de faire... S'il s'avérait que le savoir (au sens moderne de savoir-faire) et la pensée se sont séparés pour de bon, nous serions bien alors les jouets et les esclaves non pas tant de nos machines que de nos connaissances pratiques, créatures écervelées à la merci de tous les engins technologiquement possibles, si meurtriers soient-ils.* »

Cette réflexion d'Hannah Arendt est infiniment profonde, puisqu'elle nous renvoie à la dimension même de penser et à l'abandon qui nous guette de la léguer à la machine, qui pourrait avoir la faculté de penser à notre place. Le « *Ne plus penser et ne plus exprimer* » extrait de la citation de Hannah Arendt est infiniment prophétique, puisque la philosophe nous renvoie à cette domination de la machine cybernétique, dont elle n'imaginait ni l'étendue, ni les possibilités ni l'extravagance, ni la tentation de rendre corvéable l'homme.

À cette machine cybernétique dont nous pourrions bien devenir dépendants, en abdiquant peu à peu notre faculté de gouverner le

---

[26] Hannah Arendt, citation extraite de son livre *Conditions de l'homme moderne*, Calmann-Lévy, Paris, 1961, pp. 9-10.

monde, nous abandonnons les commandes au profit de son ingénierie, son intelligence artificielle et ses facultés d'auto-apprentissage. Ainsi, Hannah Arendt a raison, ce n'est pas le progrès technique qui devrait nous alarmer et nous amener à méditer sur les usages de la machine, mais notre propre rapport à la technologie, autrement dit, notre probable dépendance et notre fascination pour ses nouveaux pouvoirs.

Cette technologie doit nous faire examiner comment organiser notre savoir, de façon à ce que son développement exponentiel ne nous réduise pas définitivement à ne plus penser, au point que nous devenions de simples marionnettes numériques, des jouets et des esclaves, à l'image des êtres humains guidés par le monde des « Pokémons ».

Le transhumanisme est-il un nouvel humanisme ?

Le « Nouvel Humanisme »[27] est un courant de pensée contemporain visant une transformation du monde, aspirant à un changement de civilisation et à l'émergence d'une <u>nation humaine universelle fondée sur des valeurs de diversité, d'égalité, de connaissance au-delà de ce qui est accepté comme vérité absolue.</u>

Donc, à la question : « Le transhumanisme est-il un nouvel humanisme ? », la réponse est probablement oui, et pour répondre de façon plus explicite, il importe de définir les deux termes qui forment le mot transhumanisme.

En effet le mot transhumanisme est la jonction des termes (préfixe) *trans* et (suffixe) *humanisme*.
Trans : radical (préfixe) d'origine latine qui **signifie de l'autre côté**.
Humanisme : Si le terme humanisme étymologiquement découle du mot latin *humanus* (cultivé), le terme humanisme désigne également un courant culturel, philosophique et politique, marqué par le retour

---

[27] http://www.mouvementhumaniste.fr/nouvelhumanisme.htm#nouvel.

aux textes antiques, né au cours du XIVᵉ, XVᵉ et XVIᵉ siècles, qui propose un « modèle humain ».

Ce courant Intellectuel rassemblait des érudits manifestant une *appétence* pour les savoirs dans tous les domaines de la connaissance humaine, <u>ces érudits humanistes comme Pétrarque,[28] Erasme,[29] Pic de la Mirandole,[30] plaçaient l'homme au cœur de l'univers, et considéraient l'homme comme étant doté de facultés intellectuelles quasi-illimitées.</u>

Le mot *trans* associé à humanisme annonce donc, d'un point de vue philosophique, un changement de paradigme, un autre monde, un monde inédit, le passage d'un monde ancien à un monde nouveau, la fin d'une époque et de sa culture, pour entrer dans un nouvel âge, une nouvelle histoire de l'humanité.

Le « transhumanisme » présente incontestablement des analogies avec la période historique de la Renaissance, mais les orientations diffèrent. La vision humaniste, en effet, est une vision du libre arbitre, focalisée sur l'homme, donnant une place centrale à l'homme, l'homme qui n'est pas soumis au déterminisme, ce que nous croyons fondamentalement, l'homme n'étant pas, selon nous, sujet aux seules contingences sociales ou aux déterminismes biologiques, mais étant par essence un être libre qui peut choisir librement de s'ouvrir à la transcendance ou de faire le choix de ne pas y accéder. En opposition, la vision transhumaniste est une vision dominée par une approche purement mécaniste de l'homme, réduisant les phénomènes de la nature à des lois sans âme, et sans vie, une vision mécaniste, assimilant l'homme à un assemblage de matières qu'il est possible de corriger, d'améliorer et d'augmenter[31].

---

[28] Pétrarque (1304 – 1374) considéré comme le premier humaniste.
[29] Érasme (1469-1536) élabora une conception de l'homme qui se définit indépendamment de sa foi religieuse et doué d'un libre arbitre.
[30] Pic de la Mirandole (1463-1494), appelé le « prince des érudits. »
[31] N.d.E. : Ce paragraphe mérite quelques nuances et clarifications nécessaires, car nous ne souhaitons pas opposer ici de manière trop abrupte le libre arbitre, d'une part, et le déterminisme de la providence, d'autre part, reprenant ainsi la dialectique du calvinisme historique qui considère le libre arbitre comme opposé à la prédestination et intrinsèquement lié à l'humanisme non-chrétien, ou fondamentalement entaché d'arminianisme qui est vu comme synonyme

Ainsi, au XVe siècle, l'humanisme se renforce comme mouvement intellectuel émergeant d'une période de crise spirituelle profonde, héritée des premières remises en causes humanistes du siècle précédent, et dévoile des analogies fortes avec notre propre époque.

Des analogies, en effet, avec notre époque actuelle, qui est traversée par des mutations technologiques et des crises sociales comme spirituelles, affectant la société dans son ensemble, crises qui plongent l'humanité dans une forme de vacuité et de vide spirituel.

---

d'hérésie, parce que négateur des doctrines de la grâce. Or, il convient de relever d'emblée une contradiction inhérente au transhumanisme en ce qui concerne sa vision mécaniste. En effet, une vision purement mécaniste ne peut être qu'entièrement déterministe, puisque tout serait issu des lois physico-chimiques et parfaitement réglé par elles, parfaitement reproductibles. C'est en vertu d'un tel présupposé, consistant à englober toute la vie – biologique, psychique, mentale, intellectuelle – dans le déterminisme physico-chimique purement matériel que le transhumanisme peut postuler la création de l'homme nouveau augmenté, puisque la vie biologique comme l'intelligence, la pensée et la conscience ne seraient que des fonctions déterministes, donc atteignables par computation. Ce faisant, le transhumanisme nie tout libre arbitre, car il n'y a plus de libre arbitre possible si tout est purement conditionné par l'agrégation de la matière soumise à des lois prédictibles.

Là où la conception matérialiste ne laisse place à aucun libre arbitre, dans la conception chrétienne biblique il y a place pour le libre arbitre, bien entendu, encadré par le déterminisme divin (« sur ton livre étaient tous inscrits les jours qui m'étaient destinés » - Psaumes 139:16), mais le déterminisme de Dieu issu de son omniscience, de sa prescience et de sa transcendance ne se trouve pas sur le même plan logique et physique que le déterminisme matérialiste : il n'exclut pas le libre arbitre. Plus explicitement, le fait que Dieu voit tout depuis toute l'éternité et a préparé chacun des jours destinés à ses créatures ne signifie pas qu'elles soient téléguidées, sans avoir le pouvoir de choisir librement, indépendamment de toutes contraintes. C'est grâce au déterminisme de Dieu que ce libre arbitre est rendu métaphysiquement possible. Le premier fonde le second.

À noter que les philosophes et théologiens calvinistes dits *compatibilistes* ne seront pas d'accord avec la vision que nous venons d'énoncer brièvement. Ils défendent, en effet, le *serf arbitre* (selon l'expression de Luther), affirmant que la volonté humaine est entièrement esclave du péché, et par conséquent ne peut d'elle-même ni s'approcher de Dieu, ni vouloir le bien, ni vouloir s'approcher de Lui, ni vouloir la foi, arguant que tout mouvement de foi ne peut être que subséquent à la grâce de Dieu dans le cœur du croyant. Le lecteur lira avec profit le chapitre suivant sur la théologie de John Wesley tiré de l'ouvrage de Mathieu Lelièvre, *John Wesley. Sa vie et son œuvre* (Chapelle Malesherbes, 1992) : « La théologie de Wesley, » disponible à l'adresse : http://sentinellenehemie.free.fr/theologie_wesley.html. Le revivaliste méthodiste Wesley s'opposait au calvinisme et croyait au libre arbitre. Wesley était un vrai chrétien évangélique régénéré qui défendait le libre arbitre et niait la prédestination au sens calvinien, déterministe. Cet exemple suffit à montrer que la dialectique libre arbitre (humaniste) / déterminisme (chrétien) qui est souvent introduite dans les critiques calvinistes du libre arbitre ne rend pas compte des complexités de la problématique.

Le transhumanisme s'inspire en partie des conceptions philosophiques de l'humanisme du XVe et du XVIe siècles, de par ses similitudes et ce souci de proposer également un nouveau modèle humain, considérant que l'homme a un rôle actif, impliqué dans la quête du savoir. Bien entendu, le transhumanisme s'éloigne de l'humanisme, en rompant avec sa philosophie à l'origine de conception chrétienne, en allant encore plus loin, puisqu'il s'agit de refonder cette fois-ci l'anthropologie, d'arguer d'une nouvelle mutation nécessaire de l'espèce humaine. L'humanisme des XVe et XVIe siècles est né d'une époque en mutation, une révolution sociale avait été alors engagée, celle qui se dessine aujourd'hui avec le transhumanisme relève plus d'une déshumanisation que d'une humanisation du monde et d'une ouverture des esprits sur la culture ; il s'agit davantage d'une époque qui naviguera sur les surfaces des écrans, loin d'approfondir la lecture des livres sortis des imprimeries de Gutenberg.

Le transhumanisme ou le déni du réel

Nous entrons dans un monde ou le rapport au virtuel est plus prégnant, ou le rapport à l'autre s'atténue, s'efface. Nous sommes dans le monde de l'immédiat, d'ici et maintenant, nous entrons dans l'ailleurs, de l'autre côté, hors du lieu et du temps. L'espace technique se substitue à l'espace naturel, le forum numérique à l'agora, le virtuel à la rencontre de l'autre.

La révolution numérique nous fait entrer dans la dimension du monde désincarné. Quelques exemples illustrent notre propos :

- Dans le monde de l'entreprise, l'habitude chez les salariés est de s'adresser des courriels, l'usage des courriels devenant quasi-envahissant, phagocytant la concentration, mobilisant toute l'attention.
- Nous entrons également dans l'ère du télétravail, avec ses avantages et ses inconvénients, l'inconvénient étant de nous éloigner de la sphère des relations tangibles, des contacts avec les autres, du face à face.
- Le monde des réseaux sociaux est un monde de cyber espace, donnant l'illusion narcissique d'exister pour les autres, mais en réalité, nous nous détachons de la rencontre avec l'autre, bien qu'il soit aussi concevable que cela suscite l'envie de rencontrer

l'autre, puis d'incarner la relation. Mais l'usage de contacts numériques nous fait inévitablement entrer dans un espace virtuel, nous détachant de l'existence tangible et temporelle.

Ainsi le virtuel est l'absence de rapport à la réalité, l'absence d'un rapport au tangible, il n'y a plus un temps, un réel, un espace objectif, mais des temps et des espaces, des temps et des espaces parallèles, au-delà de nos espaces réels et tangibles, que nous voudrons créer.

Au quotidien, et en partant d'exemples non exhaustifs, nous sommes également des usagers d'objets qui peu à peu, subrepticement, nous familiarisent, nous domestiquent à un monde virtuel et transhumaniste.
Ainsi :

- De plus en plus d'entreprises n'ont plus recours à des imprimés, transmettent des données ou des documents dématérialisés.
- Des hommes et des femmes, pour favoriser leurs rencontres, ont recours à des agences matrimoniales numériques, ce sont les algorithmes mathématiques qui décident, lors des rencontres, des profils les plus idoines.
- D'autres croient participer à des jeux ludiques, mais sont également pilotés par des algorithmes, et ils deviennent, sans en prendre conscience, les produits de ces machines.
- Pour leurs activités physiques, des sportifs du quotidien ont recours à des bracelets connectés, de véritables capteurs d'activités, pour tracer la dépense d'énergie.
- Enfin, de plus en plus de maisons sont connectées à des portables, des tablettes numériques, et vous pouvez à distance préparer la tasse de thé ou de café, au moment où vous arriverez chez vous, attendu par de gentils robots qui auront peut-être fait le ménage chez vous.

Je cite ici Laurent Alexandre,[32] chirurgien urologue, militant du transhumanisme, qui s'exprime dans l'émission « Qu'est-ce que l'homme ? » Ainsi, « on a de plus en plus de technologies très transgressives, *qui sont acceptées massivement par la société. En réalité la société devient massivement transhumaniste sans en connaître le mot.* »

Le transhumanisme est porté par l'un des géants du monde numérique.

Le transhumanisme est un courant idéologique porté principalement par l'un des géants du Web, la société Google. Ce courant idéologique, dont emblématiquement, la société Google est le porte-parole, propose une nouvelle lecture de l'homme (« *trans* ») au-delà de l'homme, un nouveau modèle anthropologique,[33] par-delà l'encerclement du corps, qui enferme l'homme dans cette idée de finitude et de mortalité.
Ce modèle anthropologique se résume comme la volonté explicite de corriger le génome humain, entaché par l'imperfection génétique, puis de glisser subrepticement vers l'amélioration augmentée de l'espèce humaine, et l'émergence d'un nouvel homme, aspirant enfin à l'immortalité.

Le transhumanisme s'appuie sur la révolution numérique, demain une nouvelle révolution quantique[34] et technique, pour engager la transformation radicale et sans limites de la société, comme autrefois l'humanisme s'est adossé à la révolution de l'imprimerie pour diffuser la connaissance, transformer la société en lui donnant accès au savoir.

---

[32] Laurent Alexandre est un chirurgien-urologue français, il se passionne pour les questions qui touchent au transhumanisme et aux bouleversements que pourrait connaître l'humanité.
[33] Anthropologie : le terme anthropologie vient de deux mots grecs, *anthrôpos*, qui signifie « homme » (au sens générique), et *logos*, qui signifie parole, discours. L'anthropologie est la synthèse des différentes sciences humaines et naturelles. L'anthropologie dans son étude de l'être humain s'intéresse à sa diversité biologique et à sa diversité culturelle.
[34] Ordinateurs quantiques : Construire des ordinateurs qui puissent interagir : voir, écouter, dialoguer. Développer des moteurs de recherche intelligents, qui comprennent ainsi la demande de leurs usagers.

Les grands imprimeurs ont été eux-mêmes des humanistes tels Robert Estienne à Paris[35] ou l'Orléanais Etienne Dolet.

Via l'idéologie transhumaniste, une nouvelle conception de l'humanité se profile, elle est à la croisée d'une nouvelle transgression :

- une volonté explicite de s'affranchir du monde réel,
- de briser les barrières de la matière,
- de dépasser la finitude telle qu'elle s'incarne dans le monde naturel,
- d'engendrer de nouvelles révolutions ...

... Révolutions anthropologiques, culturelles, théologiques, sociales et économiques, dans une dimension du Nous « collaboratif. » Une nouvelle Babel s'instaure, porteuse d'une vision d'une humanité sans Dieu, du refus de la souveraineté de Dieu.

Les valeurs, les croyances fondamentales qui caractérisent la vision transhumaniste, l'opposant au monde tel que nous le connaissons à ce jour

L'idée centrale du transhumanisme est de promouvoir le recours, comme l'usage, des nouvelles technologies (nanotechnologies,[36] biotechnologies, technologies de l'information, découvertes des sciences cognitives, ce qui inclut aussi l'intelligence artificielle, la robotique, etc.).

La vocation fondamentale qui caractérise l'idéologie transhumaniste, s'inscrit dès lors, dans la volonté d'améliorer la condition humaine de façon radicale.

---

[35] Robert Estienne est un humaniste qui établit sa propre imprimerie, succédant ainsi à son père Henri Estienne, premier d'une lignée d'imprimeurs réputés.

[36] Nanotechnologies : ensemble des études et des procédés de fabrication et de manipulation de structures (électroniques, chimiques...), de dispositifs et de systèmes matériels à l'échelle du nanomètre (nm), ce qui est l'ordre de grandeur de la distance entre deux atomes. Source : Wikipédia.

La valeur idéologique principale de ce courant repose notamment sur l'ambition de prolonger la vie humaine au-delà des limites naturelles (ralentissement, voire inversion du processus de vieillissement, amélioration des capacités physiques, sensorielles, cognitives et émotionnelles) pour permettre de nouvelles expériences de pensée, de dialogue, de compréhension réciproque, d'interaction, de partage, et la découverte de notre environnement.

Les valeurs déclinées autour de cette volonté d'améliorer la condition humaine s'articulent sur le souhait de faire émerger :

- la société collective et communautaire versus la société clientéliste,
- la société de l'autonomie régulée dépassant le libre choix,
- la consommation durable, par opposition à l'obsolescence programmée,
- la société virtuelle et dématérialisée, à l'envers de la société réelle,
- la société servicielle et collaborative, une avancée en regard de la société industrielle et capitaliste.

Le transhumanisme ou l'idéologie (prométhéenne) : de quoi s'agit-il exactement ?

En effet, une idéologie est un système structurant, modélisant une représentation du monde dans lequel nous vivons, c'est également un système de concepts et d'idées, à partir desquels la réalité est pensée, une façon de se représenter et de voir le monde.

Dans ce contexte, le transhumanisme à travers son université (la « Singularity University » basée à San Francisco) se définit comme un mouvement d'intellectuels, de savants et d'érudits technicistes. Le transhumanisme embrasse une idéologie prométhéenne[37] qui est

---

[37] Dans la mythologie grecque, Prométhée est un Titan, il aurait conçu les hommes à partir d'eau et de terre. Prométhée fait en sorte que l'homme puisse tenir debout, **Prométhée donne à**

ancrée dans une conception matérialiste et scientiste[38], fondamentalement liée au développement économique des nouvelles technologies.

Le mouvement transhumaniste, en effet, valorise, prône l'usage des sciences et des techniques afin :
- de développer les capacités humaines,
- d'augmenter les capacités physiques comme cognitives,
- de dépasser les limites de l'homme conférées par son ADN, la finitude qui caractérise l'homme,
- de casser la barrière liée à l'encerclement que constitue en quelque sorte le corps humain.
- de susciter l'émergence d'une prétendue nouvelle économie sociale, où la totalité du monde numérique serait à votre service.

Citons le philosophe Charles-Éric de Saint Germain,[39] qui évoquant la révolution anthropologique conduite au travers des études sur le genre, indiquait que cette dernière participait « *pleinement d'un projet idéologique visant à ce que l'homme puisse se donner lui-même sa propre forme, en refusant de se recevoir d'un donné naturel pour lui signifiant.* » C'est le refus de sa condition **de créature,** au profit d'une tentative d'auto-divinisation incarnée, d'une certaine façon, par la vision transhumaniste.

---

l'homme un corps, distingué et **proche de celui des dieux, il enseigne aux hommes l'art et les métallurgies.** Dans la mythologie grecque et ce qui est l'essence même du mythe prométhéen, Prométhée va être en guerre contre les dieux, et après la victoire des nouveaux dieux dirigés par Zeus sur les Titans, Prométhée va se rendre alors sur le char du Soleil avec une torche, dissimule un tison dans une tige creuse et **donne le « feu sacré » à la race humaine. Le feu dans la mythologie grecque représentait la divinité.**

[38] Scientiste : selon Ernest Renan (1823-1892), le scientisme entend ni plus ni moins « organiser scientifiquement l'humanité. » Il s'agit dès lors d'appliquer à la vie sociale et dans toutes les sphères de la vie les principes et méthodes de la science moderne.

[39] Charles-Éric de Saint Germain est l'auteur de *La défaite de la Raison : Essai sur la barbarie politico-morale contemporaine,* Salvator, collection Forum, 13 mai 2015. La citation est extraite de son chapitre sur la révolution féministe et les études sur le genre.

À quoi ressemble le futur pour les transhumanistes ?

Pour les transhumanistes, il convient de dépasser la mort biologique. Améliorer le corps, défaillant par nature. Transformer le génome, modifier l'ADN. S'affranchir le plus possible des limites physiques, des limites de l'encerclement dans lequel nous enferme le monde réel.

Les transhumanistes revendiquent la liberté absolue d'augmentation corporelle et cérébrale, en nous affranchissant de toute dimension corvéable, de toute attache, libérée enfin du sol. Une volonté, en quelque sorte, d'en finir avec la « punition » divine : « C'est à la sueur de ton visage que tu mangeras du pain, jusqu'à ce que tu retournes dans la terre, d'où tu as été pris ; car tu es poussière, et tu retourneras dans la poussière. »[40]

Le futur transhumaniste est un chemin néopaïen, une anti-religion au sens de la relation, qui peut conduire au posthumanisme, dont l'apothéose est l'intelligence artificielle, la créature de l'homme devenue autonome, mais restant une matière sans esprit, libre de toute contingence, pour ne laisser que le conatus[41] spinozien aux commandes d'un corps transcendé. Tant et si bien que, pour atteindre ce but, il faut impérativement éteindre l'âme, ce pont vibrant créé par Dieu, et incorporé à son environnement, pour le relier à un monde réel et tangible.

Pour reprendre l'intuition du philosophe Levinas, qui ira jusqu'à affirmer que « la technique nous délivre des attachements terrestres, des 'dieux du lieu et du paysage' dont elle nous a montré 'qu'ils ne sont que des choses, et qu'étant des choses ils ne sont pas grand-chose.' »[42] C'est ainsi que nous pourrions résumer le futur transhumaniste par, tour à tour, réalité augmentée et réalité virtuelle, une forme d'Éden ou

---

[40] Citation du livre de la Genèse, chapitre 3, verset 15 dans la Bible.
[41] Terme latin qui signifie l'effort. L' « effort » d'exister, autrement dit de persévérer dans l'être, constitue l'essence intime de chaque chose selon Spinoza.
[42] Emmanuel Levinas (1906-1995) : *Dieu, la mort et le temps,* Grasset et Fasquelle, Livre de poche, 1993, p. 194.

d'ersatz, d'un bonheur perdu, que l'homme tente de réparer, ou sa tentative de retrouver le chemin du paradis, mais sans réconciliation avec le Créateur.

Les quatre prochaines révolutions du transhumanisme

Les bouleversements, en réalité à brève échéance, sont à la fois métaphysiques, anthropologiques, culturels et économiques :

- La révolution métaphysique : apparaît une nouvelle gnose où il faut reprendre en main un monde imparfait, un monde « *raté* » ou non abouti et c'est à « *l'homme et à lui seul* » d'engager le changement, de transformer le monde, de fonder le nouvel humanisme sans transcendance.

- La révolution anthropologique : il faut dépasser l'encerclement du corps, se démarquer du corps sexué, du corps fini, du corps mortel, il <u>faut ainsi s'affranchir des limites inhérentes à l'humanité - le corps sexué, la finitude de l'homme et la mort inévitable.</u>

- La révolution culturelle : il faut quitter l'ancien monde, assurer le bien-être planétaire, maximiser les services gratuits, collaboratifs ou participatifs, créer une intelligence collective qui pense l'équilibre et l'harmonie des écosystèmes, le développement durable de la planète.
  Dans cette dimension collective, Il faut réaliser l'autorégulation des composants écosystèmes et des humains, pour favoriser la vie et s'en remettre demain à une supra intelligence artificielle qui assurera la régulation, c'est le réveil du mythe de Gaïa[43]. Selon ce mythe, tous les êtres vivants sur terre formeraient ainsi un super organisme interagissant entre eux et assurant, en

---

[43] Gaïa : déesse grecque qui personnifie, dans la mythologie, la terre. Sans l'aide d'un mâle elle met au monde Ouranos qui personnifie le Ciel. Avec Ouranos, son fils, elle engendre les Titans et les Titanides, les Cyclopes et les Hécatonchires.

fin de compte, leur harmonie — appelé « Gaïa, » d'après le nom de la déesse de la mythologie grecque personnifiant la terre.

Ainsi dans cette révolution culturelle, le monde numérique de Gaïa, grâce à la magie algorithmique, façonne le devenir des rencontres et des interactions humaines, en intervenant comme une agence matrimoniale.

- La révolution économique : supprimer la verticalité, les circuits de distribution avec intermédiaires, inventer de nouveaux paradigmes et modèles économiques, en renversant les institutions obsolètes – Pôle Emploi, les navettes de taxis. Dans cet univers totalement numérisé, l'homme percevra l'univers virtuel comme un monde à son service. Le monde économique sera alors remodelé puis gouverné, voire totalement supplanté, par les algorithmes mathématiques, qui déjà scrutent les modes de vie, établissent des profils de consommation, anticipent les marchés. Les fluctuations boursières sont devancées par toute une machinerie de calculs, qui font l'économie d'un recours à des interventions humaines.

Pourquoi tenions-nous à aborder dans cet ouvrage collectif le thème du transhumanisme ?

Comme chrétiens, nous considérons que **notre devoir est de savoir :**
- observer les signes des temps et de les discerner,
- comprendre les mutations qui s'organisent,
- lire les changements qui s'opèrent à l'aune des Saintes Écritures, qui nous fournissent des clés pour comprendre où va le monde,
- expliquer ainsi à nos concitoyens, afin de participer activement à l'éveil des consciences.

À l'heure de la mondialisation et d'une mondialisation accélérée des idéologies mortifères, il importe, pour nous chrétiens, de connaître la nature des nouveaux paradigmes, des changements qui interviennent à l'aune des Écritures, décrivant en des termes si particuliers que les événements qui se dévoilent à nos yeux se voient confirmés par ces mêmes Écritures, comme étant prédits ou plus précisément prophétisés.

À l'instar du Professeur Jérôme Lejeune,[44] « il faut clairement dire les choses, la qualité d'une civilisation se mesure au respect qu'elle porte aux plus faibles de ses membres. Il n'y a pas d'autre critère de jugement. » Or, nous sommes en passe de changer de paradigme : la vulnérabilité, la finitude, comme la fragilité, doivent être reléguées à des mondes anciens, qui seraient les facteurs aliénants. Le monde nouveau se construira autour de promesses technologiques, de progrès susceptibles demain d'enchanter le monde, mais toujours de progrès qui seront l'expression d'un eldorado qui détruira les valeurs fondatrices d'une civilisation où l'on prend soin de l'humain, du plus fragile, du plus vulnérable.

Il est ainsi étrange de constater que tout une tradition idéologique ignore délibérément, semble-t-il, et très largement, la valeur de la vulnérabilité qui est quasi-absente des discours philosophiques, hormis chez quelques auteurs qui ont su aborder la dimension de la déficience de l'homme.

« Comment pouvait-il en être autrement, déclare le philosophe Michel Terestchenko, s'il s'agit pour tant de philosophes – de Platon à Kant, en passant par les stoïciens ou Descartes – de nous mettre à l'abri, de nous apprendre la voie de l'autosuffisance, de la non dépendance, de la prééminence de la raison sur les émotions et les sentiments, autrement dit de nous apprendre à être le moins vulnérable possible ? »

---

[44]Jérôme Lejeune (1926-1994), médecin et professeur de génétique, découvreur de l'anomalie chromosomique responsable de la trisomie 21.

Pourtant la vulnérabilité fait sens pour beaucoup d'entre nous, l'apôtre Paul n'affirme-t-il pas que « quand je suis faible, c'est alors que je suis fort »[45] ? Or, la vulnérabilité n'a-t-elle pas quelque chose à nous enseigner sur notre propre humanité ?

La vulnérabilité nous invite en effet, nous qui pensons certainement « être forts, » et dans « la norme sociale » (efficaces, performants...), à prendre soin des plus faibles. Sans doute est-ce, à certains égards, une bonne chose que de témoigner de compassion, de vigilance pour les autres.

À l'endroit de nos enfants, de la famille nous entendons témoigner notre vigilance pour tous les enfants, vis-à-vis de toutes ces idéologies mortifères, et de l'esprit artificiel engendré par la puissance de l'idéologie qui veut façonner un nouvel homme, libéré de ses stéréotypes, de la puissance de la technique qui nous laisse croire artificiellement à notre propre invulnérabilité.

---

[45] La Bible, 2 Corinthiens, chapitre 12, verset 10.

4 Racines philosophiques et théologiques du transhumanisme

La finitude de l'homme et son aspiration à transcender ses limites

Dans la conception philosophique grecque ou gnostique, l'homme est par essence inachevé ; à l'inverse, dans la culture judéo-chrétienne, l'homme est une créature déchue qui connaît une existence éphémère. La conception chrétienne de la finitude est finalement bien résumée par le philosophe chrétien Kierkegaard, selon le philosophe l'homme est *« essentiellement fini en face de l'absolu qui a sa raison d'être en soi. »*

La finitude de l'homme se définit ailleurs comme une limite, cette finitude s'inscrit dans le corps, la dimension mortelle qui caractérise l'être humain, mais également au plan cognitif, l'homme n'est pas omniscient. La finitude n'est donc pas une seule vue de l'esprit, elle est l'essence qui constitue la nature fondamentale de l'homme, en regard de ce qui définit et caractérise intrinsèquement l'homme, dont l'existence est bornée entre la naissance et sa mort.

La reconnaissance du caractère naturel de la mort humaine ne va pas de soi pour les idéologues du transhumanisme. Jean-Michel Maldamé, auteur du livre *L'atome, le singe et le cannibale*, soutient que le mot latin « homo » vient du latin « humus » : *« De même le livre de la Genèse dit que Dieu façonna Adam avec la poussière du sol, dit clairement que tout être humain, inscrit dans le temps est mortel. La mort n'est pas un accident futur, elle habite la vie d'un être pris dans le flux du temps. »*[46]

Or, dans toute l'histoire et son rapport à la vie, nous relevons, chez quelques philosophes, l'intention de dépasser et d'échapper à l'encerclement de la finitude. De même dans les sciences cognitives, notamment l'intelligence artificielle, nous relevons aujourd'hui, la volonté de dépassement, qui est un aspect prégnant de la recherche dans le domaine des applications mathématiques.

Ainsi dans l'histoire des idéologies et du « progrès, » la mémoire de l'éternité conduit l'homme à réparer les frontières de son humanité, voire même à tenter de déconstruire les frontières de sa réalité, dans laquelle il s'estime être enfermé. Il faut ainsi, pour l'homme, s'extraire de la pénibilité de travailler le sol, en finir avec sa condition sexuée, vaincre la mort, c'est le retour au jardin d'Éden mais sans Dieu.

Chez les transhumanistes, certains de leurs penseurs ont affirmé que l'homme est en mesure de surpasser ses limites, d'atteindre ce « *savoir absolu,* » de se hisser à une totalité, à la connaissance intégrale qui lui permet de dépasser sa finitude, en se connectant aux facultés données par le recours à la « *machine.* »

Cette aspiration à atteindre le savoir absolu est ainsi manifeste dans l'offre numérique qui met à la portée de tous la connaissance, tant et si bien que la transmission **dans son format pédagogique actuel** n'est plus perçue comme nécessaire, utile, puisqu'il suffit en un clin d'œil, en un « clic, » d'accéder au savoir universel. Dès lors, se traduit pour chacun l'évitement de fouiller, d'explorer, de fouiner dans les bibliothèques, de suivre un parcours universitaire, attendu que les connaissances numérisées et virtuelles vous y autorisent en un instant, tout de suite et maintenant.

Le savoir absolu s'avère ainsi être une conquête que matérialise l'univers numérique. Finalement, entendre que cette conquête du

---

[46] Extrait du livre de Jean-Michel Maldamé, doyen de la faculté de philosophie de l'Institut Catholique de Toulouse, auteur du livre *L'atome, le singe et le cannibale,* Les éditions du Cerf. L'extrait de notre commentaire se trouve à la page 214.

savoir englobe le terme d'absolu vient en quelque sorte rivaliser avec le Dieu qui incarne l'infini. L'absolu par essence, montre ainsi une forme de prétention de l'homme dans sa quête de dépassement, et de différer ou de surseoir à sa finitude.

Transcender ses limites est ainsi une aspiration qui relève d'un désir de divinité, une volonté que rend possible le recours à la technique, qui permet, dans un processus incrémental, d'améliorer progressivement ou significativement la connaissance, d'augmenter les performances cognitives de l'être humain.

Nous comprenons la course effrénée qu'engage l'humanité pour survivre, pour combattre les limites que lui impose la réalité biologique, qui l'enferme finalement dans la mort. Pour survivre, il convient alors d'imaginer puis d'inventer, de créer les univers technologiques qui inverseront la finitude de l'homme.

Inventer comme s'il fallait refuser la fin, mais cette course à la technique se dédouane d'une recherche de sens, de vérité, de qualité de vie. Pourtant, le subterfuge ou l'artifice transhumaniste est de conduire à une forme de délire ou de rêve, portant à combattre l'idée de la mort, le « *dernier aiguillon* » comme le mentionne l'apôtre Paul dans l'épître aux Corinthiens. 1 Corinthiens 15.54-55 : « Lorsque ce corps corruptible aura revêtu l'incorruptibilité, et que ce corps mortel aura revêtu l'immortalité, alors s'accomplira la parole qui est écrite : La mort a été engloutie dans la victoire. O mort, où est ta victoire ? O mort, où est ton aiguillon ? »

Les racines théologiques et ésotériques du transhumanisme

Sur un plan théologique, le transhumanisme est finalement une gnose[47] athée, l'homme doit être libéré de sa prison terrestre (le corps,

---

[47] La Gnose (du grec *gnôsis*, connaissance) est un concept philosophico-religieux selon lequel le salut de l'âme passe par une connaissance (expérience ou révélation) directe de la divinité, et donc par une connaissance de soi.

le réel, la finitude), une autre conception théologique est celle portée par le théologien Teilhard de Chardin,[48] qui percevait l'évolution technique comme une démarche qui doit conduire au « bien général de tous les hommes » et « rendre communément les hommes plus sages et plus habiles. »

Pour Teilhard de Chardin la planète est destinée à s'unifier : « Il est inévitable qu'un processus d'unification se trouve amorcé, marqué de proche en proche par les étapes suivantes : totalisation de chaque opération par rapport à l'individu ; totalisation de l'individu par rapport à lui-même ; totalisation enfin des individus dans le collectif humain. »

Pour la société Google, si nous étions tous capables de communiquer entre nous et reliés à l'intelligence artificielle, nous formerions un seul et même esprit. C'est un peu ce que Teilhard de Chardin tentait d'expliquer, en évoquant le point Oméga qui représente, selon le théologien, le point ultime du développement de la complexité et de la conscience, vers lequel se dirige l'univers en assemblant les consciences humaines.

Comment ne pas voir de fait que le web devient ainsi le rêve quasi-métaphysique d'un processus d'unification, d'un corps connecté et mystique, dans lequel les êtres humains numériques sont dorénavant reliés entre eux. Comme l'écrit Teilhard de Chardin dans *Le Phénomène humain* en 1955 :

« Or, à mesure que, sous l'effet de cette pression, et grâce à leur perméabilité psychique, les éléments humains rentraient davantage les uns dans les autres, leur esprit (mystérieuse coïncidence...) s'échauffait

---

[48]Teilhard de Chardin (1881-1955), paléontologue, philosophe et théologien français. Pour Teilhard de Chardin, le christianisme est la religion du progrès, la religion de l'évolution. Toute son œuvre et son intuition seront marquées par le désir d'un progrès qui s'accomplit dans le Christ, un monde libéré de la servitude. Le premier livre écrit par Teilhard de Chardin contient cette intuition. Notre propos s'inspire de ce livre, *Le Phénomène humain.* Vous pouvez retrouver le lien :
http://classiques.uqac.ca/classiques/chardin_teilhard_de/phenomene_humain/tdc_pheno.pdf.

par rapprochement. Et comme dilatés sur eux-mêmes, ils étendaient peu à peu chacun le rayon de leur zone d'influence sur une Terre qui, par le fait même, s'en trouvait toujours plus rapetissée. Que voyons-nous en effet se produire, dans le paroxysme moderne ? On l'a déjà fait bien des fois remarquer. Par découverte, hier, du chemin de fer, de l'automobile, de l'avion, l'influence physique de chaque homme, réduite jadis à quelques kilomètres, s'étend maintenant à des centaines de lieues. Bien mieux : grâce au prodigieux événement biologique représenté par la découverte des ondes électromagnétiques, chaque individu se trouve désormais (activement et passivement) simultanément présent à la totalité de la mer et des continents, - coextensif à la terre. Ainsi, non seulement par augmentation incessante du nombre de ses membres, mais par augmentation continuelle aussi de leur aire d'activité individuelle, l'Humanité, assujettie qu'elle est à se développer en surface fermée, se trouve-t-elle irrémédiablement soumise à une pression formidable, — pression sans cesse accrue par son jeu même : puisque chaque degré de plus dans le resserrement n'a d'autre effet que d'exalter un peu plus l'expansion de chaque élément. »[49] Une vision du resserrement planétaire qui transforme le web en un véritable village numérique, mais sans clocher, une horizontalité ou nous sommes présents à la totalité des êtres.

Dans ces contextes de mutations scientifiques, le philosophe Jean-Pierre Dupuy observe que « le transhumanisme est typiquement l'idéologie d'un monde sans Dieu, » un monde finalement totalisant et totalitaire.

Si Teilhard de Chardin, scientifique théologien et philosophe français, insistait dans ses différents livres et notamment dans *Le Phénomène humain* sur le caractère inéluctable du progrès de l'évolution, celle-ci s'achèvera selon lui « lorsque les consciences, mises en réseau les unes avec les autres, créeront de facto, une sorte de super-être. » Ce sera, selon le théologien, le point ultime de l'humanité.

---

[49] Teilhard de Chardin, *Le Phénomène humain.* Extrait d'un document produit en version numérique par Pierre Palpant.

La vision de Teilhard de Chardin est d'autant plus troublante, à l'aune de l'organisation sociale que structurent les mondes et réseaux numériques, les environnements virtuels qui remettent en question la notion d'espace traditionnel, aussi bien sur les modes de représentation, que sur les modes de perception de nos univers.

Pierre Berger, journaliste du *Monde Informatique*, fait ainsi référence aux pensées de Teilhard, dans son Avenir de l'homme[50], au sujet de notre « survie » (p. 360) : « *Oméga (est) le grand attracteur du régime de socialisation compressive où nous venons d'entrer ; rien ne permet de prévoir le relâchement, et encore moins la fin. Dans ces conditions, il ne nous servirait évidemment de rien de chercher à nous évader du tourbillon qui sur nous se resserre. Par contre, ce qui importe extrêmement, c'est de savoir comment, dans ce tourbillon, nous orienter et nous comporter spirituellement de telle sorte que l'étreinte totalisante à laquelle nous sommes soumis ait pour conséquence, non point de nous déshumaniser par mécanisation, mais (comme il semble possible) de nous sur-humaniser par intensification de nos puissances de comprendre et d'aimer.* »

Nonobstant, dans *Le cœur de la matière*, récit de son itinéraire intellectuel et spirituel écrit en 1950, Teilhard de Chardin tempère ce futur, cette vision de mutation de l'humain : « *C'est au cours de mes années de théologie, à Hastings (c'est-à-dire entre 1908 et 1912) que petit à petit, - beaucoup moins comme une notion abstraite que comme une présence -, a grandi en moi, jusqu'à envahir mon ciel intérieur tout entier, la conscience d'une Dérive profonde, ontologique, totale, de l'Univers autour de moi.* »

Un processus de maillage totalisant est ainsi en œuvre, même si Teilhard de Chardin évoquait un processus harmonieux qui relève plutôt de l'amour, il n'en demeure pas moins que cette intuition est intéressante dans l'optique d'un univers numérique fondé sur les connexions multiples, et le projet d'un communisme numérique.

---

[50] De Chardin, Teilhard. *L'Avenir de l'homme*. Seuil, 1959. *Œuvres*, Tome V. ISBN : 9782020028769. Réédition Livre de poche, 2001. Points sagesses, Tome V.

Ce communisme numérique, ce nouvel égrégore serait en quelque sorte, et à l'insu même de l'État, un nouveau modèle de communauté sociale, renversant les axiomes économiques traditionnels fondés sur les circuits de distribution et une certaine verticalité. Ce modèle économique, fondé sur le monde numérique, est en passe de prendre les relais de l'État, en proposant une dimension servicielle au-delà des services jusqu'à présent payants. Ainsi demain, le recours jusqu'à présent à des prestataires payants ne sera plus nécessaire, car une offre de service accessible à tous et « *gratuite* » sera largement proposée. Un nouvel âge d'or où le gratuit constituera la promesse, mais certainement pas sans conséquence.

Les racines philosophiques du transhumanisme

Nous l'avions en partie évoqué en préambule, les racines du transhumanisme se sont adossées aux conceptions du courant humaniste qui a caractérisé l'époque de la renaissance ; le transhumanisme propose finalement comme l'humanisme des XVe et XVIe siècles un nouveau modèle anthropologique.

Ainsi l'humanisme, comme mouvement de pensée caractéristique de la Renaissance, a défini une nouvelle image de l'homme, où sont affirmées sa puissance créatrice et sa liberté de penser et d'agir. Nous voyons, entre le transhumanisme contemporain et l'humanisme de la Renaissance, une proximité au moins sur le souhait de construire un nouveau modèle humain. Mais c'est un humanisme sans la culture, un humanisme froid, qui caractérise la pensée des scientistes du XXIe siècle. Pourtant, l'humanisme du XVe siècle anticipait bien cette conception de l'homme caressant le rêve divin.

Pour illustrer notre propos, citons Pic de la Mirandole (1463-1494), appelé le « prince des érudits. » Dans *De la dignité de l'homme* (1486), Pic de la Mirandole écrit une fable prométhéenne, une fable démiurgique en quelque sorte, et d'anticipation prophétique, en regard de l'approche idéologique que nous rapporte l'idéologie transhumaniste. Cette fable décrit ainsi les facultés illimitées de l'homme pouvant le conduire à une forme divine.

« Toi, aucune restriction ne te bride, c'est ton propre jugement, auquel je t'ai confié, qui te permettra de définir ta nature. Si je t'ai mis dans le monde en position intermédiaire, c'est pour que de là tu examines plus à ton aise tout ce qui se trouve dans le monde alentour. Si nous ne t'avons fait ni céleste ni terrestre, ni mortel ni immortel, c'est afin que, doté pour ainsi dire du pouvoir arbitral et honorifique de te modeler et de te façonner toi-même, tu te donnes la forme qui aurait eu ta préférence. Tu pourras dégénérer en formes inférieures, qui sont bestiales ; tu pourras, par décision de ton esprit, te régénérer en formes supérieures, qui sont divines. »

Le transhumanisme en tant qu'idéologie est également comparé à une gnose dualiste (gnosticisme), une conception chrétienne qui avait cours dans les premiers siècles du christianisme, et qui considérait le corps et la vie terrestre comme une prison, dont l'homme devait se libérer, pour être sauvé.

Enfin, Condorcet, philosophe et mathématicien (1743-1794) soutenait l'idée de perfectionnement indéfini, comme nous l'avions évoqué dans notre introduction (*Esquisse d'un tableau historique des progrès de l'esprit humain*). Il était également l'adversaire déclaré de l'idée de finitude, pour lui la religion chrétienne dans cette idée de finitude était un frein au progrès de l'esprit. Pour Condorcet l'histoire ne vient que pour corroborer l'idée de progrès. Dans cette perspective, le progrès doit, selon le philosophe, transformer l'homme dans sa globalité, ouvrant ainsi une vision sans limites.

5 Les humus du transhumanisme

Les éléments fondateurs qui ont constitué l'humus favorisant l'émergence d'une nouvelle philosophie ou d'une nouvelle conception de l'homme

Notre époque a délibérément choisi de se tenir loin de Dieu. Nous vivons en outre une période floue, de déconstruction anthropologique et de relativisation.

Notre société contemporaine est en effet caractérisée par « le liquide[51] », le manque de socle, de repères : plus rien n'est en soi solide, consistant ; nous sommes dans un nouveau monde, bousculé par les nouvelles vagues idéologiques. La société est liquide, car l'unique référence pour l'individu est intégrée par son acte de consommation.

Dans ce monde, où les relations sociales sont devenues comme impalpables, les hommes sont comme ballottés par des forces dogmatiques, nous sommant de nous adapter en permanence.

C'est dans ce contexte de l'individu consommateur, envahi par ce monde des nouveautés, que prospèrent les éléments qui forment les terreaux ou l'humus fondant le transhumanisme ; les terreaux (humus) sont multiples, et nous en percevons au moins trois :
- 1. La technicité via la machinerie numérique qui impacte notre vie sociale et l'organise.

---

[51] Expression empruntée au philosophe et sociologue Zygmunt Bauman, né à Poznań en Pologne le 19 novembre 1925. Sa philosophie s'inscrit dans la critique de la modernité. Dans *La société liquide*, une métaphore écrite en 1998, le philosophe écrit que l'unique référence aujourd'hui de l'individu est intégrée par son acte de consommation.

- 2. <u>Les idéologies</u> qui participent largement à ce souci d'arracher l'homme au réel et aux stéréotypes dans lesquels la culture l'a prétendument enfermé.
- 3. <u>Le consumérisme</u> qui façonne artificiellement les besoins.

Ce nouveau siècle, en effet :
- accouche de prouesses technologiques et de progrès techniques fascinants,
- nous somme, nous impose une redéfinition de l'homme,
- nous dessine un homme qui est tenu de participer à la société d'hyperconsommation, à l'esprit de consommation.

La technicité : « Je suis dépendant non de la nature, mais de la technique qui m'environne. »

Pour Jacques Ellul, théologien protestant, « *aucun fait social humain, spirituel, n'a autant d'importance que le fait technique dans le monde moderne.* » Pour l'essayiste, la « Technique » a progressivement gagné tous les éléments de la civilisation. Au fil de son développement, la Technique est devenue un milieu environnant à part entière. L'ancien environnement – la nature – tend à passer au second plan, tant le rapport de l'homme à la technique est devenu prégnant, les usages, l'emploi des objets numériques notamment, lui est devenu si familier. Le danger de la technicité est de gommer les rapports de l'homme à la nature et d'atrophier sa relation et son ancrage dans le monde naturel.

Le propos du philosophe Martin Heidegger[52] rejoint, nous semble-t-il, celui de Jacques Ellul, qui voit dans l'avènement de la technique, un phénomène d'aliénation majeur des sociétés modernes. Pour Martin

---

[52] Martin Heidegger (1889-1976), né à Fribourg-en-Brisgau, est un philosophe allemand. Pour la référence relative à notre propos, nous vous renvoyons au *Que sais-je ?* d'Alain Boutot : *Heidegger. Que sais-je*, p. 88-89. Nous vous renvoyons également à la « La question de la technique, » dans *Essais et conférences,* Paris, Gallimard, collection Tel (n°52), 1993 (ISBN 2-07-022220-9), pp. 9-48.

Heidegger, le phénomène quasi-omniprésent et hégémonique de la technique, est une <u>forme de saccage de la terre.</u>

Pour Edgard Morin[53], « le développement de la technique ne provoque pas que des processus d'émancipation, il provoque des processus nouveaux de manipulation de l'homme par l'homme. »
C'est Martin Heidegger[54] qui évoque une forme de totalitarisme des sociétés modernes, de la publicité et de la puissance de nivellement qu'elle exerce sur l'espace public, qui consacre l'avènement de la soumission à la technique, de la société unique, empêchant la libre circulation des idées, des différences. Le texte de Heidegger que nous rapportons n'est pas sans rappeler la réflexion prémonitoire de Jacques Ellul à propos de l'envahissement de la technique et sa domination dans le domaine de l'organisation sociale, où l'homme devient lui-même une pièce d'un dispositif, un élément dans l'articulation d'un système social archi dominé par la technique, dont il doit rendre des comptes.

« À cette époque du monde marquée par la domination de la technique, l'homme est, du fait même de son déploiement, astreint à s'engager dans cette essence de la technique, dans la mise à disposition et à se soumettre à son commandement. L'homme est à sa manière pièce de ce fond disponible. Au sein de ce commandement du fond disponible, l'homme est interchangeable. Le penser comme pièce du fond disponible, c'est donc toujours présupposer qu'il puisse devenir, en sa fonction même, l'agent permanent de ce commandement, le fonctionnaire. [...] Hommes et femmes doivent se soumettre à un emploi. Ils sont ainsi commandés, concernés par un poste qui dispose d'eux, c'est-à-dire qui les requiert. L'un dispose l'autre. Il le mobilise et en dispose. Il exige de lui qu'il l'informe et lui rende des comptes. Il le sollicite. » - Martin Heidegger (1889-1976), Conférences de Brême, « Le Dispositif. »

---

[53] Edgard Morin (Edgar Nahoum), né à Paris le 8 juillet 1921, est un sociologue et philosophe français.

Les idéologies qui déconstruisent l'homme : « *Je ne suis pas mon corps.* »

Parmi les idéologies qui déconstruisent l'homme, se trouvent celles qui sont issues des études du genre et qui visent à refonder une nouvelle anthropologie asexuée.

La pensée contemporaine dénie la différence entre les hommes et les femmes, dénie l'altérité. Elle est au point de créer de nouvelles catégories : demain il ne sera sans doute plus question de parler d'hommes et de femmes, mais de genres et d'orientations sexuelles, délibérément choisis.

Méconnaissant l'amour et la justice de Dieu, l'humanité dans sa nouvelle religion anthropologique, lit et explique le Cosmos selon un nouvel horizon géométrique : la seule horizontalité, et de niveau égal. Dans cette nouvelle anthropologie, l'immense diversité des êtres est disposée sur un même plan.

Tout s'entasse dans un champ matérialiste et scientiste aux horizons incertains, aux contingences indéfinies. Du coup, le combat pour l'égalité se transforme en dogme de l'égalitarisme. La différence n'est plus alors valorisée.

Le consumérisme : « Je suis ce que je consomme. »

Pour Gilles Lipovetsky[55], le « **Je suis ce que je consomme** » s'infiltre jusque dans les familles, dans les Églises, nous enfermant dans un état d'insatisfaction perpétuelle, de frustration. Artificiellement, nous sommes persuadés de manquer. C'est le fantasme de la société moderne de nous faire croire qu'il faut plus qu'un corps sain et en sécurité, le vêtement, le manger et le boire.

La société consumériste détourne les êtres humains de la mort. Les consommateurs des sociétés modernes sont comme absorbés, avalés,

---

[55] Gilles Lipovetsky, philosophe et essayiste, auteur du livre *Le Bonheur paradoxal : essai sur la société d'hyperconsommation*, Paris, Gallimard, 2006.

divertis dans leur vie quotidienne et évitent toute confrontation directe avec la finitude.

L'idéologie transhumaniste, une idéologie hors-sol

Le hors-sol est une image qui signifie tout simplement une forme de déracinement de notre société qui peu à peu perd pied, ne s'ancre plus dans le réel, une façon pour elle de bâtir un monde sans roc, un monde qui ne s'appuie pas dans la réalité. Par exemple, dans l'idéologie des études du genre, on prône l'interchangeabilité, la plasticité. Au fond, les tenants de ces idéologies prétendent que l'on n'est pas nécessairement son corps. <u>Le transhumanisme entend ainsi remettre en cause l'idée d'encerclement du corps, transgresser la finitude de l'être humain en cassant les barrières du corps.</u>

Le transhumanisme, dans le prolongement de la philosophie des humanistes, puis des Lumières, est une utopie idéologique à accomplir radicalement, en tordant la réalité, en pensant qu'il est possible de modifier le réel.

6

Les enjeux de la civilisation transhumaniste

Les enjeux à terme en regard de ce monde idéologique qui se dessine

Nous entrons dans une forme de servitude spirituelle. En raison des situations de crise, de besoins sécuritaires dans des contextes de terrorisme, d'une addiction forcenée vis-à-vis des objets numériques, nous serons tous épiés, dévisagés, écoutés, observés, déchiffrés, décryptés en permanence, dans une société de quasi-surveillance, de connexions et d'interactions universelle. Nous serons des êtres transparents, dévisagés par la toute-puissance numérique qui organisera la vie sociale.

Une forme de Maïa[56] universelle se forme subrepticement, via les connexions organisées, une mise en réseau planétaire de tous les individus. Maïa était une déesse dans la mythologie grecque, elle représente la terre féconde et symbolise une forme de régulation via les interactions des écosystèmes.

Via l'émergence de cette nouvelle idéologie, associée au transhumanisme, nous voyons bien l'apparition non seulement d'un système de pensée, mais bien un système de gouvernance sociale, amenant un véritable changement social, comme l'imaginait le philosophe et économiste Saint Simon. Pour le philosophe, il fallait en effet remettre la « société à l'endroit, » l'enjeu n'était pas selon l'économiste « de remplacer des hommes par d'autres hommes, » en occupant des positions dans une structure qui demeurerait immuable, « il fallait un système » pour remplacer un « système » jugé ancien ou

---

[56] Dans la mythologie grecque, Maïa (en grec ancien : Μαῖα / Maîa) est l'aînée des Pléiades, filles d'Atlas et de Pléioné. Dans la mythologie romaine, Maïa personnifie et favorise l'accroissement des choses vivantes, en particulier le développement des végétaux (la poussée de la sève).

inachevé. <u>Ainsi, le monde numérique devient à la fois, à plus d'un titre, une méga structure et une puissance d'organisation sociale du monde.</u> Les signaux forts renvoyés aujourd'hui par le monde numérique sont de nature à interpeller les personnes qui au quotidien se laissent familiariser par tous ces objets numériques.

Ces signaux existent : à ce jour nous sommes les témoins contemporains du début d'une révolution sociale et économique, une révolution sans précédent, qui va bouleverser les axiomes économiques, tels que nous les connaissions hier.

Cette révolution transhumaniste qui passe par les moyens sans précédents offerts par l'économie numérique va :

- agréger et piloter chaque individu à des fins mercantiles,
- former une forme de communisme du « *capital cognitif,* » une forme de communauté collaborative et de partage à l'échelle mondiale,
- supprimer les intermédiations, raccourcir les circuits de distribution,
- regrouper dans des collectifs des communautés en réseaux ; sous contrôle, des centaines de millions d'individus seront fichés (les habitudes, les pratiques de consommation, les croyances seront répertoriées, identifiées, repérées comme c'est déjà le cas en Chine communiste), des modèles de réponses seront façonnés pour adapter des réponses mercantiles ciblées à ces communautés de réseaux.

L'intuition de cette révolution numérique est parfaitement dépeinte par Jeremy Rifkin[57] :
« Je pense que ce qui forme tout grand changement de paradigme économique est la réunion de trois technologies (énergétique,

---

[57]Jérémy Rifkin, né le 26 janvier 1945, essayiste américain, spécialiste de prospective (économique et scientifique). Il a aussi conseillé diverses personnalités politiques. Son travail, basé sur une veille et une réflexion prospectives, a surtout porté sur l'exploration des potentialités scientifiques et techniques nouvelles, sur leurs impacts en termes sociétaux, environnementaux et socio-économiques.

logistique, communication) au même moment. Si vous savez ce que sont ces technologies, vous pouvez déterminer assez bien comment le pouvoir va être organisé et distribué. Il y aura toujours des moyens de l'influencer, mais ne pas voir cet aspect est totalement naïf de la part des économistes. »

En posant le postulat d'une interaction entre les mutations traversées par les mondes industriels, les mondes numériques et les évolutions idéologiques, pensons de nouveau à ce grand penseur Jacques Ellul, théologien visionnaire qui, avec une grande acuité, a perçu les développements de l'ère technique dans toutes ses dimensions matérielles ou immatérielles, de ses connexions avec la vie sociale, des connexions qui peuvent conduire à l'asservissement, et pourquoi pas, à une forme de dictature douce.

Ainsi, de nombreux jeux virtuels gouvernent désormais, pilotent, gèrent, allant même jusqu'à diriger vos déplacements, commandent votre vie sociale.
Le jeu numérique Pokémon, jeu chronophage et anti social, en est ici une parfaite illustration, suscitant un engouement collectif et une vraie dépendance ludique. La carte du monde dans lequel se déroule le jeu virtuel est superposée aux rues, aux places publiques et aux routes réelles. Le joueur peut se déplacer sur cette carte en se déplaçant avec son téléphone pour chasser ces « gentils monstres, » mais ces derniers entrent dans la dimension de la servitude, la dictature du quotidien, infligée par un jeu non neutre, phagocytant le temps et l'argent de sa victime.
L'être humain, rivé sur l'objet numérique, est ainsi ou est en passe de devenir le sujet consumériste de la machine web. L'être humain est réduit à devenir le produit de sa machine numérique.

Le transhumanisme, un double enjeu industriel et idéologique, des rapports intriqués

Relativement au transhumanisme qui met sa foi dans la technicité comme une façon de d'améliorer et d'augmenter l'homme, nous le saisissons à la fois comme un enjeu industriel qui préfigure le monde de demain, mais également une idéologie proche d'une conception panthéiste, faisant de l'homme une composante de l'immanence, une partie d'un tout. L'immanence est sans doute contraire à l'idée de finitude, puisque l'homme, dans cette conception d'un monde global, serait une partie d'un tout, la transcendance renvoyant en revanche à l'idée de finitude.

Le transhumanisme est également une idéologie avec ses valeurs et ses normes, aux antipodes des conceptions philosophiques fondées sur un rapport au réel et des limites entrevues dans ce rapport à la nature. Le transhumanisme se définissant comme une forme de dépassement du réel ou d'une volonté de s'inscrire dans la transformation du réel, aux frontières d'un monde désincarné, où tous les rêves de mutation deviennent possibles, où l'on s'affranchit de toutes les frontières et de tous les Rubicon.

Nous percevons ainsi le transhumanisme comme une production idéologique, dans un tournant civilisationnel, impliquant également la transformation des structures sociales. La compréhension du transhumanisme est ainsi indissociable d'une critique de la production idéologique, dans laquelle il s'inscrit, ce que nous allons commenter et développer.

Pour autant, la philosophie transhumaniste a ses opposants parmi les chrétiens, les altermondialistes, qui émettent des réserves fortes sur la foi absolue dans les bénéfices des progrès techniques. Ils ne voient pas ainsi d'un bon œil le progrès d'une société consumériste qui mettrait toute sa foi dans la recherche de l'efficience, dans l'espérance technique pour améliorer le quotidien, la vie sociale de l'humanité. De fait, nous craignons, pire nous appréhendons, l'émergence d'une société de la performance, ouvrant des perspectives eugénistes, susceptibles de créer une nouvelle espèce génétiquement modifiée, une nouvelle race d'hommes.

Il est d'ailleurs intéressant d'imaginer les convergences entre transhumanisme et les idéologies progressistes, autour du genre prônant la plasticité des identités. Ici, la technicité pourrait réparer, muter ou transformer le corps, qui n'est pas vécu comme son identité. Choisir son corps sexué et non celui issu d'un donné naturel, deviendrait possible, comme opter pour un corps, ni masculin, ni féminin.

La finalité du mouvement transhumaniste réside, dès lors, dans une conception d'un monde « ouvert,» dans la totalité virtuelle, ne s'autorisant aucune limite, dépassant la finitude de l'homme, luttant contre sa mortalité, dépassant le corps (et ses limites) qui l'enferme dans son identité.

Or, contrairement au transhumanisme, la conception chrétienne n'embrasse pas l'évolution bionique ou virtuelle de l'homme. Pour le chrétien, la régénération de l'homme passe par son salut, la chair est, quant à elle, mortelle, sa finitude est la condition même de notre existence.

En outre, la dimension transhumaniste, dans sa vision purement quantitative de la performance, l'« augmentation » de l'homme, cette philosophie quasi-matérialiste, passe sous silence la dimension qualitative de la « dimension du bien[58], » qui était au cœur de la sagesse grecque en rapport avec le sensible. Sans cette interrogation sur le sens de la vie et de la dimension du bien, l'utopie scientifique portée par la vision techniciste ne s'intéresse finalement pas au sens de la vie, à la sensibilité et, plus grave encore, elle en fait probablement abstraction.

Nous prenons alors conscience que la conception matérialiste du vivant et l'idéologie transhumaniste sont aux antipodes d'une conception essentialiste de la vie, défendue par l'approche promue par la foi chrétienne laquelle met l'accent sur la dimension déchue de la chair humaine, dont la régénération passe par sa transformation spirituelle, la transfiguration qu'opère la croix, le sacrifice de Jésus-Christ. Nous percevons ainsi et dès lors deux approches antagonistes, deux conceptions de l'homme résolument et diamétralement opposées.

---

[58] Chez Platon, le bien (*agathos*) est la fin ultime poursuivie par tout être humain.

De par l'évolution des technologies, la recherche de services qui émerge d'une société robotisée, l'univers androïde révolutionnera l'économie réelle, minimisera l'effort, supprimera le recours à la main de l'homme. Inévitablement, via les innovations continues, une société de confort émergera, augmentant la facilité, les performances et l'espérance de vie, portant en soi les germes d'une possible aliénation de la prise de risque. Mais l'eldorado de la modernité technologique prend également le risque de créer des situations de désespérance chez les artisans, les entrepreneurs plus familiarisés à dominer l'outil. Ces artisans d'une époque obsolète seront confrontés à de nouvelles concurrences robotiques, à toute une machinerie se substituant à l'homme, afin de s'économiser les coûts engendrés par son emploi. Ainsi, cette modernité semble si éloignée des artisans que décrit le texte d'Exodes 36 : « Tous les hommes habiles que l'Éternel avait dotés d'habileté, d'intelligence et de compétence pour exécuter tous les ouvrages à réaliser... » La Bible mentionne l'habileté de l'homme et valorise, de fait, l'intelligence de l'homme à fabriquer. C'est lorsque l'homme est dépossédé de son savoir et qu'il est supplanté par la machine que l'on peut légitimement s'inquiéter d'une entreprise de déshumanisation qui s'organise en raison de la magnificence du tout technologique, faisant à la place de l'homme, comme ces fameuses imprimantes 3D, qui conçoivent sans l'intervention de la main artisanale.

À l'instar de notre précédent propos concernant le travail artisanal, nous ne pouvons-nous empêcher de rappeler à nouveau ce texte écrit en 1913[59] de Charles Péguy, qui évoquait l'outil de *l'artisan* : « Un respect de l'outil, et de la main, ce suprême outil. – Je perds ma main à travailler, disaient les vieux. Et c'était la fin des fins. L'idée qu'on aurait pu abîmer ses outils exprès ne leur eût pas même semblé le dernier des sacrilèges. Elle ne leur eût pas même semblé la pire des folies. Elle ne leur eût pas même semblé monstrueuse. Elle leur eût semblé la supposition la plus extravagante. C'eût été comme si on leur eût parlé de se couper la main. L'outil n'était qu'une main plus longue, ou plus dure (des ongles d'acier), ou plus particulièrement affectée. Une main qu'on s'était faite exprès pour ceci ou pour cela. Un ouvrier abîmer un

---

[59] Charles Peguy, *L'argent* (1913), Éditions des Équateurs parallèles, 1992, pp. 29-37.

outil, pour eux, c'eût été, dans cette guerre, le conscrit qui se coupe le pouce. »

Nonobstant, doit-on tout rejeter du progrès, notamment sur les apports liés aux développements des approches collaboratives qui incontestablement favorisent des services utiles dans le quotidien ?
Pour asseoir notre propos et amener notre lecteur à mieux comprendre notre point de vue, nous nous appuierons sur la déclaration transhumaniste, émanant de l'Institut Extropy de Max More, qui proclame : « Nous allons au-delà de beaucoup d'humanistes en ce que nous proposons des modifications fondamentales de la nature humaine en vue [...] de son amélioration. » Les modifications fondamentales touchent également au passage d'un outil dominé par la main de l'homme à l'homme dominé par son outil. « C'est quand l'homme abandonne le sensible que son âme devient démente. »[60]

---

[60] Cité par Michel Foucault, *Histoire de la folie à l'âge classique,* Éditions Gallimard.

7   Le transhumanisme, une entreprise de déconstruction spirituelle

Le déni spirituel du transhumanisme

L'idéologie transhumaniste comporte plusieurs dimensions qui sont l'expression d'un déni spirituel et d'un déni du monde réel ou naturel.

La première dimension de ce déni est le rêve de **l'immortalité**, il convient de casser l'ADN qui nous enferme dans la mortalité, il faut ainsi dépasser la mort et gommer toute aspiration à un au-delà. Ray Kurzweil[61], directeur de l'ingénierie à Google affirme, en toute bonne foi, que les progrès prodigieux de la technologie nous feront atteindre bientôt l'immortalité !

La deuxième s'inscrit dans l'affranchissement lié à **l'encerclement du corps** ; c'est la valorisation de l'individu, un individu libre de son corps qui se modifie lui-même, n'appartient à personne, et pourtant absorbé par le monde collectif avec lequel il interagit.

La troisième dimension de ce déni se traduit par l'addiction aux objets techniques qui conduisent l'homme à une **servitude sociale**. La vie numérique (les réseaux sociaux) qui devient finalement une forme de régulateur de la vie sociale, modalisant, puis interagissant avec les habitudes et les attitudes des consommateurs de ces réseaux sociaux, voire demain pilotant les comportements consuméristes (la Babylone est marchande).

La quatrième dimension d'un déni spirituel et réel est celui d'une **anti incarnation**. Dieu s'incarne dans notre chair, nous invite à

---

[61] Voir https://fr.wikipedia.org/wiki/Raymond_Kurzweil.

vivre des relations en face à face. Or l'humanité évolue dans des univers de dématérialisation, dématérialisation des produits et des services, dans des relations de plus en plus virtuelles où nous échappons au réel, à une vie d'entraide faite de gestes et de rencontres, de vécus et de mains tendues. **Nous arrivons dans un univers où l'atrophie des interactions sociales est devenue plus prégnante.**

Faut-il avoir peur du courant transhumaniste ?

Je ne sais s'il faut avoir peur du courant transhumaniste, il faut surtout s'en inquiéter, et c'est notre rôle d'éveiller les consciences.

« Ce n'est pas l'homme qui doit 's'augmenter' artificiellement, mais bien les sociétés humaines qui doivent décroître jusqu'à rejoindre la mesure de l'homme. »

Citons Tugdual Derville[62], Directeur général d'Alliance Vita, qui a longuement réfléchi sur les questions d'écologie et de transhumanisme. La « *barrière de complexité* » du réel vient contredire les fantasmes prométhéens simplistes. La « mécanique » humaine est infiniment plus complexe que celle d'un ordinateur. L'intelligence artificielle a certes accompli des prouesses. Mais l'homme n'est pas qu'un cerveau, il est aussi un corps, en relation avec son environnement, un souffle de vie et un mystère...

En témoigne la complexité de ce qui se joue entre la mère et celui qu'elle porte : transmissions épigénétiques, interactions biologiques et psychologiques...

---

[62] Tugdual Derville est un des trois initiateurs du courant pour une écologie humaine, il a fondé l'association **À bras ouverts** pour organiser l'accueil par des accompagnateurs bénévoles d'enfants, d'adolescents et de jeunes adultes porteurs d'un handicap mental. Il est également directeur général d'Alliance Vita. Cette association s'est engagée à promouvoir la sensibilisation à la fois des publics et des décideurs à la protection de la vie humaine. Il est également l'auteur du livre *Le temps de l'homme.*

Dans la même idée, si, certes, le philosophe Hegel[63] parle de l'art et non de la prouesse technologique, le philosophe montre la présomption de l'homme de vouloir copier et imiter la nature. Pour le philosophe, **cette tentative de copier la nature « ressemble à un ver qui s'efforce en rampant d'imiter un éléphant. »** Ainsi, selon Hegel, l'art ne peut pas rivaliser avec la nature.

En effet, l'ambition d'imiter la nature est vouée à l'échec. Les moyens dont dispose l'artiste ne lui permettront jamais de reproduire fidèlement la nature, <u>dont le principe essentiel est celui de la vie.</u> L'art ne pourra jamais que proposer une pâle copie de l'existence, une caricature de la vie.

« ... ce travail superflu peut passer pour un jeu présomptueux, qui reste bien en-deçà de la nature. Car l'art est limité par ses moyens d'expression, et ne peut produire que des illusions partielles, qui ne trompent qu'un seul sens. En fait, quand l'art s'en tient au but formel de la stricte imitation, il ne nous donne, à la place du réel et du vivant, que la caricature de la vie... »

Hegel donne d'autres exemples à des fins de montrer « la prétention futile de ceux qui font de l'imitation de la nature la fin suprême de l'art: dans les deux cas, la valeur de l'œuvre est proclamée parce que des animaux se sont laissés tromper par la ressemblance de l'œuvre à l'objet nature. »

« En fait, quand l'art s'en tient au but formel de la stricte imitation, **il ne nous donne, à la place du réel et du vivant que la caricature de la vie**. On sait que les Turcs, comme tous les mahométans, ne tolèrent qu'on peigne ou reproduise l'homme ou toute autre créature vivante. J. Bruce au cours de son voyage en Abyssinie, ayant montré à un Turc un poisson peint, le plongea d'abord dans l'étonnement, mais bientôt après, en reçut la réponse suivante : "Si ce poisson, au Jugement Dernier, se lève contre toi et te dit : tu m'as bien fait un corps, mais point d'âme vivante, comment te justifieras-tu de

---

[63] Hegel, *Esthétique*, Collection P.U.F., page 13.

cette accusation ?" Le Prophète lui-aussi, comme il est dit dans la Sunna, répondit à ses deux femmes, Ommi Habida et Ommi Selma, qui lui parlaient des peintures des temples éthiopiens : 'Ces peintures accuseront leurs auteurs au jour du Jugement.' »

Ce texte d'Hegel illustre notre propos concernant l'intelligence artificielle (IA), l'IA ne sera qu'une copie incolore, une imitation artificielle et ne saura rivaliser avec l'esprit de l'homme et son âme vivante. Il manquera à l'intelligence artificielle justement l'âme vivante.

Dans ce livre nous avons également sollicité la lecture de plusieurs philosophes et notamment d'un ami philosophe chrétien, lui-même engagé dans ce combat contre les idéologies ambiantes, contre les formes de régression engagées, de déconstruction de l'homme tel qu'il est.

Nous avons posé cette question à Laurent Devie, enseignant en philosophie, et nous l'avons sollicité sur cette dimension transhumaniste touchant à l'intelligence artificielle, en lui demandant ce qu'il pensait de cette distinction entre « intelligence artificielle faible » et « intelligence artificielle forte. »

Nous reprenons ici les propos de Laurent Devie qui nous partage sa lecture sur la distinction entre intelligence artificielle faible et intelligence artificielle forte. « Une réserve de fond sur la distinction 'intelligence artificielle faible' et 'intelligence artificielle forte'. La première est un état de fait, et elle existe depuis longtemps ; elle est infiniment plus puissante que la puissance de calcul d'un cerveau biologique humain ; la seconde (intelligence artificielle forte) est un postulat. Rien ne dit ni ne montre qu'une machine puisse accéder à la conscience.

Je renvoie pour cela à la distinction que fait Pascal sur les trois ordres incommensurables (matière / intelligence / amour) : avec de la matière, l'on ne fait pas de l'intelligence, pas une once ; avec toute l'intelligence du monde, l'on ne peut pas faire un peu d'amour, pas une once non plus. Bergson aussi, dans *L'énergie spirituelle*, montre la dissymétrie matière-pensée en disant que, s'il y a un lien entre cérébral et mental, depuis la cartographie du premier, on ne peut redessiner les pensées mentales.

Autrement dit, l'hétérogénéité radicale matière-esprit ne permet pas d'espérer qu'un jour, contrairement à ce que prétendent les sorciers transhumanistes, l'on aura des ordinateurs capables d'automatismes hallucinants (comme l'algorithme Google), car ces transhumanistes rêvent en pensant que l'on aura un jour de l'intelligence artificielle forte. Je ne dis pas qu'on n'y arrivera jamais ; ce que je veux dire, c'est que, comme pour le vivant, il faut déjà de la vie pour répéter du vivant ; de même pour la pensée, il faudra déjà de la pensée consciente pour espérer l'augmenter. Mais de la matière seule, l'on ne pourra pas générer un souffle de pensée consciente : ça, c'est dans l'imagination des scientifiques qui devrait faire un peu plus de métaphysique, plutôt que de rêver comme des gamins à une immortalité qui n'aurait aucun sens ... »

Malgré les réserves formulées par le philosophe, il n'est pourtant pas contestable que nous sommes « en route pour la démesure, » avec cette volonté de redresser, de corriger notre sortie de l'Éden, comme s'il fallait retrouver le chemin de l'éternité, mais dans cette course folle vers un progrès sans conscience, n'est-ce pas la figure de la Bête qui se dessine subrepticement ? L'homme prométhéen devenu son propre Dieu. « Saurons-nous entendre ces signaux qui nous alertent sur les formes extravagantes du 'progrès' ? » s'interroge le sociologue Yves Darcourt Lézat.

J'aime également ce propos partagé par Jean Michel Bessou, artiste et pianiste, un ami : « L'informatique ne peut améliorer ni créer la vie, parce que le numérique relève du rationnel et du discontinu, tandis que la Vie dépasse le rationnel et relève du continu. La technique tend vers le Zéro parce qu'elle est vide comme l'espace entre les particules, entre les étoiles ou entre les décimales de π. La vie, au contraire, tend vers l'Infini, car l'Infini c'est l'Un : étant continue, elle est pleine et substantielle. La tentative de l'ingénieur qui veut s'égaler à Dieu, de la technique qui veut égaler la vie, est aussi vaine que celle d'un miroir qui voudrait rayonner plus fort que le soleil qu'il reflète : cette illusion ressemble à celle du mouvement perpétuel, et le rendement égal à un est un objectif inatteignable car c'est la projection symbolique de la prétention de l'homme à égaler le Créateur. Les logiciels vont s'approcher asymptotiquement de l'intelligence ou de la création musicale, la chimie va se rapprocher indéfiniment de la création de la vie qu'on nous annonce tous les cinq ans, ces buts ne seront jamais atteints ! On savait déjà qu'on ne soumet la Nature qu'en lui obéissant."

8

Le transhumanisme, une vision et un système totalisants

La conquête contemporaine de l'Éden

« Vous serez comme des dieux, connaissant le bien et le mal » (Genèse 3:5).

Le récit du livre de la Genèse relate un événement qui semblerait bien à ce jour transcender la dimension de la légende ou du mythe, dans lequel la pensée matérialiste aimerait enfermer ce passage. Passage qui fait sans doute partie d'une des dramaturgies mémorables liée à la culture de l'humanité.

« Le serpent était le plus rusé de tous les animaux des champs que le Seigneur Dieu avait faits. Il dit à la femme : Dieu a-t-il réellement dit : 'Vous ne mangerez pas de tous les arbres du jardin ?' La femme répondit au serpent : 'Nous mangeons du fruit des arbres du jardin. Mais quant au fruit de l'arbre qui est au milieu du jardin, Dieu a dit : Vous n'en mangerez point et vous n'y toucherez point, de peur que vous ne mouriez.' Alors le serpent dit à la femme : 'Vous ne mourrez point ; mais Dieu sait que, le jour où vous en mangerez, vos yeux s'ouvriront, et que vous serez comme des dieux, connaissant le bien et le mal' » (Livre de la Genèse, chapitre 3, versets 1 à 5).

Nous sommes frappés, à l'aune des changements, des bouleversements traversés par l'humanité, d'une mutation radicale, d'un changement de paradigme, d'une conquête effrénée, accentuée de l'Éden perdue. L'homme vit une forme de soif inexorable de ce paradis perdu, cherchant à atténuer sa souffrance, à gommer une forme de fêlure associée à cette rupture avec son Créateur. Comment ne pas être frappé à la lecture des transformations sociétales, comment ne pas être étonné à l'aune des mutations technologiques, de cet appétit de l'homme à devenir Dieu ?

Fabrice Hadjadj mentionne dans son livre *La foi des démons ou l'athéisme dépassé* [64]que « changer de nature, fût-ce pour une nature supérieure, équivaut à une destruction de soi, » ajoutant que « le péché n'est pas de convoiter une absurde égalité avec Dieu, mais de vouloir une certaine similitude avec lui de manière désordonnée. »

La chute de l'homme s'exprime ainsi, et également à travers ce comportement déraisonnable de transgresser tous les interdits, en consommant jusqu'à la lie ce fruit de la connaissance du bien et du mal, de rechercher avec vanité la mémoire de cette éternité, de ce paradis dont l'accès lui a été fermé.

Toutes les idéologies se sont fondées sur ce besoin obsessionnel d'égalité, d'accès absurde à un bonheur sans douleur, en repoussant, autant que possible, les injustices insupportables ou celles qui, même dans l'aberrante méprise, pourraient être jugées comme telles, touchant la vie sociale, le corps, le milieu de l'homme.

L'homme a été créé fini, sexué, vulnérable. La chute précipite l'homme hors de l'Éden, hors de cette identité qui l'avait conduit dans cette union avec Dieu. Le voici mortel, corruptible, séparé depuis la Chute, le voici éloigné en distance à la conquête d'un désir de similitude avec son Créateur, mais tout en feignant de l'ignorer, de le mettre en distance.

Conjurer le sort d'avoir été jeté hors du Paradis

L'homme, comme empêtré, embrouillé dans ses suffisances, recherche en vain à réparer, à accomplir, à combler son manque de Dieu. Mais en aspirant à devenir Dieu, nous pressentons la venue d'un nouvel homme, d'une nouvelle espèce humaine, fondée sur de nouvelles

---

[64] Fabrice Hadjadj, *La foi des démons ou l'athéisme dépassé.* Edition poche, Albin Michel, 6 avril 2011, 320 pages.

valeurs anthropologiques, mêlant consumérisme, idéologie, technicité. Un homme supérieur, génétiquement modifié, transformé par la nouvelle religion terrassant la première, effaçant si possible le souvenir du Paradis perdu.

Tout se passe comme si l'homme dans sa folie entendait, dans une inextricable agitation, conjurer inconsciemment le sort qui lui a été réservé de ne plus avoir accès à l'Éden, et surtout d'être condamné à connaitre la mort, confronté à jamais à cette fin inéluctable et tragique. Pourtant malgré sa finitude, l'homme découvre sa toute-puissance, se métamorphose en Dieu. Une nouvelle idéologie conforte cet appétit et installe l'humanité dans cette forme d'utopie vers laquelle obstinément elle court, entrainée dans une mouvance jusqu'au-boutiste, une ambition mortifère. Dans cette ambition mortifère, l'humanité loue les avancées scientifiques, les bienfaits de la génétique et de la biologie, les apports des temples marchands, la libération du corps promise par les militants des idéologies du genre.

Plus cette « *humanité déviante* » avance dans les progrès de la technicité (terme que j'emprunte à Jacques Ellul), de l'organisation sociale, de l'accès au « bonheur matériel, » moins elle évoque le besoin de religion. L'homme n'a plus besoin du secours de Dieu, puisqu'il peut compter sur la science conquérante pour vivre sur de nouvelles idéologies, pour prétendre au confort, au bien vivre.

Nous entrons, comme le définissait Julian Sorell Huxley, biologiste et père de l'eugénisme (1887-1975), dans une forme de transhumanisme, dépassant les limites de la finitude que lui impose notamment la mort. Nous prenons ainsi conscience du fantasme de l'humanité et de la perversion auxquelles conduisent de telles aspirations, une telle utopie mêlant idéologies de libération du corps et nouveaux pouvoirs, qui par enchantement augmentent les capacités cognitives et physiologiques de l'homme, en lui greffant de nouveaux attributs.

Sous prétexte d'égalité, une nouvelle religion veut également soumettre notre esprit, sous la tutelle d'un nouveau totalitarisme qui est l'idéologie ambiante, la pensée sociale du moment : l'égalité femme / homme. Nous sommes sommés d'obtempérer et, dans le cas contraire, menacés d'être invectivés, fulminés de comportements réactionnaires. Nous sommes alors accusés d'obscurantisme, de croire à l'homme en tant qu'image de Dieu, à la différence, à l'altérité des êtres, à la complémentarité de l'homme et de la femme.

Or, nous ressentons prophétiquement l'urgence d'écrire et de mettre à jour ces tendances lourdes qui s'écrivent, se dessinent, pour montrer à quel point les prétentions idéologiques de l'homme l'égarent loin de la transcendance, l'éloignent d'un rapport au réel, dénaturent la réalité ontologique de ce qu'il est et de son incarnation dans la finitude.

Mais il nous appartient aussi d'expliquer et comprendre la nature spirituelle des enjeux, le mal moral dont souffre l'humanité, à l'aune des tentations vécues par Jésus-Christ lui-même qui fut éprouvé au désert et qui se vit offrir tous les royaumes du monde et leur gloire, comme si la gloire du Père créateur des cieux et de la terre ne suffisait pas.

Toute la Bible, et notamment le Second Testament, nous relate la victoire de Christ contre le Prince du monde, le Dieu de ce siècle. L'histoire, depuis l'incarnation de Dieu sur la terre, s'est subitement accélérée, comme le mentionne Fabrice Hadjadj dans *La foi des démons*,[65] citant le livre de l'Apocalypse : « C'est la victoire de l'Agneau qui jette sur la terre l'énorme Dragon, séducteur du monde entier, et ses anges avec lui (Apocalypse 12.9). » Hadjadj surenchérit : « Se livrer à Satan, selon Baudelaire, c'est croire qu'on en a fini avec lui, et que l'on s'en tirera bien tout seul, grâce à ses bons sentiments et ses puissantes machines : 'Nous périrons par où nous avons cru vivre. La mécanique nous aura tellement américanisés, le progrès aura si bien atrophié en nous la partie spirituelle que rien parmi les rêveries sanguinaires, sacrilèges, ou antis naturels des utopistes ne pourra être comparé à ses résultats positifs.' »

---

[65] Fabrice Hadjadj, *La foi des démons ou l'athéisme dépassé*. Edition poche, Albin Michel, 6 avril 2011, 320 pages.

Pour reprendre le mot de Shmuel Trigano, auteur de l'ouvrage *La nouvelle idéologie dominante*, le but de notre texte est ici de « cartographier » les ambitions idéologiques et sociales, les ambitions technologiques et celles enfin, de nature consumériste, visant à réparer l'homme, à l'augmenter, à le combler. Nous voulons montrer dans ce texte que la pensée idéologique de ce siècle, la puissance technologique et l'envie de posséder relèvent d'un même socle, d'une même tentation: avoir cru « acquérir la clairvoyance » et devenir « Dieu ».

La réflexion que nous engageons décline ces dimensions, ces valeurs du postmodernisme qui aujourd'hui interagissent et prétendent façonner l'homme nouveau, une pure et tragique chimère, si l'homme cherche son salut dans la vanité d'une « science sans conscience, » de la sagesse sociale, de l'idéologie de l'égalité.

L'homme réparé

Dans cette reconsidération de l'humain, tel qu'il est, nous sommes ainsi passés à une redéfinition de l'homme dissocié de son identité sexuée. Dans l'Eden, l'homme éprouvait un manque. Ce manque a été vécu bien avant la Chute, bien avant la rupture de l'homme avec son Créateur. C'est cette dimension de l'altérité, d'un autre que lui-même qui combla l'homme. C'est cette altérité qui permet à l'homme comme à la femme de s'accomplir et de s'apporter mutuellement de par leur entraide.

Imaginons alors l'illusion et la tragédie humaine dans laquelle nous sommes susceptibles d'entrer, résultant d'un déni de l'altérité, de ce manque que Dieu combla en répliquant un être semblable mais différent de lui ! Or c'est l'altérité qui façonne et complète l'identité ontologique. C'est cette différence qui structure l'être qui est une réponse harmonieuse à son manque. Aimer le soi-même dans son équivalence ne comble pas le manque, mais génère bien de la souffrance. Se complaire dans sa propre image, son égoportrait est un sentiment narcissique, une forme d'illusion de l'autosuffisance qui ne peut générer que de la souffrance.

La perspective transhumaniste d'une humanité dont les caractéristiques cognitives et physiologiques ont été améliorées répond à cette aspiration de l'homme de tendre vers l'humanité dépassant sa finitude, sa fragilité, mais ne peut répondre au manque qui résulte de la seule altérité, de la différence complémentaire et de l'émerveillement que génère la fécondité, la perpétuation de l'espèce humaine.

L'homme augmenté

La poussée exponentielle de la connaissance et de la maitrise de la matière, les avancées et accélérations manifestes de la science, les applications et sauts technologiques toujours aussi fulgurantes ouvrent des perspectives troublantes sur le devenir même de l'humanité. Ces avancées bousculent les frontières et autorisent des croisements entre la matière, le végétal et l'humain que l'on aurait imaginés impossibles quelques décennies plus tôt, pouvant reléguer les auteurs de sciences fiction à des romanciers de l'utopie, aux bien pâles imaginations.

Ainsi les aspirations de l'humanité sans Dieu, ses utopies démiurgiques aboutissent à la construction d'un univers déconstruit. L'homme entend se réparer, être performant et comblé : il anéantit en réalité le verbe, l'esprit, la dimension de la différence et de l'altérité, condition *sine qua non* de la fécondité, de la fertilité engendrant la vie.

Au cours d'un colloque[66] qui avait pour thème l'uniformisation de la société, Alain Ledain, professeur de mathématiques, rappelle : « *Le dessein de l'humanité et les contours de ses projets reforment implicitement la tour de Babel.* » Alain Ledain précise ainsi que « Babel, telle que nous la présente le texte de la Genèse (Genèse 11:1-9), se caractérise par l'uniformité : uniformité de la pensée (« une seule langue et les mêmes mots, » ou « une même lèvre avec peu de mots »), et uniformité des êtres : « *les briques sont à l'image des hommes qui composent la ville. Et là où il y a uniformité, règnent l'anonymat et une profonde solitude qui en découle.* »

---

[66] Les actes de ce colloque ont été publiés dans un ouvrage collectif publié par les éditions Ethiques Chrétiennes en 2015. Extrait du passage cité : Uniformisation – Un point de vue biblique par Alain Ledain.

Le rêve du surhomme

Toute l'histoire de l'humanité est jalonnée par des rêves démiurgiques, le livre de la Genèse décrit un dialogue entre le serpent et la femme en Genèse 3:1-8, dont nous avons déjà rapporté plus haut un extrait (versets 1 à 5).

Tout au long de l'histoire l'homme a entrepris la domestication de l'univers, a dominé les éléments et la matière, la volonté de puissance s'est révélée à travers sa capacité à créer les outils pour lui permettre la transformation de son environnement, mais cette volonté de puissance s'est également révélée à travers cette capacité d'aller au-delà de la fabrication de l'outil, l'homme a en effet inventé la technicité, cette nouvelle puissance lui offrant d'incroyables perspectives et révélant toute la capacité à exprimer son propre pouvoir créateur, l'égalant à Dieu. Ce rêve de toute puissance émerge dans la philosophie nihiliste, la métaphysique de Nietzsche est une métaphysique du nihilisme, une métaphysique qui exprime le refus de tout rapport à la transcendance. Ce nihilisme devient un rapport à une toute puissance possible, qui s'accomplit dans l'homme, devenu lui-même Dieu. Le transhumanisme est d'inspiration nietzschéenne, puisque l'athéisme est le socle même de sa croyance, le transhumanisme milite pour l'anti-finitude et le dépassement de l'homme, lui-même devenu Dieu.

Dans son prologue de *Zarathoustra*, Nietzsche écrit :
« Je vous enseigne le surhumain. L'homme n'existe que pour être dépassé. Qu'avez-vous fait pour le dépasser ? Tous les êtres jusqu'à présent ont créé quelque chose au-dessus d'eux, et vous voulez être le reflux de ce grand flot, et plutôt retourner à la bête, que de surmonter l'homme ? Qu'est le singe pour l'homme ? Une dérision ou une honte douloureuse. Et c'est ce que doit être l'homme pour le surhomme : une dérision ou une honte douloureuse. Vous avez tracé le chemin qui va du ver jusqu'à l'homme, et il vous est resté beaucoup du ver de terre… Voici que je vous enseigne le Surhomme ! Le Surhomme est le sens de la terre. Que votre volonté dise : que le surhomme soit le sens de la terre. »

Mais de quel surhomme parle Nietzsche ? Ce surhomme est dépeint dans le *Gai Savoir* (1882) : le philosophe annonce la mort de Dieu, ou plutôt que la croyance en Dieu expirera. **Si devenir Dieu pour Nietzsche passe par la nature (une forme de panthéisme),** pour les transhumanistes, devenir Dieu passera par la technicité, par la maîtrise des algorithmes. Une nouvelle forme de pouvoir algorithme est sur le point d'émerger, qui pourrait agir comme un véritable tsunami technique, renversant le monde ancien, dominant le réel, supplantant définitivement les contraintes de la nature, et annonçant le surhomme implémenté d'une nouvelle technologie, ou un posthumain, fait d'une technologie embarquée qui sera le surhomme rêvé par l'humanité. Un surhomme qui définitivement se détournera des ombres de la caverne pour rechercher sa propre lumière, dans la réalité augmentée, dans le monde virtuel hors du réel.

Vers un système totalisant

Force est dès lors de reconnaître une dérive morale et profonde de la société, une dérive ontologique d'une humanité exaltée par le fantasme de la puissance technique, les rêves idéologiques, sans comprendre qu'elle est de nature à aliéner la conscience, à aliéner l'identité qui fait la spécificité de tous les êtres humains, êtres uniques tous créés à l'image de Dieu.

La dérive résulte aussi de l'émergence d'un système totalisant et également marchand qui, a fortiori, sera discriminant et exclusif.

Le livre de l'Apocalypse, écrit par l'apôtre Jean, décrit une humanité qui, allant vers un système marchand (Apocalypse 18:11), contrôle le monde, l'uniformise. Cette humanité est sous le contrôle d'un démiurge anti-christique au sens absolu. Ce démiurge choisit, non de revêtir la condition de l'homme dans sa vulnérabilité, mais de revêtir les habits d'un monstre froid. C'est « une divinité archangélique, têtu, irascible. » Ainsi ce système totalitaire, que relate l'apôtre Jean dans une vision troublante, décrit un monde d'assujettissement et un dictat absolu : « Et elle (la bête et son système Babylone) fit que tous, petits et grands, riches et pauvres, libres et esclaves, reçussent une marque sur leur main droite ou sur leur front, et que personne ne pût acheter ni vendre, sans avoir la marque, le nom de la bête ou le nombre de son nom » (Apocalypse 13:16-17).

Il est intéressant de noter le sens étymologique de démiurge. Sa racine grecque *demiourgos* comprend « demos, » le peuple, et « ergos, » le travail. Littéralement, le mot démiurge signifiait artisan ou fabricant. Le transhumanisme évoqué apparaît comme le reflet d'un démiurge qui traduit la parfaite synthèse, conjuguant à la fois le travail sur la matière (la puissance technique) et l'esprit totalisant !

La Babylone décrite dans le livre de l'Apocalypse de Jean rassemble ainsi dans un même lieu :
- la dimension de la permissivité : débauche morale, mais paradoxalement liberticide ;
- la dimension d'une société de contrôle, scellant et enfermant ses sujets, qui ne pourront ni vendre, ni acheter, sans être marqués du sceau de la Bête.
- la dimension de la toute-puissance totalisante qui domine les âmes, les nations et le monde.

9

Le transhumanisme et la doctrine de la création

~ Ce chapitre est développé par Gérald Pech ~

Un métarécit des origines fondateur de la vision du monde

Toute civilisation est construite sur un métarécit des origines.

Autrefois, l'Occident était façonné par le métarécit traditionnel de la Genèse et sa cosmologie associée. Aujourd'hui, l'évolution est devenue le métarécit des origines de notre civilisation. L'évolution est beaucoup plus qu'un mécanisme de création, une simple théorie scientifique neutre. En fait, le discours évolutionniste se situe tout à la fois sur les plans scientifique, théologique, ontologique et métaphysique, enraciné dans une vision cosmologique d'ensemble. L'évolution est devenue une vision du monde englobant tout, munie de sa propre métaphysique, de sa propre ontologie et de sa propre théologie. Elle fait office de mythe fondateur se substituant au récit créationnel de la Genèse. Et en tant que mythe fondateur, elle constitue une grille de lecture de l'ensemble de la réalité, une philosophie de la nature qui vient évincer la révélation biblique qui nous a été donnée du cosmos, de la nature et de l'homme.

Le terreau du monisme physicaliste

A. L'ANTHROPOLOGIE EVOLUTIONNISTE

Si la thèse dichotomiste de la constitution double de l'homme a longtemps prévalu dans les églises, acceptée comme l'évidence même, depuis les années 1925-1930 elle a été remise en cause par les théologiens Johannes Pedersen et Rudolf Bultmann qui ont tous les deux insisté sur le fait que, dans la pensée hébraïque et en particulier dans le livre de la Genèse, l'homme serait vu comme une unité psychosomatique dont il est impossible de séparer les constituants[67] ; une âme serait la personne même, indivisible. Pedersen expose cette thèse dans son livre *Israel: Its Life and Culture*, en quatre volumes (1926–1934)[68]. Pedersen affirme que « l'âme ne fait pas partie de l'homme, mais [est] l'homme en tant que totalité avec un sceau particulier ». Un homme [âme] « porte le sceau des conditions spéciales sous lesquelles il vit ». En bref, « l'âme est par conséquent un tout complet avec un sceau défini, et ce sceau se transmute en une volonté définie ». « La volonté est la tendance totale de l'homme. »[69]

De là, le terme de *monisme*, thèse découlant directement, en réalité, non pas tant de la pensée biblique, mais de la nouvelle anthropologie évolutionniste. Au sein de cette doctrine, c'est le physicalisme moniste qui prévaut, supplantant tout dualisme de substance (cartésien ou non), dérivant de l'anthropologie chrétienne. L'âme n'est plus vue ici comme intégrée dans l'homme ; l'âme vivante, c'est l'homme. L'âme n'est plus une entité ontologique, mais un mot qui rend compte simplement des propriétés du cerveau lesquelles correspondent à des facultés cognitives générées par le cerveau et ses composantes (neurones, glandes, etc.). Selon la psychologie évolutive qui étudie le fonctionnement du cerveau, tout ce que l'on attribue à l'âme relève des fonctions générées par le cerveau et ses composantes. Cette affirmation est justifiée, comme l'avancent les spécialistes des neurosciences tels que Peter Clarke[70], par l'impressionnante quantité de données

---

[67] Henri Blocher, « De l'âme et de l'esprit », *ICHTUS*, 1986-4, juillet-août, p. 48s.

[68] Johannes Pedersen, *Israel: Its Life and Culture*, 4 volumes, Oxford University, 1926. Cité par Henri Blocher, *op. cit.*

[69] Johannes Pedersen, *Israel: Its Life and Culture*, Oxford University, 1926, vol. 1, pp. 100, 103, 111. Cité par Henri Blocher, *op. cit.*

[70] Peter Clarke était un professeur associé chrétien travaillant au Département de Biologie Cellulaire et de Morphologie de l'Université de Lausanne, en Suisse. Il avait obtenu son diplôme d'ingénieur en 1968 à l'Université Oxford, en Angleterre, avant de poursuivre son cursus par des études doctorales en cybernétique avec le Professeur Donald MacKay à Keele. Il avait choisi ce domaine de recherche motivé par l'impact que les neurosciences émergentes allaient avoir sur la conception de l'homme et de la foi. Ensuite, il avait mené un travail de recherche postdoctorale dans le laboratoire du Professeur David Whitteridge, philosophe et neurobiologiste, sur la neurophysiologie cérébrale. Une année passée à St-Louis, aux États Unis, pendant son postdoctorat, lui avait permis de se familiariser avec les nouvelles techniques de traçage des connexions dans le cerveau. À partir de 1977 jusqu'à sa retraite, il travailla à l'Université de

empiriques issues de nombreuses branches des neurosciences qui indique un fonctionnement mécaniste du cerveau. En effet, des régions particulières du cerveau se spécialisent dans différentes tâches. Un seul exemple sera pris ici, celui de l'analyse visuelle des objets qui implique des processus aujourd'hui compris finement par les scientifiques en termes de neurones : le câblage des neurones produit leurs propriétés fonctionnelles qui caractérisent les premières étapes du traitement visuel, tandis que la couleur, la forme, la profondeur stéréoscopique (distance de l'observateur) et le mouvement des objets sont analysés par les neurones dans des régions particulières du cortex cérébral. Et les simulations informatiques de ces différentes étapes de la vision humaine confirment la justesse de la compréhension mécaniste qui vient d'être décrite. D'autres fonctions du cerveau comme le stockage et la récupération de souvenirs peuvent également se prêter à une description mécaniste[71].

En fait, toutes les fonctions cognitives de haut niveau (l'attention, le langage, les fonctions exécutives, voire même la conscience, etc.) sont vues comme représentant un avantage adaptatif, soit comme le produit de l'évolution, c'est-à-dire qu'elles résultent de la sélection naturelle, et les scientifiques évolutionnistes mettent en avant de multiples expériences significatives pour soutenir cette position. Explicitons cela. De multiples expériences neurophysiologiques récentes menées sur des singes ont amené les neurobiologistes à interpréter le fonctionnement du système visuel dans le cadre théorique des inférences bayésiennes[72] hiérarchiques. En effet, des enregistrements électrophysiologiques de neurones visuels primaires chez des singes éveillés ont révélé des temps de réponse à très longue latence et suggèrent que les signaux perceptuels et décisionnels émergent dans le cortex visuel primaire et

---

Lausanne, ses recherches portant sur la mort neuronale. Il fut récompensé par deux prix internationaux (le prix Ingle Writing Award et le prix Demuth Foundation Award pour la Recherche Médicale). Il fut l'un des responsables du Réseau des Scientifiques Évangéliques (RSE) dont il développa la branche romande. Il est décédé à l'âge de 68 ans, le 16 septembre 2015, des suites d'un cancer.

[71] Peter Clarke, *Dieu, l'homme et le cerveau. Les défis des neurosciences.* Groupes Bibliques Universitaires – Croire Publications, août 2012.

[72] Inférence bayésienne : calcul des probabilités d'une hypothèse, calcul qui exprime ici le degré de confiance accordé à une hypothèse, ce qui est vrai en soi avec certitude ou non.

le cortex préfrontal presque simultanément, ce qui indique que l'information est traitée dans le cortex visuel primaire sur de nombreuses strates de complexité, et que la rétroaction des zones d'ordre supérieur peut moduler le traitement opéré par le cortex visuel primaire. En d'autres termes, cette rétroaction est interprétée aujourd'hui dans la communauté des neurosciences comme des a priori contextuels qui influencent directement ou indirectement des inférences de plus bas niveau, ce qui explique pourquoi l'attention est vue conceptuellement comme une inférence bayésienne[73,74]. L'on sait aujourd'hui que la région du lobe préfrontal est largement impliquée dans ce que l'on appelle en neuroscience l'« administrateur central » (cf. le modèle de la mémoire de travail d'Alain Baddeley[75]) et que plus cette région est développée chez un animal et que plus des connexions sont distribuées efficacement avec les autres régions cérébrales, plus l'animal dispose de facultés cognitives de haut niveau. L'homme, quant à lui, possède des facultés cognitives époustouflantes, et la qualité de ses représentations mentales est enrichie grâce au langage ; l'architecture et l'organisation de son cerveau lui permettent de se référer à la première personne (« Je ») et d'avoir une conscience réflexive ainsi qu'un jugement moral rétroactif sur ses actes. Dans une perspective évolutionniste, c'est en cela qu'il est une personne et non parce qu'il a une âme immatérielle, détachée du corps. Donc, en réalité, la seule réalité ontologique de l'homme naturel peut se réduire à sa composante dite « animale ».

En outre, selon les évolutionnistes, de nombreuses données empiriques montrent de manière indubitable la relation étroite, l'interdépendance entre l'âme et le cerveau. Par exemple, des patients présentant des lésions cérébrales manifestent des troubles cognitifs en fonction des régions cérébrales touchées.

---

[73] Sharat Chikkerur, Thomas Serre, Cheston Tan et Tomaso Poggio, What and where: A Bayesian inference theory of attention. *Vision Research* **50** (2010), pp. 2233–2247. doi:10.1016/j.visres.2010.05.013.
[74] Lee, Tai Sing et David Bryant Mumford. 2003. Hierarchical Bayesian inference in the visual cortex. *Journal of the Optical Society of America A* **20**(7):1434-1448. doi:10.1364/JOSAA.20.001434.
[75] Alan Baddeley. *La mémoire humaine : théorie et pratique*. Grenoble : Presses Universitaires de Grenoble, 1993.

Le **monisme physicaliste fondé sur le naturalisme évolutionniste** semble donc exclure toute nécessité de postuler l'existence d'une âme immatérielle, distincte du corps. Les théologiens chrétiens évolutionnistes ont justifié l'anthropologie évolutionniste en prétendant que la Bible enseigne le monisme.

Les évolutionnistes théistes acceptent les thèses évolutionnistes, et par conséquent rejettent le dualisme de substance, même de type *interactionniste* (c'est-à-dire dans lequel l'âme, séparée du cerveau, interagit cependant avec ce dernier), tout en refusant le matérialisme éliminatoire qui rejette l'esprit comme illusoire. Ils disent que le corps humain est le produit de l'évolution, tandis que l'âme vivante est le résultat de ce qui est créé : la personne humaine. Pour sauvegarder la causalité mentale, l'intentionnalité, le libre arbitre libertaire, la rationalité, l'unité de l'être, l'unité de la conscience tant à un instant *t* que dans le temps, ainsi que la survivance de la personne à la mort physique, et dans le but de prendre en compte les interdépendances entre l'esprit et le corps avérées par les découvertes scientifiques les plus récentes, ils ne peuvent se rabattre que sur deux options possibles : soit un monisme qu'ils qualifient de « modéré », tel qu'un *monisme à double aspect*[76], dans lequel la description subjective, mentale de la vie intérieure et la description objective, externe, matérielle donnée par les neurosciences seraient deux visions complémentaires d'une même et seule entité[77], soit un dualisme *émergentiste*. La thèse émergentiste, que défendent, par exemple, Philip Clayton et Paul Davies[78] ou encore William Hasker[79], se décline elle-même en plusieurs variantes. L'idée fondamentale de cette thèse est que l'émergence des propriétés mentales (et donc de l'âme, dans la

---

[76] Wolfgang Ernst Pauli (1900-1958), physicien devenu célèbre en raison de sa définition du principe d'exclusion en mécanique quantique, qui lui valut le prix Nobel de physique de 1945, et le psychanalyste Carl Gustav Jung (1875-1961), par exemple, défendaient un tel monisme, en formulant la dualité des aspects mental et matériel en termes de complémentarité.

[77] Malcom Jeeves et Warren S. Brown. *Neuroscience, Psychology, and Religion: Illusions, Delusions, and Realities about Human Nature* (Templeton Foundation Press, 1er mars 2009).

[78] Philip Clayton et Paul Davies, *The Re-Emergence of Emergence: The Emergentist Hypothesis from Science to Religion*, Oxford University Press, 24 août 2006.

[79] William Hasker, *The Emergent Self.* 1e édition, collection Cornell Studies in the Philosophy of Science, Cornell University Press, novembre 2001.

terminologie biblique) ou de la conscience individuelle ou encore de l'esprit intervient suite à tout un développement évolutif, à partir du cerveau (c'est-à-dire de la matière). Cette individualité est vue comme agissant sur le cerveau et présente une différence qualitative avec ce dernier qui l'a générée, sans exister cependant de manière indépendante du corps, à la différence des diverses formes de dualisme. L'esprit résulte de la matière, il est maintenu en existence par cette dernière. L'esprit survit à la mort physique par un acte surnaturel de Dieu soit par son soutien direct, soit par la recréation d'un autre corps (à la résurrection). Dans les deux options, l'âme vient de la matière, même s'il est concédé à Dieu le rôle subtil d'accorder à la matière les potentialités ou le pouvoir de produire les âmes. Dans les deux cas de figures (monisme « modéré » et dualisme émergentiste), les évolutionnistes théistes soutiennent toujours le monisme physicaliste de la psychologie évolutive, tout en voulant introduire Dieu comme cause première de la création de l'homme. Mais en acceptant le monisme physicaliste, ils se placent déjà sur une pente glissante en niant le caractère spirituel et immatériel de l'âme, c'est-à-dire qu'ils rabaissent la nature profonde de l'homme au niveau des seuls processus neurophysiologiques.

B. LES NEUROSCIENCES ET L'INTELLIGENCE ARTIFICIELLE

En parfaite cohérence logique avec leurs présupposés naturalistes et matérialistes qui découlent des prémisses évolutionnistes, les neuroscientifiques croient que, par computation, la matière est tout à fait capable de simuler la pensée et toutes les opérations cognitives que l'on attribue à l'âme. Les neurosciences cognitives ont proposé plusieurs modèles théoriques, dont la validation est prétendument malheureusement bridée à l'heure actuelle par l'état d'avancement non abouti des technologies (par exemple, l'espace de travail neuronal global de Dehaene et Changeux[80]), mais qui sont salués comme étant très prometteurs. Les scientifiques évolutionnistes pensent que ce n'est

---

[80] Stanislas Dehaene et Jean-Pierre Changeux. Experimental and theoretical approaches to conscious processing. *Neuron*, 28 avril 2011 ; 70(2):200-27.

qu'une question de temps, et qu'avec les progrès rapides de la technologie, l'on arrivera à créer artificiellement la conscience. Pour ce qui est de l'apprentissage, la mémoire, l'attention, etc., les travaux d'Éric Kandel[81] (né en 1929) sur l'aplysie sont acclamés comme montrant comment ces facultés cognitives peuvent être produites par des circuits de neurones, les synapses, etc. Les recherches de Kandel sur les bases physiologiques du stockage dans la mémoire et sur la formation de la mémoire long terme s'appuyèrent sur l'étude de l'*Aplysia californica*, une limace de mer géante possédant un très petit nombre (20000) de neurones organisés en ganglions. Ces neurones ont la particularité d'être de plus grande taille que chez n'importe quel autre animal. Les études sur des modèles animaux ayant un système nerveux simplifié ont permis de mieux comprendre les mécanismes moléculaires et cellulaires sous-tendant l'apprentissage. L'aplysie, en l'occurrence, est capable de nombreux apprentissages non déclaratifs, dont l'habituation, la sensibilisation et le conditionnement classique associant deux stimuli sensoriels. Kandal cartographia les éléments clés du circuit de communications électrochimiques entre les neurones sensoriels et moteurs impliqués dans le réflexe de retrait de la branchie et du siphon chez l'aplysie, circuit d'apprentissage simple chez l'aplysie. Il découvrit que la force des connexions entre les cellules nerveuses est modifiée par l'apprentissage. L'habituation à court terme est caractérisée par une modification transitoire de l'efficacité fonctionnelle des synapses, tandis que l'habituation à long terme est caractérisée par une modification structurale des connexions synaptiques. Une seule connexion synaptique peut contribuer à deux formes de stockage mnésique à court terme (habituation et sensibilisation). L'on sait maintenant que des changements dans le signal chimique qui transite entre les neurones sensoriels et moteurs peuvent se traduire par un renforcement à court terme des connexions synaptiques, et qu'une altération dans l'expression des gènes dans la cellule donne lieu à des changements anatomiques dans le neurone qui se manifestent par la croissance de nouvelles connexions synaptiques intercellulaires, ce qui entraîne des changements à long terme de la

---

[81] Éric Kandel, *À la recherche de la mémoire, une nouvelle théorie de l'esprit*, éditions Odile Jacob, 2007. Kandel reçut le prix Nobel de médecine en 2000.

mémoire. Les travaux de Kandel sur l'aplysie ont donc montré que la plasticité synaptique joue sans doute un rôle fondamental dans les processus de mémorisation et d'apprentissage, et ont permis de considérer les changements d'efficacité synaptique comme une forme élémentaire d'apprentissage contribuant vraisemblablement à la mémorisation dans le système nerveux, mais cela est entièrement différent de l'affirmation extrapolée selon laquelle toutes les fonctions cognitives de haut niveau se ramènent à des processus neurophysiologiques seuls. Qu'à cela ne tienne, dans ce champ de recherche très actif, les scientifiques évolutionnistes sont cependant convaincus qu'avec l'accélération exponentielle des progrès technologiques à l'instar de l'évolution prodigieuse de la puissance de calcul des micro-processeurs (suivant la loi de Moore[82]) depuis l'apparition des transistors dans les années 1950, l'intelligence artificielle (IA) parviendra à se hisser au niveau de la pensée humaine et des facultés cognitives les plus complexes de l'homme, puisque l'âme se réduit à des propriétés physiques du cerveau : les transhumanistes annoncent l'émergence d'une forme de conscience qui aura lieu dans plusieurs machines individuées ou sera immanente au réseau de machines.

À partir de l'état actuel des neurosciences, des extrapolations hardies, comme nous le verrons sous peu, sont réalisées par des technoscientifiques comme Raymond Kurzweil[83], directeur de l'ingénierie chez Google depuis 2012, ce qui donne lieu au concept d'augmentation de l'homme, d'extension de l'humanité à travers la technologie pour parvenir, en définitive, à l'immortalité. Ce brillant ingénieur futuriste, Kurzweil, est parvenu à de telles extrapolations qui rapprochent la science de la science-fiction au moyen du concept de « singularité technologique », c'est-à-dire un immense saut technologique reposant sur trois révolutions combinées : la révolution génétique, la révolution nanotechnologique et la révolution robotique.

---

[82] Le 19 avril 1965, Gordon Moore explique dans la revue *Electronics Magazine* que la puissance informatique croît exponentiellement selon la loi dite de Moore : la puissance des circuits intégrés double, à coût constant, tous les dix-huit mois.

[83] Raymond Kurzweil, *The Singularity Is Near: When Humans Transcend Biology*, Penguin Books, 2006.

Kurzweil explique que les nanorobots permettront l'extension de la pensée humaine à travers la fusion d'une intelligence biologique et d'une intelligence non-biologique, c'est-à-dire d'une intelligence relevant des machines. La nanorobotique permettra d'ici là d'augmenter les performances de nos millions de milliards de connexions interneuronales très lentes grâce à des connexions virtuelles à haute vitesse. L'intelligence humaine bénéficiera des prouesses de l'IA qui permettra de dépasser les limites et contraintes de l'architecture de base des régions neuronales du cerveau. Les implants dans le cerveau constitués de nanorobots intelligents massivement distribués étendront la mémoire humaine et amélioreront toutes les capacités cognitives humaines de manière exceptionnelle, allant des capacités sensorielles à la reconnaissance des formes et à la pensée. La puissance de l'IA sera tellement décuplée que cette dernière deviendra l'intelligence artificielle dit *forte*, rendant la machine dotée d'une capacité de réflexion dépassant celle de l'homme. Il naîtra, à la fin du XXIe siècle, une nouvelle civilisation, celle des cyborgs, où l'IA forte sera hybride, mi-machine, mi-humaine, car dérivant de l'homme. Des milliards de nanorobots circuleront dans les canaux sanguins irriguant nos corps et nos cerveaux, ils détruiront les pathogènes, corrigeront les erreurs de l'ADN, élimineront les toxines et effectueront de nombreuses autres tâches qui auront pour effet d'améliorer notre bien-être, de supprimer le vieillissement, et à terme de nous procurer l'immortalité. Tandis que la pensée humaine biologique est limitée à 10^{16} calculs par seconde (cps) par cerveau humain (d'après les modélisations neuromorphiques des régions du cerveau) et à 10^{26} cps pour tous les humains réunis, la puissance de calcul de l'IA forte, en croissance exponentielle, dépassera celle de l'intelligence biologique au milieu des années 2040. Telle est la vision de l'avenir de l'humanité, d'après Kurzweil : l'IA marquera un saut évolutif sans précédent pour l'humanité, un saut jamais vu depuis que l'humanité existe[84]. Quel chemin argumentatif Kurzweil a-t-il emprunté pour parvenir à une telle vision futuriste ?

---

[84]Kurzweil, *op. cit.* Voir aussi Raymond Kurzweil, « The Future of Machine–Human Intelligence » dans *The Futurist*, mars-avril 2006, pp. 39-40, 42-46.

C. MACHINES MOLECULAIRES ET NANOTECHNOLOGIES

Le point de départ pour Kurzweil est un axiome, par nature indémontrable, qu'il introduit dans sa réflexion et sur lequel il s'appuie, axiome qu'il ne cherche ni à contester ni à critiquer de manière raisonnée. Cet axiome est le suivant : « La preuve ultime de la faisabilité d'un assembleur moléculaire est la vie elle-même. En effet, à mesure que notre compréhension s'approfondit de ce que les processus de la vie sont basés sur l'information, nous découvrirons des idées spécifiques qui sont applicables aux exigences relatives à la conception d'un assembleur moléculaire généralisé. »[85] Pour lui, comme le résument Francis Chateauraynaud et al., « le principe est simple : l'on a un modèle du vivant dont on peut désormais étudier les mécanismes à l'échelle nanométrique. Dès lors que des flux d'informations sont identifiés, ils peuvent être reproduits et des nano-ordinateurs dotés de jeux d'instruction peuvent être introduits dans les processus vivants. »[86]

À l'évidence, Kurzweil et les transhumanistes font preuve ici d'un raisonnement réductionniste simpliste en supposant une transposition parfaite dans un même espace computationnel des éléments qui interagissent au niveau cellulaire, hypothèse assortie de leur monisme physicaliste évolutionniste axiomatique qui est invoqué, en filigrane, pour englober jusqu'à la pensée et la conscience dans le champ contingent des possibles des nanotechnologies, de la bio-informatique, de l'IA et des technosciences. Mais ce fut le chimiste, professeur de chimie, de physique et d'astronomie à l'Université Rice et prix Nobel de chimie en 1996, Richard Smalley (1943-2005), diplômé de l'Université Princeton et découvreur du fullerène, qui contesta les thèses enthousiastes de Kurzweil, et « dénie à la fois les promesses et les

---

[85] Kurzweil, *op. cit.*, p. 184.
[86] Francis Chateauraynaud (coordinateur), Marianne Doury et Patrick Trabal (co-coordinateurs), *Chimères nanobiotechnologiques et post-humanité*. Volume 1 : *Promesses et prophéties dans les controverses autour des nanosciences et des nanotechnologies*. GSPR – EHESS, version du 29 novembre 2012. ANR PNANO 2009-20. Page 175.

dangers de l'assemblage moléculaire»[87]. Richard Smalley était un spécialiste des nanotechnologies, et il présenta deux arguments majeurs pour objecter à la faisabilité technologique d'assembleurs moléculaires tels que les présentait une autre sommité dans le domaine des nanotechnologies, Eric Drexler[88], alors chercheur au Laboratoire d'Intelligence Artificielle du Massachusetts Institute of Technology (MIT) :

- les « gros doigts » (*fat fingers*), et
- les « doigts collants » (*sticky fingers*).

La première objection, celle des « gros doigts », consiste à partir de la nature mécanique de la conception des assembleurs moléculaires selon Drexler, puis à montrer que cette conception se heurte à l'infaisabilité du fait même des hypothèses de mécanicité qu'elle requiert. En effet, pour qu'un assembleur moléculaire puisse « mécaniquement positionner des molécules réactives » avec une « précision atomique » et ainsi guider la synthèse chimique des structures complexes, Smalley argumente qu'il faudrait avoir des nanorobots possédant des bras manipulateurs. Mais comme les doigts des bras de ces nanorobots doivent eux-mêmes être faits d'atomes, il n'y aurait alors pas assez de place à l'échelle nanométrique pour être en mesure de contrôler la position de chaque atome de manière précise. Le problème se complexifie encore lorsque l'on considère qu'en réalité il faudrait, pour assurer le contrôle complet de tout le processus de synthèse chimique, non pas un seul bras manipulateur, mais de nombreux bras et donc de nombreux doigts. Ces doigts étant faits d'atomes de taille irréductible, il n'y aurait simplement pas physiquement assez de place dans la région de la réaction chimique à l'échelle nanométrique pour contenir tous les doigts de tous les bras manipulateurs nécessaires au contrôle total de la machine chimique.

Cette objection se double d'une deuxième, celle des « doigts collants » qui s'énonce comme suit : le contrôle précis voulu des atomes que requiert la conception moléculaire de Drexter est rendu impossible par

---

[87] Cité dans Francis Chateauraynaud *et al., op. cit.*, p. 176.
[88] Eric Drexler, *Engines of Creation: The Coming Era of Nanotechnology.* Anchor Library of Science, 16 octobre 1987.

le fait que les atomes composant les bras manipulateurs entreront en interaction avec d'autres atomes de toutes les manières inattendues possibles. Pour Smalley, « les doigts des manipulateurs du nanorobot autoréplicable hypothétique sont [...] trop collants : les atomes des mains manipulatrices adhéreront à l'atome qui est en train d'être déplacé. Ainsi, il sera souvent impossible de poser ce minuscule élément de construction précisément au bon endroit »[89].

Ces deux arguments qui s'appliquent à des atomes individuels, Smalley les étendra dans leur application à des éléments de construction plus grands et plus complexes tels que les molécules réactives, transformant donc les processus mécaniques en processus chimiques. Là encore, comme chaque molécule réactive doit contrôler de multiples atomes pendant la réaction, il faudrait encore bien davantage de doigts pour s'assurer que ces atomes ne partent pas en vrille. Drexler éluda ces objections, tout d'abord en arguant que la conception d'assembleurs moléculaires n'était pas un processus mécanique, mais un processus chimique qui n'aurait pas besoin de doigts, mais d'enzymes et de ribosomes. Néanmoins, les considérations de Smalley conduisaient au fameux *dilemme de Smalley* : ou bien l'assembleur moléculaire est une entité de type aqueux, ou bien il ne l'est pas. Dans le cas où le nanorobot est une forme de vie de type aqueux, alors il sera limité sérieusement dans sa latitude d'action par tout un ensemble de vulnérabilités et de limitations. Et si le nanorobot n'est pas une forme de vie de type aqueux, alors « un vaste pan de la chimie nous a échappé pendant des siècles »[90], dit-il dans sa réponse à Drexler.

Dans un deuxième temps, confronté à la force des objections persistantes de Smalley, Drexter se refusa à fournir des détails sur le fonctionnement des processus chimiques, et retourna simplement au domaine mécanique, en faisant appel, cette fois-ci, à des éléments non chimiques empruntés au monde informatique : transporteurs,

---

[89] Otávio Bueno, « The Drexler-Smalley Debate on Nanotechnology: Incommensurability at Work? » HYLE - *International Journal for Philosophy of Chemistry*, Vol. 10, N°2 (2004), Numéro spécial sur les « défis nanotechnologiques ».
[90] Otávio Bueno, *op. cit.*

ordinateurs et dispositifs de positionnement[91]. Cette absence de réponse illustre le type de voie sans issue auquel un scientifique embrassant le réductionnisme mécaniste est acculé lorsque des objections scientifiques sont présentées prenant au sérieux les hypothèses mécanistes de la vie. Kurzweil, pareillement, ne peut présenter d'autres « preuves » de cette conviction optimiste relative à l'assemblage moléculaire prétendument réalisable artificiellement par l'homme que l'argument sophistique de l'apparition de la vie la toute première fois, preuve faible, s'il en est[92], ne serait-ce que sur le seul plan logique : que la vie soit apparue n'entraîne en rien que l'homme puisse la fabriquer artificiellement, mais pose plutôt la question de l'existence d'un Concepteur au génie suprême et à l'intelligence illimitée ; et si un tel Concepteur divin existe et a créé la vie et le monde, y compris l'homme, alors il serait raisonnable de penser que l'acte de création *ex nihilo* par ce Dieu soit une prérogative dont lui seul connaît la clé, et qu'un abîme infranchissable le sépare de ses créatures finies.

Richard Smalley était également conscient des dangers des spéculations pseudo-scientifiques sur les nanotechnologies. Au cours de la dernière année de sa vie, il devint chrétien, expérimentant la différence entre le fait de simplement croire en Dieu comme Créateur et se confier réellement en lui pour qu'il règne sur sa vie. Mais son engagement envers la rigueur, l'intégrité scientifique et l'honnêteté intellectuelle l'avait certainement préparé à cette conversion. Il était parvenu, au terme d'une étude approfondie de la théorie de l'évolution darwinienne et, en parallèle, de la théorie du dessein intelligent, à la conclusion que le darwinisme était erroné, ce qu'il exprima dans un exposé antidarwiniste lors d'une conférence à l'Université de Tuskegee, aux États-Unis, dans les termes suivants :

> La responsabilité des preuves repose sur ceux qui refusent de croire
> que la Genèse a raison, que la création est un fait et que le Créateur

---

[91] Otávio Bueno, *op. cit.*, pp. 83-98.
[92] Dans une deuxième édition de ce présent ouvrage, nous détaillerons les arguments scientifiques qui montrent que jamais la vie n'aurait pu apparaître de manière mécanique.

continue de s'impliquer. Le fait est que cette planète a été conçue spécifiquement pour la vie de l'homme[93].

Le transhumanisme comme aboutissement logique d'une vision du monde marquée par le réductionnisme évolutionniste

Le transhumanisme est l'héritier de l'humanisme des Lumières poussé dans ses ramifications technoscientifiques issues d'une vision évolutionniste du monde drapée d'aspirations foncièrement religieuses. Il constitue le tournant inéluctable dans le mouvement de la modernité occidentale qui cherche à rompre à tout prix avec ses attaches chrétiennes. Le transhumanisme cherche à se libérer des entraves de la religion chrétienne, et s'insère en cela dans l'utopie des Lumières : le transhumanisme se proclame comme une *nouvelle religion anthropocentrée* cherchant le salut de l'homme par la technologie et sans Dieu. C'est bien en cela qu'il s'affirme comme le digne héritier de cette recherche d'« illumination » séculaire des Lumières. Francis Chateauraynaud, Marianne Doury et Patrick Trabal ont décodé avec clairvoyance cette prétention religieuse du transhumanisme et l'expriment comme suit :

> Le transhumanisme tel qu'il s'est formé au fil des manifestations successives – voir la trajectoire éphémère des extropiens – n'apparaît pas comme une dérive sectaire ou un univers parallèle de prophètes et de performeurs déboussolés mais bien comme un potentiel inscrit dans les cadres culturels profonds de l'Occident qui, dans le développement de la modernité, font converger la libération des sciences et des techniques de toute entrave religieuse, la rationalité de l'ordre social et du bien collectif – en l'occurrence l'avenir de l'espèce humaine –, et la quête de salut individuel. Les trois plans se rejoignent dans ce qu'Egdar Morin, dans *L'Homme et la Mort* (2002), désigne comme le propre de la culture chrétienne tendue vers « l'appel de l'immortalité individuelle » et la « haine de

---

[93] Jerry Bergman, « From skepticism to faith in Christ: a Nobel Laureate's journey ». *Creation* 33(2):42–43 — avril 2011. https://creation.com/richard-smalley. Accédé le 6 octobre 2018.

la mort ». Voir Maestrutti qui dans *Imaginaires des nanotechnologies* replace le foisonnement des visions et des fictions liées aux nanotechnologies, ce qu'elle nomme les techno-utopies, sont dans le droit fil de la culture occidentale. Les technoprophètes n'hésitent pas à remonter à Francis Bacon et les transhumanistes se réfèrent explicitement aux Lumières. Pour les philosophes des Lumières, qui inaugurent le culte du progrès et de la perfectibilité de l'être humain, la mort est un obstacle à combattre, repousser, jusqu'à parvenir à le lever grâce aux sciences – et les transhumanistes les plus éclairés entendent faire valoir qu'ils en sont les dignes successeurs[94].

Y a-t-il lieu de s'étonner d'un tel langage religieux ? En effet, l'abandon de l'enseignement scripturaire concernant la création de l'homme et l'anthropologie a nécessairement de profondes conséquences sur la compréhension de la nature de la personnalité humaine, de la réalité de la vie après la mort, des possibilités de la technologie alliée aux progrès vertigineux dans les domaines de l'IA et des neurosciences. Devant la perspective de la mort humaine sous un ciel qui n'abrite plus aucune transcendance, une fois que l'espérance chrétienne de la rédemption disparaît, un substitut, un ersatz fabriqué de toutes pièces grâce aux prouesses des technosciences devait assurément paraître pour combler le vide créé.

Mais la compréhension christologique du *telos* (terme grec signifiant fin, achèvement, accomplissement) issue de la doctrine de la création se marie difficilement avec les vues des philosophes et théologiens transhumanistes qui accentuent les éléments suivants comme fondamentaux : un futur ouvert et contingent, l'imposition d'un ordre évolutif, la dimension artificielle de l'humain qui serait un « artefact s'autoconstruisant » et le hasard.

C'est en partant de ces prémisses évolutionnistes que s'impose la nécessité pour l'humain comme être cocréateur d'assumer le contrôle de sa propre évolution en employant la technologie qui n'agit pas seulement sur l'environnement de l'homme, mais sur l'homme lui-

---

[94] Francis Chateauraynaud *et al.*, *op. cit.*, p. 234.

même. Dans la perspective évolutionniste, il n'y a pas de différences fondamentales entre un termite et l'homme, ni entre la machine et l'homme. Il est donc normal qu'armé de ce métarécit des origines, l'on en vienne à conclure qu'avec les progrès de la technologie, l'on arrivera à créer l'intelligence ainsi que la vie qui, clame-t-on, n'est qu'un agencement d'atomes. Le transhumanisme est l'aboutissement logique du réductionnisme évolutionniste.

Marc Roux, président de l'Association Française Transhumaniste, s'exprime comme suit :

> Pour les Transhumanistes, l'approche qui prévaut en général est celle du matérialisme. L'Humain n'est qu'un composé complexe de la matière. Il est le fruit d'une longue évolution biologique, mais, de même qu'il ne se situe pas à l'origine de cette évolution, il n'en constitue probablement pas la fin ! Il n'y a pas de raison pour que l'évolution qui est devant nous soit moins longue, et moins riche en péripéties que celle qui est derrière nous. Pour les Transhumanistes, il n'y a pas un « être » humain intemporel. Ils se placent donc radicalement dans le camp des partisans d'une « mutabilité » de l'Humain, corps et pensée[95].

La mécanisation de la vie qui se trouve au cœur du projet transhumaniste lequel s'appuie sur la révolution nanotechnologique est, en fin de compte, inséparable d'un projet d'instrumentalisation de la vie et de contrôle sur la nature. Outre des questions épistémologiques qui sont laissées béantes et constituent en elles-mêmes des objections fortes contre l'orientation transhumaniste, ce projet soulève des problématiques éthiques. L'entreprise actuelle d'artificialisation de la nature n'est cependant pas nouvelle, elle plonge ses racines dans un conflit séculaire qui oppose deux conceptions de la technologie. D'un côté, les arts tels que l'agriculture, la fabrication artisanale, l'outillage, la cuisine et la médecine étaient considérés comme un moyen d'assister, d'améliorer la nature en employant les pouvoirs de la nature de manière légitime, avec reconnaissance envers

---

[95] Cité dans Francis Chateauraynaud *et al.*, *op. cit*, p. 229.

le Créateur pour ses dons prodigués, dans une attitude humble de réception et avec un sentiment d'émerveillement face à puissance de Dieu se manifestant dans la beauté de la création. De l'autre, se trouvait la conception selon laquelle les arts et la technique étaient un moyen pour l'artisan d'imposer à tout prix sa rationalité et ses propres règles à la matière passive comme le ferait un démiurge. Il ne fait aucun doute que le transhumanisme est animé des mêmes motivations démiurgiques poussant à prendre le contrôle sur la nature à l'échelle atomique à travers des machines moléculaires, pour étayer une soif inavouée de toute-puissance d'un nouveau genre posthumain[96]. Or, Dieu avait donné à l'homme le mandat de gérer la terre et d'exercer la domination sur toute la création, non comme des maîtres féroces, mais comme les gardiens de la création, avec bienveillance, intelligence et dans un saint respect pour l'ordre créé, l'ordre du cosmos, se réjouissant du bonheur de la gloire du Dieu créateur au travers de cette création donnée comme un don d'amour à l'homme.

La doctrine biblique de la création

A. DES REPERES BIBLIQUES

Ainsi, pour comprendre le développement du transhumanisme, il est nécessaire de se rappeler un certain nombre de repères bibliques découlant directement de la doctrine de la création, et de les mettre en contraste avec la doctrine transhumaniste. Les doctrines théologiques fondamentales issues de la doctrine de la création sont les suivantes :

- **Le Logos incarné et la création** : il existe un lien indissociable entre christologie et création, pour la compréhension de cette dernière.
  Dès l'origine, la création est décrétée *très bonne*. Cela signifie que l'univers n'est pas le produit de forces aveugles, mais le résultat d'un acte de volonté libre de Dieu, en Jésus-Christ. La création tire son origine de Dieu, et les créatures sont bonnes

[96] Joachim Schummer et Davis Baird (éditeurs), *Nanotechnology Challenges: Implications for Philosophy, Ethics and Society.* Singapour *et al.*: World Scientific Publishing, 2006.

et destinées à être en relation avec Dieu. La création ne saurait ainsi être comprise en dehors de cette alliance relationnelle avec Dieu, une alliance qui relève de la pure grâce de Dieu, destinant et élevant sa création à une dimension de gloire et de dignité.

La christologie régit la doctrine de la création au sens où, Jésus Christ, le Logos incarné, le Logos créateur et médiateur de toute la création, est la clé de voûte même de toute connaissance dans l'ordre du créé.

- Adam a été **créé à l'image de Dieu** et n'est pas le produit d'une évolution aveugle par les seules forces naturelles agençant la matière.

  Cela implique que l'homme est à la fois physique (il a un corps) et spirituel (il possède une âme immatérielle et immortelle). L'Écriture enseigne donc une forme de dualisme de substance : l'âme est une substance immatérielle créée par Dieu et distincte du corps, elle est le centre de la personnalité et de l'être profond.

- Il y a une **discontinuité** infranchissable entre la matière inerte et la vie, entre les différentes espèces, et entre les animaux et l'homme. Cette différenciation est voulue par Dieu et structure l'ensemble de la création, lui assurant stabilité et fixité, les fluctuations et la plasticité du vivant étant très limitées et s'opérant uniquement à l'intérieur d'un même *genre*. Cette stabilité des espèces correspond bien à la fonction de définition réaliste du langage, - les êtres et les choses étant créés, il faut s'en souvenir, par la Parole créatrice de Dieu -, par opposition à son contrepoids nominaliste de toute la tradition philosophique idéaliste.

- Le schème **Création/Chute/Rédemption** parcourt toute l'histoire de l'humanité. Adam, avant la Chute, a été créé parfait et destiné à vivre éternellement. La Chute a introduit le dépérissement physique et la mort, et l'homme ainsi que l'ensemble de la création ont depuis lors gardé cette mortalité comme conséquence et effets transgressifs du péché. Dieu a mis en œuvre son plan de rédemption en envoyant Jésus-Christ s'incarner, vivre et mourir sur la croix comme sacrifice expiatoire et propitiatoire. C'est uniquement dans la rédemption de Christ que se trouve le remède à la déchéance morale de l'homme et à la tyrannie de la mort. La nouvelle humanité rachetée vit, par anticipation, les prémices de l'éternité par la nouvelle création commençant par la régénération et qui ne sera rendue parfaite que par la résurrection des corps, au dernier jour. L'incarnation et la résurrection sont les thèmes christologiques majeurs de toute la révélation biblique. La résurrection, indissociable de la crucifixion, constitue la justification de toute une création que le Christ incarné est venu sauver. Elle implique le renouveau de la création révélant à cette dernière sa véritable destinée.

B. L'ANTHROPOLOGIE BIBLIQUE

La connaissance de nous-mêmes est étroitement liée à la connaissance de Dieu, comme le souligne Calvin dans l'*Institution*, ce qui rejoint le projet d'Augustin qui se résumait à la formule « Connaître Dieu et l'âme ». Comme le célèbre théologien français Henri Blocher le rappelle, Calvin montrait le sens biblique de cette formule : la seconde vérité que l'Écriture veut inculquer au lecteur, venant après la vérité sur Dieu, est la vérité sur l'homme. Par conséquent, il nous faut nous tourner vers la Révélation pour apprendre à connaître notre âme et la constitution de l'être individuel, que l'on nomme sous les appellations de l'âme et de l'esprit, question éminemment importante à laquelle nous allons nous attacher ici.

L'anthropologie biblique comporte les éléments clés suivants :
- Adam et Ève sont présentés comme de véritables personnages historiques, dans le Premier Testament comme dans le Second (cf. Genèse 1-5 ; 1 Chroniques 1:1 ; Luc 3:38 ; Romains 5:14 ; 1 Corinthiens 15:45 ; 2 Corinthiens 11:3 ; 1 Timothée 2:13-14 ; Jude 1:14).
- L'âme est créée et insufflée par Dieu au moment de notre création, et l'âme n'est pas le produit ou le prolongement de l'évolution du corps (cf. Genèse 2-7).

- L'âme est une substance rationnelle et spirituelle qui survit à la mort du corps (cf. Matthieu 10:28 ; Jacques 2:26 ; Apocalypse 20:4). Elle est donc nécessairement différente du corps.

- En même temps, l'homme est une entité présentant une unité organique entre ses divers constituants : corps, âme et esprit, qui, s'ils sont distincts, sont néanmoins profondément liés, entrelacés et interdépendants (cf. Thessaloniciens 5:23 ; Hébreux 4:12).

- L'âme est immortelle (cf. la parabole de l'homme riche et du pauvre, Lazare, dans Luc 16:19-31 ; Apocalypse 20:4 ; Matthieu 10:28 ; 1 Pierre 3:4 ; 1 Corinthiens 15:42, 50, 53-54 ; 2 Corinthiens 4:16 ; 2 Corinthiens 5:1 ; 2 Thessaloniciens 2:16), car elle n'est pas faite d'un agencement d'atomes qui peuvent être séparés en partie. Comme elle n'est pas composée, elle ne peut pas se décomposer.

- L'âme doit, après la mort, être réunie au corps par la résurrection. La résurrection des corps est donc nécessaire pour compléter et parfaire notre nature humaine au ciel.

- L'on ne peut pas expliquer la conscience et le libre arbitre par l'évolution. Entre la connaissance sensible des animaux et la pensée rationnelle humaine, il n'y a pas seulement une différence de degré, mais une différence de nature.

Parmi les schémas philosophiques cherchant à intégrer ces données bibliques importantes, l'on pourra mentionner les différents types de dualisme, le dichotomisme et le trichotomisme ainsi que l'hylémorphisme, terme désignant la doctrine d'Aristote et des scolastiques selon laquelle l'être est constitué dans sa nature de deux principes complémentaires, la matière (*hylê*) et la forme (*morphê*). Aristote comprenait la relation de l'âme au corps sur le modèle de la relation entre la forme et la matière, et l'hylémorphisme désigne par-là une doctrine selon laquelle l'âme est unie au corps comme l'est la forme à la matière. Ainsi, **« l'âme n'est pas dans le corps comme un pilote dans son navire »** (comme le soulignait le philosophe Platon), mais comme étant une unité intrinsèque où l'âme est essentiellement et en elle-même la *forme* du corps. Elle maintient donc l'unité substantielle de la nature humaine. L'hylémorphisme aristotélicien servit de fondement philosophique à la théologie de

Thomas d'Aquin qui voulait répondre à la question de savoir comment il était possible de maintenir l'unité de la personne humaine sans risquer de faire de l'homme un simple agrégat ou un assemblage de parties hétéroclites. Chez Aristote, le corps et l'âme forment chacun, pris séparément, une substance incomplète, et seule leur union constitue une substance complète. Mais la distinction entre les deux est-elle réelle ou seulement « de raison » ? Thomas d'Aquin, voulant se démarquer de toute la tradition platonicienne qui l'avait précédé et qui accentuait les dichotomies ou trichotomies, affirmera l'unité profonde et organique de l'homme. Après avoir été condamnée au XIIIᵉ siècle par le magistère catholique, la doctrine de Thomas sera complètement réhabilitée lors du concile œcuménique de Vienne (quinzième concile œcuménique) et deviendra depuis une définition dogmatique qui sera adoptée par toutes les traditions théologiques ultérieures, y compris protestantes, toutes formulations ternaires étant devenues suspectes et vigoureusement écartées.

1. CORPS, AME ET ESPRIT : DUALISME ET TRICHOTOMISME

Le récit de la création de l'homme dans la Genèse permet de tirer tout un enseignement sur sa nature profonde. La Bible enseigne, en effet, que l'homme a un corps ($\sigma\tilde{\omega}\mu\alpha$), qu'il est fait de chair ($\sigma\acute{\alpha}\rho\xi$), qu'il possède des entrailles ($\sigma\pi\lambda\acute{\alpha}\gamma\chi\nu\alpha$), un cœur ($\kappa\alpha\rho\delta\acute{\iota}\alpha$), une volonté ($\theta\acute{\epsilon}\lambda\eta\mu\alpha$), une pensée ($\nu o\tilde{\upsilon}\varsigma$ ou $\delta\iota\alpha\nu o\acute{\iota}\alpha$), une âme ($\psi\upsilon\chi\acute{\eta}$), un esprit ($\pi\nu\epsilon\tilde{\upsilon}\mu\alpha$). Elle enseigne, en outre, qu'à la mort le corps se sépare de quelque chose qui n'est pas le corps, c'est-à-dire de l'âme et de l'esprit. Le corps est donc mortel, tandis que l'âme et l'esprit survivent à la mort d'après Luc 16:22-26, 23:43, Philippiens 1:23-24, 2 Corinthiens 5:8, 12 et Apocalypse 20:4.

Toutefois, il est essentiel d'insister sur le fait que l'Écriture enseigne l'unité de l'homme enrobant à la fois son corps et sa personnalité, son être profond ; le médecin chrétien Christian Klopfenstein, l'exprime en disant que « le corps, l'âme et l'esprit sont des expressions différentes du même individu, et que corps et âme sont aussi étroitement imbriqués. (...) L'âme ou *nephesh* (hébreu) ou *psyché* (grec) nous permet d'être en relation horizontale avec les autres, avec la vie et le monde visible. Elle est le siège du sentiment du moi (personnalité, caractère, aspirations, désirs, soifs). Le mot âme ou chair est souvent employé pour désigner la personne toute entière. Le souffle de la respiration qui entretient la vie, le « gosier » (gorge), « ce qui vit sous ce qu'on voit », le moi et son monde d'aspiration (Psaumes 42:2 ; 63:2 ; 73:25 ; 119:20, 40, 174; Cantique des cantiques 7:11; différent de Genèse 3:16 ; 4: 7). »[97] Il développe cette idée comme suit par une incursion médicale très intéressante :

> Nos états d'âme, nos émotions, nos humeurs, notre anxiété ont des supports physiologiques : les neuromédiateurs. La Bible affirme que l'âme est dans le sang ; c'est la base de la psychopharmacologie (expériences de catatonie expérimentale de Baruk qui peuvent modifier la personnalité profonde d'un cerveau sain en modifiant la chimie du sang). [...]

> L'âme est donc l'articulation entre le monde matériel et le monde spirituel, c'est le souffle de Dieu sur la matière qui l'a mise en évidence et c'est pour cela que les maladies de l'âme peuvent être abordées d'un point de vue matériel avec des médicaments psychotropes et d'un point de vue spirituel en évoquant avec les patients des problèmes comme le sens de la vie, les mauvaises relations, le pardon, la révolte, le péché, les blessures...

À ce stade, il est nécessaire de dire quelques mots à propos des deux grandes conceptions anthropologiques chrétiennes qui existent concernant la relation liant le corps, l'âme et l'esprit : le *dualisme* (encore appelé *dichtotomisme*) et le *trichotomisme*. Le premier, le dualisme, soutient que l'homme n'est constitué que de deux substances distinctes, le corps qui est matériel, d'un côté, et l'âme immatérielle, spirituelle, de l'autre, qui peut indifféremment et de manière interchangeable être appelée également l'esprit. Dans la deuxième conception, le trichotomisme, la substance immatérielle de l'homme se subdivise en deux substances ou composantes distinctes : l'âme et l'esprit, ce qui assure à l'homme une constitution tripartite.

---

[97] Christian Klopfenstein, « Réflexion biblique sur l'esprit de l'homme ». Article non publié, communiqué personnellement à l'auteur de ce chapitre.

2. LE DUALISME

Le dualisme finit par s'imposer dans l'Église, alors que le trichotomisme était largement présent dans l'Église primitive. Le théologien réformé Charles Hodge (1797-1878) qui fut le directeur de la Faculté théologique de Princeton retrace rapidement l'historique du dualisme et du trichotomisme dans les termes suivants :

> Cette doctrine de la constitution tripartite de l'homme adoptée par Platon fut introduite partiellement dans l'Église primitive, mais finit vite par être considérée comme dangereuse, si ce n'est hérétique. Les gnostiques soutenant que le πνεῦμα [*pneuma* ou esprit] dans l'homme était une partie de l'essence divine et incapable de pécher ; et les apollinariens soutenant que Christ n'avait qu'un σῶμα [*soma*, corps] et un ψυχή [*psyché*, esprit] humains, mais non un πνεῦμα humain, l'Église rejeta la doctrine selon laquelle le ψυχή et le πνεῦμα étaient deux substances distinctes, puisque sur cette dernière étaient fondées ces hérésies. Plus tard, les semi-pélagiens enseignèrent que l'âme et le corps, mais non l'esprit de l'homme, étaient affectés par le péché originel. Tous les protestants, luthériens comme réformés, étaient, par conséquent, des plus zélés dans leur affirmation de ce que l'âme et l'esprit, ψυχή et πνεῦμά sont une seule et même substance et essence. Et ceci a été, comme il a été remarqué précédemment, la doctrine commune de l'Église[98].

L'éminent théologien chrétien Henri Blocher résume les arguments exégétiques couramment avancés pour défendre le dualisme :

- La Bible utilise les mots différents *âme* et *esprit* non pas tant pour différencier la nature humaine en deux éléments séparés, mais pour en décrire des facettes différentes. Cet usage peut s'appliquer, par exemple, lorsque Jésus énonce le plus grand des commandements en Marc 12:30 : « Tu aimeras le Seigneur, ton Dieu, de tout ton cœur, de toute ton âme, de toute ta pensée, et de toute ta force. » Il ne fait aucun doute qu'ici l'Écriture ne peut pas enseigner que

---

[98] Charles Hodge, *Systematic Theology*, Vol. II (Peabody, MA, États-Unis : Hendrickson Publishers, 2003), p. 51.

l'homme est constitué des quatre parties distinctes que seraient le cœur, l'âme, la pensée et la force, excluant ainsi le corps, notamment.

- Les mots désignant respectivement âme et esprit dans le Premier et Second Testaments semblent être utilisés de manière interchangeable, comme des synonymes, dans un très grand nombre de textes, sans qu'il y ait de distinction significative entre les deux termes. Par exemple, dans Matthieu 10:28, Jésus parle de la mort du corps et de l'âme (ici $\psi\upsilon\chi\acute{\eta}$ au lieu de $\pi\nu\varepsilon\hat{\upsilon}\mu\alpha$) en enfer. Il en est de même dans Matthieu 6:25. Mais dans Ecclésiaste 12:7, 1 Corinthiens 5:3-5 et 1 Corinthiens 7:34, ce sont le corps et l'esprit (רוּחַ, $\pi\nu\varepsilon\hat{\upsilon}\mu\alpha$) cette fois qui sont liés. D'autre part, Genèse 35:18, 1 Rois 17:21 et Actes 15:26 font référence à la mort comme au fait de rendre l'âme, tandis que Psaumes 31:5, Luc 23:46 et Actes 7:59 mentionnent l'esprit à la place. De même, l'âme est ce qui survit à la mort d'après Apocalypse 6:9 et Apocalypse 20:4, tandis que Hébreux 12:23 et Pierre 3:19 parlent plutôt de l'esprit. Hébreux 6:19 décrit l'âme comme communiant avec Dieu, tandis que Romains 8:16 parle de l'esprit. Par comparaison, les passages utilisés par les trichotomistes pour soutenir leur point de vue sont au nombre de trois ou quatre seulement. En outre, les vocables originaux pour âme (*nèfes, psuchè*) et esprit (*rûah, pneuma*) admettent des chevauchements sémantiques trop importants et fréquents pour qu'ils puissent désigner des composantes différentes de la nature humaine. Il s'agit plutôt de cas d'*hendiadys*, soit deux mot proches par le sens jumelés pour rendre une idée unique, comme par exemple dans Psaumes 13:3, 24:4 et Proverbes 2:10 pour les mots cœur et âme, ou encore dans Exode 35:21, Psaumes 51:12, 78:7 et Esaïe 57:15 pour cœur et esprit. Cet usage d'hendiadys pourrait ainsi rendre vaine l'explication trichotomiste du passage clé de Hébreux 4:12.

- Par ailleurs, un passage tel que Jérémie 2:24 utilise pour le chameau à la fois le mot désignant l'âme et le mot désignant l'esprit : « Ânesse sauvage, habituée au désert, haletante [*rûah*] dans l'ardeur [*nèfes*] de sa passion, qui l'empêchera de satisfaire son désir ? » Nous avons donc ici un exemple où l'Écriture utilise les deux termes hébraïques âme et esprit pour désigner un animal, ce qui contrevient à l'affirmation trichotomiste selon laquelle l'esprit est différent de l'âme et ce qui distingue l'homme de l'animal.

- En réalité, la Bible assigne aussi bien à l'âme qu'à l'esprit des fonctions semblables, à commencer par les fonctions intellectuelles, mais aussi la connaissance de soi et la conscience réflexive. Pour l'âme, voir par exemple Psaumes 139:14, Proverbes 2:10, 23:7 et Jean 10:24 ; et pour l'esprit, voir Esaïe 19:3, Ézéchiel 11:5, 20:32.

Les dichotomistes avancent, comme cela a été mentionné plus haut, que la doctrine d'une constitution tripartite de l'homme est d'origine platonicienne, particulièrement néoplatonicienne, et qu'elle a été introduite partiellement dans l'Église primitive, puis revendiquée par des hérétiques comme les gnostiques, les apollinariens et les semi-pélagiens, ainsi que par les mystiques du bas Moyen Âge et les spiritualistes, néo-mystiques et revivalistes contemporains (Watchman Nee, Madame Guyon, T. Austin Sparks, Ruben Saillens, etc.). Pour Platon, explique Henri Blocher, la « cime rationnelle de l'âme [...] devient une partie séparée, et la zone inférieure, une partie médiane. »[99] Le stoïcisme joint alors le nom d'esprit (*pneuma*) à celui de la raison. Cela explique que toute la tradition protestante, aussi bien luthérienne (à l'exception notable de Luther) que réformée, ait résolument défendu le fait que l'âme et l'esprit sont une seule et même substance et essence.

Christian Klopfenstein précise qu'en développant une anthropologie dichotomiste,

> Henri Blocher prend soin de dire que « son but est d'éviter de séparer âme et esprit et de souligner une vision une et responsable de l'être intérieur. [...] Pour lui, l'homme est constitué d'un corps mortel (l'homme extérieur, la chair) et d'un être intérieur éternel. Il conclut cependant son article en disant : « Il est permis de distinguer, sans les séparer, un aspect psychique et un aspect spirituel de la vie

---

[99] Henry Blocher, *op. cit.*

intérieure... Certaines fonctions sont plus en évidence lorsqu'on emploie le mot âme, et d'autres lorsqu'on emploie le mot esprit. »[100]

Ces distinctions sémantiques entre les mots esprit et âme, renvoyant à des fonctions différentes nous amènent maintenant à nous pencher sur le trichotomisme et à examiner sa validité.

3. LE TRICHOTOMISME

Il est intéressant de constater que, bien qu'elle ait été écartée de l'orthodoxie, la conception trichotomiste survécut jusqu'à l'époque de la Réforme et fut défendue par un géant de la Réforme tel que Luther. Cela force à reconsidérer le débat dichotomisme/trichotomisme que beaucoup ont été malheureusement prompts à enterrer, alors que beaucoup d'indices scripturaux mis bout à bout et correctement reliés les uns aux autres offrent une compréhension infiniment plus riche de l'anthropologie. Un survol et un réexamen de l'histoire de la théologie sont souvent indispensables pour rebrousser chemin et mieux s'aligner sur l'enseignement des Écritures, lorsque nous nous apercevons que le consensus sur la doctrine commune confessée par les Églises ne semble pas être corroboré par une lecture inductive de l'Écriture, interprétée sans préjugés théologiques. Dans le cas présent, il est significatif que le trichotomisme ait été la position chrétienne orthodoxe pendant les trois premiers siècles et obtînt la faveur de nombreux Pères de l'Église grecs et alexandrins, dont Irénée de Lyon (vers 140-208), Tatien le Syrien (vers 120-173), Méliton de Sardes († vers 180 ou vers 190), Didyme d'Alexandrie aussi appelé Didyme l'Aveugle (313-398), Justin Martyr († vers 165), Clément d'Alexandrie (vers 150-vers 215), Origène (vers 185-vers 253), Grégoire de Nysse (335-394) et Basile de Césarée (330-379)[101, 102, 103]. Par la suite, par une malencontreuse association

---

[100] Christian Klopfenstein, *op. cit.*

[101] George Boardman, « The Scriptural Anthropology », *Baptist Quarterly* Vol. 1 (1867) :177-190, 325-340, 428-444, p. 189.

[102] John B. Heard, *The Tripartite Nature of Man: Spirit, Soul And Body*, Kessinger Publishing, LLC, 10 septembre 2010, p. 5.

[103] Louis Berkhof, *Systematic Theology*, New Combined Edition (Grand Rapids, MI, États-Unis : Wm. B. Eerdmans, 1996), p. 191.

d'idées, le trichotomisme serait vu comme étroitement lié aux trois erreurs doctrinales qui germèrent au sein de cette période de l'histoire de l'Église, à savoir les vues gnostiques, l'apollinarisme et le semi-pélagianisme. En particulier, une vive controverse doctrinale opposa Augustin à Pélage, controverse de laquelle Augustin sortit vainqueur, et qui aboutit à la condamnation des idées pélagiennes sur le péché originel en 418 au seizième concile de Carthage : Pélage, qui était trichotomiste, soutenait que la Chute n'avait pas affecté l'esprit de l'homme, mais seulement son corps et son âme, et que, par conséquent, la nature humaine était essentiellement bonne. Ce furent ainsi le triomphe d'Augustin et son influence immense sur l'histoire de la théologie chrétienne occidentale qui consacrèrent définitivement le dichotomisme comme la doctrine anthropologique orthodoxe. George S. Hendry conclut que « le déni d'un esprit créé dans l'homme, à la fois dans la théologie ancienne et dans la théologie moderne, est inextricablement lié à une conception augustinienne unilatérale de la grâce »[104]. Ce courant théologique se transporterait jusqu'au sein de la Réforme, où le rejet du trichotomisme irait de pair, concorderait bien avec la conception dominante parmi les Réformateurs de la dépravation totale de l'homme selon laquelle l'homme, étant spirituellement mort, est totalement passif et incapable de tout désir de Dieu, de toute aspiration au bien, et par conséquent ne peut être sauvé que par la grâce divine souveraine et irrésistible, lui qui, touché au plus profond de son être par le péché originel, ne possède plus de libre arbitre depuis la Chute. Seul Luther, comme nous le verrons bientôt, se détacha du dichotomisme prévalent.

Les arguments présentés dans la section précédente en faveur du dichotomisme, en apparence massifs et imparables, ne sont pas décisifs, et il convient de s'attarder plus longuement maintenant sur les mérites bibliques du trichotomisme, car l'Écriture, dans sa précision lexicale et ses subtilités sémantiques, n'emploie pas les mots sans un dessein particulier. Trois principaux passages des Écritures semblent établir une claire distinction entre l'âme et l'esprit et donc enseigner

---

[104] George S. Hendry, *The Holy Spirit in Christian Theology*, collection Preacher's Library, SCM Press, 1965, p. 113.

une vue trichotomiste : Hébreux 4:12, 1 Thessaloniciens 5:23 et 1 Corinthiens 15:42-46 (où ce qui est de l'âme – naturel – est opposé à ce qui est de l'esprit – spirituel). Plusieurs remarques liminaires importantes doivent être faites à ce stade[105] :

Premièrement, le petit nombre de passages scripturaires favorisant clairement une division tripartite de l'homme ne peut constituer un plaidoyer valable en faveur du dichotomisme, car accepter le dichotomisme sur la base de cet argument du faible nombre reviendrait à lisser les détails et enseignements complémentaires saillants communiqués par ces passages peu nombreux pour les rendre homogènes à l'idée du dichotomisme acceptée au préalable. Une telle démarche menacerait tout simplement l'intégrité de l'herméneutique ; la détermination systématique de la doctrine doit procéder d'une démarche *inductive*, ce qui suppose de faire ressortir toutes les données scripturaires, et à partir de l'intégration de toutes ces données, d'en rendre compte par la formulation d'une doctrine systématique qui leur rende justice le mieux, *a posteriori*.

Deuxièmement, concernant l'argument de l'interchangeabilité des termes esprit et âme, avancé par les dichotomistes pour défendre leur thèse, il est possible de répondre par les trois points suivants :
1. Aucun des versets et passages concernés n'enseigne explicitement une division bipartite de l'homme avec le corps d'un côté et l'âme de l'autre. La conclusion n'est atteinte que par inférence.
2. Des recouvrements dans l'usage des termes âme et esprit ne signifient pas nécessairement que les deux entités soient une seule et même chose, ni que l'homme ne soit constitué que de deux parties. Autrement, il faudrait également déduire que le corps et l'âme ne sont qu'une seule et même entité, puisque les deux termes se recouvrent dans leurs usages. Par exemple, le terme hébreu *nephesh* traduit par « âme » est souvent utilisé seul pour désigner la personne entière, ce qui inclut le corps,

---

[105] Ces remarques sont largement inspirées de l'excellent article de Spencer Stewart, « Dichotomy versus Trichotomy. An Excursus to Spirit, Soul, Body: The Blueprint of Man in the Image of God», Project one28 Publishing, 2010.

comme cela a déjà été souligné plus haut (cf. Lévitique 2:1, 7:20, 27:22 ; Jérémie 52:28 notamment). De même, ce même terme *nephesh* peut aussi désigner un corps mort sans vie ou l'âme défunte, ce qui n'amène pourtant pas les dichotomistes à identifier le corps et l'âme.

3. Le fait que certains passages de l'Écriture livrent moins de détails en ne mentionnant que deux composantes de l'homme au lieu de trois ne contredit en rien les descriptions plus détaillées où les trois composantes sont toutes mentionnées. Quand la Bible déclare que l'homme a un corps et une âme, cela ne veut pas dire qu'il *n'*est constitué *que* d'un corps et d'une âme et qu'il n'a pas un esprit. Plusieurs épisodes sont relatés dans l'Écriture sous deux angles différents, l'un suivant une description amplifiée, et l'autre suivant une description simplifiée. Par exemple, combien d'anges se tenaient au tombeau de Jésus ? Un (Matthieu 28:2) ou deux (Luc 24:4) ? Combien de démoniaques y avait-il dans le pays des Gadaréniens ? Un (Marc 5:2) ou deux (Matthieu 8:28) ? Combien d'aveugles y avait-il à l'extérieur de Jéricho ? Un (Marc 10:46) ou deux (Matthieu 20:30) ? La réponse évidente est bien deux, pour toutes ces instances ; et s'il y en avait deux, le fait de dire qu'il y en avait un est vrai aussi, la deuxième assertion étant simplement moins spécifique, moins précise, moins complète, sans être limitative. C'est dans ce sens qu'il faut comprendre les passages de la Bible qui ne mentionnent que l'une ou deux des composantes de l'être humain pour le désigner dans sa totalité – corps et âme, corps et esprit : cela n'implique pas que la troisième composante, absente de ces passages, n'existe pas.

Un examen attentif révèle cependant que les deux termes âme et esprit ne sont pas toujours employés de manière interchangeable, et donc ne sont guère synonymes. Si le mot âme est bien utilisé dans l'Écriture pour parler de la personnalité ou de l'individualité de l'homme, jamais le mot esprit n'est utilisé dans ce sens. Par exemple, il n'y a pas une seule instance où le mot esprit est utilisé quand il s'agit de la haine ou de la persécution des chrétiens, mais l'âme l'est. Mais plus significatif encore est le fait que, pour ajouter une qualification positive, l'Écriture emploie toujours l'adjectif dérivant du mot esprit, tandis que l'adjectif tiré du mot âme (en grec, ψυχικός ou *psuchikos*, psychique) apporte toujours une connotation négative. Dans le même ordre d'idée, ce qui est mis en contraste avec la chair (σάρξ, *sarx* en grec) autant physique que métaphorique, ce n'est jamais l'âme, mais l'esprit, comme cela sera discuté plus en détail plus bas. Si l'âme et l'esprit étaient réellement interchangeables et synonymes, ces emplois sélectifs et spécifiques n'auraient pas lieu d'être. Il faut donc conclure qu'il n'y a pas interchangeabilité des deux termes, mais des différences théologiques qui trouveront toute leur importance dans le développement qui sera donné un peu plus loin.

Pour bien montrer qu'un recouvrement ou un parallélisme entre les mots âme et esprit ne constitue pas un simple procédé de langage, un procédé stylistique basé sur un effet de redondance sémantique, examinons maintenant plus en détail le Magnificat de Marie en Luc 1:46-47 : « Mon âme exalte le Seigneur, et mon esprit se réjouit en Dieu, mon Sauveur », passage poétique dont les théologiens dichotomistes tel Louis Berkhof[106] disent qu'il exhibe un parallélisme consistant à reprendre la même idée d'adoration avec deux termes différents mais synonymes : l'âme et l'esprit adorent Dieu, parce que, de manière ultime, ils sont en fait une seule et même chose, la partie immatérielle de l'homme. En fait, le texte original grec est beaucoup plus précis que la traduction française qui ne rend pas compte du changement de temps opéré lorsque l'on passe de l'âme à l'esprit. En effet, l'action de l'âme est conjuguée au temps présent, alors que l'action associée à l'esprit est au passé, en mode aoriste. Une traduction plus juste devrait être : « Mon âme *exalte...* mon esprit *s'est réjoui...* » Quelle différence le Texte sacré a-t-il voulu marquer, quelle nuance théologique l'Écriture a-t-elle voulu introduire avec ces temps différents ? La réponse est que l'Écriture a certainement voulu ici mettre en lumière la source de l'adoration ainsi qu'établir un ordre divin précis : l'adoration doit commencer par l'esprit et y puiser sa source, conformément à la parole de Jésus à la Samaritaine : « Dieu est

---

[106] Louis Berkhof, *Systematic Theology*. New Combined Edition (Grand Rapids, MI, États-Unis : Wm. B. Eerdmans, 1996), p.194.

Esprit, et il faut que ceux qui l'adorent l'adorent en esprit et en vérité »
(Jean 4:24). Le grand réformateur Luther avait une compréhension
trichotomiste de ce passage (cf. la première citation de lui donnée plus
loin). Cette compréhension est tout à fait conforme aux exhortations
apostoliques, par exemple quand l'apôtre Paul reproche aux Galates de
finir par la chair, après avoir commencé par l'Esprit (Galates 3:3).
Cette idée est conforme également à l'exhortation qu'il adresse à ces
mêmes Galates de marcher aussi selon l'Esprit (Galates 5:16), s'ils
vivent par l'Esprit. Ce point sera développé plus bas quand nous
parlerons de l'application pratique de la doctrine trichotomiste en ce
qui concerne la sanctification.

Dans le but d'illustrer, en approfondissant, la remarque faite plus haut
selon laquelle le mot esprit apporte toujours une qualification positive
à la différence du mot âme qui est chargé d'une connotation négative,
arrêtons-nous un instant sur le passage de 1 Corinthiens 15:42-46 qui
mérite une attention spéciale. Il est tout particulièrement intéressant
dans la mesure où le thème qu'il traite est celui du mystère de la
résurrection et de la nature du corps ressuscité, *corps spirituel*, ce qui
peut sembler une contradiction dans les termes. Le passage contraste
le *corps naturel*, le corps lié à l'âme ($\Psi\upsilon\chi\iota\kappa\acute{o}\nu$, traduit par « animal »
dans la version Segond) d'avant la résurrection, au corps appelé
« spirituel » ($\pi\nu\epsilon\upsilon\mu\acute{a}\tau\iota\kappa\upsilon\nu$) qui apparaît après la résurrection. Ces deux
adjectifs décrivent le corps *matériel* de l'homme et ne sont pas des
termes décrivant la partie immatérielle de l'âme, ceci est une chose
significative qui doit être remarquée d'emblée. Le passage de 1
Corinthiens 15:42ss ne concerne donc pas tant l'âme et l'esprit que le
corps. Mais ce rapprochement du corps et de l'âme ou de l'esprit
indique précisément la claire orientation de l'anthropologie biblique
qui se démarque à la fois de la philosophie platonicienne et du
gnosticisme. Dans la pensée chrétienne biblique, le corps et l'âme sont
bien une unité organique en osmose, inséparable, chose qui a été
soulignée à plusieurs reprises. Ce passage qui lève partiellement le
voile sur le mystère entourant la nature du corps ressuscité par
opposition au corps naturel d'avant la résurrection tend donc à
montrer qu'une réelle distinction existe entre « l'âme » et « l'esprit ».

Cette conception trichotomiste de la nature de l'homme est sans doute le mieux enseignée dans Genèse 2:7 où l'on voit que Dieu crée d'abord, à partir de de la poussière, le *corps matériel* (corps sensuel, qui est similaire à tous les organismes vivants, habitacle dénué de vie et de personnalité) qui est encore inerte, sans vie, puis insuffle le souffle de vie dans les narines de l'homme. Ce souffle de vie est la nature spirituelle de l'homme, l'étincelle de Dieu dans l'âme de l'homme. Et c'est alors que l'homme devient une *âme vivante* (en hébreu, נֶפֶשׁ). En somme, l'Esprit de Dieu réveille la troisième composante de l'homme qui est l'âme et qui réalise l'union entre le corps et l'esprit. Le texte de la création de l'homme dans Genèse 2:7 nous présente donc bien une nature matérielle et une nature immatérielle dans l'homme, à savoir le corps d'un côté, et l'âme et l'esprit de l'autre, rassemblés sous le terme générique *âme*. Ecclésiaste 12:7 décrit la mort de l'homme comme une séparation du corps d'avec l'esprit (רוּחַ), le premier retournant à la poussière, et le second à Dieu qui l'a donné.

D'autres passages existent qui peuvent se prêter à une interprétation au moins dichotomiste, dont Luc 1:46-47 déjà mentionné précédemment, mais aussi Job 4:19. Henri Blocher en présente encore quatre autres : « De la maison d'argile pour le corps, on passe ailleurs à la tente, arrachée à la mort (Esaïe 38:12), ou au vêtement (Job 10:11), voire, assez curieusement, au « fourreau » ou enveloppe (Daniel 7:15, littéralement : « Mon esprit, à moi Daniel, fut troublé dans son fourreau »). D'autres passages encore « travaillent » sur la dualité anthropologique, comme l'annonce d'une extermination « depuis l'âme jusqu'à la chair » (Esaïe 10:18). »[107] Henri Blocher mentionne également un certain nombre de passages qui évoquent la dualité constitutive : corps et âme (Matthieu 10:28 ; 3 Jean 2) ; corps et esprit (1 Corinthiens 5:3 ; 6, 16s ; 7:34 ; Jacques 2:26) ; corps et cœur (Hébreux 10:22) ; chair et esprit (1 Corinthiens 5:5 ; 2 Corinthiens 7:1 ; Colossiens 2:5) ; homme intérieur et homme extérieur (Romains 7:22ss ; Éphésiens 3:16 ; 1 Pierre 3:4)[108].

---

[107] Henri Blocher, *op. cit.*
[108] *Ibid.*

En outre, le tabernacle est une métaphore de la nature tripartite de l'homme. C'est bien ce que Martin Luther lui-même avait compris : le tabernacle est un enseignement typologique de la nature de l'homme. Le lieu très saint, qui n'était éclairé d'aucune lumière, sinon par la Parole révélée de Dieu, symbolise l'esprit de l'homme ; c'est le lieu de la communion de l'homme avec Dieu. L'Esprit de Dieu, à travers sa Parole, illumine l'esprit de l'homme par la foi. Seul le souverain sacrificateur pouvait pénétrer, une fois par année, dans le lieu très saint. Ensuite, le lieu saint, dans lequel se tenait un chandelier, représente l'âme qui possède la lumière des facultés rationnelles et sensibles pour comprendre et appréhender le monde dans lequel l'homme vit. Tout à fait à l'extérieur se trouvait le parvis, le lieu où pouvaient pénétrer les hommes ordinaires du peuple. Ce parvis représente le corps, la partie inférieure (pas dans un sens platonicien, mais seulement dans une échelle de gradation allant du plus extérieur au plus profond) de l'homme en contact direct avec le monde, éclairée par la lumière du soleil que tous peuvent voir. Les paroles suivantes de Luther tirées de son commentaire de Luc 1:46-47 sont admirables à ce titre :

> Dans le tabernacle construit par Moïse, il y avait trois compartiments séparés. Le premier était appelé le lieu très saint : là demeurait Dieu, et il n'y avait pas de lumière. Le deuxième était le lieu saint ; là était placé un chandelier à sept branches et sept lampes. Le troisième était appelé le parvis ; il était exposé sous le ciel ouvert et à la pleine lumière du soleil. Dans ce tabernacle nous avons une figure de l'homme chrétien. Son esprit est le lieu très saint, où Dieu demeure dans les ténèbres de la foi, là où il n'y a aucune lumière, car il croit ce qu'il ne voit pas, ni ne sent ni ne comprend. Son âme est le lieu saint, avec ses sept lampes, c'est-à-dire toutes espèces de raison, jugement, connaissance et compréhension concernant les choses visibles et corporelles. Son corps est le parvis, ouvert à tous, afin que les hommes puissent voir ses œuvres et sa manière de vivre.[109]

---

[109] Martin Luther, *Luther's Works,* édité par Jaroslar Pelikan (Saint-Louis, Missouri, États-Unis : Concordia, 1956) 21:304. Cité dans Spencer Stewart, *op. cit.* p. 6.

Et Luther, dans la même veine, fait le commentaire suivant du verset 12 du chapitre 4 de l'épitre aux Hébreux :

> Mais suivant la foi, nous suivrons l'apôtre quand, dans 1 Thessaloniciens 5:23, il divise l'homme en trois parties ... en relation à ce thème, Origène fut celui qui s'efforça le plus de l'expliquer, et après lui ce fut Jérôme, qui, référant à Galates 5:17, déclara que tout le monde sait que le corps ou la chair est notre partie la plus basse, l'esprit par lequel nous sommes capables d'œuvres divines est la plus élevée, et l'âme réside au milieu des deux ...

La métaphore du tabernacle comme illustration de la constitution tripartite de l'homme prend tout son sens, en considérant, avec Christian Klopfenstein, que :

> L'esprit a été créé pour être le siège du sentiment de Dieu, de sa présence, le réceptacle du Saint-Esprit, le lieu de la vie spirituelle, de la prière, « le lieu très saint » de la relation à Dieu, il est le lieu où tombe la semence de la Parole de Dieu qui peut guérir l'âme. À la nouvelle naissance, le cœur est transformé, il reçoit les prémices, le germe, la réalité de l'Esprit Saint en lui.[110]

Les trichotomistes soutiennent que les incroyants possèdent un esprit mort qui est régénéré par l'œuvre du Saint-Esprit. Ces affirmations découlent de la distinction qu'ils opèrent entre âme et esprit. S'il n'y avait pas cette distinction entre l'âme et l'esprit, la régénération du pécheur qui s'opère lorsque Dieu, dans sa grâce, lui impute sa justice instantanément et miraculeusement, est vide de sens, car difficilement localisable, puisqu'il faudrait alors considérer que l'âme entière du pécheur était morte avant sa conversion. L'importance de séparer et de distinguer l'âme et l'esprit est donc vitale, ce qui sera davantage encore mis en avant dans le développement qui suit concernant l'œuvre de régénération et le processus de sanctification.

---

[110] Christian Klopfenstein, *op. cit.*

Romains 8:16 déclare : « L'Esprit lui-même rend témoignage à notre esprit que nous sommes enfants de Dieu. » Ce qui a été vivifié et régénéré dans la nouvelle naissance, c'est l'esprit et non l'âme. Ce n'est pas un raisonnement logique ni une récitation mécanique d'une confession de foi ni une adhésion purement intellectuelle aux vérités du salut et à la Bible qui nous assurent notre adoption en Christ ; la conversion authentique n'est pas non plus une affaire d'émotion qui ne touche que l'être extérieur, les sentiments. Le témoignage intérieur du Saint-Esprit que reçoit le croyant par lequel il réalise, d'une manière que rien d'autre ne pourrait égaler, qu'il est un enfant de Dieu n'est pas quelque chose d'animique, c'est-à-dire que ce témoignage indélébile, clair et indubitable ne s'adresse ni à l'intellect ni à l'émotion ni à la volonté. Ce témoignage s'adresse à son esprit, car le Saint-Esprit illumine la conscience humaine et révèle, scelle cette vérité glorieuse de son appartenance à Jésus-Christ. Ce témoignage de l'Esprit est entièrement de nature spirituelle et se communique de l'Esprit Saint à l'esprit humain, et non pas à l'âme, à son être psychique[111]. « Dieu est Esprit et ceux qui l'adorent doivent l'adorer en esprit et en vérité », a dit Jésus à la Samaritaine en Jean 4:24. Bien d'autres passages de l'Écriture prennent tout à coup un relief inattendu, une lumière nouvelle, lorsqu'ils sont envisagés dans la perspective trichotomiste qui sépare les deux composantes entrelacées âme et esprit, et médités sous l'éclairage de l'emphase unique que place l'Écriture sur l'esprit quand il est question de révéler les choses profondes issues de l'Esprit de Dieu au cœur de l'homme. Jamais il n'est question de l'âme dans ces passages.

> Mais, comme il est écrit, ce sont des choses que l'œil n'a point vues, que l'oreille n'a point entendues, et qui ne sont point montées au cœur de l'homme, des choses que Dieu a préparées pour ceux qui l'aiment. Dieu nous les a révélées par l'Esprit. Car l'Esprit sonde tout, même les profondeurs de Dieu. Lequel des hommes, en effet, connaît les choses de l'homme, si ce n'est l'esprit de l'homme qui est

---

[111] Des éléments de cette analyse sont empruntés du texte « Le trichotomisme » de Gilbert Lillo envers lequel nous sommes reconnaissants pour la justesse de ses propos que nous partageons entièrement. Voir https://radicalementprotestant.fr.gd/LE-TRICHOTOMISME.htm. Accédé le 10 octobre 2018.

en lui ? De même, personne ne connaît les choses de Dieu, si ce n'est l'Esprit de Dieu. Or nous, nous n'avons pas reçu l'esprit du monde, mais l'Esprit qui vient de Dieu, afin que nous connaissions les choses que Dieu nous a données par sa grâce. Et nous en parlons, non avec des discours qu'enseigne la sagesse humaine, mais avec ceux qu'enseigne l'Esprit, employant un langage spirituel pour les choses spirituelles. (1 Corinthiens 2:9-13.)

Nous retrouvons ici le même type d'opposition entre, d'une part, l'aspect psychique attaché à l'âme de la sagesse et de l'intellect naturels, et, d'autre part, l'aspect spirituel attaché à l'esprit, que celle que le même apôtre Paul soulève dans le passage de 1 Corinthiens 15:42-52 à propos de la résurrection et des corps animal et spirituel. Par cette insistance, nous comprenons, dès lors, que l'écoute de la Bible n'est pas d'ordre physique ni intellectuel, bien qu'elle passe par ces organes ; elle touche en fait la partie haute de l'homme : son esprit, et modèle sa conscience, dispose son attitude vers la piété, et réveille sa perception intuitive des vérités d'en-haut. Le témoignage qu'inculque le Saint-Esprit à notre esprit est de cette nature. Cette régénération spirituelle seule amène ensuite le croyant à un processus progressif de transformation de son âme à mesure qu'il marche selon l'esprit, selon l'injonction paulinienne, c'est-à-dire à mesure qu'il apprend à laisser son esprit dominer sa vie naturelle, sa vie psychique jusque là gouvernée par son âme. Le trichotomisme est la seule doctrine qui donne une compréhension claire du processus de régénération et de sanctification[112].

En comprenant l'enseignement trichotomiste de l'Écriture, nous comprenons aussitôt la signification profonde et réelle de ce verset de l'Écriture qui affirme : « La Parole de Dieu est vivante et efficace et plus tranchante qu'une épée quelconque à double tranchant ; elle pénètre jusqu'à diviser âme et esprit, jointures et moelles. » Il ne s'agit pas d'*hendiadys* comme le suggère Henri Blocher. Mais le sens profond ici, que nous avons mis en lumière en distinguant les facultés psychiques relatives à l'âme et les facultés spirituelles de l'homme

---

[112] Gilbert Lillo, *op. cit.*

régénéré, c'est que la Parole de Dieu opère une césure fine, une déchirure entre l'âme et l'esprit, par le Saint-Esprit, seul capable de séparer les deux constituants distincts de l'homme intérieur si intimement joints et connectés entre eux.

Ce qui vient fortement renforcer, accréditer cette compréhension est la nature trine de Dieu –Père, Fils et Saint-Esprit : si Dieu, dans son unité et sa diversité, est trine dans sa nature profonde, et s'il a choisi de donner l'image du tabernacle comme une typologie de la nature ontologique de l'homme, ne serait-ce pas parce que l'homme, effectivement, a été modelé, créé suivant une constitution tripartite, à l'image même de Dieu ?

Le remarquable revivaliste chinois Watchman Nee (1903-1972) explique dans son livre *L'homme spirituel*[113] que le cœur de l'homme est la connexion entre l'esprit et l'âme, et que cette connexion s'effectue principalement dans la relation étroite, intime qui existe entre la pensée et la conscience. Là se trouve notre moi véritable. C'est pourquoi le cœur est le point de contact de toutes les communications. L'esprit entre en contact avec l'âme par le cœur, et par le cœur l'âme transmet à l'esprit ce qu'elle collecte et reçoit au-dehors. Le cœur est le lieu où se trouve notre personnalité véritable. Ce que met en exergue Watchman Nee est appuyé de manière tout à fait similaire par Christian Klopfenstein :

> Notre esprit est ce que Dieu considère comme notre vraie personnalité, la source cachée de nos motivations profondes et véritables, de notre vie, de notre comportement.
>
> L'esprit conditionne notre façon de ressentir, d'aimer (nos désirs, nos passions, l'amour qui se donne ou l'égocentrisme), de penser (notre échelle des valeurs, le conscient et l'inconscient, la recherche du sens, du bien, du vrai), de choisir, de décider, de croire, de dépendre, d'obéir (l'esprit est le réservoir de l'énergie divine permettant de contrôler, de soumettre nos pensées et émotions humaines, de

---

[113] Watchman Nee, *L'homme spirituel*, Vida, 1er septembre 1991.

rechercher et de prendre de bonnes décisions en accord avec la pensée de Dieu ou de s'y rebeller, de mettre sa foi dans la vérité ou dans le mensonge. Nous avons été créés pour croire à la vérité ou au mensonge, certains ont une foi hybride où le moi reste au centre).
[...]

Tout dépend de qui ou de quoi nous sommes remplis. L'esprit est comme une fenêtre derrière laquelle se trouve la lumière de Dieu ou les ténèbres [...].

Notre vision naturelle, sentimentale, intellectuelle n'est pas la vision spirituelle. Dieu doit ouvrir les yeux de notre cœur, aiguiser notre sensibilité et notre compréhension spirituelles. C'est la Parole de Dieu qui nous aidera à discerner dans notre cœur ce qui est psychique et ce qui est spirituel. [...]

Cette Parole est un feu purificateur (Jérémie 23:29), un marteau qui brise le roc de nos murailles de protection. Elle nous aide à nous connaître vraiment en profondeur.

Dans les textes bibliques, les mots hébreu (*leb*) et grec (*kardia*) traduits par « cœur » définissent aussi la vie intérieure avec toutes ses activités mentales et morales (257 fois), tantôt ses sentiments (166 fois), ses pensées (204 fois) ou sa volonté (195 fois). D'après un enseignant d'une université du Pays de Galles, ce mot (*leb*) revient avec son sens d'intériorité 850 fois dans le texte massorétique : c'est le centre de la personne, le siège du « je » le plus profond.

Ainsi, la distinction biblique recouvrée et remise en valeur par le trichotomisme entre l'âme et l'esprit est précisément ce qui permet de comprendre le mystère de l'œuvre de Dieu au plus profond de l'esprit des personnes gravement malades dont les facultés mentales et cognitives sont fortement handicapées. Christian Klopfenstein affirme avec justesse que « l'esprit, c'est ce qui distingue l'homme de l'animal et du reste de la création ». Similairement, l'on peut dire que c'est l'esprit qui marque la différence entre l'homme animal et l'homme spirituel. Et il poursuit en disant :

Edmond Jacob remarque que les animaux n'ont pas de cœur dans l'Ancien Testament. Nous ne pouvons pas toujours avoir un dialogue au niveau horizontal avec nos patients : nouveau-nés, comas, psychoses, ivresses, démences, handicapés mentaux profonds... Quand nous ne pouvons pas parler, rappelons-nous que Dieu peut toujours parler aux cœurs. [...] Le professeur Baruk dit : « Même quand le cerveau ne fonctionne plus, dans les cas de démences, il subsiste une personnalité profonde qui sait si elle est aimée ou rejetée. » Cette vision donne un sens aux soins pour les plus faibles [...]. Souvent, nous parlons trop et le cœur n'est pas atteint, laissons le Saint-Esprit agir !

Par conséquent, c'est en acceptant cette distinction scripturaire que l'on parvient à percevoir que, conformément à l'Écriture et en particulier à l'enseignement apostolique sur la résurrection des corps, il existe une intelligence *psychique* et une intelligence *spirituelle*, tout comme il existe une volonté *psychique* et une volonté *spirituelle*, et il en va de même pour toutes choses selon que l'âme est connectée ou non à l'esprit dans une relation de dépendance : la musique, par exemple, peut être psychique ou spirituelle ; de même en est-il de l'étude, de la sagesse, du travail, du loisir, etc. Les mots de Christian Klopfenstein sont pertinents une fois de plus :

On peut être doué en médecine, en mathématiques, en littérature... et ne pas avoir d'intelligence et de sagesse spirituelles, on peut connaître intellectuellement beaucoup de choses sans les comprendre vraiment dans son cœur. Notre raison doit se soumettre à Dieu. Il peut solutionner des problèmes sans même que l'on ait compris le problème ni comment Dieu a agi pour le résoudre...
Dieu veut aussi changer notre manière de penser, notre mentalité. On peut même avoir une connaissance intellectuelle de la Bible, rendre un culte religieux, mais c'est l'Esprit et la Parole vivante qui donnent à notre esprit l'intelligence spirituelle, la vraie sagesse, l'entendement, le discernement, la conviction, la révélation, la connaissance de Dieu, la foi et une relation retrouvées qui nous permettent de communiquer, de communier avec lui dès la nouvelle naissance, de voir clair sur notre véritable identité. Dieu purifie aussi notre imagination, notre créativité, notre intuition, notre

compréhension spirituelle de l'Écriture, de la pensée et de la volonté de Dieu, notre discernement (*dokimadzo, diakrino, krino, kriticos*), notre jugement spirituel, notre conscience morale du bien et du mal, du spirituel et du charnel ou diabolique (*Hébreux 4:12-13 ; 5:14 ; 10:22* : « Elle juge (*kriticos*) des sentiments et des pensées du cœur », « le sens exercé du discernement du bien et du mal », « les cœurs purifiés d'une mauvaise conscience »), notre éthique en référence aux absolus de Dieu. L'intelligence spirituelle nous permet encore de communiquer sa Parole aux autres.

Avec cette perspective scripturaire brièvement esquissée, comment qualifier le projet transhumaniste, qui s'appuie sur une anthropologie amputée, entièrement horizontale, ramenant tout à un réductionnisme matérialiste qui fait fi des réalités profondes de l'expérience et de la nature humaines, sinon de déni de la réalité créée et de tentative de déconstruction programmée et voulue de l'homme tel qu'il est ? Concluons avec Brice de Malherbe[114] :

> L'objectif du transhumanisme est donc une amélioration (*enhancement*) de l'espèce humaine tant en qualité qu'en longévité. Le but est en fait d'aboutir à un être complètement différent. Il s'agit de « réélaborer la condition humaine » à travers quelques moyens dont le premier est la sélection prénatale eugéniste et le dernier est le transfert du « vécu subjectif » prétendument stocké par le cerveau soit à un autre organisme (transplantation du cerveau), soit dans un substrat purement matériel et digital. Les transhumanistes ont une préférence pour les capacités psychiques et étendent leur volonté d'accroître les conditions de bien-être à « toute sensibilité subjective (qu'elle soit présente dans des intelligences artificielles, des humains, des post-humains ou des animaux non-humains) ».

> Le dualisme des auteurs transhumanistes est poussé jusqu'au point où l'être substantiel n'est pas l'être capable de sensibilité subjective mais la sensibilité subjective elle-même quel que soit son support,

---

[114] Le prêtre catholique Brice de Malherbe est professeur à la Faculté Notre-Dame et codirecteur du département de recherche « Éthique biomédicale » du Collège des Bernardins. Il est également chapelain à la cathédrale Notre-Dame de Paris.

l'Intelligence indépendante de tout conditionnement, à commencer par le conditionnement corporel. Au fond, le devoir de l'homme serait de se saborder pour permettre à l'Intelligence désincarnée – la mystérieuse « Singularité » – de trouver un support plus performant pour déployer ses potentialités[115].

Conclusion

La thèse sous-jacente que nous défendons est celle de la dimension incarnée : Dieu qui est Esprit s'est fait chair en Christ. Le transhumanisme, à l'opposé, est réduit à la seule dimension matérielle. Notre approche est de souligner le vivant et la nature spirituelle de l'être humain. L'être humain n'est pas seulement un agrégat d'atomes, fait de poussières d'étoiles, mais il reçoit le souffle, le souffle de vie divin, ce qu'enseigne la Genèse et ce qui fonde l'anthropologie chrétienne dans ce qu'elle a de complètement révolutionnaire et de radicalement différent de l'anthropologie évolutionniste. Dans tout ce chapitre, nous avons voulu comparer et contraster les contenus respectifs de ces deux anthropologies concurrentes, celle du transhumanisme fondée sur la conception évolutionniste et celle de l'Écriture, en montrant combien la doctrine de la création est primordiale dans ce qu'elle a à dire à l'homme d'aujourd'hui sur sa nature profonde, sur ce qu'il est, sur son être, sur ses origines et sur son devenir.

Dans ce développement laborieux par lequel nous avons mis en lumière les présupposés épistémologiques, métaphysiques et anthropologiques sous-jacents, et également retracé brièvement et sommairement l'évolution de la pensée théologique et philosophique à travers les siècles depuis les Grecs, en passant par les Pères de l'Église, puis par l'Église médiévale, et en croisant les Réformateurs, pour finalement rejoindre nos philosophes des sciences et scientifiques transhumanistes contemporains, nous avons fait ressortir la substance qui définit l'être humain en opposition avec la thèse transhumaniste

---

[115] Brice de Malherbe, « Créer ou revêtir l'homme nouveau ? ». *Connaître*, N° 35, novembre 2011, p. 32.

qui a réduit l'homme à une forme de déterminisme technologique, prétendant que sa propre évolution n'est de fait que le fruit, le prolongement de ses propres découvertes allant jusqu'à la fusion ou l'incorporation, au final, d'un être fusionnant avec sa propre invention, le cyborg, un organisme cybernétique. Or, cette confusion entre la matière et la vie s'avérera une forme de chaos anéantissant la réalité ontologique qui définit l'homme comme détaché de ses outils et non fusionné avec eux.

Dans le christianisme, Dieu déploie son plan de rédemption au bénéfice de l'homme d'une manière splendide, à la manière des plus beaux mythes, comme l'aurait dit C. S. Lewis. Ce plan se réalise, s'accomplit dans le cours de l'histoire aussi bien collective qu'individuelle. Ce plan commence à la création, où Dieu créé l'homme à son image, ce dernier reflétant, dans sa nature même, la composition ternaire de la Trinité. Puis, vient la chute de l'homme, qui entraîne une brisure ontologique ; l'homme est blessé profondément, corrompu par le péché qui affecte tout son être, et le voilà mort dans son esprit qui n'est plus relié au Père transcendant. Désormais, il devra se contenter de son corps et de son âme, non épargnés par cette chute. Coupé de son Créateur, et entraîné dans sa course folle pétrie de rébellion, il voudra s'élever lui-même vers la transcendance qui l'habite encore comme un lointain souvenir réminiscent de son passé. Pour cela, croyant n'être que de chair et d'atomes, il voudra s'augmenter, en exploitant la prouesse de ses inventions technologiques, pour s'élever vers cette Singularité universelle. Cette course effrénée ne mènera nulle part, sinon à la profonde désillusion, car elle s'oppose fondamentalement à sa nature créée. Mais Jésus lui-même est venu sur la terre, a revêtu le corps d'un homme, et a souffert la croix – en mourant sur cette croix, il a payé la dette que l'homme avait contractée depuis la Chute. Désormais, le salut de l'homme est possible : c'est un salut complet qui commence par la rédemption de l'esprit qui, régénéré, peut enfin communiquer avec Dieu, communier avec lui ; puis ce salut se prolonge par la transformation de l'âme, progressivement rendue conforme à l'image de Christ ; et il s'achèvera dans un corps immortel de gloire, transfiguré, restauré dans sa beauté originelle.

10

Le transhumanisme, l'inversion théologique de l'anthropologie chrétienne

L'anthropologie transhumaniste est une manière de renverser un monde ancien.

Dans ses principes ontologiques, l'anthropologie transhumaniste est une inversion théologique de l'anthropologie chrétienne.

Ainsi, le livre de Job, au chapitre 33 et au verset 4, rappelle que l'Esprit de Dieu a créé l'homme, et le souffle du Tout-Puissant anime tout son être, ce que rappelle le livre de la Genèse au chapitre 2, verset 7 :

« L'Éternel Dieu forma l'homme de la poussière de la terre, il souffla dans ses narines un souffle de vie et l'homme devint un être vivant. »

Or le transhumanisme contredit cette dimension ontologique de l'âme humaine, dont l'essence est insufflée par Dieu. Pour les transhumanistes, a contrario, l'âme n'est plus une entité ontologique intégrée dans l'homme. Ainsi la seule réalité ontologique de l'homme naturel, se réduit à sa composante dite « animale, » comme nous le rappelions précédemment (cf. Le transhumanisme et la doctrine de la création).

Le transhumanisme ne renoue-t-il pas avec les hérésies gnostiques des premiers siècles de la chrétienté ?

Les gnostiques en appelaient au savoir (la Gnose) pour parachever la Création que Dieu n'avait pu mener à son terme.

Dans cette hétérodoxie chrétienne, l'homme est en effet <u>prisonnier</u> du temps, de son corps, de son âme inférieure et du monde. A l'époque hellénistique (la Grèce Antique), les gnostiques considéraient le corps comme ipso facto mauvais, parce qu'il appartenait au monde de la matière.

Le résultat de cette présupposition est qu'ils croient que tout ce qui se fait dans le corps n'a pas d'importance, puisque la vie réelle existe seulement dans le royaume de l'esprit, autrement dit et pour sourire, dans un monde virtuel : la réalité chez les transhumanistes <u>devient virtuelle et permet, de facto, de s'affranchir du monde incarné.</u>

Qu'est-ce qui oppose fondamentalement, différencie les conceptions transhumanistes et les représentations que nous renvoie la Bible à propos de l'homme?

Si les Écritures bibliques déclarent la finitude de l'homme en raison de son éloignement de Dieu, le transhumanisme nie la dimension du péché, et va jusqu'à considérer le judéo-christianisme comme une aliénation du progrès, et de facto, ce courant idéologique entend transgresser les limites. Le transhumanisme aspire ainsi, et inversement, à modifier l'ADN, briser les barrières du génome. C'est également dans la finitude, dans la chair que Dieu nous rencontre, que Dieu se fait à l'échelle de l'homme partageant nos souffrances, nos angoisses, nos peurs, nos besoins, nos infirmités physiques.

Or, l'homme fait en quelque sorte le chemin inverse aspirant à la divinité, à se désincarner et à se libérer de son corps biologique, ou à le réparer via des prothèses bioniques. <u>Pourtant, la notion de vivant selon l'anthropologie biblique est liée à cette dimension du corps naturel.</u>

Nous relevons aujourd'hui toutes ces tentatives de dénaturation de l'homme, de déconstruction de l'homme, cette volonté de le suppléer ou d'aboutir à un homme bionique, démembrant l'homme naturel pour pallier ses infirmités physiques, ce qui est en soi louable, mais questionne sur le mariage du corps vivant et de la matière inanimée, animée de façon factice. Jusqu'où ira-t-on, dans cette conception robotique mariant l'homme et la machine qui de facto pourrait être envisageable et pas impossible dans un très proche avenir ?

Nous pensons en revanche qu'une machine, aussi sophistiquée serait-elle, ne sera jamais vivante, car la vie ou le vivant sont profondément et intrinsèquement associés à la dimension moléculaire (nous savons que les sciences naturelles ne donnent pas ici de définition du vivant, elles s'inscrivent dans une négation de la spécificité du vivant, qui se veut matérialiste, de plus elle confond le matérialisme épistémologique et les sciences de la matière).

Ainsi, les objets inanimés et les machines, y compris celles dotées d'une intelligence artificielle dite forte, ne seront nullement habités par le souffle de vie, ne pourront avoir la prétention d'incarner le vivant.
Le retour à une dimension et une vision matérialistes de l'humain conduira l'humanité à sa plus grande folie, à un « système » hégémonique qui transforme les manques en besoins, se nourrit des besoins qu'il fabrique et se légitime par une idéologie techniciste sans âme.

La tentation du transhumanisme concernant la redéfinition de l'homme n'était-elle pas finalement prévisible dans l'histoire de l'humanité ?

La Bible nous enseigne à la lecture de cette célèbre citation de l'Ecclésiaste que rien n'est nouveau sous le soleil. La Bible nous décrit qu'à l'origine de l'humanité, les hommes formaient déjà entre eux le projet de s'attaquer au ciel en construisant une tour qui devait être le symbole de leur toute-puissance.

La Tour de Babel dans sa dimension symbolique va faire alors figure d'une forme de tour de guerre.
Pour réaliser leur projet, les hommes opposèrent à la puissance de Dieu une puissance qui se veut équivalente, la « force collective, » l'entre-nous : « Ils se dirent l'un à l'autre : 'Allons, faisons des briques et cuisons-les au feu. [...] Ainsi nous nous ferons un nom (une marque : Apocalypse 13), de peur d'être dispersés sur toute la face de la terre... '»
Ces quelques mots extraits des livres de Genèse et d'Apocalypse soulignent de manière prégnante cette dimension collective. L'homme expose sa crainte, celle de ses limites, de sa finitude, il prend conscience de la nécessité de former un projet ou les hommes doivent

être reliés entre eux, <u>ce rêve d'agglomérer l'humanité</u> n'est pas abandonnée. (Le terme « web » désigne la toile d'araignée mondiale, un maillage mondial des données, reliant également les hommes entre eux.)

Cette dimension collective est également l'aliénation de l'altérité, où la singularité de chaque homme disparaît dans le nous.

Notez que virtuellement aujourd'hui c'est le cas, comme en témoignent les plus grandes mégapoles mondiales ou ce nouveau continent numérique (le maillage du web) assurant la connexion et l'interaction universelle des hommes.

Deuxième partie :

Les révolutions de la déconstruction

La révolution
anthropologique

11 La révolution anthropologique : le concept de genre et ses conséquences bioéthiques

Des idéologies inédites ont émergé en quelques décennies pour combattre en brèche les conceptions essentialistes relativement à l'homme et à la femme telles que la bible les définit. Pour nous éclairer sur les dimensions disruptives de cette nouvelle métaphysique au sujet de l'homme, il importait d'en dessiner les contours afin de comprendre ensemble le changement de paradigme qui touche aujourd'hui cette nouvelle approche de l'être humain dont les conséquences civilisationnelles impacteront l'ensemble de nos rapports sociaux et redéfiniront de nouvelles lois bioéthiques aux folles conséquences pour l'ensemble de notre humanité.

Le concept de genre dans l'histoire des sciences sociales

En 1964, les psychanalystes Robert Stoller et Ralph Greenson créent le concept d'« identité de genre » pour désigner :

- « le sentiment qu'on a d'appartenir à un sexe particulier » ;
- l'expression consciente d'être un homme ou un mâle par distinction d'être une femme ou une femelle. »

Puis dans les années 1980, sous l'influence de la pensée du philosophe Michel Foucault, le genre est étudié dans son rapport au pouvoir et aux normes sociales.

Au cours de la même période, les études de genre gagnent au fil de l'eau de l'ampleur dans les universités bien au-delà des sciences sociales.

Enfin, le genre et son « injonction normative » sont la base des réflexions de Gayle Rubin et Judith Butler à partir des années 1990 dans leurs études sur les minorités sexuelles. Judith Butler est l'auteur du livre *Le trouble dans le genre*[116].

La notion de genre est également utilisée par le mouvement féministe à partir des années 1970 puis 1980, qui souhaite démontrer l'oppression créée par la hiérarchie des sexes.

Ainsi, en moins de deux décennies le concept de genre s'est imposé se substituant à la notion de sexe, notamment sous l'impulsion d'une conférence organisée par l'ONU en 1995,[117] puis le conseil de l'Europe, l'Organisation mondiale de la santé et l'UNESCO.

Nous comprenons que la dimension idéologique du concept de genre qui désigne des différences non biologiques entre hommes et femmes est une forme de nivellement et d'indifférenciation des rapports sociaux et sexués entre hommes et femmes.

Il s'agit notamment pour les tenants et les promoteurs de cette terminologie de lutter in fine contre toutes les formes de patriarcat. Or, derrière la promotion de l'égalité des sexes se cache sournoisement la volonté consciente ou non de combattre l'essentialisme biblique.

Cette nouvelle métaphysique qui redéfinit l'homme n'est ni plus ni moins qu'une forme nouvelle d'aliénation de l'être humain dans toute sa dimension d'être créé à l'image de Dieu. Une métaphysique radicale, édifiée, soutenue, promue par le féminisme matérialiste qui revendique une forme de lutte marxiste contre toutes les formes d'oppressions culturelles. Les conséquences bioéthiques des idéologies issues des études sur le genre préparent la postmodernité et l'avènement d'un homme nouveau libéré de tout déterminisme grâce à l'évolution d'une technoscience capable d'assouvir demain tous les fantasmes humains.

---

[116] La philosophe Judith Butler évoque le trouble qui perturbe le genre pour définir une politique féministe sans le fondement d'une identité stable. Ce livre fonde également les principes de la théorie et de l'idéologie Queer.

[117] http://www.onufemmes.fr/wp-content/uploads/2017/01/BPA_F_Final_WEB.pdf.

Qu'est-ce que l'anthropologie ?

Il me semble pertinent de définir en premier lieu le terme anthropologie qui étymologiquement est construit à partir de deux mots grecs, *anthrôpos*, qui signifie « l'homme » (au sens générique, ce terme embrasse bien entendu la femme), et *logos*, qui signifie la parole, le discours. Le domaine de l'anthropologie entremêle des notions très diverses, se situe à la croisée des sciences humaines et naturelles. L'anthropologie étudie l'être humain sous tous ses aspects, à la fois physiques et culturels (morphologique, social, religieux, psychologique, géographique...). Dans l'approche qui est la nôtre, c'est à dire comme chrétien, nous mettrons l'accent dans notre propos sur l'anthropologie dans sa définition biblique puis l'accent sur l'approche culturelle et sociale en regard des nouvelles idéologies contemporaines.

Une révolution anthropologique ?

Qu'est-ce qui se cache derrière ces mots « *révolution anthropologique* » ?

Notre monde est en mutation, nous l'avions déjà évoqué dans un chapitre précédent. La première mutation est l'homme lui-même (le terme embrasse la femme dans ce propos), certes il ne s'agit « *pas encore* » d'une mutation génétique, mais culturelle, cette mutation[118] concerne en premier lieu le rapport à l'altérité, au corps, aux autres, à soi.

- Le rapport à l'altérité : au prétexte de l'égalité homme/femme, c'est l'idée même de complémentarité et de différences sexuées qui est remise en question. Alléguant l'interchangeabilité, la plasticité des êtres, le « *je ne suis pas mon corps,* » la nouvelle anthropologie revendique l'affranchissement des stéréotypes et des

---

[118] Ces dimensions concernant les mutations affectant la culture sociale, nous les avons développées dans un livre coécrit avec Alain Ledain, *Masculin/Féminin : que faut-il choisir ?* aux éditions Farel. Sur l'altérité, je vous renvoie également à un article écrit par Éric Lemaître sur le blog Ethiques Chrétiennes : http://www.ethiquechretienne.com.

environnements culturels qui déterminent les représentations, figent l'homme dans une identité non choisie.[119] Cette recherche d'égalité absolue, et non la complémentarité, annonce la fin, ni plus ni moins, de la femme, ou l'apparition d'un être anthropologiquement neutre.

- Le rapport au corps : ce sont ces notions de finitude et de l'homme déchu qui sont progressivement et proprement contestées, dans une époque matérialiste, résolument tournée vers l'idée de progrès.

- Le rapport aux autres : la notion même de prochain ne saurait faire sens chez les transhumanistes, puisque l'idée même de compassion et de charité est supplantée par l'idée d'un Etat ou d'une collectivité universelle bienveillante, un égrégore bienveillant, pour tous, et bientôt la bienveillance d'un nouveau communisme numérique.

- Le rapport à soi : c'est dans l'interaction aux autres que nous nous construisons ; or, ce monde virtuel ne construit pas des interactions, mais des interconnexions qui modifient également les représentations de soi comme sujet incarné.

Dans ces contextes de rapports à soi et aux autres, l'idéologie transhumaniste vient également heurter les conceptions anthropologiques de l'homme « *tel qu'il est* » : c'est l'idée même de finitude, de limites naturelles, que le transhumanisme entend percuter. L'anthropologie transhumaniste «*percute*» l'idée chrétienne d'un Dieu souverain, qui a créé le premier couple humain (l'altérité), premier couple qui transgresse l'ordre divin, qui fut de ne pas goûter au fruit de la connaissance du bien et du mal, et se revêt par conséquent d'une nature mortelle.

---

[119] *Gender Trouble* est un essai philosophique de Judith Butler qui a eu beaucoup d'influence sur la théorie Queer.

Dans son livre *La nouvelle idéologie dominante*, le sociologue Shmuel Trigano rend compte de « cette reconsidération (métaphysique et anthropologique) du vivant et de l'humain, qui aboutit nécessairement à la redéfinition de la personne post-humaine, non plus dans son essence, mais dans son incarnation individuelle. »

Ainsi, le manifeste transhumaniste, résumé par ces mots : *« Nous souhaitons nous épanouir en transcendant nos limites biologiques actuelles, »* prend le contrepied de l'anthropologie biblique et définit, de facto, une nouvelle conception de l'homme et de son corps :
Le transhumanisme repose à la fois sur « un mélange assez hétéroclite d'ésotérisme religieux et de scientisme laïc, » débouche sur une « certaine négation de la création, c'est-à-dire de la finitude de l'homme créé. » « Le transhumanisme percute l'incarnation, le corps créé dans sa dimension finie. Il s'agit de contrecarrer la nature, en modifiant l'ADN, en transmutant le corps humain, en revendiquant sa plasticité.
Le transhumanisme est ainsi marqué par la volonté de s'inscrire dans la transformation du réel aux frontières d'un monde désincarné où tous les rêves de mutation deviennent possibles.

L'anthropologie biblique

Concernant l'approche de l'anthropologie biblique, rappelons que celle-ci nous présente l'homme comme étant fait à l'image de Dieu, conçu comme « une même unité. » L'homme est âme, corps et esprit. L'être humain se définit ainsi comme « **un tout** » **en quelque sorte**, dans une entièreté indivisible, il est ainsi à la fois corps, âme et esprit et non **une entité disjointe, le corps est de fait étroitement conjointement uni à l'âme**. Ainsi, si mon corps est en souffrance, c'est bien la totalité de mon être qui peut en souffrir. Ces trois termes corps, âme et esprit renvoient ainsi à trois dimensions différentes d'une seule et même réalité : l'homme.

Par ailleurs, l'apôtre Paul évoque bien l'être entier (*holos* en grec, c'est-à-dire le tout), la conception unitaire concernant ces trois aspects de l'être humain, corps, âme esprit, forme donc une unité. Paul n'écrit-il pas aux Thessaloniciens : « Que le Dieu de la paix lui-même vous sanctifie totalement, et que votre **être entier**, l'esprit, l'âme et le corps, soit gardé sans reproche à l'avènement de notre Seigneur Jésus Christ. Il est fidèle, celui qui vous appelle : c'est encore lui qui fera cela » (1 Thessaloniciens 5:23-24) ? Ce qui conforte par ailleurs et également ce principe d'unité et cette vision anthropologique issus de la lecture des Écritures tient au fait que la nature pécheresse de l'homme s'hérite, non seulement physiquement, mais également en regard de son être entier. « Ma mère m'a conçu dans le péché » (Psaumes 51:7).

En outre, la Bible nous rappelle que l'homme possède une composante spirituelle, il est « esprit, » il apparaît comme un être spirituel capable d'être également rempli par l'Esprit de Dieu. « J'ai rempli Beçalel, fils d'Ouri, de la *ruah* de Dieu pour qu'il ait sagesse, intelligence, connaissance et savoir-faire universel » (quelques références : Exode 31:3 ; 35:31 ; 28:3 ; voir aussi Deutéronome 34:9). L'anthropologie biblique est ainsi ancrée dans une dimension essentialiste, nous sommes (corps, âme et esprit) pourtant une seule personne, faits à l'image de Dieu. C'est pourquoi nous sommes invités à « *respecter l'humain, tout l'humain* » et préserver son intégrité. Dans cette dimension essentialiste, la femme est également issue de la chair de l'homme, à la fois parfaitement semblable (« os de mes os et chair de ma chair ») à l'homme et complémentaire. « L'Éternel Dieu dit : Il n'est pas bon que l'homme soit seul ; je lui ferai une aide semblable à lui » (Genèse 2:18). « La femme a été créée à cause de l'homme » (1 Corinthiens 11:9).

Selon la conception biblique, les hommes et les femmes diffèrent également par essence, ainsi la nature sexuée (homme ou femme) ne détermine pas que les fonctions d'ordre physiologique, mais a une influence sur leurs rôles à jouer respectivement, dans une dimension relationnelle et sociale, se complétant réciproquement. La femme apportant la vie et le secours, la première femme est appelée Ève ce qui signifie celle qui donne la vie, et sa vocation est d'être une aide, celle qui vient secourir (aide en hébreu est *ezer*, ce qui signifie secourir). Ainsi, comme le rapporte Daniel Saglietto sur le blog Le bon combat, entre les hommes et les femmes il y a bien une notion d'égalité quant à « leur nature commune, » et une notion de complémentarité quant à leur « fonction » (Éphésiens 5:22-24).

Cette conception biblique de l'anthropologie est loin d'être partagée de nos jours

Nous assistons bel et bien à une tentative de déconstruction de la vision biblique. L'anthropologie biblique est une anthropologie résolument « holistique » et essentialiste qui prend en compte l'homme dans sa totalité comme corps âme et esprit, et nous invite de fait à respecter cette dimension complète qui définit l'homme dans cette vision de la transcendance, d'un Dieu créateur qui a fait l'homme. Or, si la thèse matérialiste qui a pleinement prévalu au XIXe siècle prétendant que tout ce qui existe est une manifestation « mécanique » et physique, que tout phénomène est le résultat d'interactions matérielles, force est de reconnaître que de nouvelles idéologies s'inscrivant dans la postmodernité connaissent dans les esprits un essor considérable.

En effet, l'une des doctrines contemporaines, opposée à cette approche essentialiste[120] **est la théorie constructiviste**, il faut ici ajouter le constructivisme social.[121] Par exemple, pour appréhender simplement le concept d'essentialisme comparativement à la théorie constructiviste, la Bible affirme que tout homme est né pécheur, il est de fait par essence pécheur.

Dans le constructivisme d'inspiration rousseauiste et individualiste, l'homme est au contraire naturellement bon, la bonté de l'homme est dès lors dédouanée de tout péché originel. Selon cette même approche rousseauiste, la condition humaine est en réalité pervertie en raison de contingences sociales qui ont déterminé les comportements, gangrené en quelque sorte les attitudes infectant dès lors toute la vie sociale de l'être humain.

---

[120] En philosophie, l'essentialisme postule l'existence d'une essence précédant l'existence.
[121] Le constructivisme appréhende la réalité comme un terme subjectif, socialement construit par la culture, par la vie sociale.

Or, de nos jours, dans la déconstruction de l'homme qui s'opère, une autre dimension idéologique s'ajoute à celle de la théorie constructiviste, cette idéologie vise à séquencer, segmenter, désunir, disjoindre, dissocier ce qui fait « l'entier » de l'homme, lui ôter toute part de transcendance. Je donne ici à mon propos deux illustrations de cette idéologie :

- **La première,** les idéologies issues des études sur le genre. Ces idéologies prétendent arracher les identités masculine et féminine de leurs stéréotypes culturels, **autrement dit : <u>nous ne sommes pas notre corps</u>,** ni sexué masculin, ni sexué féminin.[122]

   Ainsi, tout ce qui serait susceptible de nous définir, selon les idéologies du genre, relève de déterminants sociaux et culturels. Dès lors, les caractéristiques ou les propriétés psychologiques qui nous façonnent comme homme ou femme n'ont pas de sens en soi. Toujours selon les idéologies issues des études du genre, nous ne naissons ni fille, ni garçon, notre corps ne détermine pas dès lors notre identité et pas plus notre ressenti d'homme ou de femme.

   Cette conception de l'homme et de la femme est ainsi proche du nominalisme. Selon la théorie nominaliste, les identités désignant la notion d'homme et de femme ne nous renvoient pas nécessairement à une existence ontologique réelle.

- **La seconde : le transhumanisme** qui rêve de décoder le cerveau pour éventuellement le réimplanter dans un autre corps. S'accomplirait ainsi le rêve démiurgique du cyborg, ce qui est l'opposé d'une vision biblique qui ne dissocie pas l'être humain. Dans l'approche biblique, le moi vivant incarné dans la chair est entièrement fait à l'image de Dieu, nous sommes tenus de respecter l'intégrité du corps, non dissociable de son entité ontologique âme et esprit.

---

[122] Le concept de genre a été développé par Judith Butler dans un livre de référence *Trouble dans le genre*. Les sujets traités sont le féminisme et la théorie Queer.

Une nouvelle anthropologie qui serait d'abord de dimension idéologique ?

Ce sont souvent les idéologies qui orientent quelquefois les recherches scientifiques engagées par les hommes.

La philosophe Chantal Delsol avait utilisé le terme de monde « hors-sol, » j'ai repris ce terme dans notre livre *La déconstruction de l'homme* pour qualifier les idéologies transhumanistes. **Ces idéologies transhumanistes veulent en effet défier l'ordre dans la création, promettant d'augmenter l'homme, de modifier ou d'en finir avec la finitude qui encercle l'homme.**

Dans un monde virtuel qui tente de déconnecter, de déraciner le corps du réel, le monde d'aujourd'hui envahi par la technicité se plaît à nous faire oublier que l'être (l'identité humaine) est aussi inscrit dans la dimension du corps et de fait dans sa composante biologique.

N'oublions pas également notre ancrage, l'enracinement de l'être humain dans toutes ces composantes complexes, biologique, culturelle, sociale, spirituelle. Toutes ces composantes sont bel et bien un principe d'unité et de diversification de l'espèce humaine. Toutes ces dimensions s'intriquent et forment l'identité, mais une identité qui n'est pas déconnectée de sa nature également biologique.

Or, prétendre dissocier ces dimensions, c'est en quelque sorte aliéner ce qui fait l'homme dans son entièreté, dans son unité en tant que corps, âme et esprit. D'ailleurs, la Bible souligne ce principe d'unité du corps, de l'âme et de l'esprit. Jésus lui-même ne transforme pas seulement l'âme, il guérit le corps et restaure l'esprit. Dieu lui-même s'est ainsi incarné dans notre chair et a embrassé l'entièreté de la chair, en éprouvant lui-même la souffrance, la fatigue, la tristesse.

De fait, nous vivons bel et bien à ce jour comme un renversement de la table de la loi, cette loi divine à propos du corps. La dimension de la révolution anthropologique est en conséquence profondément idéologique, comme une forme de révolte contre l'essentialisme biblique qui plaide et valorise l'unicité de l'être fait à l'image de Dieu. Ce changement de paradigme anthropologique touche bien entendu à la dimension du corps. Dans cette révolution quasi-culturelle, il s'agit en premier lieu de toucher à l'identité même de l'esprit humain, de dissocier l'âme et le corps, de véritablement déconstruire **en omettant souvent les réalités biologiques qui différencient le masculin et le féminin et qui sont propres à interagir sur la nature différenciée des hommes et des femmes.** Nous reviendrons à ces questions pour aborder le concept de genre ou plutôt les idéologies concernant le genre à travers l'idéologie la plus extrême, le courant « Queer »[123].

Les sources d'un changement de paradigme anthropologique

Ce changement de paradigme, tous ces changements en réalité puisqu'ils sont culturels et sociaux, ont un même dénominateur : la déconstruction ontologique, ce que les philosophes appellent l'être, une déconstruction militante en réalité, une déconstruction idéologique qui est en réalité du même ordre que la tentative darwinienne de remettre en cause la dimension même de la création. Cette déconstruction de l'être, cette remise en cause de l'essentialisme biblique était hélas prévisible, déjà prédite dans le livre de la Genèse, depuis le Jardin d'Éden, depuis la prétention de l'homme à devenir l'égal de Dieu, cette tentative d'effacer son image en nous.

Cette dissociation quasi-propagandiste de l'entièreté associée à notre humanité homme et femme résulte de la prétention de nier notre finitude ou plutôt de contester également l'enfermement dans notre corps. Il s'agit finalement de militer puis de prétendre à une forme d'autosuffisance singulière jusqu'à l'affranchissement de son corps de toute représentation culturelle et sociale.

À ce propos, permettez-moi d'évoquer le philosophe Bertrand Vergely, auteur du livre *La destruction du réel*[124]. L'auteur dénonce les trois

---

[123] *Queer* est un mot anglais signifiant « étrange » qui regroupe les identités non conventionnelles, non hétéronormées. Les racines idéologiques de la théorie Queer se trouvent dans le féminisme américain des années 1980 luttant contre toutes les formes de patriarcat.
[124] Bertrand Vergely, *La déconstruction du réel*. Le Passeur Éditeur, 26 avril 2018, 272 p.

dernières folies majeures de l'homme fait Dieu, folies qu'il assimile à trois névroses et qui sont finalement les sources de la déconstruction :

- La névrose à l'égard du réel avec l'avènement d'un monde virtuel engendrant le corps déconnecté de tout ancrage à la réalité.
- **La névrose à l'égard de la dimension relationnelle, une névrose** nous connectant au monde sans être relié à la table de son prochain.
- **La névrose à l'égard de la manière de naître** qui se traduit par les nouvelles parentalités, et touchera demain à la dimension d'une fécondation artificielle faisant rencontrer dans un futur non improbable le désir et la technique.

Toutes ces névroses sont bel et bien l'expression d'une dissociation de l'être, d'un corps finalement déconnecté de son milieu, de son environnement, de toute réalité extérieure à lui.

Ainsi comme l'écrit Bertrand Vergely : « L'homme-Dieu est fort tant qu'il n'est pas démasqué. Comme tous les pervers, il n'aime guère que sa perversion soit nommée. »

La déconstruction ontologique est une tentative de dénaturation de l'être.

« La liberté d'être indéterminée est le fantasme de notre civilisation d'aujourd'hui. » Ici je me suis permis de citer François Xavier Bellamy pour introduire ma réponse relativement à cette déconstruction ontologique, des termes savants, je vous l'accorde, **mais qui en réalité recouvrent** une réalité idéologique qu'il nous faut pourtant appréhender.

« La liberté d'être indéterminée » est une vision asexuée répandue par les idéologies issues des études sur le genre.
Autrement dit, pour les tenants de cette idéologie, nous ne sommes pas notre corps, ce que nous sommes a été socialement construit et ne relève que d'éléments de langage et culturels, pas d'une réalité

biologique. Être masculin ou féminin n'est de fait pas déterminé par notre condition sexuée, notre corps d'homme ou de femme est, selon l'idéologie du genre, façonné culturellement ou socialement, c'est en soi une forme de nominalisme[125] radical contestant une supposée réalité. Réalité qui n'en est pas une, selon les idéologies issues des études sur le genre. Cette conception nominaliste revient donc à dire à propos de la différence supposée homme et femme qui transcenderait en quelque sorte leur identité qu'elle n'existe pas en réalité en soi.

Inversement, pour nous chrétiens, notre identité d'homme et de femme est un donné intentionnel, un marqueur divin. Cependant, notre nature est déchue, et du fait que celle-ci le soit, c'est notre rapport à Dieu qui en a été altéré. Pour percevoir la réalité divine de notre nature nous avons besoin de cette restauration en Christ. N'est-ce pas ce que l'apôtre Paul disait en quelque sorte confortant ici notre propos : « *Mais l'homme animal ne reçoit pas les choses de l'Esprit de Dieu, car elles sont une folie pour lui, et il ne peut les connaître, parce que c'est spirituellement qu'on en juge* » (1 Corinthiens 2:14).

Précédemment nous évoquions la conception biblique de la vie fondée sur l'approche essentialiste : la vie humaine a été selon nous créée par Dieu, Dieu crée l'homme et la femme à la fois semblables et complémentaires. Dieu institue en quelque sorte la différenciation féconde, puisque c'est bien l'altérité qui engendre la vie et perpétue l'espèce humaine.

Or, nous comprenons bien le refus de cette altérité, **le rejet de l'altérité** sexuée qui forme ce changement de paradigme, cette révolution anthropologique qui est un des aspects de la postmodernité.

Le constructivisme social, une thèse opposée à l'essentialisme

Alors dans ces contextes sociétaux, faut-il s'étonner des glissements idéologiques qui contrefont l'héritage culturel passé ? Un mouvement

---

[125] Le nominalisme est une doctrine de pensée qui réduit les idées à l'emploi de concepts en leur refusant une dimension tangible qui préexisterait, une réalité dans l'esprit ou hors de lui. « *Le nominalisme pose que n'existe rien que ce qu'un individu sert à désigner (pense)* » Citation extraite de : http://www.histophilo.com/nominalisme.php.

de contre-culture, imposant de nouveaux stéréotypes est ainsi sur le point d'émerger en quelques décennies. Cette contre-culture est née de mouvements nihilistes, de l'existentialisme incarné remettant en cause l'essentialisme chrétien. Peu à peu les coups de pelle ou coups de butoir ont été donnés afin que s'effrite, se désagrège le vieux monde des conservateurs judéo-chrétiens.

Simone de Beauvoir fut en quelque sorte l'égérie de cette nouvelle contre-culture. Nous reprenons d'elle une citation célèbre dans laquelle elle affirmait qu'« on ne naît pas femme, on le devient. » Le propos de Simone de Beauvoir illustre cette dimension sociale qui, selon elle, prédit en quelque sorte ce que nous serons, l'écrivaine **convoque ainsi la thèse marxiste de la dialectique du maître et de l'esclave pour** décrire une forme de domination masculine et de pouvoir exercé par les hommes sur les femmes. Ainsi, selon Simone de Beauvoir, l'homme est habité par une forme de conscience dominatrice, et revendique une position en niant la figure d'un plus faible que lui.

Dans ce contexte, le constructivisme social, une certaine idéologie, va encore plus loin et postule la liberté d'indétermination de l'être humain.

En regard de ces évolutions sociétales marquées par les thèses du constructivisme social, je relève une problématique : celle qui touche la dimension de toutes nos relations. Notre obsession de rester libres pour ne pas être finalement marqués par une identité figée, cette obsession de liberté finit paradoxalement par nous murer, nous évitant alors d'entrer dans la relation incarnée et se traduit par un refus implicite de la différenciation.

Nous vivons, je crois, une immense bizarrerie : notre monde court vers l'indifférenciation, l'uniformisation qui gomme les frontières mais atomise les relations, les solidarités, la rencontre du prochain (le syndrome de Babel, rassemblons-nous dans la même ville ou le même continent virtuel). Dans ce continent virtuel, nous sommes comme alors tentés de nous enfermer dans nos univers, à ne plus incarner une relation réelle, dans un monde réel qui est caractérisé par la rencontre du prochain, dans un face-à-face fécond.

Dans ce milieu idéologique du constructivisme social, une certaine doctrine de pensée avec la théorie Queer va encore plus loin et postule la liberté totale d'indétermination de l'être humain.

Les formes extrêmes de l'indétermination remettant en question l'identité homme, femme

L'autre idéologie montante et qui dépasse les débats autour des études du genre, c'est l'idéologie Queer.
Queer est au départ une insulte nord-américaine, qui vient nommer l'autre dans son étrangeté, sa bizarrerie, son anomalie, son excentricité.

En effet, des groupes de lesbiennes, composés de latinos, de femmes sans emplois et n'appartenant pas à l'univers homosexuel nord-américain se sont autoproclamés « queers » pour marquer leur volonté de rejet et de non-intégration dans la société, leur refus de marcher au pas de la norme hétérosexuelle, blanche et appartenant à la classe moyenne.

Dans les formes extrêmes de l'indétermination, l'approche Queer est le combat idéologique le plus radical qui ait été mené contre l'essentialisme, vu comme largement dominé par une vision hétérosexuelle. Pourtant l'anthropologue Margareth Mead souligne dans son livre *L'un et l'autre sexe*[126] le rôle primordial que joue depuis l'origine de l'humanité la différenciation des sexes dans la vie et le travail ; elle va jusqu'à évoquer l'universalité de la distinction homme et femme dans toutes les formes de civilisation. N'y aurait-il pas de fait une dimension essentialiste qui dépasse la dimension culturelle qui

---

[126] Margaret Mead, *L'un et l'autre sexe*. Collection Folio essais (n° 85), Gallimard, 2 mars 1988.

certes interagit sur les rapports hommes et femmes mais pas seulement ?

Dans ce contexte, l'approche Queer qui s'exprime comme une promotion fétichiste et radicale de l'individu asexué, refuse l'enfermement des sexes dans de nouvelles catégories identitaires qui pourraient perdurer socialement et dans le temps. L'approche de ce courant réduit finalement le sujet à un objet du plaisir, c'est une forme de réification hédoniste de l'individu.

Ainsi, le cœur de la philosophie « Queer, » c'est la déconstruction revendiquée du sexe, du genre, et partant du corps et de la jouissance sexuelle tels que l'un et l'autre sont normalisés. Pour les tenants de l'idéologie Queer, *« les modalités fondées sur le binaire masculin/féminin sont de pures fictions, »* ces modalités résultent de constructions d'un discours dominant marqué par une vision hétérosexuelle, c'est dès lors la remise en cause de toute norme hétérosexuelle.

Cette vision défendue par l'idéologie Queer est de fait une forme de nominalisme radical, une forme de nihilisme extrême refusant toute idée de transcendance. L'identité elle-même est fictive et il s'agira de détruire tout essentialisme déclaré ou caché dans les modes de la pensée. Il s'agit même d'un combat idéologique et revendiqué contre l'hétérosexualité, une manière de pointer l'animalité du rapport hétérosexuel. Or, « à mal nommer les choses, on ajoute à la misère du monde » (Albert Camus), et cela inévitablement peut conduire à des formes de déstructuration et de confusion des repères.

Le conflit entre le réel et l'idéologie

Les exemples biologiques confirmant la différentiation essentialiste homme/femme sont pour nous incontestables. Le rapport utérin entre la mère et l'enfant conduit ainsi à une intimité entre la mère et l'enfant qui marquera existentiellement l'enfant, y compris dans sa mémoire prénatale. L'autre exemple tient à nos propres hormones, l'homme est doté de **testostérones en quantité plus importante que la femme. Or, ces hormones agissent sur l'humeur, la virilité, la** psyché de l'homme de manière différente comparativement à la femme ; comme les tensions prémenstruelles interagissent sur la femme, à l'évidence les hormones jouent un rôle sur les humeurs et diffèrent chez l'homme et la femme. Bien entendu, l'homme et la femme sont semblables, mais sont différents également par nature pour permettre la fécondité, la rencontre fertile.

Comme nous l'écrivions avec Alain Ledain, la féminité et la masculinité demeurent des principes nécessaires à la construction de l'enfant, à la formation de sa personne dans une vision de l'acceptation de la différence. La différence se vit au travers des échanges, la différence entretient un esprit fécond, fertile, créatif. L'uniformisation atténue, sinon affaiblit les potentialités d'enrichissement. La différence sexuée participe de facto à cette construction de la personne, non en opposition mais en rencontres nécessaires à notre humanité. L'épanouissement des enfants, garçon ou fille, se trouve dans l'apprentissage progressif du respect de la compréhension de l'autre, la compréhension de leurs différences, de leurs sensibilités respectives. L'éducation unisexe ne saurait prétendre structurer psychiquement l'enfant, il constituerait de fait une tentative de dissociation de l'entièreté de l'être humain.

Une révolution anthropologique qui aurait pour dessein de modifier le patrimoine génétique de l'homme ?

Il est en effet bien étrange d'utiliser les termes de révolution anthropologique et nous vous l'accordons volontiers, excepté qu'il s'agit bien d'une révolution anthropologique dans sa dimension culturelle ! Il ne s'agit donc pas, en effet, dans mon propos de révolution génétique, de mutation en conséquence du génome humain. Sauf qu'il faut savoir qu'à terme les technosciences, les biotechnologies auront bel et bien pour dessein de changer la condition humaine. Les technosciences **feront ce que la nature par elle-même n'a pas été capable de proposer, en intervenant dans un futur proche, directement sur le patrimoine génétique humain** en vue de réparer, de corriger, voire de résoudre, notamment pour répondre à tous les désirs jusqu'aux fantasmes, fantasmes qui iront jusqu'à la corruption de la nature humaine telle qu'elle fut créée.

Ainsi, la rencontre des fantasmes et d'une technoscience sans conscience pourrait bien aboutir à des individus génétiquement modifiés ou à la création, dans un futur proche, de cyborgs humains comme nous l'avions déjà évoqué.

Précisons en outre que nous ne sommes pas en effet très loin de la transformation de l'être humain avec une médecine qui n'est plus seulement réparatrice au sens de restauration, orientée sur le soin, mais une médecine qui vise l'amélioration de l'être humain, voire à son optimisation ou au dépassement de ses capacités. Les expérimentations conduites, par exemple, en Angleterre autorisées en 2016 sur des embryons humains ouvrent de nouvelles perspectives dans ce sens. Les expérimentations sur l'embryon réduisent potentiellement l'être humain à une forme d'OHGM, un Organisme Humain Génétiquement Modifiable. S'il s'agit d'une des toutes premières autorisations de manipulation d'embryons humains à des fins thérapeutiques, nous pouvons craindre le rejet des interdits moraux. Comme nous l'enseigne l'histoire humaine, ce qui est prohibé est toujours un « Rubicon » franchissable.

Mais vous savez, les « Rubicon » ou les interdits moraux, comme nous l'enseigne l'histoire humaine, sont faits pour être enjambés ou sont toujours franchissables.

Toutefois, rappelons qu'en France il existe des lois apparemment draconiennes encadrant les recherches sur l'embryon. Nonobstant, les digues au fil de l'eau se fragilisent et finissent, hélas ! par rompre, céder face aux nouvelles pressions sociales. Nonobstant, précise le Dr Jérôme Sainton, « *si ces lois sont certes plus restrictives qu'ailleurs et comparativement aux pays anglo-saxons, elles ont cependant cédé sur l'essentiel, à savoir le sacrifice humain de l'homme (embryonnaire) à la sacro-sainte science. Dès lors, ses restrictions sont hypocrites et n'ont pas eu d'autre but que d'avaliser les transgressions progressivement, celles qui étaient jugées nécessaires 'pour le moment.'* »

Mais revenons, si vous voulez bien, aux termes de révolution anthropologique qui à mon sens est aujourd'hui davantage une révolution culturelle ouvrant demain les avancées d'une technique au service du désir humain et d'un désir parfois plus proche d'un fantasme exprimant une forme de rébellion contre les limites fixées par la nature.

Les conséquences bioéthiques

Nous sommes à l'aube de bouleversements et de nouvelles transgressions. Nous allons devoir, et dès aujourd'hui, considérer les conséquences bioéthiques du fait des « disruptions techniques » et des idéologies de déconstruction de l'homme.

De moins en moins le postmodernisme parle en effet de morale, les éléments de langage du postmodernisme nous convient plutôt à utiliser le terme d'éthique. Or, l'éthique n'est plus vue aujourd'hui comme un curseur face à la montée des fantasmes mais comme un simple régulateur dans l'attente que s'installent dans les mentalités les dispositions sociétales permettant l'avancée de la folie technique.

N'est-ce pas, à ce propos, le Comité Consultatif National d'Ethique qui indique qu'il faut que « *notre société exprime les usages qu'elle veut privilégier et ceux qu'elle entend bannir* »[127] ? Or, voilà bien la problématique résumée dans ce propos que je raccourcis à dessein : « il faut que notre société exprime les usages qu'elle veut privilégier. » Est-ce à notre société d'exprimer les usages qu'elle veut privilégier ? Plus rien dès lors n'arrêtera la folie humaine si celle-ci aspire à vivre ses fantasmes en pensant qu'il serait juste de donner raison aux aspirations les plus folles au nom d'une égalité qui n'est pas donnée par la nature.

Ainsi, la procréation médicale assistée et la gestation pour autrui sont les prémices d'une avancée de la technique venant au secours des nouveaux désidérata sociétaux que ne comblent pas les limites données

---

[127] Professeur Jean-François Delfraissy, président de Comité consultatif national d'éthique (CCNE), propos retranscrits par le journal *L'humanité*. Voir https://www.humanite.fr/lois-de-bioethique-quels-sont-les-enjeux-et-pourquoi-les-reviser-648638.

à notre corps. Ainsi, se déploie un vaste éventail de possibilités qu'offrent les avancées de la technoscience. Or, il est plus que jamais nécessaire de comprendre le sens et les effets des avancées de la technoscience, sauf demain à se retrouver dans la situation de ces nations qui s'effondrent, du fait d'avoir eu à leurs têtes non pas des sages mais des fous qui n'ont gouverné qu'en étant seulement les miroirs des opinions de leurs peuples.

Au-delà des conséquences bioéthiques, c'est la figure du Père qui est atteinte.

C'est l'écrivain Marin de Viry, critique littéraire, qui commentant l'avis du CCNE du 25 septembre 2018 à propos de la révision de la loi de bioéthique sur l'extension de la PMA aux couples de femmes, a été frappé par le caractère technocratique du texte comme l'évacuation, l'expurgation de la notion de père. Le combat féministe a irrémédiablement fini par avoir « la peau du Père », il n'est plus besoin de cette dernière figure du patriarcat pour concevoir l'enfant. Le CCNE assume ainsi dans ses conclusions l'exclusion du père et par là même devra endosser à terme sa folie technocratique au service de la seule technique qui anéantit finalement la vie.

Pour nous, le rôle du père est nécessaire, en ce sens qu'il intervient dans cette fonction de séparation (il coupe le cordon ombilical), « d'expulsion du sein maternel », de distinction, de différenciation. Le père est éducateur de ses enfants dans le sens étymologique du mot *educare* : faire sortir, tirer dehors, conduire au-dehors avec soin, mettre debout.

La fonction du père est d'amener l'enfant à la défusion, une séparation nécessaire d'avec la mère pour le conduire à l'autonomie. Le père doit s'interposer entre la mère et l'enfant pour permettre à l'enfant de développer son identité propre en dehors de la symbiose maternelle et rappeler à la mère qu'elle est aussi une femme et une épouse. Si la mère représente l'amour fusionnel, le père représente dans ces contextes les limites, les frontières, la séparation psychologique.

Si l'enfant a besoin de sentir toute l'affection de la mère pour découvrir sa force, il a également besoin des interdits de son père pour connaître ses limites, puis de donner de l'attention aux autres. L'enfant apprend, par sa mère, qu'il est au centre de l'univers, au cœur de son univers ; il doit apprendre, par son père, qu'il existe d'autres univers avec lesquels il devra collaborer pour survivre et s'épanouir. Un psychiatre rapporte que l'enfant doit apprendre à se situer à mi-chemin entre l'attitude du chat et du chien. « Le chat se croit le maître en voyant tout ce que son "esclave" fait pour lui, alors que le chien perçoit son propriétaire comme son maître parce qu'il est capable de tout faire pour lui. »

La présence du père permet ainsi d'éviter d'être fasciné par des modèles qui pourraient le conduire à des dérives sociales, mais si cette figure est absente, alors l'enfant va partir à la recherche de cette construction virile et sociale, faute d'avoir eu un père, faute de figure d'un papa qui a permis la construction de ses repères et limites.

Et pour éliminer le père, il fallait « naturellement » en passer par la technique, souligne Marin de Viry dans une chronique pour *Le Figaro*. Ainsi, « le sperme sera irrémédiablement détaché de toute identité réelle associée à la figure d'un homme et le père », ajoute le critique littéraire, pour donner une réponse existentielle à l'enfant confronté à son angoisse existentielle, sera un père absent réduit à la seule dimension technique : « Ton père, c'est la technique et ton parrain c'est l'État », et l'oncle de cet enfant sans père, je l'ajoute, ce sera le CCNE.

12

La France in Vitro ou les États généraux de la bioéthique

~ Ce chapitre est développé par Franck Jullié[128] ~

La FIV (fécondation *in vitro*) s'est répandue rapidement dans les années qui ont suivi la naissance des premiers « bébés-éprouvettes », Louise Brown en Grande-Bretagne en 1978 et Amandine en France en 1982 sous le pilotage de René Frydman et Jacques Testart.

En 1992, la FIV a bénéficié d'une nouvelle avancée médicale : l'injection intracytoplasmique de spermatozoïde (ICSI), qui consiste à injecter un spermatozoïde dans l'ovule à l'aide d'une micropipette.

En 2013, Amandine donnait naissance à son tour à une petite fille – Ava, un prénom soigneusement choisi, tout un programme - en présence du même René Frydman, marquant une nouvelle étape de la PMA.

En 2018 le CCNE (Comité consultatif national d'éthique) organise les États Généraux de la bioéthique, phase préalable à la révision de la loi de bioéthique de 2011 prévue pour cette fin d'année.

Cette consultation sous forme de débat public cherche à sonder l'opinion de la société française sur 9 thématiques : cellules souches et recherche sur l'embryon, examens génétiques et médecine génomique, dons et transplantations d'organes, neurosciences, données de santé,

---

[128] Franck Jullié est chrétien, marié et père de famille. Il vit en région parisienne. Diplômé de l'École Nationale de la Statistique et de l'Administration Économique (1994, option CGS). Il est associé cogérant d'un cabinet de conseil en recrutement. Il intervient régulièrement comme conférencier sur le sujet des méthodes de régulation naturelle des naissances, des effets de la contraception chimique, et de façon plus générale sur la question de la fécondité des couples au regard de la Bible.

intelligence artificielle et robotisation, santé et environnement, procréation et société, prise en charge de la fin de vie.

Nous nous demanderons dans quelle mesure les États Généraux de la bioéthique de 2018 ne sont pas une nouvelle étape de la **révolution procréatique**.

Dans ce chapitre, nous nous intéresserons plus spécifiquement à la thématique de la procréation, entendre la Procréation Médicalement Assistée (PMA), indifféremment appelée Assistance Médicale à la Procréation (AMP).[129]

Quelques chiffres : le tsunami procréatique

Les publications de l'Insee nous permettent de savoir qu'il naît environ 800 000 enfants par an en France (821 047 en 2012 ; 790 114 en 2015 ; 767 000 en 2017).

Ces chiffres sont à mettre en regard du nombre de naissances par PMA.

L'Agence de la biomédecine publie les chiffres suivants :

- En 2011 : 141 277 tentatives de PMA pour 23 127 naissances, ce qui représente **2,8%** des enfants nés durant l'année. La PMA reste en France très majoritairement intraconjugale (95%).
- En 2012 : 142 708 tentatives conduisant à 23 887 naissances, dont 22 553 ont été conçus avec les gamètes de leurs deux parents. Les trois quarts sont nés à la suite d'une FIV. Cela représente **2,9 %** des naissances enregistrées cette année-là.
- En 2015 : 24 839 enfants sont nés d'une PMA, soit **3,1 %** des naissances. 54 167 tentatives d'insémination artificielle ont conduit à la naissance de 6 188 enfants ; 62 230 tentatives de

---

[129] La PMA recourt à différentes techniques : insémination intra-utérine, fécondation *in vitro* (FIV), Intra Cytoplasmic Sperm Injection (ICSI), transfert d'embryon congelé (TEC), vitrification ovocytaire. Ses techniques s'inscrivent dans un cadre technique, juridique et financier strict (https://www.service-public.fr/particuliers/vosdroits/F31462).

fécondation *in vitro* (y compris avec don de gamètes) ont conduit à la naissance de 18 651 enfants.

En 2008, la chercheuse à l'INED Élise de La Rochebrochard publiait dans la revue Population & Sociétés (n°451, décembre 2008) un article <u>200 000 enfants conçus par fécondation in vitro en France depuis 30 ans</u>.

Dix ans après en 2018, nous pouvons évaluer que 400 000 enfants sont nés de PMA dont une majorité par FIV.

Cette tendance se renforce et ces chiffres nous plongent dans une nouvelle réalité sociale. Au rythme de 3% de naissances annuelles par PMA dont environ 2% par FIV, nous pouvons raisonnablement penser qu'un million de personnes seront nées par PMA à horizon 2040, dont environ 60% par FIV, et que ces personnes auront-elles-mêmes des enfants. Des personnes qui fréquentent des écoles, des églises, des entreprises, des associations, qui veulent se marier, créer des familles et avoir des enfants.

Parents et grands-parents d'aujourd'hui ne peuvent ignorer que leurs enfants et petits-enfants vont côtoyer et peut-être fonder une famille avec des personnes conçues par PMA.

Qui peut prétendre ne pas être concerné par ce **tsunami procréatique** ?

Familiariser les esprits à la norme procréatique

Le docteur Benoît Bayle écrivait en 2004 : « La révolution conceptionnelle repose sur une incontestable réification de l'embryon humain. Celui-ci devient objet de surproduction, et par conséquent de destruction de masse, objet de contrôle qualitatif et bientôt peut-être, prothèse thérapeutique. Cette surproduction et cette surconsommation embryonnaire sont l'objet d'un refoulement massif. Leur étude mérite pourtant d'être entreprise, par-delà les enjeux idéologiques qu'elle soulève... La révolution procréatique repose sur une véritable logique de surproduction, de sélection et de destruction des embryons humains »[130].

Considérons quelques chiffres. En 2014 il s'est réalisé 91 088 FIV donnant naissance à 18 651 naissances, soit une naissance pour une 5 FIV (chiffres 2014, Agence de la biomédecine).

Mais chaque FIV repose elle-même sur le prélèvement de plusieurs ovocytes, d'abord fécondés, puis sélectionnés pour certains et détruits ou congelés pour d'autres. Sont ensuite transférés les embryons sélectionnés – les embryons survivants - en général 2 (dans 54% des cas, 1 dans 40% des cas, 3 ou plus dans les cas restants). Enfin, les embryons implantés peuvent subir une « réduction » embryonnaire – entendre un avortement – s'ils survivent en trop grand nombre (3 ou plus).

Après cet impitoyable parcours, on estime à environ 5% le nombre d'embryons conçus parvenant à la naissance dans ce processus.

Et comment ne pas être choqué par les expressions de l'Agence de la biomédecine qui veut nous apprendre le langage bio-politiquement correct : « transfert d'embryons frais », « embryons décongelés »[131] ... On se croirait dans un véritable supermarché !

Une telle révolution des mentalités et des corps passe par l'établissement d'une norme procréatique en familiarisant et en normalisant auprès des enfants ces techniques.

Ce processus est déjà bien établi comme en témoignent les programmes de SVT (Sciences de la Vie et de la Terre) des classes de 1ère (S, ES et L) qui consacrent une part importante des cours à l'étude des différentes techniques de la FIV.

Il faut tatouer les esprits les plus jeunes et les plus naïfs, des jeunes de plus en plus livrés à une véritable guerre chimique avec la pilule, la pilule du lendemain, la pilule du surlendemain, et de jeunes adultes de

---

[130] La nouvelle scène conceptionnelle : contribution à l'éthique de la procréation humaine. Thèse de doctorat en philosophie pratique, Marne la Vallée, 2004.
[131] https://www.agence-biomedecine.fr/IMG/pdf/nationalcompletfiv2014.pdf.

plus en plus souvent confrontés à la souffrance de l'hypofertilité ou de l'infertilité.

Dans ce cadre, il nous importe de bien comprendre certaines situations spécifiques liées à la naissance par PMA, en particulier par les techniques de la FIV.

Une société génétiquement modifiée

La technique de l'ICSI (injection intracytoplasmique de spermatozoïde) s'est développée à partir des années 90.
En 2014, le recours à l'ICSI représentait 66% de l'ensemble des tentatives de fécondation in vitro quelle que soit l'origine des gamètes utilisés.[132]
Elle est utilisée en particulier dans les situations d'hypofertilité ou d'infertilité masculine. Elle consiste à injecter un spermatozoïde entier dans le cytoplasme d'un ovocyte mature.

Le rapport du Sénat n°421 de juin 2008 intitulé <u>Contribution à la réflexion sur la maternité pour autrui</u>[133] précise : « Une technique plus poussée de fécondation in vitro, mise au point dans les années 1990 et appelée ICSI, ou micro-injection ovocytaire de spermatozoïdes, consiste à introduire un spermatozoïde directement dans l'ovocyte et non plus à les laisser se rencontrer dans l'éprouvette. Lors de son audition, Axel Kahn, généticien, président de l'université Paris 5 René Descartes, a observé que les enfants nés au moyen de cette dernière technique semblaient rencontrer davantage de problèmes de santé que les autres, contrairement à ceux nés au moyen d'une FIV classique ».

Comprenons que lors d'une fécondation naturelle, seul l'ADN nucléaire du père pénètre dans le cytoplasme de l'ovocyte. Son ADN mitochondrial est exclu, restant à l'extérieur avec le flagelle.

---

[132] https://www.agence-biomedecine.fr/annexes/bilan2015/donnees/procreation/01-amp/synthese.htm.
[133] https://www.senat.fr/rap/r07-421/r07-4211.pdf.

La membrane de l'ovocyte exerce un barrage et interagit avec les spermatozoïdes, fonctionnant comme une clef chimique protectrice et sélectionnant un spermatozoïde compatible.

Dans le cas de l'ICSI, la membrane de l'ovocyte est forcée – fragilisant ainsi son potentiel de vie - et l'ADN tant nucléaire que mitochondrial du père sont introduits, créant une perturbation de l'hérédité mitochondriale. Dans la fécondation naturelle, le génome mitochondrial avec ses 37 gènes se reçoit uniquement de la mère.

En 2003, les travaux du neurogénéticien Pierre Roubertoux et son équipe du CNRS[134] ont mis en évidence chez les souris la sensibilité du noyau à l'ADN mitochondrial et les modifications possibles du système nerveux et du fonctionnement cognitif, démontrant l'implication des changements de l'ADN mitochondrial dans des troubles du système nerveux.

Une identité psychique déconstruite

Comme le rappelle clairement le docteur Benoît Bayle, « l'embryon humain est infiniment plus que le fruit biologique de la rencontre d'un ovule et d'un spermatozoïde, il est le témoignage charnel d'une histoire humaine et de la relation de deux êtres humains sexuellement différenciés. S'il possède, sur le plan biologique, une identité génétique, il est également riche d'une identité conceptionnelle psychosocioculturelle, parce qu'il est être humain conçu à tel moment de l'histoire, en tel lieu du monde, issu de tel homme et de telle femme, qui ont chacun telle histoire, telle psychologie, telle appartenance sociale, telle culture, qui appartiennent chacun à telle famille élargie avec sa structure généalogique particulière, qui ont reçu chacun tel nom par leur filiation instituée, et qui ont telle histoire passée et présente, et qui se trouvent unis l'un à l'autre par telle relation psychoaffective... De ces différentes déterminations, dépend l'identité même de l'être humain conçu. L'être humain conçu rassemble en son corps biologique ces déterminations psychosocioculturelles en une unité originale, qui fonde ce qu'il est, sans le confondre avec ceux qui lui donnent vie. L'être humain conçu est d'emblée un être

---

[134] http://www2.cnrs.fr/presse/communique/253.htm?&theme=7&debut=80.

biopsychique. [...] La science contemporaine a négligé l'approche psychossocioculturelle de l'embryon humain. Pourtant cette objectivation est possible. Par exemple, pour choisir un exemple extrême, l'embryon issu d'un viol ou d'un inceste acquiert une identité qui dépasse largement le registre biologique et qui inscrit d'emblée l'être humain conçu dans l'ordre psychosocioculturel. [...] Nous pressentons que la même femme ne forme pas les mêmes représentations de son enfant, selon que l'être en gestation qu'elle porte est issu de la tendresse de l'homme qu'elle aime, ou de la liaison adultérine qu'elle entretient avec son amant, ou encore selon qu'il est issu du viol qu'elle a subi ».[135]

L'histoire prénatale est un temps spécifique de l'histoire de l'être humain. Elle marque le déploiement d'une intersubjectivité qui se manifeste initialement, parce que l'être humain conçu est constitué dès sa première forme embryonnaire comme corps subjectif de par son histoire conceptionnelle et son identité psychosocioculturelle.[136]

Dans son livre *L'embryon sur le divan. Psychopathologie de la conception humaine,* le Docteur Bayle va approfondir l'importance de l'histoire prénatale à la recherche de repères identificatoires originels de l'enfant car, comme il l'écrit, « l'histoire prénatale prend sens pour l'être humain conçu, à partir des éléments de réalité et des reconstructions imaginaires, à travers les récits et les non-dits ou les secrets ». Quel est alors le fondement de cet appareil psychique embryonnaire ? Se référant notamment à Suzanne Maiello[137] qui défend l'idée qu'un « traumatisme prénatal marque vraisemblablement la vie psychique du fœtus par l'atteinte des perceptions sensorielles, perceptions qui pourraient être enregistrées sous formes de traces mnésiques et participer à des expériences proto-mentales », l'auteur en déduit que « l'être conçu est donc frappé du sceau de son identité psychique sans en avoir conscience, de même que le zygote possède un

---

[135] http://benoit.bayle1.free.fr/identification.pdf.

[136] La nouvelle scène conceptionnelle : contribution à l'éthique de la procréation humaine. Thèse de doctorat en philosophie pratique, Marne la Vallée, 2004

[137] Maiello S., Le traumatisme prénatal, in : Aïn J. (dir.), *Survivances, de la destructivité à la créativité,* Erès, Ramonville Saint-Agne, 1999.

génome sans pour autant posséder instantanément un corps biologique organisé ».[138]

Ainsi, les situations de traumatisme prénatal pourraient perturber le développement psychologique par l'intégration de proto-expériences perceptivo-sensorielles consécutives à la menace vitale.
Il faut également envisager le poids de cette identité conceptionnelle particulière dans la construction du sentiment d'identité psychique.

Doit-on s'étonner de voir se développer chez les enfants nés de PMA les syndromes de « survivants » du « champ de bataille embryonnaire » décrits par le pédopsychiatre Stéphane Clerget (*Quel âge aurait-il aujourd'hui ?*) ?

L'idéologie procréatique

La FIV suppose la redéfinition de l'espace conceptionnel d'une manière extracorporelle, la création d'embryons surnuméraires, la sélection génétique, la perturbation des processus épigénétiques, un choix technique des spermatozoïdes fécondants par les bio-techniciens de la reproduction.

Indépendamment de ses performances techniques (le taux d'échec est important), elle dissocie l'acte de mariage de la procréation. Considérant que l'ordre moral est respecté dans le résultat final, elle entretient l'illusion que la technique peut reproduire la complexité de l'ordre créationnel sans en respecter les lois profondes de la biologie, de la psychologie, de la morale, de l'histoire du couple ... toutes lois ordonnées à la Loi de Dieu.

Ces techniques participent d'une amputation de la généalogie intégrale de la personne humaine, reposent sur une anthropologie réductrice à la dimension de matériau de la vie naissante.

---

[138] http://benoit.bayle1.free.fr/ESD.htm : *L'embryon sur le divan. Psychopathologie de la conception humaine* (Benoît Bayle), Masson, Paris, 2003. Une recension de l'ouvrage par Pierre Delion.

La psychanalyste Monette Vacquin nous décrit l'univers procréatique et ses inévitables lacérations en ces termes : « Dans le même temps, le corps maternel est fouillé, exploré, hyper stimulé, ponctionné, la maternité devient éclatée en fonctions génétique, utérine, adoptive, sociale, porteuse, de substitution, bref, objet d'un intérêt essentiellement scopique et morcelant qui n'est pas sans rappeler les pulsions sadiques les plus archaïques. »[139]

En intervenant sur les conditions de la conception de l'embryon humain et de son implantation dans l'endomètre, la mentalité procréative s'inscrit dans la continuité de la mentalité contraceptive. La pilule contraceptive ne cherche pas autre chose que de bloquer l'ovulation pour empêcher la conception d'un embryon et dégrader l'endomètre pour en interdire toute nidation.

La FIV s'inscrit comme en creux de la norme contraceptive et de sa guerre chimique embryocide.
Ces techniques, anti ou pro-implantatoires, participent de la même vision de l'embryon.

La société procréatique en marche

Une nouvelle étape de la révolution sociétale est En marche ! Les États généraux de la bioéthique nous y invitent. La même compassion fallacieuse et son sentimentalisme révolutionnaire nous conduisent maintenant vers la société des hommes médicalement assistés pour procréer[140].

Sans remise en cause radicale du présupposé « **il est permis de tuer un embryon** », les États généraux de la bioéthique ne sont qu'une manœuvre pour mieux asseoir légalement la mentalité procréative avec un vernis de volonté générale.

---

[139] Filiation et artifice, Nouvelles techniques et vieux fantasmes, *Le Supplément,* n°177, juin 1991.
[140] Titre d'un article publié en 2003 dans la revue *Population* n°58 par Élise de La Rochebrochard.

Ils participent même du processus d'établissement de la future dictature biopolitique annoncée par Emmanuel Macron dans sa <u>lettre ouverte aux LBGTI</u>[141] du 16 avril 2017.

Le candidat Macron annonçait : « Je suis favorable à une loi qui ouvrira la procréation médicalement assistée aux couples de lesbiennes et aux femmes célibataires alors que seuls les couples hétérosexuels y ont accès aujourd'hui. Afin de ne pas réitérer les erreurs du passé (l'ancien Secrétaire général adjoint de l'Élysée n'a pas oublié le coup fatal porté par La Manif Pour Tous au quinquennat Hollande), le calendrier de cette réforme sera soigneusement préparé. Ainsi j'attendrai que le Comité consultatif national d'éthique ait rendu son avis, prévu pour la fin du printemps 2017 pour pouvoir construire un consensus le plus large possible. Cette question importante mérite un débat serein, préservé des insultes et des attaques qui blessent les couples de même sexe et leurs familles. »
Les États généraux de la bioéthique s'inscrivent dans un lent processus de strangulation politique.

Vaincre la mentalité procréatique

Pour vaincre la mentalité procréative, véritable forteresse spirituelle, et le processus d'oppression politique qui l'accompagne, les églises chrétiennes doivent inviter la société française à discerner dans les techniques de la FIV les manœuvres de « celui qui a été meurtrier dès le commencement, et qui n'a point persisté dans la vérité, parce que la vérité n'est point en lui. Toutes les fois qu'il dit le mensonge, il parle de son propre fond ; car il est menteur, et le père du mensonge » (Jean 8. 44).

Elles doivent fermement déclarer la vérité de Celui qui, Maître de César, est aussi Maître de la vie.

---

[141] https://en-marche.fr/articles/opinions/lettre-ouverte-emmanuel-macron-lgbti.

13 La révolution génétique, le nouvel eugénisme

L'eugénisme, l'idéologie transhumaniste auréolée aujourd'hui d'humanisme

L'eugénisme, qui fut jadis une théorie scientifique visant à intervenir sur le patrimoine génétique de l'espèce humaine, engendra hier la pire monstruosité que connut l'humanité, avec la montée de l'idéologie nazie. Pourtant, l'idéologie eugéniste refait bel et bien surface. Cette hydre, que l'on croyait définitivement éteinte, s'est enveloppée d'un nouvel habit plus convenable, d'une apparence séante.

Ainsi, les idéologies barbares combattues hier continuent d'avancer dans les esprits de manière plus subtile, ce que certains ont qualifié de « monstre doux, » nouveau spectre qui avance, masqué, auréolé d'humanisme, mais au demeurant terrifiant.

Ce monstre doux que décrivait Alexis de Tocqueville, « un pouvoir immense et tutélaire, qui se charge seul d'assurer leur jouissance et de veiller sur leur sort. Il est absolu, détaillé, régulier, prévoyant et doux. Il ressemblerait à la puissance paternelle si, comme elle, il avait pour objet de préparer les hommes à l'âge viril ; mais il ne cherche, au contraire, qu'à les fixer irrévocablement dans l'enfance ; il aime que les citoyens se réjouissent, pourvu qu'ils ne songent qu'à se réjouir. Il travaille volontiers à leur bonheur ; mais il veut en être l'unique agent et le seul arbitre ; il pourvoit à leur sécurité, prévoit et assure leurs besoins, facilite leurs plaisirs, conduit leurs principales affaires, dirige leur industrie, règle leurs successions, divise leurs héritages ; que ne peut-il leur ôter entièrement le trouble de penser et la peine de vivre? »

Dans le contexte d'un monde social envahi par un consumérisme progressiste, ces idéologies d'hier, que l'on croyait en définitive à jamais éteintes, ressurgissent sous la forme d'un être bestial, revêtu d'un masque d'agneau ! C'est ainsi qu'avec les avancées des techniques de procréation médicalement assistée, et la possibilité de déceler sur l'embryon ou le fœtus, les anomalies génétiques, est évoqué le « retour de l'eugénisme », un eugénisme plus angélique, plus doux forcément !

Si les partisans de la GPA et de la PMA se défendent en dénonçant un pur fantasme, se moquant de l'accusation de pratiques qui ne s'éloignent pas des idéologies eugénistes, il importe que ces derniers reconnaissent que l'apparition et l'évolution de techniques de plus en plus sophistiquées conduisent nécessairement à développer les pratiques eugéniques. Après les infanticides connus au cours de l'histoire, ou ceux qui épisodiquement sont relatés dans les actualités, l'interruption de grossesses et le fœticide sélectif ont été largement prescrits après l'épisode de la tragédie de la Seconde Guerre mondiale. Le fœticide sélectif s'est imposé dans les esprits avec les nouvelles capacités techniques de diagnostic génétique (analyse chromosomique) ou morphologique (échographie) sur le fœtus. Enfin, comme le rapporte le biologiste Jacques Testart,[142] « *la conjonction de la fécondation hors du corps (1978) et de l'examen de l'ADN embryonnaire (1990) a permis de développer le diagnostic préimplantatoire (DPI) sur les embryons issus de la fécondation in vitro (FIV) depuis les années 1990.* »

Subrepticement, l'idée d'une sélection des êtres humains dès leur naissance gagne les esprits. Lorsque l'expression de société eugéniste est utilisée, l'usage de ces mots suscite une opposition vive, targuant souvent ceux qui utilisent ces termes, de communiquer une pure invention, dénigrant le progrès ou s'opposant à toute forme d'égalité. Pourtant, nous sommes bel et bien arrivés à une conception eugéniste de la société, lorsque notamment le dépistage est proposé aux femmes enceintes, pour détecter d'éventuelles anomalies, et proposer ainsi aux mères l'interruption de leur grossesse. A ce jour, il importe de porter à la connaissance de chacun que tous les fœtus trisomiques ont presque systématiquement fait l'objet d'une interruption de grossesse. Ainsi, au cours de ces dernières décennies, le dépistage de la trisomie 21 a connu

---

[142] Jacques Testart, biologiste français qui a permis la naissance du premier bébé éprouvette en France en 1982.

un essor indéniable,[143] avec un taux de couverture croissant de femmes enceintes demandant un diagnostic prénatal, ce qui a eu pour résultat une très importante augmentation du nombre d'amniocentèses, une procédure médicale invasive utilisée lors du diagnostic prénatal.

Sur un plan sociologique, toutes les dernières enquêtes d'opinion révèlent que les femmes sondées reconnaissent qu'elles choisiraient d'éliminer un fœtus ayant été diagnostiqué comme trisomique. Or, avec l'avènement d'une société orientée vers la performance, l'image de soi, c'est un monde profondément consumériste qui aspire dès lors à un bien-être idéalisé, et à un enfant idéal indemne de toute anomalie génétique.

La fragilité d'un enfant différent des autres constituerait pour beaucoup, et dès lors, dans l'imaginaire social, une charge insurmontable pour les parents. Cette idée d'accueillir, puis d'accompagner, un enfant avec un handicap, devient, hélas et bien souvent, une idée intolérable. Cela en dit long sur les mutations sociales mortifères que nous vivons aujourd'hui dans ces contextes idéologiques, où les tenants d'un darwinisme social, ne rencontreraient plus à terme d'opposition. Dans un futur proche nous pourrions ainsi accepter « la sélection des plus aptes. »

Implicitement, avec les progrès de la technoscience, les avancées techniques conduiront certainement à un déplacement de la dimension de l'accueil et du don de l'enfant vers une notion de désir d'enfant et d'un désir choisissant ce que devra être cet enfant, répondant ainsi parfaitement aux normes et conventions sociales. Cette dimension que nous décrivons est bien souvent objectée, or l'empreinte consumériste progresse dans les mentalités au fur et à mesure que les conceptions matérialistes de la vie avancent, de fait l'idée de choisir un embryon sain peut conduire demain au choix d'un embryon ne présentant certes aucune anomalie, mais dont le désir est aussi qu'il soit doté de caractères répondant aux désirs des parents si l'offre médicale le permet. Rappelons qu'en France la loi bioéthique encadre

---

[143] *Le Quotidien du médecin* (Antoine Dalat), 12 mai 2011.

rigoureusement et à ce jour les pratiques génétiques, le diagnostic préimplantatoire est ainsi autorisé quand l'un des parents peut transmettre une maladie génétique grave. Nonobstant rien interdit d'imaginer un futur plus laxiste, moins préventif, et passant par-dessus les lois morales.

L'eugénisme dans l'histoire

Le mot eugénisme est inévitablement associé à l'idéologie nazie, qui fut à son paroxysme, l'expression d'une idéologie foncièrement antihumaine. Pourtant, l'eugénisme, qui signifie littéralement « bien naître, » s'est défini au fil du temps à la fois comme une méthode et comme une pratique visant à surpasser le patrimoine génétique initial de l'espèce humaine. La pensée eugéniste est pourtant très ancienne, il faut remonter à plusieurs millénaires, à l'époque où Pharaon entendait organiser le meurtre des enfants hébreux mâles, afin d'éviter que les Hébreux ne deviennent trop nombreux.[144] La Grèce antique fut le témoin de l'élimination des enfants faibles, qui ne pouvaient que constituer une charge pour la société. A Sparte, ancienne ville du Péloponnèse, les anciens examinaient les aptitudes de l'enfant nouveau-né, et s'ils estimaient que l'enfant fût trop faible, vulnérable, ils le faisaient jeter dans un gouffre appelé « les Apothètes. » Un enfant chétif, selon la conception et l'idéologie répandue à Sparte, ne devait pas à cette époque être une charge pour la cité.

Il n'est pas contestable que le christianisme a combattu au sein de la société une forme de rejet du plus fragile, et que, de fait, l'Évangile constituait une forme de rempart à toute tentative de rejet du plus faible. Mais, au cours du XIXe siècle, l'idée de laisser faire une sélection naturelle au sein de la société gagna les esprits. Albert Spencer, sociologue et philosophe anglais, défendit en effet une forme de philosophie évolutionniste, il fut très tôt identifié comme l'un des principaux défenseurs de la théorie de l'évolution au XIXe siècle, avec Charles Darwin. Sociologue, Spencer conçut la société comme un ensemble, une organisation qui sélectionne naturellement les plus

---

[144] Le récit est rapporté dans le livre *Exode* de la Bible, au chapitre 1.

aptes, il est par ailleurs l'auteur même de cette expression « *sélection des plus aptes.* »

L'eugénisme est une approche idéologique, qui fut développée par Francis Galton, un cousin de Charles Darwin. L'un et l'autre ont tenu des thèses qui, en leur temps, ont bousculé les conceptions qui étaient jusqu'à présent associées au monde du vivant. Charles Darwin entendait donner une explication théorique de l'hérédité des caractères acquis par les espèces, et concluait à l'évolution naturelle des espèces. Francis Galton, anthropologue, pionnier de la biométrie et brillant statisticien, souligna le rôle primordial et prédictif des facteurs héréditaires, jouant un rôle corrélatif dans la détermination des différences individuelles. Francis Galton promouvait les concepts de races inférieure et supérieure. Même s'il fallait recontextualiser les positions idéologiques de l'anthropologue, il convient cependant de souligner que Galton fera valoir l'hérédité des qualités intellectuelles et des qualités physiques, ceci lui donnant à penser, selon Dominique Aubert-Marson,[145] biologiste et chercheur, « que l'appartenance à une « race douée » (nature) joue un rôle majeur, l'environnement (*nurture*) jouant un rôle mineur... »

Étrange destin de deux hommes de même parenté, Charles Darwin et Francis Galton, dont les idéologies furent finalement assez proches, l'un défendant la sélection naturelle, et l'autre la sélection sociale.
Relativement à l'analyse sociale, Galton eut recours à la courbe de Gauss pour classer les individus et repérer non pas « l'homme moyen, » mais « l'homme génial, » puisque c'est ce dernier qui évolue vers l'être parfait, la visée nécessaire de sa politique eugéniste. Nous comprenons mieux comment une telle thèse mortifère a ainsi influencé des conceptions idéologiques dévastatrices, et marqué indélébilement le XXe siècle d'une noirceur à la fois ineffaçable et d'une odeur nauséabonde.

---

[145] Dominique Aubert-Marson, maître de conférences, Laboratoire de biologie du développement et de la différenciation neuromusculaire, Université Paris Descartes.

Le génie génétique au service du nouvel eugénisme

Dans la période contemporaine, les progrès du génie génétique et le développement des techniques de procréation médicalement assistée ont ouvert de nouvelles perspectives et possibilités médicales. Avec le transhumanisme, s'ouvrent littéralement de nouveaux enjeux.

En effet, les transhumanistes accréditent l'idée que le génome humain n'est finalement que le reflet d'une forme de programmation. Certes, le génome est immensément complexe, mais la technoscience s'est employée à le décoder, à le manipuler, à le décrypter. Reprogrammer l'humain ne relève plus, dès lors, d'une idée insolite ou biscornue. Concevoir des programmes génétiques, tels ces tests de programmation génétique du cerveau, sont, bel et bien, des tentatives menées dans les laboratoires du vivant. C'est dans ce contexte que les ingénieurs biologiques du Massachusetts Institute of Technology (MIT) ont, en effet, créé un langage de programmation qui leur permet d'appréhender, puis de concevoir rapidement des circuits complexes, l'ADN codé donnant ainsi de nouvelles fonctions pour les cellules vivantes. Que ne laisseraient entrevoir de telles recherches, visant demain à doper artificiellement des hommes, voire à les corriger, même avec des visées humanistes ! Si l'on commence ainsi à réparer les dysfonctionnements du cerveau et guérir les anomalies, n'adviendra-t-il pas le temps de rechercher à idéaliser l'être humain, et anticiper le temps de l'homme augmenté et idéalisé, un nouveau type d'humain, un surhomme amélioré par le génie génétique ?

Mais comme le souligne à nouveau Jacques Testart, « c'est surtout la préoccupation de qualité du produit-enfant qui anime désormais la fabrique de l'humain. Outre les méthodes sélectives (choix d'un tiers géniteur, sélection d'un embryon), l'Aide Médicale à la Procréation vise à proposer l'amélioration de l'embryon, et des praticiens s'emballent de projets eugéniques quand la technologie prétend disposer d'outils efficaces et précis pour modifier le génome. »

De la sorte, le projet de conquête absurde et qui touche au génome humain ne semble plus avoir de limites, subséquemment la fécondation de bébés issus de plusieurs parents,[146] pour obtenir un bébé « génétiquement parfait » n'est plus si improbable : le premier bébé, résultat d'une manipulation du génome de trois parents, est né au Mexique ; l'enfant est en effet né de la manipulation de l'ADN de trois parents. Il s'agissait de transférer des matériaux génétiques du noyau pour éviter que la mère ne transmette à son enfant des gènes défectueux responsables du syndrome de Leigh « de transmission maternelle, » une maladie neurologique progressive caractérisée par des lésions neuropathologiques.

La Grande-Bretagne était devenue le premier pays au monde à autoriser la conception d'enfants « à trois parents. » La technique imaginée par Doug Turnbull, de l'université de Newcastle, au Royaume-Uni, et dénommée « transfert pronucléaire » (PNT), consiste à prélever le noyau de l'ovule de la mère contenant des mitochondries défaillantes. L'ovocyte est ensuite fécondé avec le sperme du père, puis le noyau de l'œuf est transféré dans l'ovule énucléée de la donneuse.

Or, pour le professeur Royère, le directeur Procréation, génétique et embryologie humaine à l'Agence de la biomédecine en France, « *le risque est que la manipulation induise chez l'embryon de nouvelles pathologies ou anomalies, alors qu'on cherchait au contraire à obtenir un bébé sain.* »[147]

Les avancées sournoises du transhumanisme

Les avancées du transhumanisme sont sournoises, subtiles, comme nous l'écrivions précédemment ; le nouvel eugénisme, empreinte un nouveau langage, teinté d'humanisme et de progressisme, et qui dans l'air du temps passe beaucoup mieux, nous faisant ainsi passer pour des ringards, des conservateurs surannés, ne comprenant rien à l'avènement du progrès.

---

[146] http://www.rtl.be/info/magazine/science-nature/un-bebe-issu-de-trois-parents-biologiques-differents-voit-le-jour-grace-a-une-methode-controversee-854463.aspx.
[147] La citation est extraite du magazine en ligne *Le Figaro* http://sante.lefigaro.fr/actualite/2012/09/19/19095-langleterre-sinterroge-sur-bebe-3-parents.

Or, ce nouvel eugénisme, revêtu des habits du transhumanisme, progresse du fait à la fois de notre désertion, de l'abandon des valeurs morales, et de la défection de l'éthique, que nous sommes empêchés de promouvoir, tout en étant taxés de défenseurs de l'inégalité.

Ainsi, qu'est-ce qu'aujourd'hui le Conseil Consultatif National d'Éthique sinon des hommes et des femmes, dont la plupart ne sont plus habités par la dimension du spirituel, qui apportent la raison à la conscience, « la conscience, à la science » ?
Jérôme Sainton, docteur en médecine, évoquait dans un mémoire de fin d'étude en bioéthique, l'éthique de la mise en œuvre[148] et non du fond. La bioéthique, dans ce nouveau contexte sociétal, a pour fonction de compenser la réalité, de mettre des mots sur des pratiques, afin de nous convaincre que c'est bien l'homme qui fixe les règles. Elle a donc, in fine, pour objectif de familiariser, « d'habituer les gens aux développements technologiques pour les amener à désirer bientôt ce dont ils ont peur aujourd'hui. [...] Le Comité National d'Éthique est d'abord un comité de bienveillance de l'essor technoscientifique. Certaines technologies seraient très mal acceptées aujourd'hui, mais si, dans quinze ou vingt ans, elles sont bien acceptées, ce sera en partie grâce aux comités d'éthique, qui auront dit : « Il faut développer la recherche, il faut faire attention, il faut attendre un peu, il faut un moratoire..., » toutes sortes de propositions qui n'ont rien à voir avec un interdit et qui permettent de s'accoutumer à l'idée. » (J. Testart, en collaboration avec Christian Godin, *Au bazar du vivant : biologie, médecine et bioéthique sous la coupe libérale*, Seuil (Points virgule), Paris, 2001, p.132-133). Ainsi, la bioéthique a pour finalité d'adapter l'homme au système technicien : c'est elle qui assure la transition entre les anciennes et les nouvelles valeurs.

Le monde, habité par des désirs prométhéens, installe ainsi, et au fil de son histoire, une technicité qui réduira l'humain au rang de machines, puisque notre génome en est réduit à n'être qu'un logiciel programmable à souhait. Pendant que j'écris ces lignes, résonnent en

---

[148] Nous reprenons ici l'intégralité du texte de Jérôme Sainton, extrait de son mémoire de bioéthique. Jérôme Sainton est docteur en médecine.

moi ces mots de l'écologie humaine : « Prendre soin de l'homme, de tout l'homme, » qui sont l'antithèse de l'homme modifié ou augmenté, l'antithèse d'un transhumanisme qui aliène la dimension ontologique de l'homme, l'essence même d'une finitude qui ne trouve sa grandeur qu'en son créateur.

14 L'Europe a-t-elle enterré ses démons ?

À l'heure où l'Europe débat de nouvelles lois bioéthiques, il est légitime de s'interroger sur le fait de savoir si le vieux continent a réellement enterré ses démons. L'épisode biblique concernant le réveil de la Bête, relaté par le livre de l'Apocalypse écrit par l'apôtre Jean peut ici constituer un éclairage saisissant sur le destin funeste des idéologies mortifères qui participent à la destruction de l'homme.

Les deux bêtes de l'Apocalypse

Nous lisons dans l'Apocalypse de l'apôtre Jean, au chapitre 13 et verset 1 : « Puis je vis monter de la Mer une bête qui avait sept têtes et dix cornes... » Au verset 11 : « ... ensuite je vis monter de la terre une autre bête, elle avait deux cornes semblables à celles d'un agneau mais elle parlait comme un dragon ... » Le livre de l'Apocalypse de l'apôtre Jean est un livre saisissant, un message prophétique, un livre qui devrait nous remplir d'une immense espérance. Le livre de l'Apocalypse écrit par l'apôtre Jean contient une révélation pour l'Église d'hier, mais aussi pour celle d'aujourd'hui.

L'Apocalypse de Jean relate la victoire de la lumière contre les ténèbres, la victoire de la vérité sur le relativisme, la victoire du sens sur la confusion, la victoire de la liberté ontologique sur l'esclavagisme des âmes que l'on veut atomiser puis déconstruire. Apocalypse 17, verset 14 : « Ils combattront contre l'agneau et l'agneau les vaincra parce qu'il est le Seigneur des Seigneurs et le Roi des rois. Ceux qui ont été appelés, choisis et fidèles, et sont avec lui, vaincront aussi. »

L'Apocalypse, qui signifie, comme beaucoup le savent, révélation, annonce en somme le triomphe de la vérité sur le mensonge ; l'Apocalypse, pour reprendre les mots de Fabrice Hadjaj, « c'est le triomphe de la charité dans les tribulations. » Le livre de Jean écrit à Patmos, lieu d'exil pour l'apôtre, contient une révélation, celle, à la fin des temps, de la victoire de la lumière contre l'obscurantisme, la victoire du bien contre toutes les formes de déshumanisation mortifère de la société.

La lecture de ce livre, notamment le chapitre 13, a inspiré ces pensées que j'avais à cœur de vous partager, comme un message destiné à nous encourager dans cette persévérance qui caractérise plusieurs mouvements dont celui des « veilleurs », initié sur la place des invalides à Paris, mouvement visionnaire sans précédent né le 23 avril 2013.

La vie est d'abord une relation à l'autre et au monde.

La vie est d'abord une relation à l'autre et au monde : une relation qui ne se réduit pas à une transaction monétaire, à des rapports qu'il faudrait enfermer dans des lois de plus en plus intrusives et autoritaires, car il est vrai que nous faisons face aux dérives d'un mal qui, comme un cancer, ronge l'intérieur, le cœur de l'homme, mal que l'on veut endiguer par la force de la loi sans avoir compris l'impérieuse nécessité de reconnecter l'homme à son créateur afin que ne se déchaînent pas les démons de la barbarie.

Rappelons-nous que la vie est d'abord un échange, née de la différence des êtres, la différence et la complémentarité des hommes et des femmes. Que rien ne saurait être construit sans la rencontre et le respect de nos différences, de toutes nos différences, et que nous ne sommes pas là pour imposer notre idéologie à une autre idéologie. Mais nous sommes ici pour partager la vérité d'un héritage spirituel qui a fondé pour partie notre civilisation et a permis de réduire sa part de barbarie, d'obscurantisme, de haine de l'autre.

Mais aujourd'hui nous prenons conscience de l'effroyable mutation qui traverse l'ensemble de notre société en précipitant à nouveau notre histoire dans un récit qui sera à terme tragique si nous ne décidons pas de résister intérieurement et de nous ressaisir pour interpeller les consciences. Dans ce contexte et pour revenir au livre de l'apocalypse de l'apôtre Jean, ce livre évoque une étrange image, une image énigmatique de deux figures spirituelles. Ces figures incarnent le paroxysme du mal absolu, l'une de ces figures vient de la mer, l'autre de la terre.

Redéfinir les normes du Bien et du Mal

Le message scandaleux de la croix annonce la réconciliation de l'homme avec son Créateur. Ces figures qui nous sont présentées dans le livre de l'Apocalypse comme tyranniques incarnent les oligarchies des systèmes politiques qui entendent dominer les âmes des hommes et les enfermer sous leur emprise. Des systèmes qui poursuivent un seul but, l'éviction de toute transcendance, de toute référence aux lois divines, et qui entendent redéfinir les normes du Bien et du Mal. Le rejet du message judéo-chrétien dans la culture occidentale et bien au-delà relève d'un choix idéologique assumé, le projet de refonder l'homme et de déconstruire les représentations du message biblique dont le socle est, à partir de la chute de l'homme, le message scandaleux de la croix qui annonce la réconciliation de l'homme avec son Créateur.

L'apôtre Jean n'a pas écrit l'Apocalypse seulement pour que nous comprenions les événements de son temps (l'empire romain persécuteur des chrétiens). L'apôtre a été inspiré pour transmettre à nous tous, et à tous les siècles de l'histoire de l'humanité, une vision universelle de l'affrontement solennel et tragique entre la lumière et les ténèbres, entre la vérité et le relativisme, entre les lois divines et le légalisme des hommes.

L'apôtre Jean nous introduit au cœur du mystère du combat spirituel dans lequel l'humanité entière est engagée.

L'apôtre Jean nous introduit au cœur du mystère du combat spirituel dans lequel l'humanité entière est engagée et dans lequel les chrétiens de toutes dénominations doivent résolument s'engager pour alerter les consciences, participer à l'éveil de leurs concitoyens, être des témoins dans la cité afin d'être les veilleurs du bien sur toutes les dérives mortifères d'un monde idéologique qui veut arracher la mémoire du christianisme, comme hier le nazisme lui-même voulait arracher à la terre le souvenir du judaïsme, « l'olivier cultivé » porteur des lois de la Torah, mais l'idéologie communiste n'avait pas été en reste en souhaitant l'élimination du christianisme. Le nazisme, et ce n'est pas excessif de l'imaginer, peut-être largement apparenté à l'image même de la Bête, bien que des phénomènes totalitaires et cruels aient déjà existé par le passé, jalonnant l'histoire de l'humanité. L'empire romain a été ainsi et probablement cette figure d'une tyrannie à son paroxysme pour l'apôtre Jean.

Reprenons le récit biblique du chapitre 13 de l'Apocalypse de l'apôtre Jean, et par hypothèse comparons la première bête à l'idéologie nazie. Nous savons aujourd'hui, mis en lumière par les historiens et notamment Johann Chapoutot,[149] que l'idéologie nazie voulait effacer la Torah, les lois divines, faire à jamais disparaître le peuple choisi par Dieu, puis, s'il était possible, de se débarrasser à terme du christianisme (ce que la Russie de Staline s'était employée à faire). Par analogie, la seconde bête entend achever cette vision et mener sa mission de guerre spirituelle, elle entend ainsi faire la guerre aux saints, à l'Église, corps de Christ, les vaincre, eux qui portent le message de la grâce.

L'idéologie nazie portait une pensée terrifiante teintée de darwinisme social.

La première bête affichait son visage terrifiant, un visage de fer, pourtant elle fut mortellement blessée, « mais sa blessure mortelle fut guérie. » La seconde bête avance masquée, elle a le masque d'un agneau à deux cornes, avance de façon subtile à travers les habits, la parure d'un humanisme angélique et progressiste, mais elle a la marque et l'identité du dragon et ses intentions restent identiques à la première bête, mener sa guerre contre le Dieu de la création, le Dieu

---

[149] Johann Chapoutot, auteur du livre *La loi du sang. Penser, agir en nazi.* Livre publié en 2014 par les éditions Gallimard.

trinitaire. La première bête que je rapporte à l'idéologie nazie portait une pensée terrifiante teintée de darwinisme social, l'envers du message biblique, d'un Dieu compatissant. Cette bête terrifiante fascinée par la nature considérait, dans sa conception de l'univers, qu'il fallait que le plus faible soit dominé ou anéanti au nom d'un principe qui tenait à la survie du plus fort.

Johann Chapoutout, que nous citions précédemment, jeune historien, l'un des plus brillants de notre époque, décrit les mécanismes de la pensée nazie dans son livre *La loi du sang. Penser et Agir comme un nazi*. Il décrit la montée en puissance d'une utopie manichéenne qui s'est mise en marche, écrasant les peuples sous son autorité. Apocalypse 13:4 : «Qui est semblable à la bête, qui peut combattre contre elle? » accomplissant, au nom d'un relativisme, le mal au nom du bien. Leur nouvelle vision du monde a été mise en œuvre par une oligarchie de fer et une bureaucratie impitoyable. Mais ce que l'historien met en évidence, ce n'est tant la haine du Juif pour des raisons qui seraient seulement identitaires, raciales. Non la haine du Juif, c'était d'abord la haine de la Torah, de la conception de l'homme, de l'anthropologie biblique. La haine raciste s'est forgée sur le terreau d'une conception panthéiste et immanente de l'univers évacuant tout créateur (pour les panthéistes, Dieu n'est pas séparable de sa création), il n'y avait donc pas de transcendance pour l'idéologie nazie. Nous voyons donc là l'émergence explicite d'une contre-religion, s'opposant au Dieu révélé, au Dieu créateur de l'univers. Apocalypse 14, verset 7 : «... celui qui a fait le ciel, la terre, les sources d'eau. »

Pour l'idéologie nazie, l'Univers était régi par ses lois et ses lois reposaient sur la force, la domination.

Johann Chapoutout, dans son livre la *Loi du Sang,* cite l'allemand Alfred Rossner dont le propos explicite confirme cette lutte du nazisme engagée contre le judéo-christianisme : « La substance du Christianisme est juive, la juiverie est la semence, le christianisme est le fruit... Ce n'est pas une religion conforme à l'homme allemand.» L'idéologie nazie évoquera même l'aliénation du peuple allemand par le christianisme et parle ainsi d'une violence faite au peuple germanique. Pour l'idéologie nazie, l'Univers était régi par ses lois et ses lois reposaient sur la force, la domination. Dans ce contexte, le faible n'a pas place dans cet univers et pas davantage dans la société, la théorie darwiniste avait dès lors ses prolongements au plan social : il fallait, de facto, éliminer les tenants d'une religion révélée aux hommes montrant la culpabilité de l'homme et qui était de nature à circoncire les cœurs et les corrompre.

Le nazisme est ainsi une contre-religion, pas exactement une antireligion, une idéologie religieuse et sociale qui provoque, chez les sujets qui rejoignent ses idéaux, une foi absolue dans les conceptions panthéistes portées par le nazisme. Dans ses fondements, l'idéologie nazie est le rejet dogmatique et fanatique de toute conception judéo-chrétienne qui touche à la société. La pensée nazie était à l'opposé de la révélation portée par les Écritures. L'idéologie nazie se révèle, à l'inverse, comme un antagonisme de la pensée biblique, le national-socialisme avait en effet pour projet :

- d'anéantir le judaïsme,
- d'arracher de la mémoire de l'humanité, la mémoire et la pensée juive,
- d'effacer cette chronique de l'histoire du peuple hébreu,
- d'écarter le poids de la loi révélant la transgression de l'homme en regard des lois divines révélées par Moïse au peuple juif.

La première bête fut terrifiante et ensanglanta le monde.

L'idéologie nazie était une nouvelle spiritualité démoniaque, non un athéisme, mais une conception éthique et panthéiste de l'univers, une religion de l'exclusion, une religion du rejet de la Thora. De fait, pour le philosophe Georg Mehlis (1878-1942), que cite Johann Chapoutout,[150] « le nazisme est une éthique nationale socialiste née d'une révolution... contre l'éthique chrétienne de l'Occident qui tend à placer des notions

---

[150] Johann Chapoutout, *op.cit.,* p. 59.

comme l'amour, l'humilité et la pitié avant toute norme éthique. »
Cette première bête fut terrifiante et ensanglanta le monde. La seconde
n'en sera pas moins plus abominable imposant la docilité, la servitude
des peuples au plan universel. Nous voyons bien la dimension d'une
forme de lutte, de combat, de guerre spirituelle livrée depuis les débuts
de l'humanité contre le Dieu Créateur. Apocalypse 13: « Il lui fut
permis de faire la guerre contre les saints et de les vaincre. »
Apocalypse 17 : « Ils combattront contre l'Agneau et l'Agneau les
vaincra. »

Or, aujourd'hui nous voyons poindre la forme nouvelle de l'utopie
angélique transhumaniste qui vise à déconstruire l'anthropologie
biblique, une utopie qui s'apparente à cette race qui prétendait
dominer le monde et qu'incarne d'une certaine façon le
transhumanisme. Le transhumanisme porte les gênes d'un possible
renversement de toutes les valeurs, en conférant à l'homme la
possibilité d'augmenter et de dépasser ses capacités (ce n'est pas de la
science-fiction, de nombreux laboratoires spécialisés sur le génome
humain y travaillent). Non seulement s'agira-t-il de répondre aux
besoins de l'homme de prévenir et d'anticiper d'éventuels maux
physiques, mais aussi de répondre aux désirs des femmes et des
hommes et au nom d'une idéologie de l'égalité d'avoir recours à des
embryons artificiels issus d'une nouvelle technologie (ectogénèse).

Cette seconde bête, qui a l'apparence d'un agneau docile, s'est en
réalité adossée à la duperie. Dans son imposture, la seconde bête veut
tromper l'humanité en lui imposant, par l'apparence angélique, ses lois
d'une nouvelle religion pour réajuster l'homme, le façonner à la
création d'un nouveau genre humain, un homme égalisé qui nie les
différences, les souffrances. Ne supportant pas les différences et les
souffrances, au nom de l'angélisme et l'égalité, la bête finit par les
supprimer.

La seconde bête pleine de séduction humanisante aspire à la toute-puissance, égale de Dieu.

La seconde bête aspire à la toute-puissance ; égale de Dieu, elle nie l'incarnation et la finitude d'un Dieu fait homme, elle tourne le Fils de Dieu en dérision, veut le railler. L'antéchrist se caractérise par son refus de l'incarnation du « Dieu venu dans la chair. » Ainsi, cette deuxième bête est l'incarnation du transhumanisme et de toutes les religions formant une forme de collusion antéchristique. L'avatar de cette aspiration de toute puissance est susurré, murmuré dans le jardin d'Éden : « Vous serez comme des dieux. » La volonté de porter une idéologie qui relève d'une conception anticréationniste est à l'inverse de la conception nazie qui était, elle, profondément naturaliste. Cette idéologie anticréationniste s'apparente à un naturalisme transcendantal qui s'ancre dans la volonté d'arracher l'homme à l'ordre de la nature, en affirmant l'exception humaine. Pour les idéologues et les tenants de l'anticréationnisme, ce n'est pas ainsi la nature qui nous fait homme ou femme, ils prônent la plasticité des identités indépendamment des corps.

Or, la bête qui a l'apparence d'un agneau parle comme un dragon, Dans un ouvrage publié en 1997, *Le bien et le mal*, le philosophe André Glucksmann[151] ose la provocation pour alerter la conscience occidentale : « Hitler, c'est moi. » Il fallait, selon le Professeur émérite Jacques Battin, faire comprendre que « l'Angleterre, les États- Unis, la Scandinavie, la France et l'Allemagne ont été des fabriques d'idéologie et que le nazisme a intégré tout un courant d'idées mêlant à l'eugénisme, l'anthropologie sociale et le racisme, le darwinisme social et l'hygiénisme. » Or la bête qui a l'apparence d'un agneau parle comme un dragon, la société occidentale contemporaine n'a en réalité rien renié de l'idéologie nazie. Cela peut sans doute faire sursauter notre lecteur, mais que dire alors des pratiques eugénistes et de la

---

[151] André Glucksmann, philosophe, est l'auteur de nombreux ouvrages de philosophie dont *Le Bien et le Mal,* que nous citons, livre édité par la maison d'édition Fayard en 1999.

volonté de ne pas accueillir l'enfant atteint d'une maladie trisomique car il ne serait pas conforme à la norme ? Que dire de cet acte abominable, décision prise par Adolf Hitler en octobre 1939, lorsque ce dernier décide de procéder à l'euthanasie des malades héréditaires, handicapés physique et mentaux ?

Rappelons qu'en 1920 et 1922 fut publié en Allemagne un opuscule par Karl Binding, professeur de droit pénal à Leipzig, et Alfred Hoche, professeur de psychiatrie à Fribourg. Le titre est suffisamment explicite sur les tenants et les aboutissants d'une philosophie sociale de conception darwinienne : « La libéralisation de la destruction d'une vie qui ne vaut pas d'être vécue. » Texte qui visait à donner une justification médicale et juridique à l'euthanasie des handicapés.
Pour l'Allemagne Nazie, le commandement : « Tu ne tueras point » est ainsi « une pure invention juive au moyen de laquelle ces Juifs, ces plus grands meurtriers que l'histoire ait connus, tentent toujours d'empêcher leurs ennemis, de se défendre efficacement ... » Citation reprise à la page 217 du livre *La Loi du Sang* d'Eugen Stähle. L'une des têtes de la bête fut mortellement blessée, mais elle semble, hélas ! s'être remise de ses blessures. Apocalypse 13, verset 3 : « Sa blessure mortelle fut guérie. ». En d'autres termes, l'inspiration des thèses prisées par une idéologie anti-judéo-chrétienne reste profondément prégnante au sein de la culture occidentale.

Jean-François Braunstein, professeur de philosophie à l'Université de Paris I, dénonce les dérives contemporaines et souligne lui-même dans son dernier essai, *La philosophie devenue folle*[152] comme une forme de cri d'alarme en face de postures morbides qui pourraient jusqu'à proclamer l'impensable tel que :
« S'il est des vies dignes d'être vécues et d'autres qui ne le sont pas, pourquoi ne pas liquider les « infirmes », y compris les enfants

---

[152] *La philosophie devenue folle,* paru en 2018 aux éditions Grasset, de Jean-François Braunstein. Le livre décrit les trois débats qui nous obsèdent : autour du genre, des droits de l'animal, de l'euthanasie. Et trois disciplines politiquement correctes traitent désormais de ces questions dans le monde universitaire : les études sur le genre (*gender studies*), les études sur les animaux (*animal studie*s), la bioéthique.

« défectueux » ? Pourquoi ne pas nationaliser les organes des quasi-morts au profit d'humains plus prometteurs ? »

Apocalypse 13, verset 11 : « Ensuite, je vis monter de la terre, une autre bête qui avait deux cornes semblables à celles d'un agneau, mais elle parlait comme un dragon. Elle exerçait toujours l'autorité de la première bête en sa présence et elle obligeait la terre et ses habitants à adorer la première bête, celle dont la blessure avait été guérie... » Pour conclure ce texte, j'emprunte au philosophe Charles-Éric de Saint Germain l'extrait d'un texte qui illustrait l'ensemble de mon propos visant à décrire les contextes idéologiques des deux bêtes dont la vision est de combattre la parole révélée puis incarnée :

« Si le peuple nazi parodie le peuple d'Israël, si le communisme parodie le christianisme, cette « double caricature » a sans doute contribué à la « séduction » exercée par les deux grands régimes totalitaires du XXe siècle. C'est peut-être la « lueur de vérité, » qui se reflétait encore en eux de manière biaisée et falsifiée, qui a fait toute la « force de séduction » de ces deux idéologies sur certaines consciences (la séduction, par définition, joue sur le paraître et l'imitation de ce qu'elle n'est pas, et qu'elle parodie de ce fait). Mais précisons aussitôt que, si caricature il y a, cette caricature ne peut être, ici, qu'une caricature diabolique : ne dit-on pas que le diable « singe » Dieu ? »
Nous sommes ainsi dans ces temps qui préfigurent sans doute la venue prochaine de Christ. Dans le devoir de l'espérance éveillée, sachons lire et discerner les signes des temps, de nature à annoncer et à avertir le prochain, à se tourner vers celui qui est le réel Sauveur et Seigneur, Créateur des cieux et de la terre.

15 Le transhumanisme ou la fin de la femme ?

L'utopie est en marche, bientôt un utérus artificiel ?

Le XXᵉ siècle a bouleversé la famille, la contraception moderne a permis de se défaire des lois biologiques et de libérer les choix de construction de la vie familiale. Les techniques de fécondation ont également créé de nouvelles façons de concevoir des enfants. Le XXIᵉ siècle pourrait être celui de nouvelles avancées dans les processus de fécondation, l'ectogenèse, c'est-à-dire la fécondation hors du ventre de la mère. L'ectogenèse est une technique de fécondation dont la porte fut entrouverte avec la fécondation in vitro, ouvrant à l'être humain de nouvelles perspectives sociétales. Périodiquement l'humanité en se cherchant, se réinvente, se déconstruit et produit un monde de plus en plus artificiel, déshumanisant, déconnecté du réel.

« La distinction progressive entre sexualité et natalité. »

Aldous Huxley, auteur du livre Le meilleur des mondes, écrivait dans la seconde préface de son livre, livre qu'il rédigea en 1932 : « À tout bien considérer il semble que l'Utopie soit plus proche de nous que quiconque ne l'eût pu imaginer, il y a seulement quinze ans. À cette époque je l'avais lancée à six cents ans dans l'avenir. Aujourd'hui il semble pratiquement possible que cette horreur puisse s'être abattue sur nous dans un délai d'un siècle. »

Dans *Le meilleur des mondes*, Aldous Huxley imaginait déjà l'ectogenèse,[153] que nous appelons dans la modernité l'utérus artificiel,

---

[153] Le terme d'*ectogenèse*, « utérus artificiel, » a été inventé par le généticien britannique J. B. S. Haldane en 1923.

c'est-à-dire un processus de gestation en dehors du corps humain, c'est-à-dire faire des enfants sans grossesse, sans accouchement. Or, selon Henri Atlan, médecin biologiste, philosophe et écrivain français, pionnier des théories de la complexité, les avancées biotechnologiques laissent raisonnablement présager que l'utérus artificiel pourrait voir le jour dans un très proche avenir. Selon le biologiste, l'évolution de notre époque, en matière de reproduction du genre humain, est caractérisée par « *la distinction progressive entre sexualité et natalité.* » Ainsi, après la fécondation in vitro, voici l'ectogenèse, c'est-à-dire l'utérus artificiel.[154]

Corroborant notre propos, voici ce que déclare Henri Atlan dans un article publié dans Le Monde en avril 2005 : « Certains disent d'ici 10 à 20 ans. Je pense que cela prendra encore 50 ans, ou plus. Mais la mise au point de l'utérus artificiel semble inéluctable. Cette technique, appelée ectogenèse, développée au départ pour des raisons thérapeutiques dans le cadre des traitements de la stérilité, des avortements à répétition ou de la protection des grands prématurés, permettra de développer une nouvelle forme de procréation. Extérieure à la femme. Artificielle.

Ce sera une nouvelle date historique dans l'histoire du corps humain. Un intense débat de société l'accompagnera, sans aucun doute. Nous entrerons dans une problématique qui, à mon sens, rappellera celle de la contraception, ce qui pourra sembler paradoxal, puisqu'il s'agira d'une nouvelle façon d'enfanter. Les femmes auront la liberté de faire des enfants sans grossesse, sans accouchement.

Personne n'est dupe, beaucoup de femmes choisiront d'enfanter de cette manière. Il sera aussi difficile d'empêcher la popularisation de l'ectogenèse, qu'il l'a été d'interdire les méthodes de contraception et l'avortement. L'argument irréfutable sera celui de la libre disposition par chaque femme de son corps. Beaucoup d'entre elles se diront : pourquoi ne pas éviter les risques, les déformations et les

---

[154] Extrait de notre commentaire : http://fredericjoignot.blogspirit.com/archive/2005/05/18/henri-atlan-un-grand-biologiste-engage-dans-l-ethique.html. Frédéric Joignot (écrivain, journaliste, journal du *Monde*, revue *Ravages*).

désagréments associés à l'enfantement ? La fonction maternelle telle que nous la connaissons depuis l'origine de l'espèce humaine va changer de nature.

C'est l'aboutissement d'une volonté à la fois médicale, thérapeutique et philosophique de se détacher de certains impératifs biologiques, et d'en éviter les dangers. La séparation entre procréation et sexualité, déjà largement commencée au XXe siècle, ne fait que s'accentuer. »

Une telle avancée relative à la procréation de l'enfant dans un « utérus artificiel » assurant les multiples fonctions d'un utérus humain ne peut nous laisser indifférents d'un point de vue éthique, moral, et spirituel.

Sur le plan éthique, la dignité humaine doit être au cœur même de toute réflexion. L'argument de l'aide à la naissance en ayant recours à l'ectogenèse pose aussi le problème de la relation au corps humain : l'être humain, évoluant dans un utérus artificiel, est ici réduit à une matière connectée à une autre matière, c'est réduire le fœtus humain à la dimension de l'objet génétiquement manipulable, c'est aussi la possibilité d'avorter à tout moment un processus de développement, car l'enfant ne serait pas conforme aux attentes des géniteurs qui ont donné leurs semences afin d'engendrer la fécondation artificielle.

Sur le plan moral, l'ectogenèse pose le problème de la trajectoire d'un individu. Devrions-nous changer la trajectoire génétique et donc l'évolution de l'enfant et son rapport au vivant ? N'est-ce pas là une façon d'apprendre à l'enfant, d'être lui-même déconnecté du monde des êtres vivants en lui apprenant, dès sa gestation, l'apprentissage de la société cyborg ? **La science ne créerait-elle pas alors des orphelins en puissance, orphelins du vivant, des orphelins en mal d'identité biologique ? Ces enfants connectés ne seront reliés à nulle part, détachés à jamais de ce cordon biologique qui les unissait à un corps humain, celui de leur mère.**

Toujours sur un plan moral, c'est toute la construction psychique de l'enfant qui est posée, né hors du ventre de la mère, mais enfanté par la machine qui a été en quelque sorte sa matrice nourricière, qui lui a offert sa protection. L'ectogenèse pourrait être demain une fabrique de barbares, parce que cet enfant n'a pas appris ce qu'est être humain.

Sur le plan spirituel, il nous semble, à nous chrétiens, que Dieu, dans son immense sagesse, a pris soin d'offrir à l'enfant l'environnement du ventre d'une maman. Jésus lui-même a été conçu dans le ventre de sa mère. Mais tout ce monde technicien qui nie le rapport à la transcendance se développe de nos jours, se dessine en parallèle avec l'affaissement de la culture, le délitement des discours philosophiques ou religieux, qui racontaient à l'homme ses origines, son passé, sa filiation à une histoire, qui lui relataient qui il est – cette culture lui donnait du sens. Mais, d'un seul coup, la science vient saccager le rapport au spirituel : l'homme est issu d'une machine, débarrassé de toute antécédence. Le processus de fécondation dans le ventre de la mère est le principe même de la condition humaine, d'un donné de la nature. Or, le refus de la dimension de ce corps, enveloppé par l'utérus de la femme, ambitionne le devenir d'un individu finalement synthétique, fabriqué dans une clinique numérisant les corps à naitre.

Or, en 2016, ces dimensions éthiques, morales et spirituelles ont été percutées : les biologistes de l'Université de Cambridge ont annoncé être parvenus à cultiver des embryons humains jusqu'à un stade jamais atteint, soit treize jours de fécondation in vitro, laissant ainsi augurer, dans un proche avenir, des possibilités d'avancement vers une ectogenèse cette fois accomplie.

Pour Tugdual Derville, c'est « le déni spirituel qui fait voir l'homme comme une machine qui autorise de le traiter comme un objet ... »[155]
L'évolution du monde technique n'est ainsi ni plus ni moins qu'en train de modifier nos rapports à la vie, nos rapports à l'âme même de l'homme, à l'intime, à l'ensemble de nos émotions. Père, je me souviens de la naissance de notre fils, de l'étreinte lorsque la sage-femme m'a invité à le prendre dans mes bras, alors que les soins étaient donnés à mon épouse éprouvée mais tellement envahie par l'émotion et la joie maternelle.

---

[155] Tugdual Derville, *Le temps de l'homme pour une révolution de l'écologie humaine*, Plon, p. 237.

L'égalité forcenée qui conduit à « *la perte du pouvoir maternel* »

La révolution anthropologique qui s'inscrit dans une réinvention de la nature et dans ce projet d'ectogenèse concerne l'identité même de la femme, « *la perte du pouvoir maternel,* » comme l'écrit Laetitia Pouliquen.[156] Nous sommes dans des contextes d'évolution générale de la société où la femme, d'une manière générale, est incitée à devenir un homme comme les autres.

Les changements en cours, et notamment transhumanistes, peuvent s'associer à une évolution des marqueurs identitaires et engager un réajustement des équilibres biologiques, des différences entre l'homme et la femme.

Ainsi, le monde scientiste, numérique, le cyborg dans lequel nous avons basculé est de nature à muter le rapport au mystère et à l'altérité, en offrant à la femme de nouvelles perspectives, en la faisant évoluer dans une nouvelle dimension de transmutation, une nouvelle expérience de la matière autorisant la fécondation hors de l'utérus féminin.

Avec ce projet de fécondation hors de l'utérus féminin, il ne s'agit ni plus ni moins que :

- de modifier le corps de la femme,
- de prôner la liberté morphologique, de rendre la liberté à son corps,
- de dépasser, pour les transhumanistes, les mythes biologiques,
- d'enjamber les barrières biologiques de manière radicale,
- de donner enfin la possibilité à la femme de vivre une vie débarrassée des contraintes sociales.

---

[156] Laetitia Pouliquen, auteur du livre *Femme 2.0. Féminisme et transhumanisme, quel avenir pour la femme ?* Saint Léger Editions, 2 juin 2016.

L'appareil génital destiné à porter un enfant est finalement vu dans l'idéologie cyborg et chez les transhumanistes comme une forme d'assujettissement qui ne permet pas à la femme de vivre pleinement son projet social.

Cette idéologie de l'égalité absolue, libérée du prisme de la différence sexuée, des contraintes du corps de par les apports que lui offriront demain les évolutions de la science, pousseront la femme à être finalement n'importe quel homme où à n'être qu'un genre asexué. Cette dimension de la représentation de la femme, vécue dans cette perspective idéologique et scientifique, est de fait une inversion des représentations féministes passées ; elle ne conduit, ni plus ni moins, qu'à l'effacement même de la femme en termes d'identité. Pourtant, loin de l'esprit des auteurs de réduire la femme à un berceau, la femme est bien un berceau à bébés, mais ne laissons pas la machine détruire l'altérité et la singularité du corps qui enfante et constitue la première protection d'un être humain.

La nouvelle idéologie féministe, fondant en quelque sorte l'incitation de la femme à devenir n'importe quel homme, ôte finalement à la femme toute dimension touchant à son altérité, sa différence. Il en résulte alors pour la femme une perte de la complémentarité, une perte des fonctions qui permettent l'imbrication harmonieuse des identités quand elles évoluent dans la concordance. Une harmonie qui a été en effet pervertie depuis la chute de l'homme et de la femme, rendant parfois impossible cette complémentarité épanouissante.

Le péché, c'est-à-dire la séparation d'une relation vivante avec Dieu, a généré, comme l'écrivait le pape François, « *la méfiance et la division entre l'homme et la femme.* » Le rapport entre l'homme et la femme s'en est trouvé menacé par des abus réciproques, de l'outrance chez l'homme, de l'outrance également chez la femme, des rapports injustes et d'arrogance humiliante.

Les souffrances entre hommes et femmes ont jalonné l'histoire de l'humanité, les dérèglements liés à cette disharmonie de la conjugalité ont conduit parfois à de la révolte légitime et à l'émergence des courants féministes. Les identités fondées sur le socle de l'altérité ont été sérieusement affectées, malmenées, les femmes finalement revendiquant d'être traitées socialement comme égales des hommes.

Nous ne contestons pas le souhait social de la femme d'être traitée dans un rapport égal à l'homme, et notre réflexion ne réduit nullement la femme à l'utérus. Nous le répétons : la femme est socialement équivalente à l'homme. Notre analyse entend surtout mettre en lumière la perte de repères qui résultent de la complémentarité, en regard de la différence qui permet d'imbriquer les rapports harmonieux entre l'homme et la femme, et les faisant aboutir au projet de concevoir ensemble la vie.

Lorsqu'enfin nous parlons de complémentarité de la femme vis-à-vis de l'homme, l'auteur n'attribue pas à la femme un rôle inférieur à l'homme, nous sommes persuadés de l'équivalence complémentaire[157] des identités de l'homme et de la femme. Les textes bibliques le soulignent avec vigueur : l'homme et la femme sont à l'image et à la ressemblance de Dieu[158]. L'apôtre Paul, que l'on qualifie à tort de sexiste, en déclarant qu'en Christ il n'y a plus ni homme ni femme, n'a pas défendu l'égalité absolue, mais plutôt la nécessité qu'ensemble les rapports homme/femme s'harmonisent.

Tout notre propos dans ce texte est de souligner les rôles différents de l'homme et de la femme que ces derniers jouent en fécondant l'enfant à naître. Or, dans des contextes d'idéologies de recherche de l'égalité à tout prix et d'évolution des techniques, c'est l'identité même de la femme qui se trouve menacée.

Dans une interview, comme en prolongement de notre texte,[159] Marguerite Yourcenar[160] parle de la condition féminine et partage une

---

[157] Lorsque nous parlons d'équivalence complémentaire, nous mettons ici en évidence à la fois une identité égale et la singularité de l'homme et de la femme qui résulte fondamentalement de leurs différences biologiques et du rôle particulier qu'assume la femme dans la gestation de l'être humain : elle lui donne la vie, c'est bien la signification du mot *Ève* en hébreu.

[158] La Bible, premier livre, la Genèse, chapitre 1, verset 27.

[159] Interview de Marguerite Yourcenar. https://www.youtube.com/watch?v=F0N3EofaqkM.

[160] Marguerite Yourcenar (1903-1987), femme de lettres française naturalisée américaine en 1947, auteur de romans et de nouvelles « humanistes. »

lecture qui traduit une certaine distance avec certaines femmes de son temps. « *Celles qui n'aspirent qu'à être un homme comme les autres. Celles qui veulent à tout prix avaler leur café aux aurores avant de courir au bureau. Celles qui aspirent avidement aux succès d'argent et de domination. Celles qui rêvent des bons plaisirs que procure le carriérisme. Celles qui pensent, en définitif, que l'idéal masculin est le seul qui vaille pour idéal humain. Ce raccourci est du point de vue de Yourcenar une défaite épouvantable.* » Cette défaite épouvantable que décrit Marguerite Yourcenar, conduit inévitablement à l'acceptation des idéologies technicistes les plus barbares, comme pour mettre un point d'honneur et final à une revendication enfin obtenue.

« L'identité sexuelle est attaquée dans une approche matérialiste et technologique. »

Pour Leatitia Pouliquen, « il est intéressant à mentionner ... combien l'identité sexuelle est attaquée dans une approche matérialiste et technologique du corps de la personne humaine... »[161]
Comme s'il fallait réparer l'injustice sociale vécue par la femme qui, dans l'inconscient collectif, devient le terreau d'une technicité qui entend réparer la souffrance sexuée.

A nouveau, Leatitia Pouliquen rappelle que le concept de postgender a été bien exposé par le futuriste et éthicien canadien George Dvosky, dans un essai intitulé *Au-delà de la binarité de genre.* « *Celui-ci,* » rappelle l'auteur de *Femme 2.0,* affirme que « *le postgender est une extrapolation des moyens mis à disposition par la technologie pour éroder le rôle biologique, psychologique et social du genre, et développe une argumentation soutenant l'idée que cette érosion sera libératrice.* » Les promoteurs, militants du postgender, postulent, en effet, que le genre est une limitation arbitraire et inutile du genre humain, rien que cela !

---

[161] Citation extraite du livre de Laetitia Pouliquen, *Femme 2.0,* Saint Léger Éditions, page 89.

Si l'idéologie transhumaniste est d'imposer une refonte du corps biologique de l'être humain, autrement dit du genre, ce serait pire qu'une catastrophe écologique, ce serait un désastre pour la pérennité de l'espèce humaine en termes d'identité et de sens dans les rapports entre les hommes et les femmes. Le transhumanisme ne serait alors qu'une forme d'aliénation de l'être humain, une manière de déconstruire l'homme, un projet de déshumanisation. En outre, ce n'est pas réduire la femme à la maternité que d'affirmer que l'attaque transhumaniste contre la maternité vise en premier lieu la femme (puis, par elle, l'être humain à la fois dans sa singularité et sa complémentarité).

Or, nous savons du reste qu'il existe un lien indicible entre le fœtus et la mère, qui dépasse la dimension sensorielle, car pendant la grossesse la mère et l'enfant sont indissociablement reliés. L'enfant progressivement devient sensible à son environnement fœtal, et aux touchers de ses parents. Il interagit avec la mère.

L'utérus artificiel semble dès lors un non-sens, car il détruit le rapport à l'affectif, la proximité in utero n'est certainement pas absente de la complicité qui s'installe ensuite entre l'enfant et sa mère. Et comment ne pas aborder la transmission in utero entre la mère et l'enfant qui se déroule durant les neuf mois de grossesse ? A-t-on déjà tout découvert à ce sujet ? Ce fœtus s'éveille à la vie, car in utero il sent, il entend et il se familiarise avec ce monde qui va l'accueillir : il goûte les saveurs, il entend les battements du cœur de sa mère, il est littéralement conçu !

Pour les futurs parents, la « maturité » qui vient à l'issue de ces neuf mois, lors de l'arrivée de l'enfant, après avoir tourné autour de ce ventre comme on tourne autour d'un nouveau monde, semble être aussi une étape importante dans le fait de « devenir parents. » A-t-on seulement une idée de la construction sensorielle qui intervient durant ces neuf mois pour le futur développement moteur et cérébral de l'enfant à naître ? Sauter cette étape semble un crime en devenir pour l'enfant, contrôlé par des machines et des capteurs... Devra-t-il l'être toute sa vie ?

L'ectogenèse, le projet de l'utérus artificiel et l'avènement de l'enfant sans identité, sans filiation, la fin de la mère...

En 1982 est née Amandine, le premier enfant conçu par insémination in vitro. Comme nous l'indiquions précédemment, c'est l'ensemble d'un processus de procréation qui est en train d'être refondé sous nos yeux. Toutes les techniques et tous les processus de procréation, de transformation du corps humain ne sont pas sans poser des problèmes moraux fondamentaux.

Nonobstant et selon Ubs Scherber, directeur de recherche au centre cardiovasculaire suisse de l'hôpital universitaire de Berne, les études menées sur des enfants nés par fécondation in vitro montrent de subtils dysfonctionnements cardiovasculaires et métaboliques.[162] Il n'est pas inconcevable d'imaginer les perturbations métaboliques que pourraient alors engendrer la fécondation par ectogenèse.

Pour les tenants de l'évolution de l'espèce humaine, la nature est nécessairement changeante, et la transformation de l'espèce humaine est alors inéluctable, l'essence même de l'homme est d'évoluer, il peut être alors le maître de son évolution et devenir lui-même Dieu.

Il y a cette obsession faussement humaniste de diminuer, de réduire la douleur voire de l'éliminer, de conjurer le sort ou cette soi-disant malédiction du livre de la Genèse où Dieu déclare à la femme : « Tu enfanteras dans la douleur. » Par opposition au message biblique, l'humanité scientiste s'est mise en quête de contrecarrer la parole prononcée par Dieu, de réparer l'injustice – comment rendre alors l'accouchement moins douloureux, comment contrôler les anomalies génétiques, comment réguler les naissances pour pallier les problématiques démographiques, comment faire engendrer un être humain sans défaut, sans troubles, sans maladies.

---

[162] Notre commentaire est ici extrait de la lecture de la revue *Science et vie*, hors-série de septembre 2015, page 36.

Mais si l'ectogenèse devait aboutir, puisque des essais cliniques ont déjà été tentés sur des fœtus de chèvre au Japon, nous pouvons imaginer alors les bouleversements qu'engendrerait une telle démarche.

L'humanité, en franchissant le Rubicon que lui autoriserait le pouvoir prométhéen de la technique, serait tentée d'éliminer les faibles (ou ceux qui sont considérés comme tels, ce qui est déjà le cas aujourd'hui avec les avortements fortement conseillés dans certains cas de trisomie), d'effacer le sens même de la vie, de gommer la femme. L'ectogenèse serait d'une certaine manière une épée à double tranchant, libérant la femme certes, mais la dégradant, en ruinant son identité et son destin de mère, mais en altérant, en putréfiant le destin de l'enfant, lui faisant perdre le sens de sa filiation.

Au fond, le transhumanisme est une utopie suicidaire, une forme d'antiféminisme qui prône l'artificialisation de la procréation, en enlevant à la femme ce qui fait sa singularité, sa dimension sexuée. Quel avantage la femme pourrait-elle tirer d'être semblable à un homme ? Faut-il à ce point ressembler au masculin, alors que paradoxalement toute l'identité de la femme fut que l'on reconnaisse sa différence, et que l'on respecte cette différence, qui finalement a largement contribué à marquer la culture et l'épanouissement même de l'enfant ? Que serait enfin cet enfant sans la femme, si l'éducation de l'enfant est confiée à une nourrice cyborg ?

16

La famille, le changement de paradigme

Il est sans doute curieux d'aborder le thème de la famille dans ce livre. C'est bien parce que la famille est impactée par la technologie et l'économie numérique qu'il convenait d'aborder toutes les dimensions du changement qu'opèrent l'économie numérique et l'idéologie transhumaniste, à commencer par ce bouleversement des rapports aux autres. Le monde des réseaux sociaux atomise en réalité les relations, à commencer par la famille, ce monde des réseaux sociaux fabriquant en réalité l'être asocial. Parce que la socialisation d'un être s'inscrit dans ses rapports à la famille, qui est l'essence des premiers rapports au monde des vivants, il convenait d'appréhender les enjeux de ce siècle et l'impact sur la cellule familiale.

Tout a changé !

Le XXe siècle a **métamorphosé la famille**, le XXIe siècle nous prépare à d'autres chamboulements violents et à un changement radical de paradigme. Le changement de paradigme se définit ici, à la fois comme une révolution conceptuelle et comme un changement de modèle. La famille, par exemple, ne se définira pas au travers du seul lien de parenté et de l'adoption, c'est une révolution conceptuelle, le bricolage génétique de savants fous, sans doute marginal à ce jour, mais modifiant la dimension de la filiation, c'est un changement de modèle humain.

À la lecture de ce chapitre, souvenons-nous de cette citation que l'on prête à Saint Augustin pour comprendre les enjeux et les menaces qui se dessinent autour de la famille :

« À force de tout voir, on finit par tout supporter...
À force de tout supporter, on finit par tout tolérer...
À force de tout tolérer, on finit par tout accepter...
À force de tout accepter, on finit par tout approuver. »

Les facteurs de ce changement

La famille évolue :

- … dans des **contextes d'individualisation,** comprise comme une atomisation de la société, et de la cellule familiale, et ce mouvement tendra à s'accélérer à l'aune d'une société numérique, qui renforcera cette notion d'atomisation, via un dispositif de services qui nous rendra moins dépendant de la relation à l'autre.

- Les rapports sociaux tendent à se fragmenter, nous assistons à l'émergence d'un monde qui tend à aller vers le repli de soi, ou vers le chacun pour soi. L'individualisation correspond à une culture du choix, chacun affirmant pour lui-même son autonomie, sa capacité à savoir orienter sa vie sans devoir à l'autre, sans être épié, guetté, dévisagé et contraint, alors que paradoxalement nous avons accepté de l'être par le « big brother » numérique.

- Le jeu de l'ego, la vanité du reflet de soi trouve son point culminant, son apogée dans le monde des écrans, le lieu de l'univers numérique où s'affirme l'individualisme. L'individualisme qui se définit également comme la revendication explicite d'un culte pour soi, ni altruiste ni solidaire. C'est dans ces contextes que se développe la culture de l'économie numérique et des écrans qui tendent à construire une société de mosaïques en pièces détachées, des pièces humaines, artificiellement connectées les unes aux autres, mais non reliées.

Le délitement de la foi chrétienne, sa perte de prégnance sur les consciences accompagne ce changement − « ce qu'on peut appeler le mouvement de sécularisation de la société - contribue fortement à cette affirmation de l'autonomie individuelle. »[163]

La famille change :

---

[163] Citation extraite du journal *Le Monde* : http://www.lemonde.fr/idees/article/2009/04/24/l-individualisation-progresse-mais-pas-l-individualisme-par-pierre-brechon_1185004_3232.html.

- ... dans des **contextes anxiogènes** de transformation des environnements : climatiques, environnements sociaux, sociétaux, économiques, techniques et même culturels.
- Sur le plan climatique, et selon nos experts onusiens, la problématique du réchauffement résulterait principalement de la croissance démographique, en conséquence, des enfants à naître, autant de consommateurs-pollueurs en puissance. Ce qui induit un nécessaire contrôle actif des naissances, voire même la mise en œuvre d'un programme malthusien[164] à grande échelle, c'est-à-dire une limitation draconienne des naissances pour éviter les famines.

  « Si nous continuons dans cette voie, si nous ne faisons rien pour enrayer l'accroissement de la population, nous allons en payer le prix, nous allons nous retrouver dans un monde surpeuplé. La démographie a un impact sur le développement économique, sur l'environnement et sur les ressources de la terre qui sont limitées »[165] - Kofi Annan, Secrétaire général des Nations Unies de 1997 à 2006.
- Sur le plan social, la contraception moderne a libéré les choix de construction familiale.
- Les récentes lois sociétales ont permis de légaliser de nouvelles formes de conjugalités, engendrant une nouvelle donne concernant la définition attribuée jusqu'alors à la famille.
- Les environnements économiques caractérisés par l'instabilité, issus des crises monétaires, mais aussi de la frénésie consumériste, ont fragilisé la maille familiale, le monde consumériste a ainsi détricoté la famille, en favorisant la paupérisation, l'individualisation et l'atomisation des individus, en chamboulant les rapports à la valeur, confondant valeurs et veau d'or.

---

[164] Selon Malthus, économiste britannique (1766-1834), la croissance démographique est beaucoup plus rapide que la croissance de la production alimentaire, ce qui nécessite une limitation de la natalité pour éviter les famines dues à la surpopulation. Les néomalthusiens font de cette limitation des naissances un droit et un devoir humain.

[165] Citation extraite des archives du blogue *Les Echos* : http://archives.lesechos.fr/archives/cercle/2012/06/22/cercle_48209.htm.

- Dans les univers des innovations technologiques, les techniques de fécondation artificielle sont en train de créer de nouvelles façons de faire des enfants. Et ici, notre propos n'est pas d'évoquer la fécondation in vitro, mais d'évoquer l'ectogenèse, qui est une fécondation hors de l'utérus féminin, et dont les recherches techniques sont, bel et bien, engagées, puisqu'on est aujourd'hui capable de pousser la fécondation d'un embryon humain jusqu'à 13 jours. Ce record de 13 jours, vous l'imaginez bien, ne s'arrêtera pas là.
- Les environnements culturels où l'idolâtrie de l'image est en train d'aliéner le sens de l'autre, et congédie le rapport à l'autre dans une relation incarnée. Nous aimons souvent évoquer l'image de ces enfants et de leurs parents, rivés sur leurs écrans connectés au monde, mais non reliés à leur table, lorsque l'occasion leur est donnée de dîner ensemble.

La famille, 'donné' d'un ensemble : une rencontre d'un père et d'une mère

Dans nos représentations traditionnelles, l'ensemble familial est un donné de la nature même, d'une rencontre d'un couple sexué. Les parents conçoivent l'enfant, l'enfant est conçu de parents, pas l'un sans l'autre ! On « est » famille parce qu'on « naît » d'un ensemble constitué d'un père et d'une mère. La famille est chargée de mystère parce que c'est « là qu'on naît, » avant d'y grandir. Cette définition désigne la famille comme une matrice. D'une même chair, « de l'os de mes os et chair de ma chair » sortirait chacun de ses membres.

« L'os de mes os, chair de ma chair, » cette matrice familiale est aujourd'hui remise violemment en cause par l'idéologie transhumaniste qui rêve d'une conception hors du ventre de la mère.

La famille est également une communauté solidaire d'appartenance, composée de ceux qui consentiront des sacrifices, ses membres vont devoir m'aider sans réfléchir ni calculer. On s'y serre les coudes dans une chaîne d'unions réciproques. Cette communauté solidaire se vit souvent dans les familles africaines.

La famille dans tous ses états !

« La famille dans tous ses états » est une expression qui renvoie en réalité à plusieurs évocations possibles : le monde dans ses processus d'évolution et dans son histoire est en mouvement perpétuel, il réinvente la famille, mais le monde, au travers d'un changement de modèle et de redéfinition idéologique, est également en train de blesser la famille, en fragilisant ses socles de lectures concernant ses repères.

« La famille dans tous ses états » est certes une expression, mais reflète bien, de notre point de vue, une forme de mosaïque, dont les pièces sont fragmentées. La famille vit en effet aujourd'hui une forme d'ébullition, de bouillonnements, de tumultes des familles, dans les familles.

La famille est traversée par des zones de turbulences. L'expression « dans tous ses états » évoquerait également une forme d'agitation, voire même d'état de chocs.

Les zones de turbulences sont notamment soulignées par les vecteurs de socialisation qui au sein de la famille sont malmenés, maltraités à la fois par les idéologies en cours, le monde consumériste, les tendances à l'individualisation. Les dimensions de cette socialisation sont ainsi perturbées et n'autorisent pas de nos jours leur inscription dans une histoire, l'enracinement dans un passé et la projection dans un avenir.

La famille, cellule de base de la société, est en crise car elle est **LE** lieu, l'essence même de l'expression de la société ; si la famille est en crise, la société l'est aussi nécessairement, par symétrie.

La famille est ainsi le lieu d'expression et se décline en « macro » dans la société. C'est la cellule qui compose le corps tout entier. En tant que telle, elle est perméable aux fluctuations, aux crises, aux nouveaux systèmes, lieu d'expression, lieu de crise, elle ingère les coups parce qu'elle est le réceptacle des chocs de société – la souffrance familiale mal vécue se réplique à plus grande échelle comme une forme de métastase à l'ensemble de la société.

Les représentations que nous avions de la famille se modifient à l'époque d'une déconstruction de l'homme, traversée par des nouveaux courants idéologiques et transhumanistes qui visent à démanteler, modifier et augmenter l'homme.

Mais notre propos est aussi habité par des questions et des doutes, nous n'avons aucune prétention à vous partager des réponses tant les sujets peuvent faire débat.

La famille s'enferme-t-elle au travers d'un concept général et se définit-elle par la seule filiation, autrement dit par le lien de parenté ? La notion de famille fait-elle encore sens ? Qu'est-ce que la famille ? Existe-t-il une définition du mot famille ?

Ces questions que nous formulons, que je formule devrais-je dire, se seraient-elles posées il y a cinquante ans de cela ? La réponse est probablement non ! Mes grands-parents paysans auraient souri et m'auraient légitimement interpellé, me demandant si je ne m'étais pas égaré en faisant quelques nœuds à mon cerveau.

Aborder la famille dans tous ses états, c'est au fond appréhender l'expression dans toutes les formes de mutations qui traversent la société, les bouleversements, les transformations radicales qui parcourent le monde d'aujourd'hui. Y compris le changement de paradigme que provoquent les apprentis sorciers qui manipulent aujourd'hui le génome humain et qui mettront à mal la notion même de filiation, imposant une redéfinition génétique de l'ascendance dans une famille.

Des manipulations génétiques susceptibles de déconstruire le lien de parenté qui définit la famille

À propos des bouleversements vécus, nous évoquions au cours de notre préambule le changement de modèle concernant l'approche même que nous avions de la famille, définie par le lien de la parenté. Ce modèle familial est tout simplement en train de basculer.

C'est en effet la génétique qui brouille au début de ce XXIᵉ siècle, le destin de l'homme, mettant en œuvre un programme d'amélioration de l'espèce humaine. Ainsi, les bébés issus de plusieurs personnes, pour obtenir un être humain « génétiquement parfait » n'est plus discutable, le premier bébé, résultant d'une manipulation du génome de trois parents, est né au Mexique en mars 2016[166], l'enfant en bonne santé, est en effet né respectivement de la manipulation de leurs ADN.

Il s'agissait de transférer des matériaux génétiques du noyau pour éviter que la mère ne transmette à son enfant des gènes défectueux, une maladie neurologique progressive.

Imaginez que l'on vienne ajouter la gestation par autrui d'un quatrième parent dans la conception de l'enfant, ce qui aurait pu être le cas. Et si cela avait été envisagé, cela se serait traduit par une modification radicale de toute la conception que nous nous faisions jusqu'à aujourd'hui de l'homme. Ici nous parlons d'un homme finalement déconstruit, d'une famille déconstruite, par les effets de la science prométhéenne, confiée à des scientistes manipulant le sens de la fécondation et d'une rencontre sexuée.

Cette manipulation génétique, comme la gestation par autrui, est aussi une forme de gestation par abandon (la GPA). Ce remaniement génétique de la personne humaine provoque nécessairement un changement de modèle. La gestation par autrui impacte, sans aucun doute, le référentiel autour d'un patrimoine génétique d'un homme et d'une femme qui participait à la définition de la notion de famille.

Le fossé s'est dessiné entre la conception de la famille au début du XXᵉ siècle et celle qui émerge au début de ce XXIᵉ siècle.

Pour définir la famille, le plus souvent nous nous référons à elle. L'idée que nous nous faisons de la famille nous renvoie nécessairement à notre propre histoire, à notre propre référentiel culturel. Sans doute formons-nous nos propres représentations à travers le prisme de la société, c'est-à-dire l'idée même que la société se fait de la famille, la même société qui peut, par ailleurs, défaire l'approche de la famille qu'elle s'était jadis forgée.

---

[166]http://www.huffingtonpost.fr/2016/09/27/bebe-trois-parents-modifications-genetiques_n_12215738.html.

Dans ces contextes déclinés précédemment, ne vivons-nous pas finalement une forme de fossé entre la famille telle que nous la connaissions, il y a à peine cinquante ans de cela, et la famille qui se présente à nous aujourd'hui, finalement, une famille composite, recomposée, déconstruite, reconstruite :

- De forme classique : un père, une mère,
- Puis, les contingences sociales provoquant des déchirures, une mère seule, un père seul.
- Et les familles recomposées ? Avec papa et ses enfants, maman et ses enfants et les enfants que papa et maman ont eus ensemble !
- Puis, les idéologies montantes inventant de nouvelles familles, les nouvelles conjugalités qu'offre la nouvelle loi sociétale : le mariage pour tous.
- Puis, les inventions prométhéennes susceptibles d'engendrer de nouveaux types humains, dont les géniteurs sont multiples, cassant ainsi la notion de filiation qui fut l'essence et l'un des vecteurs de la dimension essentialiste de la famille.

La famille confrontée aux formes déstructurantes de la société libérale
Les formes déstructurantes de la société libérale ont considérablement métamorphosé la notion même de famille. L'histoire de la famille en quelques décennies a complétement évolué.

Aujourd'hui, l'essor considérable des foyers monoparentaux et l'augmentation des ruptures familiales et des remariages modifient profondément le paysage familial traditionnel. Vers la fin du XXe siècle, plus de deux millions d'enfants de moins de dix-neuf ans ne vivaient plus avec leurs deux parents biologiques, mais faisaient déjà partie des 600 000 familles recomposées ; depuis bientôt trois décennies, le nombre de familles monoparentales enregistre une croissance annuelle cinq fois plus rapide que celle des couples avec enfants.

En 2005 (l'INSEE ne communique pas de données plus récentes), 2,84 millions d'enfants de moins de 25 ans vivent dans une famille monoparentale. Les risques de rupture d'union croissent au fil des années[167] et conduisent à une réelle fragilisation du socle social.

L'émergence croissante des familles monoparentales ne préjuge ainsi en rien des difficultés majeures qu'elles génèrent, cela complexifie tout simplement les biographies familiales, le récit d'une vie à travers ses ancêtres, et rend plus opaques les origines, issues des unions.

Les contextes consuméristes : la famille ne fait plus sens pour la société

Au cours de quelques décennies, le lien familial a été fortement modifié par de profondes transformations sociales.

Les transformations sociales opérées depuis plusieurs décennies posent en réalité une problématique consumériste : celle de l'évolution marchande de la société. Cette évolution est poussée à son paroxysme, crée des dysfonctionnements bien réels qui poussent les hommes et les femmes au désir exacerbé de toujours consommer davantage. Nous ne consommons plus pour vivre, mais nous vivons pour consommer.

Nous avons cru à une nouvelle forme de libération, mais, en réalité, nous subissons le totalitarisme du marketing **qui est de nature à fragiliser la cellule familiale.**

Le système marchand aspire en effet à l'autonomie, et déconstruit la solidarité au sein même de la cellule familiale. Cela se traduit, par exemple, par l'individualisation des repas, au lieu d'un plat partagé en commun. Seules les règles du marché sont appelées à régner, et transforment cette liberté en addictions, en nouvelles servitudes, en dépendance à la consommation. La crise abyssale, qui est bien plus qu'une crise économique, devrait nous conduire à réfléchir et à reposer les fondements d'une existence qui ne soit pas fondée uniquement sur les seules règles du marché, bâtissant des miroirs aux alouettes.

A l'inverse, la déstructuration de la famille s'est enclenchée dès lors que les solidarités au sein du couple se sont trouvées affaiblies avec les évolutions sociales, le bonheur matérialiste, l'activité marchande et

---

[167] http://www.insee.fr/fr/themes/document.asp?ref_id=ip1195#inter2.

consumériste. La conjugaison de tous ces facteurs a effrité le lien familial, a distendu la réalité de l'amour qui consent une part de sacrifice.

La sexualité de même est aujourd'hui dévoyée de sa finalité, un projet qui devrait s'inscrire pour la vie afin de donner la vie. Force est de reconnaître que la sexualité est devenue objet de consommation et non l'aboutissement d'un projet amoureux, construit pour vivre ensemble et pour toujours. La sexualité devenue consommation, performance mène à de nombreux désastres, dégâts, ruptures, tensions, délitement du lien familial...

Dans cette époque transhumaniste, le sujet de la famille apparaît essentiel pour éviter de sombrer dans la société mortifère, consumériste et narcissique. Promouvons la famille. Elle est un refuge et le lieu de toutes les solidarités quand elle se vit dans l'unité. Puis l'Église locale peut aussi être le lieu communautaire et réparateur en l'absence de famille, ou lorsqu'on est confronté soi-même au choc de la séparation, de l'isolement.

L'enfant déstabilisé l'est souvent lors de la recomposition de sa famille, des divorces, des ruptures... La famille doit devenir, sans nul doute, l'objet de l'enseignement des Églises, en regard de sujets tout aussi passionnants, mais pas nécessairement primordiaux.

Le combat pour la famille est légitime !

Malgré l'ensemble des turbulences, de ces états déclinés précédemment, la famille reste un enjeu sociétal, or tout est fait pour la déconstruire. Ce combat pour la famille est légitime, et nous nous félicitons que beaucoup ne soient pas indifférents à ces enjeux, et choisissent d'en défendre les fondements, pour permettre à tout enfant, de connaître le même privilège d'avoir connu la figure paternelle et maternelle structurant son épanouissement.

Si nous devions vous interpeller et provoquer un échange interactif, nous pourrions également vous interroger et vous solliciter pour partager l'idée même que vous vous faites de la famille.

Mais si vous voulez bien, nous y reviendrons dans quelques lignes et vous donnerons une approche plutôt originale du mot famille, sans doute rarement partagée ou déclinée.

Mais une notion essentialiste de la famille vous interpellera sans doute. Cette notion nous semble riche, et à l'envers des concepts de la modernité qui entendent redéfinir la famille sous de nouveaux vocables.

Nous utilisons dans ce texte, le terme d'essentialiste, et ce terme mérite que l'on s'y attarde. L'essentialisme s'intéresse à l'essence — ce qui fait qu'un être « est ce qu'il est, » qu'une famille est ce qu'elle est — « par opposition aux contingences, que l'essentialisme, traditionnellement, nomme accidents, » dont l'absence ne remet pas en cause la nature ontologique de cet être, ne remet pas en cause également la nature même de la famille, qui est définie dès l'origine des temps par la parenté.

Ainsi, un homme perdrait-il l'usage d'un de ses sens – l'ouïe, l'audition –, à jamais handicapé, il restera par sa nature même un homme. Ainsi, la famille se définit par la parenté, le lien, la transmission, l'adoption, la solidarité, l'amour, et définit la communauté, ce que nous avons en commun issu de la relation entre deux être aimants.

La famille est ainsi une communauté de parents qui partagent solidairement une descendance commune ! Celle-ci, idéalement structurée dans la complémentarité d'un père et d'une mère, a vocation à engendrer, à donner la vie et à créer autour de leur couple une famille.

La famille : une mémoire du passé, l'expression de la solidarité, la continuité dans le temps !

Récemment le pape François alertait le monde et indiquait qu'un véritable combat contre la famille était en train d'être livré, qu'il convenait, dès lors, de défendre l'anthropologie biblique.

Il nous semble donc important de revenir à la source et de redécouvrir les merveilles des Écritures bibliques concernant la famille.

Nonobstant, nous avons cherché en hébreu le mot famille dans l'ancien testament, et nous ne l'avons pas trouvé. En revanche, le terme le plus approchant est celui de Maison ; *Bayith* en hébreu signifie la maisonnée, ceux qui vivent sous le même toit, et le mot *Bayith* vient de l'hébreu *Banah*. *Banah* signifie construire, former une maison, établir une famille. La première fois que l'on voit le mot *Banah,* c'est en Genèse 2:22, l'Éternel Dieu forma (*Banah*) une femme de la côte qu'il avait prise de l'homme, et il l'amena vers l'homme.

Je citerai Gérard Hoareau, de la Mission Vie et famille, qui commente le verset de Genèse 2:24 : « L'homme quittera son père et sa mère, s'attachera à sa femme et les deux deviendront une seule chair » : « Ainsi la famille est le lieu où passé, présent et avenir se croisent et s'entrecroisent, sans pour autant se confondre. Parce que les enfants sont liés à leurs parents, ils partagent une histoire commune avec eux. C'est ce que l'on peut appeler « la mémoire du passé. » Il y a donc aussi « continuité dans le temps, » par les générations qui se succèdent.
Nous retrouvons ainsi ces trois repères de l'enseignement biblique sur la famille :

La **mémoire du passé** : d'où je viens, et ce qui construit du sens en raison de mes racines, la généalogie, mes origines et ma filiation.
La **solidarité,** la dimension du partage : la famille est une communauté.
Et la **continuité dans le temp**s : la pérennisation de l'humanité et de notre propre humanité, à travers une descendance qui a reçu la vie et qui la transmet à son tour.

La révolution sociétale

17 Transhumanisme et révolution sociale

Raffaele Simone,[168] philosophe et linguiste, décrit dans son essai *Le Monstre doux* (2010) la société nouvelle, globalisée, dominée par ce que Tocqueville aurait pu appeler le totalitarisme suave.

À l'instar de l'essayiste et historien Tocqueville, qui prophétisait l'avènement possible d'un despotisme diffus, Raffaele Simone évoquait ainsi l'image d'un « Monstre doux. »

Le propos de Tocqueville, pour mémoire, rappelle l'événement d'une société doucereuse mais vampirisant et atomisant les individus que nous sommes : « *Je vois* [nous rappelle l'auteur de *Démocratie en Amérique*] *une foule innombrable d'hommes semblables et égaux qui tournent sans repos sur eux-mêmes pour se procurer de petits et vulgaires plaisirs, dont ils emplissent leur âme. Chacun d'eux, retiré à l'écart, est comme étranger à la destinée de tous les autres : ses enfants et ses amis particuliers forment pour lui toute l'espèce humaine...* »

Ce monde, que décrit Tocqueville, s'impose à la modernité, à travers trois commandements [que l'on pourrait opposer aux trois mots d'ordre de l'épitre de Jean, nous invitant à fuir la convoitise de la chair, la convoitise des yeux, et l'orgueil de la vie. »

L'apôtre Jean, en effet, avait écrit : « N'aimez point le monde, ni les choses qui sont dans le monde. Si quelqu'un aime le monde, l'amour du Père n'est point en lui ; car tout ce qui est dans le monde, la convoitise de la chair, la convoitise des yeux, et l'orgueil de la vie, ne vient point du Père, mais vient du monde. Et le monde passe, et sa

---

[168] Raffaele Simone est né en 1944. Il est linguiste, philosophe et auteur de plusieurs essais dont *Le Monstre doux*. Cet essai a inspiré notre propos comme celui de l'essayiste Tocqueville, par ailleurs.

convoitise aussi ; mais celui qui fait la volonté de Dieu demeure éternellement. » - 1 Jean 2 :15-17.

Comme par opposition à cette épitre de Jean, nous sommes au contraire conviés à consommer, à nous évader avec nos yeux dans les espaces immatériels, et à nous enorgueillir de notre apparence.

Le premier commandement est consommer : la convoitise de la chair. C'est la clef du système. Le premier devoir citoyen est le lèche-vitrine, l'argent facile ; nous préférons le gaspillage à l'épargne, l'achat à la sobriété, le maintien de son style de vie au respect de l'environnement.

Le deuxième commandement est le plaisir des yeux : se divertir dans le monde virtuel. Le travail est de plus en plus dévalorisé, le labeur devient secondaire dans l'empire du divertissement, et sous l'emprise d'une mécanisation totale de la société dans son ensemble qui soulage l'homme de l'asservissement de la terre, et de la sueur pour l'exploiter. Alors, le bonheur réside dans la consommation des écrans ; ces mêmes écrans qui libèrent l'esprit de l'ennui, de la solitude, gouvernent nos vies et rythment notre quotidien.

« Le troisième commandement, c'est le culte de l'orgueil de la vie, la beauté du corps et de l'apparence, » de la jouvence, de la jeunesse, de la vitalité. Ce culte de la jouvence se traduit également par l'infantilisation irrévocable des adultes que renvoie le monde, la publicité qui fixe l'image et finit par modéliser son empreinte dans les esprits. Ce « monstre doux » qui « *n'a ni corps, ni adresse postale,* » selon l'essayiste Raffaele Simone, se manifeste de mille manières, terrorise tous ceux qui ne sont pas dans la norme sociale, grossissent, se rident et vieillissent, complexe les gens naturellement enrobés, exclut les personnes âgées, condamne les enfants nés différents.

C'est dans ce contexte de divertissement et de monde désincarné qu'est en train de naître une nouvelle organisation sociale qui nous rendra *« étrangers à la destinée de l'autre. »*

Les scenarii du transhumanisme relativement à l'organisation sociale
Parce que les évolutions et les progrès techniques influent largement les organisations sociales, nous émettons l'hypothèse que les développements de la technique sont intriqués avec les modèles

philosophiques ou idéologiques, pensant, modélisant, façonnant la société.

Compte tenu des nouvelles évolutions techniques, nous ne sommes probablement pas loin d'une nouvelle bascule, d'un nouveau saut, qui verra l'émergence à terme de nouvelles orientations philosophiques, voire même métaphysiques, pour bâtir une nouvelle société, une nouvelle organisation sociale, afin de reculer les limites liées à la finitude de l'homme.

Cette bascule n'est probablement pas binaire, mais plurielle pour Serge Tisseron (psychiatre, docteur en psychologie, psychanalyste). « *Le monde a changé. Il n'est justement plus binaire, il est devenu multiple, et fondamentalement instable. Ce ne sont plus seulement les idéologies qui se succèdent à un rythme accéléré, ce sont les situations économiques, politiques et militaires. Les idéologies suivent, s'adaptent, se métissent. Ce ne sont plus elles, et les intellectuels qui prétendent en être les garants, qui impulsent les actions. Aujourd'hui, l'extrême fragmentation des rapports de force entre entité politique ou idéologique rend impossible la délimitation d'affrontements entre des forces clairement identifiées et circonscrites.* »[169]

En même temps, un grand nombre de problèmes nouveaux surgissent du fait des progrès techniques qui évoluent à une vitesse exponentielle. L'atomisation des rapports de force et le métissage des idéologies sont d'abord à envisager comme un effet des bouleversements technologiques, de leur intrication croissante et des nouveaux paysages économiques et politiques qui en surgissent.

Le monde numérique nous fait, d'ores et déjà, entrer dans l'ère du savoir absolu, des relations désincarnées et virtuelles. Les systèmes techniques modifient le paysage industriel avec les développements de l'économie virtuelle et de l'industrie robotique. Nous entrons également dans les économies horizontales, collaboratives et

---

[169] Extrait de l'article du *Monde* du 6 octobre 2015 à 18h38, mis à jour le 9 octobre 2015 à 12h27 par Serge Tisseron (psychiatre, docteur en psychologie, psychanalyste) : https://www.lemonde.fr/idees/article/2015/10/06/les-intellectuels-d-aujourd-hui-ont-perdu-toute-prise-sur-notre-epoque_4783739_3232.html.

participatives, d'une croissance du télétravail, et d'échanges numériques interactifs.

De fait, nous pouvons imaginer demain comme scenarii possibles :

- Soit des systèmes où la puissance, à la fois matérialiste et technique, domine, engendrant l'horizontalité immanente, y compris religieuse, sans transcendance, sans Dieu, un monde social virtuel.

- Soit une société dominée par les seules dimensions numériques, également envahie par l'univers robotique, le transhumanisme dans ses dimensions biologiques d'amélioration de l'homme conduisant à une société de confort.

- Soit, inversement, l'envie d'un monde réel, qui ne rejette pas nécessairement le progrès, mais un monde réel fait d'incarnations dans les relations à l'autre, afin de dépasser l'horizontalité promise, pour aspirer à la dimension de la transcendance en n'étant :
  - ni corvéable à la technologie,
  - ni déraciné du réel et de notre envie de convivialité incarnée.

Une humanité à la recherche de sens et d'éternité...

L'histoire des sciences et des techniques est étroitement liée à celles des organisations sociales. De la sorte, la Rome Antique a assuré sa domination en raison de ses capacités technologiques, comme le démontre l'ingénierie civile de l'empire Romain, qui sans conteste a marqué l'histoire et probablement influencé son organisation sociale et politique.

Il n'échappera, dès lors, à aucun d'entre nous que les relations « techniques » et « organisations sociales » s'influent réciproquement, et que cette tendance s'amplifiera et augmentera de par les évolutions techniques connues depuis des siècles qui ont contribué, marqué, façonné la vie sociale.

Compte tenu des progrès techniques qui ont conduit à des changements de paradigmes avec les différentes révolutions industrielles, connues d'ailleurs dans toutes les sphères économiques, il s'agit de s'interroger sur les tendances de fond liées aux avancées des progrès de la technicité dans notre monde contemporain, de l'influence quasi-parallèle des idéologies qui ont également accompagné les avancées scientifiques, aspirant à construire de nouveaux mondes, ou pire, une nouvelle « *race d'hommes.* »

En regard de l'émergence d'une mondialisation accélérée et associée à l'accès de tous aux nouvelles technologies issues du monde numérique, il est sans doute utile de s'interroger sur les nouvelles aspirations d'une humanité à la recherche de sens, confrontée à sa fragilité, associée aux crises majeures qu'elle traverse (migrations, économie, terrorisme, climats…). La tentation aujourd'hui pour l'homme est de se tourner activement vers des solutions drastiques, pour assurer la pérennité de l'espèce humaine, pallier les risques qui touchent à sa vulnérabilité, et engager un processus de dépassement de lui-même.

Les lames de fond sociétales et transformations amenées par la modernité et l'évolution technique

L'évolution technique s'inscrit dans un processus bien plus large que le seul aspect associé à des solutions de services facilitant de façon efficiente le quotidien social. Le processus d'innovation est certes technique, mais il relève de dimensions qui vont influencer la vie sociale.

Face à des solutions souvent innovatrices, mais forcément limitatives, d'autres aspirent à des rêves démiurgiques et quelquefois radicaux de sauts technologiques, de transformation de l'espèce humaine en optant pour des solutions qui toucheront la génétique et l'économique. Le rêve disruptif d'une humanité augmentée ou améliorée est sous-jacent.

Ainsi, le monde entre dans une nouvelle révolution industrielle qui ne relève plus des fantasmes des alchimistes du Moyen Âge ou des mythologies extravagantes de l'Antiquité. La réalité de la sophistication des nouvelles technologies est en train de rattraper la science-fiction, de ringardiser les films dits d'anticipation.

À terme, transformer la matière, modifier l'espèce humaine, corriger l'ADN, modéliser le cerveau humain, rendre la substance des composants informatiques pensante, fusionner l'intelligence humaine avec celle des machines, comme l'anticipait le film Chappie de Neill Blomkamp,[170] sorti en 2015.

Notre propos vise donc à nous interroger, à la fois, sur les tendances lames de fond qui concernent les évolutions ou les révolutions technologiques dont nous sommes les témoins, tout comme leurs rapprochements avec de nouvelles idéologies économiques ou politiques, dont les aspirations influeront nécessairement les organisations sociales, de moins en moins verticales, de plus en plus horizontales. Ainsi, le monde numérique a suscité un foisonnement de services dont les dimensions participatives et collaboratives sont devenues prégnantes.

De facto, notre propos, liminaire et introductif, est de questionner l'avenir et d'imaginer un scenario ou des scenarii possibles, où peuvent se conjuguer, idéologies, organisations sociales et monde technique.
Notre souci est ici de poser une lecture critique, au sens d'une lecture réflexive sur les organisations ou les incidences des aspirations idéologiques, promues par les militants d'un monde nouveau, annoncé comme une hypothèse.

---

[170] Chappie de Neill Blomkamp. Dans un futur proche, la population, opprimée par une police entièrement robotisée, commence à se rebeller. Chappie, l'un de ces droïdes policiers, est kidnappé. Reprogrammé, il devient le premier robot capable de penser et ressentir par lui-même.

Les développements de la modernité et les idéologies sous-tendues promettant un nouvel âge pour l'humanité

Relativement à la vie sociale, l'histoire industrielle rapporte, sur le plan des mœurs, les transformations radicales qui, à partir de la fin du XVIIIᵉ et du début du XIXᵉ siècles, ont impacté nos sociétés.

Les transformations industrielles sont aussi sujettes à des développements de pensées idéologiques, accompagnant les conquêtes de l'industrie et leurs impacts sur les pratiques sociales, sur les rapports entre les hommes. Pensons à Saint Simon[171] ou à Karl Marx qui, en quelque sorte, ont idéologisé le progrès et ont construit une philosophie sociale en relation avec les modes de production, interagissant avec les mœurs et les institutions.

Le philosophe Saint Simon (1760-1825) est décrit comme s'inscrivant comme une forme de théoricien de la transition sociale. Dans une époque de révolution industrielle, Saint Simon considérait la Révolution française comme inachevée et non adaptée aux évolutions du monde industriel.

Sa pensée est ici extrêmement intéressante. Saint Simon entendait ainsi construire le changement social et remettre, selon lui, la « *société à l'endroit,* » l'enjeu n'étant pas, selon lui, « *de remplacer des hommes par d'autres hommes,* » en occupant des positions dans une structure qui demeurerait immuable. *« Il fallait un système »* pour remplacer *un « système »* jugé ancien ou inachevé. Il nous semble que ce type d'idéologies est aujourd'hui sous-jacent au sein de notre société contemporaine, traversée par des sauts technologiques qui nécessitent de repenser différemment les systèmes « anciens » régissant, codifiant quelquefois les mœurs, les institutions, les mondes des relations économiques.

En quelque sorte, nous posons le postulat qu'immanquablement il existe une corrélation entre les développements de la modernité, associés aux progrès de la technique et les idéologies progressistes qui

---

[171] Saint Simon (1760-1825), philosophe, économiste, penseur de la société industrielle. Sa pensée a largement contribué à valoriser le travail des scientifiques.

pensent le monde, les mœurs qu'elles engendrent découlant des progrès techniques.

N'est-ce pas Descartes qui, d'une certaine façon, faisait l'éloge des mathématiques et de leurs contributions à diminuer la pénibilité ? *« Les mathématiques ont des inventions très subtiles, et qui peuvent beaucoup servir, tant à contenter les curieux, qu'à faciliter tous les arts, et diminuer le travail des hommes. »*[172] En citant Descartes, nous pensons aujourd'hui à la puissance des algorithmes et l'émergence de l'économie numérique qui vient impacter de nouvelles façons d'entrevoir des solutions de services concourant à faciliter le quotidien. Le monde est en train de se réinventer sous nos yeux avec une accélération que l'on a peine à imaginer.
Citons cet article de George Dvorsky[173] qui mentionne le futurologue Ramez Naam. Ce dernier souligne que nous devons être conscients du potentiel de « chômage technologique. » *« Il le décrit comme le chômage créé par le déploiement de la technologie qui peut remplacer le travail humain. »*

En posant, en outre, ce postulat d'une interaction entre les mutations traversées par les mondes industriels, les mondes numériques et les évolutions idéologiques, nous pensons (cf. Chapitre 27, L'avènement de la « singularité » technologique) de nouveau à ce grand penseur Jacques Ellul, théologien visionnaire qui, avec une grande acuité, dans un ouvrage qui reste la référence (*La technique ou l'enjeu du siècle*) perçoit les développements de l'ère technique dans toutes ses dimensions, matérielles ou immatérielles, de ses connexions avec la vie sociale.

Pour Jacques Ellul, la technique a un rapport « intime » avec l'univers de la rationalité : c'est la recherche de l'efficience, du moyen le plus efficace dans tous les domaines. Le développement de l'efficience et de la rationalité techniques s'exprime donc autant dans le domaine

---

[172] Extrait du *Discours de la méthode* de René Descartes (1596-1650), mathématicien, physicien et philosophe. Un des pères de la philosophie moderne.
[173] Vous trouverez l'article de George Dvorsky en consultant le lien http://www.gizmodo.co.uk/2016/03/20-crucial-terms-every-21st-century-futurist-should-know/.

matériel que dans l'immatériel, en particulier dans le domaine de l'organisation sociale et relationnelle.

De fait, il nous semble qu'inévitablement le monde contemporain, pétri par la technicité, verra son organisation sociale, intriquée par l'émergence de nouvelles approches, structurer de nouvelles croyances, organiser de nouvelles avancées concernant la vie en société.

Ce monde favorisera l'éclosion de mœurs nouvelles, de nouvelles pratiques de vie en société, régies par les codes et les normes suscités et encouragés par les idéologies progressistes, fabriquées par les penseurs – ces futurs penseurs qui seront conquis par les mutations et les perspectives offertes par les innovations technologiques et les révolutions industrielles induites, comme l'augure, par ailleurs, le livre de Luc Ferry, La révolution transhumaniste[174] qui souligne la dimension servicielle et collaborative que prépare la révolution du Web, en introduisant l'intelligence collective, une nouvelle façon de vivre le rapport à l'économie, mais également les coopérations et les rapports aux autres.

Ainsi, nous assistons à la transformation inéluctable de notre société qui poursuit une course effrénée vers un monde absolument dominé par la technicité, et en parallèle, une forme de dématérialisation des moyens d'échanges, des moyens d'échanges économiques, des moyens d'échanges relationnels.

Le monde entre dans une nouvelle ère, une nouvelle étape, à la fois virtuelle et désincarnée. Nous sommes passés ainsi d'un monde tangible à l'intangible, du réel au virtuel, de la matière au numérique ; sans doute demain, une autre étape commencera.

Notre monde contemporain en quelques décennies a été ainsi traversé par une série de mutations sans précédent, qui affectent en grande partie toute l'organisation sociale des communautés humaines. En grande partie, la révolution technique vécue depuis la fin du XXe siècle

---

[174] Ferry, Luc. *La révolution transhumaniste*. Plon, 2016.

et au début du XXIᵉ siècle se caractérise par la révolution numérique, qui incontestablement impacte les rapports, les relations, en transformant également et radicalement la gouvernance des sociétés, des communautés, des entreprises et des hommes.

Force est, dès lors, de constater le poids de la technicité qui envahit toutes les sphères, toutes les dimensions de la vie humaine dans toutes ses composantes économiques, culturelles et sociétales.

La technicisation de la société envahit le quotidien par l'abondance des outils numériques et par les transformations opérées par toutes les recherches concernant les sciences de l'information, les sciences neurocognitives, qui constituent une forme de révolution, de changement de paradigme qui progresse inexorablement, aboutissant à l'émergence de technologies toujours plus performantes, toujours plus efficientes.

Le manifeste transhumaniste et ses perspectives

Sur le plan philosophique, le mouvement *transhumaniste* s'est constitué en association mondiale et a rédigé une déclaration en 1999[175] (*Transhumanist Declaration*). Il s'agit d'un manifeste qui proclame *« le droit naturel, pour ceux qui le désirent, de se servir de la technologie pour accroître leurs capacités physiques, mentales ou reproductives et d'être davantage maîtres de leur propre vie. »*
Le manifeste transhumaniste s'adosse à une nouvelle conception anthropologique. L'article 4 du manifeste stipule : *« Nous souhaitons nous épanouir en transcendant nos limites biologiques actuelles. »*[176]
Puis un autre article du manifeste souligne ce point : « Nous promouvons la liberté morphologique – le droit de modifier et d'améliorer son corps, sa cognition et ses émotions. Cette liberté inclut le droit d'utiliser ou de ne pas utiliser des techniques et technologies

---

[175] http://www.transhumanism.org/index.php/WTA/more/148/.
[176] https://iatranshumanisme.com/a-propos/transhumanisme/la-declaration-transhumaniste/.

pour prolonger la vie, la préservation de soi-même grâce à la cryogénisation, le téléchargement et d'autres moyens, et de pouvoir choisir de futures modifications et améliorations. »

L'enjeu du transhumanisme est donc bien la volonté d'idéaliser, d'augmenter l'homme, de modifier le génome humain. La conception transhumaniste vise l'amélioration du genre humain, une amélioration du genre humain qui passe par la technique.

Comme nous l'indiquions en préambule, lorsque nous soulignons l'intrication des révolutions industrielles et des idéologies, nécessairement, le mouvement transhumaniste commandera l'évolution d'une nouvelle organisation sociale sous-jacente à cette nouvelle révolution industrielle.

Cette conception de l'homme, de notre point de vue, interroge de conflits possibles avec des approches théologiques qui conçoivent l'homme dans l'acceptation de sa fragilité et de sa vulnérabilité, transcendant sa condition dans l'espérance de sa seule régénération dans le salut, son salut spirituel et également la rédemption du corps.

Nous assistons, sous nos yeux et sans doute, à l'émergence d'une nouvelle religion, prônant une forme de désincarnation des relations et des échanges, pour aboutir à l'émergence d'un monde virtuel, déconnecté d'un rapport au réel.

Et en s'appuyant sur la modélisation informatique, offrant de nouveaux moyens d'étudier le fonctionnement de l'esprit, et approchant une puissance de calcul et d'auto apprentissage, avec ce rêve, quasi-démiurgique, de conférer à cette puissance de calcul une conscience, nous percevons là le défi transhumaniste, qui est de conférer à l'homme d'être sa propre transcendance.

18

Vers une nouvelle organisation sociale

De la loi à la norme, la technicité qui est au service de l'organisation rationnelle

D'un côté, le monde numérique, le monde des écrans exerce une influence négative sur les jeunes enfants, de l'autre, ce même monde numérique exerce une influence considérable dans l'organisation sociale.

De nombreux penseurs, philosophes, politiques, mais également chrétiens engagés dans la vie de la cité, ont pris conscience d'un changement complet qui touche aujourd'hui à l'organisation de nos sociétés. Si hier les institutions étaient marquées par le caractère moral et disciplinaire, la société de nos jours évolue vers une dimension particulièrement normative, codifiant et contrôlant les comportements. Ce serait ainsi une tendance de fond qui caractériserait la façon dont le monde tendrait aujourd'hui à s'organiser. Une organisation sociale, dont la technicité numérique pourrait être à terme l'arme fatale, l'instrument délibérément choisi pour contrôler l'ensemble de l'appareil social et sociétal.

Après un basculement des valeurs, qui remet en question la vision traditionnelle d'une société marquée par une forme de responsabilité de soi, de discipline (l'armée et jadis le service national) et de morale (religion), la société dérive vers une volonté idéologique, dont la finalité est de construire, avec la fin ou le délitement des « institutions, » un nouveau modèle sociétal. Il s'agit de refonder l'homme autour de nouvelles représentations technicistes, progressistes, de nouvelles normes et de nouvelles valeurs de l'idéologie contemporaine, visant à arracher l'homme de stéréotypes culturels et issus de la religion judéo-chrétienne.

Il y a, en outre, ce besoin prégnant d'organiser le monde dans lequel nous évoluons, par la norme et la « raison purement instrumentale » subordonnées à des fins de domination, et non par la relation et l'intelligence.

Nous assistons d'ailleurs à une accélération sans précédent de la technicité numérique, qui est au service de l'organisation rationnelle, pour gérer un monde de plus en plus sophistiqué, complexe et fragile. Il s'agit, dans cette société numérique et ce monde virtuel, d'amener les hommes à être rivés sur les écrans, et à ne dépendre que d'une vie, sans souffle, sans vie, dont le substitut est devenu un monde de connexions. L'humanité a ainsi à son service une science et une technologie, aptes à répondre à ses appétits de connaissance, de bien-être, de gestion du quotidien et de savoir, mais une technologie puissante, et de plus en plus intrusive, qui peut desservir demain, notre libre arbitre, notre liberté de conscience, notre liberté de mouvements.

Même de nos jours les algorithmes interviennent pour déterminer, notamment dans les grandes villes, les établissements des futurs lycéens et collégiens, les familles s'en remettent aux algorithmes pour déterminer l'affectation choisie pour leurs chères têtes blondes. Nous lisions ainsi sur le site de l'académie de Reims que pour aider au travail de classement des commissions préparatoires à l'affectation, un outil informatisé (AFFELNET)[177] était dorénavant utilisé. Il permettrait de classer les élèves... il est précisé *« selon leurs vœux, »* mais gageons qu'à terme ce terme « vœux, » finalement très humain, finira bien par disparaître.

Le posthumanisme se dessine ainsi, et dans cet effet de bascule d'une nouvelle humanité, la vulnérabilité de l'homme sera largement compensée par un appareillage technologique, qui augmentera ses limites, afin de corriger le droit à l'erreur, le libre arbitre, la faiblesse, au risque de n'être plus qu'un homme déshumanisé, car des implants auront relayé ses insuffisances.

---

[177] http://www.ac-reims.fr/cid76345/apres-troisieme.html.

Nous glissons ainsi, subrepticement, vers une société qui ressemblerait à l'organisation de Babel, un monde d'uniformisation, visant à mener les hommes vers une « nouvelle conscience universelle, » expression que j'emprunte ici au théologien Philippe Plet.[178]

L'essayiste Jacques Attali ne dit d'ailleurs pas autre chose à propos de cette « nouvelle conscience universelle, » dans un article publié sur le blogue State.fr : « *Après avoir connu d'innombrables formes d'organisations sociales, dont la famille nucléaire n'est qu'un des avatars les plus récents, et tout aussi provisoire que ceux qui l'ont précédé, nous allons lentement vers une humanité unisexe, où les hommes et les femmes seront égaux sur tous les plans, y compris celui de la procréation, qui ne sera plus le privilège, ou le fardeau, des femmes.* » Une société unisexe, qui revendique finalement l'interchangeabilité, les femmes et les hommes seront égaux sur tous les plans, c'est bien sur ce point que l'on parle de « nouvelle conscience universelle, » une remise en cause de l'altérité, de la différence des complémentarités des hommes et des femmes.

Repenser l'organisation sociale et sociétale

Or, pour mener les hommes à cette nouvelle conscience universelle et citoyenne, dont l'écologie est l'un de ses aspects, en regard des problématiques mutantes du climat, qui vient impacter l'ensemble des continents, il faut bien repenser l'organisation sociale et sociétale.

Outre la problématique touchant aux bouleversements écologiques, d'autres mutations sont en cours comme :

- les valeurs d'égalitarisme, de libéralisme moral, de relativisme et d'interchangeabilité sont en vogue ;
- le projet également d'une éviction de toute forme de transcendance, l'homme devenant son propre maître, son propre Dieu ;
- le processus engagé pour arracher de la mémoire de l'humanité le souvenir des lois divines, transmises via la Thora et l'Évangile ;

---

[178] Philippe Plet, *Babel et le culte du bonheur*, éditions Sator, août 2012, 232 pages.

- L'évacuation du « droit naturel » dans le positivisme juridique moderne, car il est aujourd'hui difficile de se référer directement à la révélation et à la transcendance, mais le droit naturel en était l'équivalent sur le plan métaphysique.

Dans de tels contextes, il est impérieux pour la nouvelle idéologie transhumaniste, **dont le rêve utopique est de refonder l'homme,** de se conformer, de conduire les hommes à adhérer aux nouvelles représentations, ce qui passe, bien entendu, par de nouveaux programmes d'éducation, mais également par :

- cette société des médias qui s'emploie à formater et conditionner les esprits,
- cette société du divertissement qui lobotomise la faculté de penser,
- cette société, qui devient infiniment sécuritaire, et qui glisse vers la surveillance des citoyens, sous prétexte de garantir leurs libertés.

Sur ce dernier point, soulignant l'aspect sécuritaire vers lequel tend la société, force est d'observer sa dimension anxiogène dans son ensemble, du trouble causé par les attentats terroristes qui ont ensanglanté le pays (le 7 janvier 2015, l'attentat meurtrier contre la revue Charlie et le magasin fréquenté et géré par des personnes de confession juive, puis le Bataclan le 13 novembre 2015). Ce climat d'insécurité précipite ainsi l'État, en appui de sa volonté de légiférer, puis d'organiser les moyens de surveillance de ses citoyens, moyens de surveillance sans précédent, pour anticiper d'autres risques terroristes (moyens qu'un rapport de 2013 de la CNIL[179] dénonçait déjà comme relevant de la surveillance massive des citoyens).

Nous nous interrogeons sur le fait de savoir si l'appel à la sécurité n'est pas un simple prétexte, pour instaurer une société de surveillance, qui de toute façon était programmée de manière latente, bien avant les attentats terroristes.

---

[179] Jenna Mir, « Dans son rapport 2013, la CNIL dénonce la surveillance massive des citoyens ». *Le Monde Informatique*, 20 mai 2014. https://www.lemondeinformatique.fr/actualites/lire-dans-son-rapport-2013-la-cnil-denonce-la-surveillance-massive-des-citoyens-57525.html.

Une nouvelle dialectique du sens donné au mot liberté

Or, nous observons à ce jour une nouvelle évolution de la dialectique du sens donné aux mots mêmes.

Ainsi, le mot liberté, aujourd'hui, ne se définit plus comme le seul exercice en conscience de sa propre volonté. Nous assistons à une forme de mutation du mot liberté, une transformation radicale du sens, qui était jusque-là conféré au mot liberté à laquelle l'on attachait :

- l'expression,
- la conscience,
- l'action,
- le mouvement.

Aujourd'hui, la sécurité est promue comme la première des « *libertés,* » ce qui constitue bien un changement de paradigme.

La notion même de liberté s'est muée, s'est adossée à toutes ces notions associées à des événements anxiogènes qui troublent de nos jours la modernité de notre époque, la sécurité des personnes, la sécurité sanitaire et alimentaire, l'ordre public.

Rappelons, comme le mentionne explicitement la Déclaration des droits de l'homme de 1789, à l'instar de ces textes, que la « liberté consiste à pouvoir faire tout ce qui ne nuit pas à autrui » (art. 4 de la Déclaration des droits de l'homme), ce qui implique la possibilité de « faire tout ce qui n'est point interdit, comme ne pas faire ce qui n'est point obligatoire » (art. 5), la « liberté de dire ou de faire ce qui n'est pas contraire à l'ordre public ou à la morale publique. »

Ainsi, la sécurité ne saurait constituer un principe général du droit. Dans les textes du droit français comme européen, il s'agissait, au contraire, non d'annoncer le droit à la sécurité, mais de souligner de manière intangible, le droit pour chaque citoyen à la sûreté, de garantir sa protection contre l'intrusion du pouvoir, l'ingérence ou l'arbitraire, ou demain, de la police de la pensée.

Un être autonome plutôt qu'un être libre

Dans la logique d'une conception matérialiste touchant à l'homme, le terme liberté pourrait à terme être assimilé à une conception de l'ancien monde, il est fort à parier que le terme en vogue sera demain celui d'être autonome. Au fond, l'autonomie dans cette logique matérialiste serait celle de l'électron libre, un être prêt à créer ses propres normes, ses propres lois, son propre mouvement, tout en appartenant à une organisation globale, dont il aurait l'illusion de s'échapper et de choisir, comme il l'entend, ses références. Toutefois, cette autonomie ne sera qu'apparente, car le mouvement de l'électron libre sera codifié, normé, il aura l'illusion du choix, mais évoluera dans un système où il deviendra un sujet, une parcelle à la fois atomisée et formatée. De fait, toute avancée dans l'autonomie ne pourra évoluer, paradoxalement, que dans la dépendance.

L'univers de l'autonomie serait astreint à dépendre, paradoxalement, d'un système, dont il n'échapperait pas, un sujet « *libre,* » corvéable d'un monde sans limites, et pourtant assujetti à des normes qui lui seraient imposées.

Vers une société de surveillance

Au cours du XVIIIe siècle, le philosophe anglais Jeremy Bentham s'est approprié le thème de la surveillance. En consacrant sa réflexion sur la dimension de la surveillance, le philosophe s'improvise architecte et conçoit les plans d'une prison idéale. Le but de Jérémy Bentham, via un nouveau modèle de prison, fut de concevoir un bâtiment qui devait influer sur le comportement des prisonniers, et d'optimiser les conditions d'une surveillance, absolue et intrusive, des personnes incarcérées.

Cette approche de la surveillance suscita plus tard chez un autre philosophe, Michel Foucault, une réflexion sur les développements du concept de surveillance. Dès 1975, Michel Foucault, dans son livre

Surveiller et punir,[180] partage l'intuition du pouvoir que donne la technologie. Le philosophe entrevoit ainsi avec clairvoyance les modalités sans pareil que la technologie peut décliner, via des dispositifs de surveillance de plus en plus performants qui seront susceptibles d'être mis en œuvre de manière totalement efficiente.

Si l'auteur de ce chapitre ne partage pas toutes les conceptions philosophiques avancées par le philosophe, force est de reconnaître que l'intuition d'une société hyper technique en dérive et fondée sur le contrôle de ses citoyens se dessine. En ce sens Michel Foucault avait raison, comme, bien avant lui, Georges Orwell, l'avait également pressenti en écrivant son fameux livre *1984*.

Pour revenir au livre *Surveiller et punir*, ne voit-on pas ainsi la vision du philosophe Michel Foucault se dessiner chaque jour de façon tangible ? Des milliards d'êtres humains sont aujourd'hui connectés à Internet, et des centaines de millions, connectés à des réseaux sociaux. Les fichages numériques sont rendus possibles, et les garanties données par les opérateurs Internet seront soumises aux évolutions d'une loi de plus en plus sécuritaire. Des dispositifs technologiques se mettent en place qui ne se réduisent pas à l'usage d'Internet (les cartes à puces, la biotechnologie, tous les produits numériques qui sont susceptibles dès aujourd'hui et demain de tracer les individus), et qui nous rapprochent de l'aspiration sécuritaire des sociétés modernes, de l'Angsoc que décrit Georges Orwell dans son livre *1984*.

Nous pressentons la force de cette société technique, dont la puissance s'appuiera sur le développement des data sciences, de l'analytique prédictive, l'augmentation de l'intelligence, embarquée dans un nombre croissant d'objets, eux-mêmes connectés, la personnalisation de plus en plus grande des biens et des services, identifiant les particularismes des profils consommateurs, les caractéristiques qui font leur ADN, les bulles algorithmiques, de plus en plus adaptées aux personnalités, un monde de plus en plus serviciel, mais dont nous finirons par devenir les purs produits, alors que nous étions appelés à

---

[180] Michel Foucault, *Surveiller et punir*, Paris, Gallimard, 1975.

dominer la matière, mais non à lui être soumis. Or, c'est bien là la tendance qui émerge dans la société.

Là encore, nous citons Jacques Ellul : « La mort, la procréation, la naissance, l'habitat sont soumis à la rationalisation comme étant le dernier stade de la chaîne sans fin industrielle... ce qui semblerait être le plus personnel dans l'homme est maintenant technicisé : la façon dont il se repose et se détend ... la façon dont il prend une décision ... fait l'objet des techniques de la recherche opérationnelle... »[181]
Les technologies du numérique conduisent à un appauvrissement de la culture, anesthésient la faculté de penser.

En écrivant ces lignes, nous songions également au célèbre livre de Ray Bradbury, *Fahrenheit 451*, qui décrit une société américaine dans laquelle la lecture des livres est prohibée. Les autorités du pays obligent la population à l'usage des nouvelles technologies, et ce en les incitant à des conduites addictives.
Le livre de Ray Bradbury décrit la façon dont la puissance cathodique (et les autres technologies) anéantissent l'intérêt du peuple dans les plaisirs tels que la littérature et la lecture.

Dans un univers totalement désincarné, sur le plan de la relation, et déshumanisé, *Fahrenheit 451* dépeint le fonctionnement d'une société totalitaire et de surveillance, qui s'est plu à détruire le livre, au motif que l'édification culturelle entraîne des désordres et qu'elle est susceptible d'éveiller les consciences.

Dans ce monde dystopique[182] (contraire d'utopique), où l'étourdissement anesthésiant de l'image cathodique règne en masse, des agents sont chargés de réprimer tout contrevenant surpris de lire, cette police de la pensée (des pompiers pyromanes) est chargée d'organiser la répression littéraire en brûlant la mémoire d'une culture ancienne, d'une culture des origines, d'une culture séculaire.

---

[181] Jacques Ellul, *La technique ou l'enjeu du siècle, Economica*, 2ᵉ édition révisée, 15 mars 2008, extrait d'une citation en page 117.
[182] Au contraire de l'utopie, la dystopie relate une histoire ayant lieu dans une société imaginaire difficile ou impossible à vivre. *1984* de Georges Orwell est l'exemple parfait de la dystopie.

Tocqueville n'avait-il pas lui-même anticipé, dès le XIXe siècle, cette emprise que le pouvoir social d'une société totalitaire exercerait sur les individus ? Tocqueville avait ainsi montré que l'État-providence finirait, au nom du bonheur et du divertissement de ses membres, à exercer un contrôle total sur la société, retirant toute initiative aux individus, en les poussant à se transformer en moutons peureux et passifs, en un troupeau atomisé et servile.

Dans son livre *Démocratie en Amérique,* livre d'une acuité marquante, dans une vision fulgurante, Tocqueville prédisait ainsi l'avènement d'un nouvel ordre social, d'une société individualiste marquée par l'égalitarisme, où chacun serait devenu ainsi l'identique de l'autre : « Je vois une foule innombrable d'hommes semblables et égaux qui tournent sans repos sur eux-mêmes pour se procurer de petits et vulgaires plaisirs » (*Démocratie en Amérique*, II 4.6). Il prédisait aussi l'avènement d'une oppression d'un genre nouveau, qui n'est plus despotisme ou tyrannie, mais une « sorte de servitude, réglée, douce et paisible (...), un pouvoir unique, tutélaire, tout-puissant, [agissant par] un réseau de petites règles compliquées, minutieuses et uniformes, [qui] ne brise pas les volontés, mais [qui] les amollit, les plie et les dirige ; il force rarement d'agir, mais il s'oppose sans cesse à ce qu'on agisse ; il ne détruit point, il empêche de naître ; il ne tyrannise point, il gêne, il comprime, il énerve, il éteint, il hébète, et il réduit enfin chaque nation à n'être plus qu'un troupeau d'animaux timides et industrieux, dont le gouvernement est le berger » (*Démocratie en Amérique*, II 4.6).
Les mutations d'une société qui se dirige vers une dimension de surveillance, conjuguée à des ressources technologiques sans précédent, immanquablement, nous font enfin songer au texte d'Apocalypse 13, qui décrit un monde de contrôle, marqué par la puissance consumériste et totalitaire, qui a une emprise sur tous les hommes, via leur marquage, tel un troupeau ne pouvant ni acheter ni vendre, s'ils n'avaient pas le sceau qui les identifie comme asservis au pouvoir de la Bête.

La Bête est ainsi cette figure tyrannique, qui a vocation à mettre l'homme sous son emprise, n'autorisant pas une quelconque dérive, une quelconque rébellion, « réduisant enfin chaque nation à n'être plus qu'un troupeau d'animaux timides et industrieux, dont le gouvernement est le berger. Tocqueville ». Ainsi, cette idéologie construisant une nouvelle conscience universelle, aura besoin de contrôler la diffusion des pensées, d'exercer sur les consciences sa police, pour n'autoriser aucune marginalisation possible.

19

Transhumanisme et vision politique, la fin du modèle institutionnel

Le désenchantement pour la vie politique

La démocratie, telle que nous la connaissons dans le monde occidental, semblait être l'aboutissement idéalisé d'une démarche, où la voix de chaque citoyen pouvait légitimement compter.

Il y avait, pour de nombreuses nations dites démocratiques, l'envie de propager, d'universaliser les idéaux de la démocratie occidentale, et l'illusion de prendre en compte les aspirations des peuples, de les respecter, de permettre à l'opposition comme aux minorités la libre expression, d'interagir avec les institutions.

Née de la volonté d'unir la cité, six siècles avant Jésus-Christ, la démocratie, dans la Grèce antique, n'était pas ouverte à tous, les femmes en étaient écartées, les esclaves et les étrangers, exclus du droit de vote, les poètes à bannir, pour Platon. Cependant, les débuts de la démocratie antique ont été l'exercice par tous les citoyens grecs de sexe masculin de leur souveraineté libre et inaliénable, ce qui veut dire la mise en pratique d'une assemblée (*ecclesia*), où n'importe quel citoyen pouvait prendre la parole.

L'exécutif des magistrats, au cours de cette période, était instauré dans la seule perspective d'appliquer la volonté citoyenne qui a délibéré. La démocratie, depuis l'Antiquité, a fait d'immenses pas, à commencer par le droit de vote donné aux femmes. La démocratie est devenue un système, choisissant des représentants susceptibles d'être révoqués. Dans ce type de système idéalisé, le peuple a le pouvoir, ou plutôt l'illusion du pouvoir. L'on cherche encore l'équivalent du penseur « ubérisé » de la république platonicienne.

Or, nous assistons depuis quelques décennies, à une forme d'effondrement des idéaux démocratiques. Plusieurs observateurs de la vie politique, et pas seulement européenne, notent une forme de délitement de la vie démocratique dans le monde. Les élections américaines de 2016-2017 sont un avant-goût, l'expression d'une défiance contre les appareils technocratiques et élitistes d'une Amérique sûre de sa puissance, défiance d'un peuple américain issu des classes populaires, les laissés pour compte, émoussés par les appareils politiques.

Le citoyen, non dupe, a pris ainsi conscience d'une pratique techniciste de la démocratie. La complexité des lois, la difficulté de comprendre et de saisir le sens des normes, est manifeste. Le citoyen est dorénavant dans une posture de méfiance, se sentant trahi par le désir du pouvoir, et non le désir de servir, de ses représentants.

Le repli de la démocratie est un phénomène patent et manifeste, mais complexe, car il se mêle également avec le repli identitaire, la peur de l'étranger et son rejet, comme dans la démocratie grecque. Il se traduit par le désintérêt des citoyens pour la chose publique, ce qui se traduit par une baisse constante de l'investissement citoyen, de l'implication à déposer son bulletin de vote lors des grandes consultations citoyennes (élections des représentants, référendums). En même temps, il est à noter qu'un sursaut démocratique se produit actuellement à travers un mouvement de retour vers les racines chrétiennes et de refus de l'islamisation dans les phénomènes d'émergence politique du groupe de Višegrad en Europe (avec la Hongrie, en particulier, qui a un Premier ministre chrétien) et de droitisation de l'Italie, phénomènes qui s'apparentent au retour, en Amérique, à la démocratie, dans son sens premier, depuis la victoire de Donald Trump. Cette volonté d'affirmer l'identité ou les racines chrétiennes d'une nation est une réponse à la force impétueuse du globalisme mondialiste qui entend broyer les nations, leur enlevant leur souveraineté, au profit d'une Babel effaçant les peuples et les cultures. Elle ne doit pas être assimilée à un repli identitaire, même si, certes, des revendications identitaires peuvent se greffer sur ce mouvement.

La grande problématique de la démocratie, une des causes sans doute de son effondrement, a été la recherche de l'égalité, primant sur celle de la liberté. Cette dialectique des principes démocratiques, mise en évidence par Tocqueville,[183] a fondé, en partie, l'un des symptômes probables d'une forme de dissolution du système démocratique tout entier.

Le sentiment mêlé de l'inutilité que représente l'acte de voter est devenu prégnant, tout en mesurant que la démocratie a quelquefois fait émerger la tyrannie de la majorité, tyrannie, porteur de nouvelles lois moralement disruptives, allant quelquefois contre le bien commun des populations.[184]

Mais sur un point, il convient d'être plus modéré et ne pas nécessairement dénoncer, comme du temps de Tocqueville, la tyrannie de la majorité, car la démocratie actuelle s'est plutôt transformée en tyrannie des minorités, et l'état se trouve de plus en plus contraint de se mettre à la remorque de revendications particulières et minoritaires, mais dont le lobbying est devenu très puissant !

Le modèle institutionnel, tel que nous le connaissons, semble prendre fin, la démocratie faisant aussi émerger des personnages qui ne sont que le reflet d'une opinion, désacralisant au fil du temps la fonction pour laquelle ils ont été élus.

Parallèlement, nous voyons l'émergence de nouvelles formes de diffusion de l'opinion, et de nouveaux canaux, hors des assemblées traditionnelles, où l'opinion influente s'exerce. Ainsi, Internet a été un des vecteurs puissants de la révolution arabe dans les années 2000,

---

[183] Alexis-Henri-Charles Clérel, comte de Tocqueville, 1805-1859, philosophe politique, précurseur de la sociologie. Analyste de la Révolution française, de la démocratie américaine et de l'évolution des démocraties occidentales en général.
[184] Il faudrait analyser l'orientation historique vers la tyrannie de la démocratie, orientation intrinsèquement liée à la philosophie des Lumières qui consiste à renverser Dieu lui-même. Voir à ce propos l'article de Pierre Courthial, "Un Critique Réformé de la Révolution Française : Guillaume Groen van Prinsterer," *Revue Réformée*, n° 155-1988/3. http://sentinellenehemie.free.fr/courthial1.html. De fait, les germes de la dictature des démocraties séculières modernes sont déjà renfermés dans la philosophie sous-jacente qui les fonde.

notamment en Tunisie, et en Égypte. Les réseaux sociaux ont démontré leur capacité de mobilisation des opinions publiques, en suscitant des mouvements de foule, contestant les pouvoirs établis, sur les grandes places des capitales arabes tunisiennes et égyptiennes.[185]

Daniel Cornu, autrefois journaliste, s'est longuement penché sur les usages d'Internet. Internet, selon le journaliste, peut apporter énormément au débat démocratique. "*Il y a un énorme 'plus', dont il faut bien tenir compte et qu'il ne faut jamais oublier. Cet énorme plus, c'est simplement le fait que désormais, toute personne, tout citoyen peut s'exprimer, exprimer son opinion mais aussi donner des informations, avec des moyens légers, de façon simple et directe, sans devoir passer par les médias traditionnels. C'est une révolution. (...) On le mesure chez nous, dans nos vieilles démocraties occidentales, mais on le mesure évidemment encore plus là où il n'y a pas de démocratie.*"[186]

Les usages d'internet sont croissants et ont une emprise incontestable sur la diffusion des opinions, sur leurs cristallisations ; sur Internet, les faiseurs d'opinions et leurs suiveurs s'installent dans de nouvelles agoras pour catalyser leurs « followers » (adeptes en français), débattre avec passion. Je ne crois pas, hélas ! et pour ma part à propos des réseaux sociaux, qu'il s'agisse d'une mode dont la temporalité s'inscrit dans l'éphémère.

L'ère numérique et la promotion de l'individualisme

Nous passons d'une société de masse à une société où l'individualisme sera enserré dans le « nous » du Web.

Le monde du Web et les technologies numériques ont peu à peu compris, puis intégré les usages et les nouvelles pratiques sociales qui

---

[185] La place Tahrir en Égypte.
[186] Nous avons extrait cette citation du blogue RTBF : http://www.rtbf.be/info/medias/dossier/tout-sur-facebook-et-les-reseaux-sociaux/detail_internet-un-avantage-pour-la-democratie-ou-un-outil-a-risques?id=7503723.

caractérisent à la fois la modernité consumériste et la société contemporaine, de plus en plus familiarisées avec le monde des écrans. Le monde numérique a été adopté par l'individualisme qui est attaché à notre ADN social, nous avons peu à peu déserté les agoras, les lieux publics, les assemblées, où l'on se rencontre pour vivre l'expérience de **la société Internet** : société *marchandisée et monétisée* avec ses nouveaux temples, ses nouvelles enseignes, ses nouvelles marques.

Les individus consomment, commandent de chez eux, effectuent les transactions, les opérations bancaires, téléchargent, commentent l'actualité à partir de leur écran.

Les innovations technologiques ont permis de renforcer l'autonomie des usagers, d'améliorer le fonctionnement en réseau. Ainsi, la consultation intuitive et conviviale des sites internet a su s'adapter aux lectures des internautes et faciliter toujours plus leur emploi.

Les technologies ont amélioré, puis conditionné, dans une certaine mesure, les pratiques débutantes, les nouvelles habitudes émergentes, en renforçant, par là même, les nouvelles façons consuméristes de vivre Internet, le monde numérique.

Les usagers consommateurs se sont, au fil du temps, approprié les technologies numérisées. Ces technologies vont à nouveau être façonnées, adaptées, affinées en fonction des pratiques sociales, familiales et citoyennes.

Nécessairement, la vie politique sera, tôt ou tard, impactée par les usages et les pratiques du Web ; forcément, les usages et les pratiques vont contribuer à inventer un nouveau modèle de vie citoyenne, avec un effet de bascule, dans un nouveau monde, à inventer la démocratie sur Internet.

La démocratie passera par Internet

Par capillarité, s'impose un remodelage de la vie sociale et de la vie économique. Nous avons montré la révolution numérique en marche dans tous les domaines de la vie sociale, culturelle, économique. Le chamboulement qui s'organise est celui de la fin des intermédiations.[187] L'habitude est prise, celle de l'autonomie du citoyen qui gère sa vie sociale, à partir de son écran ; il pourrait demain gérer la vie politique depuis son moniteur, se persuadant qu'il s'agira là, d'un modèle où sa voix pourra compter, peser, et son opinion enfin prise en compte.

Le « Web participatif » est porteur d'une dynamique interactive, a contrario des médias cathodiques qui véhiculent une forme d'homélie monologue et d'apathie des esprits indolents, passifs, incapables finalement d'interagir avec un média *ex cathedra*.

Ainsi, les nouvelles formes d'organisation numérique ne se réduiront pas exclusivement à la vie sociale et ne se cantonneront pas à transformer les univers économiques et industriels. Ces organisations ou ces nouvelles cités du Web répandront, diffuseront la bonne parole démocratique. Internet a la faculté planétaire d'interconnecter les populations, les citoyens, les peuples, de permettre à chaque internaute de se percevoir comme influent, en capacité de porter une opinion qui changera le monde. Ainsi va la magie que donne l'illusion de ce nouveau pouvoir que représente le médium participatif ou le Web participatif, la nouvelle agora[188] numérique qui supplantera définitivement l'agora antique. Ces réflexions posent la question : l'État est-il la dernière variable pour penser, organiser et être l'expression de la citoyenneté ?

Toutefois, le philosophe Charles-Éric de Saint Germain, auteur de La défaite de la raison, a une position plus nuancée : « Je ne suis pas sûr que le retour à une démocratie participative rendue possible par le numérique, et qui soit un retour à l'idéal grec, soit un réel progrès par rapport à la crise actuelle de la démocratie représentative. Car la démocratie, à mon sens, ne peut fonctionner que si le peuple possède un haut degré de culture. Or, aujourd'hui, le système éducatif étant en

---

[187] L'intermédiation est un anglicisme — lui-même dérivé du latin *intermedius* (qui est entre deux, qui tient le milieu) — désignant la présence et le rôle d'un intermédiaire dans le cadre d'une transaction à caractère économique, financier ou commercial.

[188] Dans la Grèce antique, l'agora désigne le lieu de rassemblement social, politique et mercantile de la cité.

train de s'effondrer (alors que c'est lui qui justifiait la démocratie !), on peut penser que des représentants soient plus éclairés que le peuple, dont Rousseau (pourtant partisan de la démocratie directe) disait qu'il peut se tromper et se faire du mal sans le vouloir, car il n'est pas toujours éclairé dans ses choix. Contrairement à ce qu'affirment beaucoup, la "bonne représentation" (ou la bonne "démocratie représentative") n'est pas celle qui exécute la volonté du peuple (qui ne sait pas toujours ce qu'il veut), ni celle qui sert ses propres intérêts de caste (ce qui est un danger opposé), mais celle dont la mission est d'éclairer le peuple sur ce qui constitue réellement le bien commun de celui-ci. Cela suppose que les représentants soient réellement des serviteurs du peuple... »

Mais, nonobstant, comme cela a été écrit sur un blogue, « les nouveaux médias semblent réussir cette alchimie nouvelle de transformer l'information en participation et la participation en action. »[189]

C'est ainsi que la verticalité de l'ancien monde risque de disparaître au profit de l'horizontalité, la fin des intermédiaires, y compris des représentants d'institutions. Institutions qui pourraient être jugées demain poussiéreuses, face à ce mouvement d'une modernité qui est en train de saper les fondements à la fois de nos représentations et pas moins celle de notre civilisation. Dès lors, comment ne pas imaginer de nouvelles formes de démocraties plates, horizontales, « débarrassées de ses classes politiques, » de l'intermédiation des élus du peuple. Cependant, et nous en avons ici conscience, il n'y aurait rien de plus dangereux qu'une telle option horizontale : tout le monde voterait alors pour l'homme de l'année, et c'est lui qui serait « *l'élu,* » pour diriger la plus grande puissance ou n'importe quelle autre nation... Imaginez un instant les conséquences et les crises politiques majeures que susciterait un tel changement de paradigme !

Récemment, nous avons pu observer l'émergence de mouvements dits « sociaux, » trouvant leur force dans le relais des réseaux sociaux. Les

---

[189] Citation reprise du site http://blog.mondediplo.net/2011-02-15-La-revolution-arabe-fille-de-l-Internet.

réseaux sociaux ont agi comme caisse de résonance d'une démocratie qui se cherche une autre légitimité : nuit debout, veilleurs, Ciudadanos... Si Internet ne s'en mêle pas, aujourd'hui l'on n'a pas réellement d'existence ; d'ailleurs, les politiques qui ont du nez ne s'y trompent pas, en cherchant de plus en plus à se frayer un chemin dans ces nouvelles agoras.

Cette conception des institutions politiques qui pourraient se dessiner n'est finalement pas impossible, compte tenu du désaveu dont elles font, pour une grande partie d'entre elles, l'objet. Internet pourrait répondre à la crise de la représentation qui se manifeste aujourd'hui, résultant d'une abstention électorale croissante. Nonobstant, ce n'est pas parce que l'on donnerait le droit de vote sur Internet que les citoyens s'impliqueraient davantage. **La crise se situe au niveau de la représentativité, pas au niveau de l'accès au vote.** Les frustrations du peuple sont multiples en réalité : frustration au niveau du manque d'efficacité de l'État, frustration au niveau des candidats qui ne représentent qu'une infime partie de leur électorat, et donc qu'une infime partie des administrés *in fine*. En revanche, en sens inverse, l'on voit l'émergence de mouvements citoyens, grâce aux relais des réseaux sociaux, dont la force contestataire irrite sans doute l'élu de la nation : Ciudadanos, Wikileaks, Anonymous, etc.

Sur les réseaux sociaux, nous voyons la démultiplication des débats, la création de forums de discussions, d'échanges, de groupes de réflexion, de laboratoires d'échanges et d'idées. Cependant, ne sont créés que des mouvements et mobilisations d'opinions et agglomérats d'opinions à courts termes : Loi El Khomri (loi travail).

Ces forums, qui deviennent de véritables agoras numériques, sont des réservoirs à idées, des sources d'influence, des créateurs d'opinions. Ces forums, sur les réseaux sociaux, se démultiplient, les internautes se donnent le sentiment d'écouter, de débattre, parfois l'interaction rend impossible l'écoute, mais tant pis, l'échange persévère. Ces forums numériques n'augurent-ils pas ce que seront les assemblées de demain, des assemblées nationales numériques à l'ère du Web participatif ? Mais quel est leur réel pouvoir ? Ce pouvoir n'est pas légitime, mais légitimé par leur seule existence. Mais surtout, exposé à tout vent de doctrine, à tout changement en fonction de l'humeur (le « mood ») du moment : like ? Pas like ? C'est le diktat des émotions, plus que le diktat des « motions. » Diktat d'un consommateur-électeur qui change d'avis en fonction de paramètres multiples. La démocratie doit pouvoir résister au temps long, car sans stabilité politique, il n'y aura plus de démocraties stables.

Internet est sans doute en train de révolutionner la démocratie, à commencer, sans doute, par l'usage du bulletin de vote qui, certainement, emploiera ces urnes tactiles de nos écrans. Je parie que dans la prochaine décennie nous verrons des projets pilotes, tests pratiqués en régions, mais cela va si vite que cela pourrait prendre moins de temps que pour nous de l'écrire ici ? Les citoyens internautes seront appelés à leurs écrans pour y déposer leurs bulletins de vote depuis leur adresse IP.[190] Le cri lancé sera « aux Écrans citoyens..., » « L'urne numérique, » sujette non au « virus de la politique, » mais aux virus informatiques, plus dangereux quand il s'agira de bloquer l'acte démocratique !

La machinerie Web envahira toutes les sphères de notre vie quotidienne et sociale, renversera les pratiques, les modifiera de fond en comble. C'est une révolution qui est loin d'être utopique, elle est fondée, ancrée dans les nouvelles pratiques de consommation, dans des tendances lourdes.

Les réformes sociales, politiques vont s'engager et vont permettre la libération de ces pratiques par l'instauration de ces nouveaux usages de la démocratie, facilitant dorénavant la consultation citoyenne qui épousera les pratiques déjà en cours. **De nouvelles pratiques Web qui devront à terme encore s'accélérer. Notons cependant des possibilités d'intervenir directement dans les débats, que ce soit à l'Assemblée nationale (française) ou au Parlement européen ou autres, en postant les remarques ou réflexions**

---

[190] L'adresse IP est un numéro d'identification qui est attribué de façon permanente ou provisoire à chaque appareil connecté à un réseau informatique utilisant le protocole Internet (en anglais, *Internet Protocol* – IP). L'adresse IP est à la base du système d'acheminement (le routage) des messages sur Internet.

sur les pages de consultations dédiées. Aussi le développement accéléré des réseaux sociaux permet-il d'interpeller directement nos élus, là où, auparavant, il fallait attendre un éventuel passage près de chez nous ou écrire une lettre ou prendre rendez-vous.

Grâce aux médias sociaux, la Suisse[191] s'est engagée sur des forums participatifs pour mener des discussions thématiques approfondies. Le Web constitue pour ce pays un puissant moyen de mobilisation des citoyens. La force de frappe et de séduction du Web est maximale, il est en effet devenu possible, grâce à des logiciels performants,[192] de traiter les verbatim, d'extraire du sens et d'identifier des catégories de pensée, puis d'aboutir à des propositions qui seront le reflet de l'opinion citoyenne qui se sera exprimée sur les forums, les agoras du Web participatif. Cette force est d'autant plus importante dans le débat politique que la distance est grande entre les élites et les administrés. Les administrés auront le sentiment d'avoir été entendus, alors que la parole du citoyen lambda « M. et Mme Dupont » est en réalité méprisée. Nous assistons à l'émergence d'une forme de « e-gouvernement » qui invente une nouvelle proximité citoyenne, via le Web, une gouvernance technicienne qui n'aura plus besoin d'intermédiation, puisque la démocratie directe fonctionnera et que la parole du citoyen Dupont sera relayée et traitée par la machine Web, avec accusé de réception et une lettre, forcément personnalisée, ce qui sera forcément satisfaisant pour l'égo de Dupont.

Dans ce monde, les institutions telles que nous les connaissons, les pratiques gouvernementales apparaîtront bientôt comme surannées. La révolution du Web est en marche, mais l'ersatz numérique pourra conduire au désenchantement des rapports incarnés, les échanges seront des « hyper textes » et n'enverront pas les débats houleux des assemblées politiques, tels qu'ils étaient relayés dans les médias classiques.

---

[191]http://web.archive.org/web/20070212194901/http://www.swissworld.org/dvd_rom/eng/direct_d emocracy_2004/content/votes/e_voting.html.
[192] Il existe de multiples logiciels d'analyse lexicale qui permettent d'analyser la parole et d'extraire les idées forces.

Le monde politique est ainsi et sous nos yeux en train d'évoluer, sans qu'il en soit réellement conscient que nous mutons vers une nouvelle plate-forme de la vie politique. **Nos députés et nos vieux sénateurs n'auront bientôt plus qu'à s'inscrire à Pôle emploi ou prendre définitivement leur retraite, remplacés par des robots qui modéreront les débats et instrumentaliseront la démocratie humaine,** qui deviendra sans doute une démocratie de pacotille, et bien entendue contrôlée, surveillée, entre les mains d'une forme d'humanoïde.

Nous sommes aujourd'hui dans un contexte néo-populiste de désenchantement de la vie politique, avec l'émergence d'un courant antiparlementaire, et il est fort probable qu'une idéologie techniciste porte en soi le souhait d'un simulacre de démocratie directe. Ce qui a été testé socialement dans les univers de la consommation comme étant satisfaisant pourrait être finalement satisfaisant dans un monde politique à reconstruire, sans intermédiation, comme l'est la société du Web. Prenons conscience que le monde numérique, au fil de nos pratiques, nous habitue à nous dispenser de l'interface humaine.

Selon François-Marie Charles-Fourier[193], philosophe du XVIIIe siècle, l'activité associée au commerce a introduit le libéralisme économique, dont les principes mis en mouvement ont abîmé l'ensemble de la société, en ancrant de manière durable l'individualisme, l'égoïsme dans l'esprit humain. Ce propos prémonitoire ne s'applique-t-il pas finalement à la société techniciste qui est la nôtre et aux illusions qu'elle porte ? Le Web, cette société numérique chronophage et individualiste, continuera, sans nul doute, à vampiriser les énergies, à absorber notre apathie à ne pas réagir face à la tentation de nous remettre à cette nouvelle offre de vie politique, après avoir cédé à celle d'une vie sociale sans intermédiaires.

Ainsi, le philosophe Charles-Fourier, en son temps, imaginait qu'économiquement les individus fussent rassemblés dans les

---

[193] François-Marie Charles-Fourier (1772-1837) était un philosophe français, fondateur de l'École sociétaire, et considéré par Karl Marx et Friedrich Engels comme une figure du « socialisme critico-utopique. »

phalanstères,[194] et échangeraient entre eux sans intermédiaires : il existerait, selon lui, *de facto*, un lien direct entre la production et la consommation. Dans un tel contexte, l'État ne serait plus d'aucune utilité. *« Des fédérations d'associations de travailleurs, librement rassemblés, pourraient se substituer à l'État. »* N'est-ce pas ce que le monde du Web nous propose ? Cette société numérique, dans laquelle nos âmes ont sombré, s'apprête à nous emmener dans son monde politique, sans intermédiaires, de nouveaux phalanstères numérisés en quelque sorte. Une prospective folle, pas plus folle que celle imaginée par François-Marie Charles-Fourrier.

Cette perspective politique vraisemblable, et qui découle de cette toile techniciste qui se dessine sous nos yeux, me renvoie à ce texte d'Apocalypse 13, verset 5 et 7. Je retranscris ici la dernière partie de ce texte d'Apocalypse, mais qui est partagée comme dans une vision prémonitoire : « ... Il lui fut donné autorité sur toute tribu, tout peuple, toute langue et toute nation. » Cette expression « il lui fut donné » est en effet saisissante, il s'agit d'une forme de pouvoir, mais, rappelle la Bible, dans un temps limité, avec un pouvoir limité, la Bête ne pouvant modifier les programmes de Dieu pour le monde.

---

[194] Le phalanstère tel qu'imaginé par le philosophe Charles-Fourier est une forme d'organisation sociale et architecturale visant à faciliter les relations interindividuelles afin de permettre le déploiement intégral des effets de l'attraction passionnée : de cette ambition témoignent la volonté de rapprocher les différents bâtiments les uns des autres et la multiplication des « rues-galeries. »

20

Demain, la justice prédictive : le magistrat et l'intelligence artificielle !

La justice prédictive est-elle un pas de plus vers la déshumanisation de l'homme ?

J'écoutais à la radio au cours d'une matinée un avocat inquiet, mais décidé de s'opposer à la volonté de l'État français de presser le pas de la justice en incorporant davantage d'intelligence artificielle pour l'analyse des affaires simples à traiter et ainsi offrir aux magistrats de se concentrer sur des dossiers plus complexes. Le recours à un système judiciaire impacté par l'intelligence artificielle est un premier pas qui est de nature à bouleverser demain le rapport de l'homme à ce qui pourrait prendre la forme d'une véritable machine judiciaire.

Ce terme machine qualifiait le plus souvent une justice souvent complexe mêlant l'empilement des lois et de leurs dérivées, la multitude des contextes nuançant les appréciations, avec des acteurs aux caractères multiformes, mais également l'absence de célérité de la justice de par la complexité des procédures de saisies.

Le rêve de l'État progressiste devenu ainsi las de cette justice lente et bureaucrate est de décider d'entamer une révolution dans les processus des juridictions. Il faut, selon l'idéologie du progrès, face à la lenteur de cette vieille Dame, la remuer, l'amener à cohabiter avec l'autre machine : l'intelligence artificielle qui devrait lui servir de support afin de simplifier les intrications du monde juridique et de réduire le temps chronophage des dossiers à digérer.

La dimension humaine dans l'histoire de la justice

Dans toute l'histoire, comme institution, la dimension humaine même de la justice est revêtue à la fois comme un modèle de régulation de la vie sociale, un modèle quasi universel d'arbitrage des conflits, avec cette vocation, en arrière fond, de pacifier les querelles issues de toute la vie sociale et de rendre justice dans les crimes et les délits.

C'est ainsi un fait de toute notre histoire, la justice a été rendue jusqu'à aujourd'hui par les hommes, qui se soumettent aux lois en rigueur ou se plient aux exigences des législateurs pour faire appliquer le droit. Des hommes de droit qui arbitrent, appliquent la sentence ou bien innocentent celui ou celle qui a été qualifiée de coupable. La justice comporte en soi une dimension d'inachevée, parce ce que la justice est entachée de faiblesse et d'humanité incarnées parfois ou bien souvent par une dimension irrationnelle, fragile, parfois inéquitable, parce que cette justice est encore une fois, et nous insistons profondément ancrée dans l'humain ! Ces juges humains qui mêlent la clémence, la tolérance ou bien la sévérité implacable témoignent ou révèlent les distorsions liées à son fonctionnement. La justice est ainsi imparfaite parce que complexe, changeante, mêlant les émotions et la raison, la passion et la distance nécessaire pour juger.

La justice est certes lente, elle prend trop souvent son temps entassant les dossiers, empilant les affaires, et forcément des tensions se créent avec ceux qui aspirent à une justice plus rapide. Les attentes sont nombreuses parmi les justiciables qui aspirent à une juridiction sans tâches, absolument compétente et savante, équitable et inattaquable : en un mot une justice parfaite et dont la balance ne serait jamais fausse.

Cette quête éternelle des sociétés humaines vers une justice omnisciente, incontestable, avisée ou prudente dans l'énoncé de ses jugements est une chimère. L'homme, malgré sa quête d'absolu, n'a pas les attributs divins pour rendre un jugement plein de discernement, parfaitement loyal envers le coupable comme envers la victime. La justice engendrera toujours des sentiments de frustration, d'agacement et de révolte même si elle s'abrite derrière le code, la règle non arbitraire qui régit ses décisions.

La tentation de la justice de s'en remettre à l'Intelligence Artificielle

Alors cette juridiction imparfaite n'est-elle pas incitée à céder à cette nouvelle tentation de s'en remettre non à Dieu, mais à cette puissance qui aujourd'hui fascine le monde, cette puissance de calcul qu'offre le monde des algorithmes capables d'emmagasiner les données laissées par les arrêts des magistrats et de consommer ainsi les jurisprudences de tous les tribunaux ? Puissance fascinante, car la puissance de calcul, c'est le monde de la cité rationnelle parfaite, qui ne commet pas d'erreurs. La machine algorithmique ne peut pas commettre d'erreur, voilà bien la chimère, la nouvelle tromperie de ce siècle. Cette justice implacable, car elle serait gouvernée par les formules savantes, ne serait au fond qu'un Dieu froid, qui mécaniquement traite les dossiers, puis envoie au moyen de ses algorithmes robots la sentence à des sujets humains, puis mécaniquement les relancera s'ils ne s'acquittent pas de leur condamnation. Est-ce là le monde du futur que nous décrivons ?

Non, nous ne décrivons pas un monde glaçant et dystopique, c'est bel et bien et hélas ! le monde d'aujourd'hui qui commence, celui de la « cité rationnelle » ! La cité parfaite, normative compilant toutes les informations, toutes les données, « *la cité rationnelle* [195]» qui ne peut se tromper ! Comment cette juridiction pourrait-elle d'ailleurs se tromper, cette nouvelle juridiction se ressource, en effet, au sein de la mathématisation de notre société. Le magistrat se laissera dicter le verdict dompté par ses robots calculateurs, comme ces médecins dessaisis demain de la faculté de diagnostiquer, puisque les logiciels de séquençage décodent des millions de fragments d'ADN en un temps record ! Ces algorithmes savent mieux que le médecin détecter l'origine des maux, et demain ces nouvelles juridictions codées offriront

---

[195] Terme emprunté à Jacques Ellul.

l'exécution la plus rapide, car, bien évidemment, **les nouveaux logiciels Dalloz**[196] analyseront et traiteront toute la vie judiciaire, comme aucun humain lent et sujet à l'erreur !

La robotisation de la justice aux mains des algorithmes a bel et bien commencé !

Qu'en est-il exactement de cette avancée de la judiciarisation robotisée, est-ce exagéré de prétendre que là aussi le monde des algorithmes est sur le point de coloniser la justice ? Les tribunaux humains, magistrats et avocats feront bien de s'en inquiéter. Aux États-Unis les cabinets d'avocat sont d'ores et déjà assistés par ces machines à algorithmes pour traiter des affaires touchant au monde des entreprises. D'autres logiciels interviennent, quant à eux, dans la prise de décision des juges chargés des remises en liberté. Les exemples s'enchaînent et se multiplient, les exemples qui préfigurent demain la généralisation d'une justice algorithmique, portée par les progrès de l'intelligences artificielle toujours plus performante, toujours plus experte et incarnant le rêve d'une forme de justice divine, objective et omnisciente.

La juridiction algorithmique n'est que le nouvel avatar d'une soif d'équité absolue exprimée par le monde humain, qui est obsédé par cette quête d'une justice utopique, nécessairement parfaite et devant nécessairement être extérieure à l'homme et à ses imperfections. L'homme ne croit plus à aucune verticalité divine, à aucune pythie qui rendrait ses oracles et orienterait le sort réservé à la cité des hommes. L'homme n'invoque plus son créateur, préférant remettre son sort entre les mains de sa création qu'il croira être sous son contrôle.

La révolution numérique est bel et bien en marche, y compris dans le domaine du droit envahi par la règle, la norme, - des normes qui vont de complexité en complexité.

La « *République numérique* »[197] voulue par la gouvernance de François Hollande puis accentuée par le nouveau Président Emmanuel Macron,

---

[196] Célèbre maison d'éditions que connaissent tous les juristes.

ce nouveau monde entend étendre le mouvement d'ouverture des data aux décisions de justice. C'est un processus qui annonce une forme de mécanisation dont l'emprise envahira les tribunaux et l'on a peine à imaginer l'existence d'un robot siégeant « assis ou debout » avec le magistrat, si ce dernier avait encore une légitimité. Mais il est vrai que la transition ne serait pas aussi bruyante ou inquiétante, nous nous familiariserons, nous nous habituerons à voir le juge en compagnie d'un gentil robot « Pepper[198] » spécialiste du droit mais certainement pas Pépère. Ces « Pepper » aideront nos magistrats, les assisteront en apportant une somme d'informations sur les prévenus recensant par exemple les procès-verbaux, les infractions commises par le prévenu. Nous assisterons à une forme de traçage systématisé des justiciables, effeuillés par l'intrusion des calculs des algorithmes implacables et qui ne produiront pas d'erreurs sur la lecture des prévenus se présentant devant les juges.

Ces algorithmes seront programmés pour recommander une évaluation de la peine encourue, et mécaniseront le discours à tenir auprès du justiciable. Le juge et son assistant se « concerteront » ou plutôt le juge finira par s'en remettre au délibéré de « Pepper », et c'est le juge Pépère qui finira par perdre toute faculté de jugement puisqu'il n'aura plus pour guide son discernement, cette conscience de lui-même qui lui permet de discerner du fait même qu'il est lui-même humain.

Dans un premier temps, le gentil « Pepper » se cantonnera au rôle d'outil, d'assistant juridique pour décortiquer les nœuds des affaires de plus en plus complexes, mais au fil de son apprentissage, « parce que l'intelligence artificielle apprend », ce petit robot souriant et bien sympathique offrira, au fil d'une expertise croissante, une aide certaine à la prise de décision, le juge ne sera bientôt plus irremplaçable !

Ainsi, l'apparition des nouvelles technologies dans les juridictions ira bien en s'accélérant. Nous assistons depuis quelque temps à une **montée en puissance des « legal-tech »**, ces sociétés et ces startups qui proposent des services juridiques aussi bien aux cabinets

---

[197] La loi pour une République numérique, publiée au *Journal officiel* du 8 octobre 2016, vise à favoriser l'ouverture et la circulation des données et du savoir.
[198] Pepper est un robot humanoïde développé par la société SoftBank Robotics.

d'avocats qu'aux magistrats afin de **les assister dans leurs prises de décisions**.

L'intelligence artificielle investit bel et bien et colonisera, comme nous le rappelions précédemment, le domaine du droit. Elle bouleversera demain le quotidien des tribunaux et couronnera le nouveau monde devenu si docile à la domestication du « système technicien ». Aussi est-il temps qu'avocats et magistrats disent stop à cette ingénierie de l'espace judiciaire qui annonce la déshumanisation d'un tribunal qui doit pourtant privilégier la seule dimension relationnelle et son humanité, même sujette à l'erreur !

21

La société iconoclaste, la nouvelle culture numérique

Une société iconoclaste rivée sur l'image qui aliène le rapport à l'autre

L'organisation sociale, dans cet univers numérique, dessine subtilement une forme d'idolâtrie de l'image. Dans ce monde virtuel, la relation à l'autre et aux autres, devient si compliquée que l'on se réfugie dans un ersatz, un paradis artificiel, dans un monde parallèle qui se substitue à un autre monde. Le monde virtuel et son empire « spirituel » nous conduisent à l'autosatisfaction d'avoir une quantité d'amis, une quantité de contacts, « de gens qui me suivent, » les fameux « followers » (les suiveurs).

Nous sommes dans ce monde de l'image, monde envahi par une quantité d'icônes désacralisées, d'écrans, ou autant d'écrans qui deviennent des lieux de fascination, oserai-je l'écrire, des lieux de cultes, les nouveaux médias, les nouvelles idoles des temps modernes. Nous sommes passés d'un monde de lieux de rencontres, de relations et d'écrits, à un monde des images et des écrans, sans rencontres avec le réel ; la société transhumaniste nous persuade qu'il s'agira incontestablement d'un nouveau progrès, ouvrant de nouvelles connaissances, de nouvelles perspectives culturelles, de nouveaux plaisirs cognitifs. Comme l'écrit Jacques Ellul, avec lequel nous partageons pleinement ce point de vue, *« il n'y a pas vraiment d'informations à la télévision, il n'y a que la télévision dont seul émerge l'écran lui-même de l'appareil, il n'y a aucune information sur le réel. »*[199]

---

[199] Citation extraite du livre de Jacques Ellul, *Le bluff technologique* (1988), Fayard/Pluriel, 2012, page 597.

Michel Henry n'écrit pas autre chose sur la télévision et sur le monde des images artificielles, en dressant un jugement sans appel sur ce médium, la télévision, qui est, selon le philosophe, « *la fuite sous forme d'une projection de l'extériorité, c'est ce qu'on exprime en disant qu'elle noie le spectateur dans un flot d'images...* »[200]

Comment ne pas imaginer une forme de dépendance, relativement à l'usage quasi-addictif d'Internet, qui est devenu artificiellement le nouvel ersatz, en réalité une drogue nocive. Comment ne pas sourire à ceux qui vous déclarent : « *je ne regarde désormais plus la télévision,* » mais sont rivés sur l'usage des réseaux sociaux, consultent systématiquement l'information véhiculée par le médium Web. Pourtant, je ne jetterai nullement la pierre, j'en ai fait usage, un usage qui a été jusqu'à une forme de dépendance.

J'ai pris conscience que le monde de l'image instaure un nouveau culte des temps modernes. Ne voyons-nous pas ainsi ces nouveaux prêtres de l'image, ces nouveaux dieux de la téléréalité qui sont adulés, ces nouveaux officiants du monde cathodique qui sont admirés ? Ces vicaires médiatiques mutent en nouveaux confesseurs du monde contemporain.

Ces commentateurs de notre petit écran occupent l'espace virtuel de notre maisonnée et sont devenus les nouveaux sages, installés dans un nouveau pouvoir, édictant la norme, décrétant la façon dont il convient aujourd'hui de penser la réalité. En réalité, ces vicaires de l'information ne pensent pas, ils sont les sujets de l'égrégore, cette masse informe de paroissiens auditeurs, dont nous évoquions la figure au début de ce livre. Ces ministres du culte commentent, en pensant être les consciences intellectuelles du monde contemporain, mais en réalité ne sont que le reflet, le miroir d'une opinion qu'il faut tenir en laisse, pour ne pas la laisser dériver dans la rébellion.

---

[200] Citation extraite du livre de Michel Henry, *La barbarie*, P.U.F., Quadrige grands textes, 2004, page 190.

Dans ce monde de l'image, nous sommes également devenus des sujets passifs, des consommateurs d'informations en prise avec une information, une image, autant que possible dramatique, mais en distance souvent avec sa réalité, ses contextes. Nous sommes abreuvés par des flots d'images continus, des vagues parfois déferlantes, émanant des mondes cathodiques et numériques. Or, pour ces pouvoirs de la finance, de la consommation ou ces pouvoirs idéologiques, il faut bien créer ces messes cathodiques pour nous tenir en dépendance, loin des lieux qui rassemblent et des lieux qui nous feraient prendre conscience de cette indolente passivité, qui nous font adorer l'image, qui nous font adorer l'image, plutôt que le Créateur.

En écrivant ces lignes, nous pensons à l'évocation de la figure de la Bête et de son image. Le mot image est sans cesse répété dans le dernier livre de Saint Jean, comme si l'apôtre Jean était frappé par cette dimension iconoclaste. Nous sommes ainsi convaincus que la modernité ne nous conduit pas à adorer des statues de bois, de pierre ou de terre, mais la modernité nous convie à adorer de nouveaux dieux, et ces dieux sont numériques ou cathodiques, nous privant de la relation verticale et horizontale, nous privant de communion avec Dieu et de communion avec le prochain.

Dans un monde totalitaire, la dimension iconoclaste sera à son paroxysme, Saint Jean décrit cette puissance totalitaire, l'apôtre évoque l'image terrifiante de la Bête qui exerce son pouvoir et sa marque sur l'ensemble de l'humanité, devenue corvéable et adoratrice de l'image de la Bête. Sans doute que le propos que nous tenons sera jugé exagéré par nos lecteurs, ou extrême ; nonobstant, comment ne pas imaginer qu'il ne soit pas impossible pour une dictature de dominer les médias, de les utiliser pour exercer une totale emprise sur les individus ? Il est évident que le monde d'aujourd'hui nous familiarise subrepticement et par capillarité à un tel pouvoir mortifère de l'image sur les âmes et les esprits.

Le dernier livre de la Bible, l'Apocalypse, décrit une forme de fascination totalitaire de l'image de la Bête. Dans ce texte visionnaire et prophétique, il est intéressant de noter, et en regard du sujet que nous traitons (le transhumanisme), qu'animer l'image signifie également

« devenir un être » en grec ; en latin, animer, c'est donner le souffle. En réalité, il s'agira de donner l'illusion du souffle de vie dans ces concepts d'intelligence artificielle promus par le transhumanisme. Comme si l'ultime rêve était de donner un corps animé, puisqu'il sera impossible de doter cette intelligence forte d'une âme.

Sur ce point, le co-auteur, Gérald Pech, de cet ouvrage collectif, a appréhendé également cette dimension au chapitre 9 intitulé « Le transhumanisme et la doctrine de la création. ».

Apocalypse 13:15 : « Et il lui fut donné d'animer l'image de la Bête, afin que l'image de la bête parlât, et qu'elle fît que tous ceux qui n'adoreraient pas l'image de la bête fussent tués. »

La dépendance numérique chez les plus jeunes et leurs conséquences sur le développement psychique

« Il n'y a pas de lieu qui ne soit exempté où, pour tenir tranquille l'enfant, on lui donne de consommer un objet numérique, un biberon numérique ou à défaut une tétine ... » Voilà ce que partageait une amie, stupéfaite de constater une forme de démission des parents, des parents s'abandonnant à un recours à l'objet numérique pour obtenir un peu de paix ou de calme, les livrant demain à une addiction, à une dépendance atrophiant la qualité relationnelle et la dimension affective de l'enfant, au lieu de l'occuper par des activités ludiques et manuelles. Sans doute que cette assertion pourrait être perçue comme un peu rapide, un raccourci hâtif, convenons-en, mais combien de situations semblables à celles-ci n'ai-je pas constatées lors de mes entretiens avec des habitants dans leurs appartements, où la télévision exerçait une véritable emprise sur les esprits et les âmes ? La télévision, devenant le docile compagnon, la présence comblant le vide, berçant l'ennui de ses auditeurs et de leurs enfants.

La télévision, qui devient très tôt une forme de biberon numérique ou de tétine cathodique, les temps d'écran dans les familles phagocytent les esprits et ne sont pas sans conséquences sur une forme de lobotomisation des intelligences relationnelles.

Serge Tisseron, psychiatre, psychanalyste, auteur du livre *Les dangers de la télé pour les bébés*,[201] fait valoir que l'exposition à la télévision retarde le développement de l'enfant ; plusieurs études américaines soulignent les problématiques des usages de la télévision chez les très jeunes enfants. En effet, ce médium chez l'enfant de moins de 3 ans ne favorise pas, selon ces études, son développement et serait même de nature à freiner ses facultés cognitives.

D'autres études[202] corroborent l'idée qu'une trop grande exposition de l'enfant aux écrans (tablettes, ordinateurs, télévision...) nuit au développement du langage, de l'attention, mais également génère des troubles du comportement.

Si, effectivement, la télévision peut présenter de magnifiques opportunités pour découvrir le monde, nous ne pouvons occulter que la télévision peut concourir à annihiler l'esprit critique et décourager la capacité d'apprendre, y compris chez les adultes.

L'écran façonnerait-il alors une société docile, obéissante peu à peu soumise, voilà sans doute un aspect de la réflexion à engager sur le devenir même de la société transhumaniste, une forme d'idole païenne. La Bible déclare dans Psaumes 97:7 : « *Ils sont confus, tous ceux qui servent les images, qui se font gloire des idoles. Tous les dieux se prosternent devant lui.* »

---

[201] Serge Tisseron, *Les dangers de la télé pour les bébés*, Étude, 1er février 2018. Livre signalé dans l'article suivant :
http://www.lemonde.fr/vous/chat/2009/11/17/faut-il-interdire-la-tele-aux-tout-petits_1268448_3238.html#4mvGfc49XfsvK6mF.99

[202] Lire à ce propos l'article du site *Naître et grandir* :
http://naitreetgrandir.com/fr/etape/1_3_ans/jeux/fiche.aspx?doc=ecrans-jeunes-enfants-television-ordinateur-tablette.

De l'empire cathodique à celui du numérique

Nous sommes sans doute nombreux à utiliser les réseaux sociaux, à poster photos, textes, images, égoportraits et vidéos. Par paresse ou bien par facilité, nous sommes nombreux à relayer, à avoir recours à des visuels, ces nouvelles icônes, ces nouvelles représentations du monde qui viennent refléter l'opinion, l'humeur du moment.

Nous sommes aujourd'hui devenus les sujets de la « culture de l'image, » une culture de l'image qui laisserait penser que nous en partageons les codes, les usages, les termes, mais en réalité cette culture de l'image est une culture sauvage, celle de la plasticité hétérogène, floue. Sans méfiance, quelquefois, nous subissons le diktat de cette nouvelle culture de la dopamine, du numérique jetable, de l'image furtive. Le plus souvent, nous ne prenons pas la distance nécessaire pour comprendre ses effets qui peuvent s'avérer néfastes ou désastreux.

Nous prenons conscience que les guerres sont aussi des batailles d'images, les guerres de l'image pour conquérir les esprits, les assujettir quelquefois. Dans ces batailles, les chaînes de divertissement, les réseaux sociaux font de nos cerveaux les lieux de prospection, les lieux de soumission des âmes, il s'agit, en effet, pour ces empires cathodiques ou numériques, de mobiliser notre attention, toute notre attention, déplaçant ainsi le sens de la relation à l'autre, pour n'être captif que d'un écran qui assouvit, domine notre esprit.

Notre civilisation, longtemps baignée dans l'écriture ou la parole, est entrée dans la civilisation de l'image. Cette culture de l'image nous conduit souvent à des postures pleines de contradictions. Tour à tour, nous dénonçons la transgression de l'image, le simulacre, l'artificiel, l'enfermement narcissique iconoclaste d'un reflet, d'une représentation, pour en louer paradoxalement la valeur descriptive, pédagogique, la capacité à reproduire le réel, à l'incarner, à partager la beauté, à sublimer la valeur de l'existence.

Surtout ne pas apercevoir le réel

Jacques Ellul, le grand penseur chrétien, ne dit pas autre chose dans son livre magistral *La parole humiliée*[203] avec une acuité saisissante, une vision pénétrante : il dénonce de façon quasi-prémonitoire dans un livre écrit en 1979 – oui, écrit en 1979 – le devenir de la parole qui serait supplantée par l'image. Ainsi pour Jacques Ellul, l'image vient se substituer au réel, vient en quelque sorte désosser, stéréotyper la parole, « la parole (qui) ne ferait qu'augmenter mon angoisse et mes incertitudes. Elle me ferait prendre conscience davantage de mon vide, de mon impuissance, de l'insignifiance de ma situation, tout est heureusement effacé, garni par le charme des images et leur scintillement. Surtout ne pas apercevoir le réel. Elles substituent un autre réel. » Pour Jacques Ellul, nous entrons immanquablement dans un monde qui est sur le point de dévaluer l'écrit et la parole.

De façon sublime, Jacques Ellul, toujours dans ce livre *La parole humiliée,* que nous vous recommandons, indique, à propos de cette actualité saturée par l'image, qu'elle « ... implique la réalisation actuelle et sans délai de nos désirs. Un gouvernement qui dit qu'il faudra deux ans pour résoudre une crise est un gouvernement condamné. Une morale qui apprend à attendre et agir patiemment vers un objectif est une morale rejetée. Une promesse pour demain fait considérer comme un menteur celui qui la formule. Tout et tout de suite, c'est l'expression de la présence des images qui en effet nous accoutument à voir tout et d'un seul coup d'œil. »

Je pense que la lecture de ces mots montre à quel point cette dimension que décrit ce grand théologien chrétien est quasi-prémonitoire, relativement à une actualité assaillie par le tout numérique, le petit comme le grand écran, la puissance de l'image cathodique qui installe dans tous les foyers, le monde qu'elle regarde, qu'elle visualise pour nous, en prenant soin de trier, de sélectionner ce

---

[203] Jacques Ellul, *La parole humiliée,* éditions La Table Ronde, La Petite Vermillon, février 2014, 423 pages.

qui fait événement, au risque même d'abîmer, de blesser l'âme, l'esprit, la conscience de tout un chacun.

Nous interagissons ainsi avec l'image, sans avoir toujours le recul nécessaire, la distance qui devrait être nécessaire. Nous réagissons de façon abrupte, soit en rejetant l'artificiel, soit en la relayant, et en participant à l'émotion du moment. Nous nous servons alors de l'image pour interpeller nos contacts, nos amis, notre réseau. Nous voulons créer un effet pour participer à l'émotion du moment, vivre un moment collectif, partager la même opinion, face à l'événement qui nous a affectés ou touchés.

Les auteurs de ce livre n'ont pas échappé, eux-mêmes, à cette mode du petit ou du grand écran, et reconnaissent fort volontiers, avoir cédé, quelquefois légèrement, à cette nouvelle culture de l'image que l'on diffuse, que l'on distribue épisodiquement avec trop de docilité, de légèreté, sans prendre conscience du pouvoir de la culture de l'image. Cette image, qui n'est pas toujours ou jamais totalement neutre, une image qui a pu être instrumentalisée, manipulée, à des fins de toucher l'opinion.

Dans cette culture de l'image, massivement, nous nous laissons contaminer, finalement, par cette communication désincarnée, qui peut échapper parfois à tout contrôle, à toute réalité. Le monde virtuel, symbolisé par nos réseaux sociaux, montre un affichage d'images idylliques, qui ne reflètent pas nécessairement les réalités que nous vivons, qui donnent à nos interventions narcissiques l'illusion d'exister. Nous sommes, en effet, loin de cette dimension illustrée par ce verset des Écritures : « L'homme regarde à ce qui frappe les yeux, mais l'Éternel regarde au cœur » (1 Samuel 16:7).

Nous nous donnons ainsi en spectacle, dans une forme proche de la téléréalité, en prenant soin de maquiller, de corriger l'image que l'on veut bien renvoyer de nous. Notre rapport au monde et à autrui passe aujourd'hui non par la relation, mais par des connexions. Nous sommes connectés au monde, mais non plus reliés à notre village, à nos voisins, à nos amis, à ceux qui nous sont proches.

De la parole à l'écrit, de l'écrit à l'écran numérisé

La société moderne, celle que nous connaissons, que nous appréhendons dans notre quotidien, est ainsi envahie par l'image. Nous sommes ainsi passés, en quelques décennies, d'une société dominée par l'écrit à une société de l'écran numérisé, de l'image.

Jamais de nos jours, l'image n'a été si prolifique, si envahissante. Nous recevons une quantité d'informations numérisées, et cette quantité, cette déferlante d'informations dématérialisées est le plus souvent véhiculée par un flux de pixels, de photos, de films, de vidéos.
Notre société est imprégnée ou immergée, voire submergée, dans la culture du visuel, amplifiée par le règne des grands et des petits écrans, dans les foyers, où la puissance de l'image cathodique façonne nos modèles de vie en société, nous conduisant même à une culture d'addictions.

Nous vivons une forme de changement radical, de mutation finalement sociale, où le papier, la plume, l'écriture ont aujourd'hui une bien moindre emprise, pour porter les idées du monde et l'impacter, mais l'image aujourd'hui en a pris le relais, pour façonner le monde. Nous préférons, le plus souvent, utiliser les images plutôt que les mots, ces images qui deviennent nos icônes. Pourquoi, au fond, ce besoin existentiel, d'avoir ce rapport à l'image, qui nous éloigne d'un rapport à la transcendance ? Cette phrase de Jésus, qui indique que « le Père cherche des adorateurs en esprit et en vérité, » est à mille lieux d'un monde qui vénère et adore les images, qui a besoin de se raccrocher à des représentations pour croire, pour fonder une émotion qui s'incarne, car « l'image m'a impressionné. »

Longtemps, en effet, l'écriture a influencé de manière parfois déterminante la formation des sociétés.

Il y a immanquablement dans le rapport au texte, une dimension réflexive, à l'envers d'une image, qui relève davantage d'un discours forcément réducteur, voulant refléter une réalité, mais une réalité qui peut aussi être tronquée. Bien entendu, l'écriture peut aussi être mensongère et trahir le réel. Mais l'image, par sa dimension fugace, peut être manipulatrice, quand elle est au service de l'émotion que l'on veut atteindre.

Mais il est aussi vrai que l'image reportage peut être au service du bien quand celle-ci n'est pas tronquée, mais se veut un parti pris pour aider, pour influencer, pour toucher, pour émouvoir. Ma propre fille, qui est photographe, s'inscrit totalement dans cette démarche, pour illustrer l'étonnement, la beauté, l'émerveillement.

Nous pouvons ainsi tous convenir que l'impact émotif de l'image est puissant, beaucoup plus que dans un texte écrit, plus qu'une parole qui s'envole et quelquefois même plus agressif, ce qui nous fait quelquefois dire qu'« une image vaut plus que milles paroles, » « qu'une image résume un discours, » « qu'une image parle mieux qu'un long plaidoyer. »

Dans cette société de postmodernité qui est la nôtre, force est de reconnaître que les images tendent à se substituer à l'écriture, aux textes, les images deviennent les icônes dans lesquelles se reflètent les opinions, les idées : l'image est devenue la culture dominante.

Sa profusion atteint des sommets, tant dans les domaines de l'information que dans ceux de la consommation. Notre esprit, notre conscience et notre pensée sont imprégnés par un déferlement d'affiches, d'annonces, de messages, de photos, de vidéos, d'illustrations. Les images prennent des formes multiples, tour à tour accrocheuses ou racoleuses, provocantes ou émouvantes, sensibles ou rébarbatives.

Si l'image a été au service de l'art, elle est aussi au service de la mémoire. Mais l'image est aussi le message consumériste, l'image peut aussi être propagande politique, la religion est elle-même influencée par le monde de l'image. Cette culture visuelle a besoin de voir, de se représenter, finalement pour croire.
Les images jouent de nos jours un rôle central dans la fabrication des opinions, des émotions, la construction de la vie sociale, dans la

construction de nos repères. Mais l'image est quelquefois biaisée, déformée, instrumentalisée, utilisée à des fins de susciter une réaction de l'opinion.

L'image est forcément ambiguë, par nature, une image ne devrait pas être le seul vecteur de communication, mais force est de reconnaître une dérive de nos univers sociaux, entraînés par le flot d'un monde de moins en moins incarné.

Nous sommes ainsi entrés dans une nouvelle ère, celle de la visualisation du monde : elle suppose que les images ne soient pas la réalité ni même sa représentation. La retouche photographique et le montage d'une vidéo s'inscrivent comme un exposé rapide, une construction et une interprétation de la réalité, entretenant un rapport arrangé ou s'accommodant avec le réel.
Ainsi, dans la récente actualité et dans un contexte de dramaturgie qui touche la Syrie, le monde occidental, dans sa torpeur, fut secoué violemment par une image, celle d'un enfant gisant « retrouvé » sur une plage. L'image était bel et bien tronquée, le drame syrien, lui, bien réel. Mais il fallait provoquer l'électrochoc, pour créer une émotion massive au sein d'une Europe qui n'avait sans doute pas pris la mesure d'une dramaturgie, qui pourtant, inlassablement, lui fut rapportée, y compris, d'enfants pris dans les filets de pêches.

Dans ce dernier contexte, et comme d'ailleurs, l'histoire de l'image l'a montré jadis, nous prenons conscience de la puissance manipulatrice du pouvoir que revêt l'image.

La puissance manipulatrice de l'image tient aussi à la dimension manipulatrice, inhérente à l'argumentation par le pathos. Le pathos est en effet l'une des techniques d'argumentation destinées à produire la persuasion, à produire de l'émotion. L'image, mieux que la parole, mieux que l'écriture, est dotée de cette faculté de toucher, d'impacter, de résumer la pensée. Elle peut donc être dangereuse dans son aspect propagandiste, pointer l'ennemi, dénoncer l'étranger, ou pire, idolâtrer l'homme providentiel.

L'homme providentiel pourrait ainsi avoir cette capacité d'utiliser l'image, de l'employer à ses desseins pour imposer sa figure, son icône au monde. Si Dieu se rencontre en esprit, le livre de l'Apocalypse rapporte que la Bête se sert de son image pour l'imposer à la face de ce monde.

Apocalypse 13, versets 14-15 : « Et elle séduisait les habitants de la terre par les prodiges qu'il lui était donné d'opérer en présence de la bête, disant aux habitants de la terre de faire une image à la bête qui avait la blessure de l'épée et qui vivait. Et il lui fut donné d'animer l'image de la bête, afin que l'image de la bête parlât, et qu'elle fît que tous ceux qui n'adoreraient pas l'image de la bête fussent tués ... »

Nous prenons aussi conscience que dans cette culture de l'image, nos sociétés du numérique, comme l'écrivait une amie chrétienne, veulent nier le Verbe, le Verbe incarné. Il s'agit de gommer, d'effacer Dieu dans nos représentations mentales, faire, en quelque sorte, l'éviction de toute référence à un Dieu Créateur, que l'on ne peut connaître qu'en Esprit... Je cite là un de ses propos : « L'image devient icône, et en adorant « l'image, » on en vient à ignorer Dieu, à haïr Dieu. Ce qu'on ne montre pas n'existe pas... » Oui, ce que l'on ne montre pas n'existe pas. Notre société de l'image, puisqu'elle ne peut pas montrer Dieu, forcément nie Dieu, montre qu'il ne peut exister, puisque son image ne peut être produite, ne peut nous être restituée.

L'amour de l'image

Il me semble que l'amour de notre image, mise en scène dans les mondes numériques, traduit au fond une forme de caprice d'adolescent, d'infantilisation, d'insensibilité et d'indifférence à l'autre, comme l'est l'avarice. L'amour du reflet de son image, sur le petit ou le grand écran, surpasse ainsi l'intérêt que l'on devrait porter à autrui. Seule son image compte, et surtout celle que l'on veut donner à voir aux autres.

Se théâtraliser, se mettre en scène finit par nous faire perdre tout sens et tout contact avec le réel, avec la vraie vie, les vrais gens. Dès le moment où nous voulons médiatiser un événement, est-ce vraiment la réalité ? La médiatisation ne procède-t-elle pas le plus souvent d'une démarche à la fois sélective et biaisée d'images – ce que l'on veut faire absolument voir, ce que l'on veut donner à voir de soi ?

Avec cette forme de téléréalité, le monde des pixels, l'image numérisée, cette société de l'écran, nous construisons dans ce rapport au monde de l'image : une vision du bonheur factice, pour se donner à voir, une vitrine de la misère humaine valorisant l'artifice des connexions, plutôt que la relation discrète.

Nous cédons, en quelque sorte, à l'abrutissement de la mode des écrans qui dénude les gens en les accoutrant d'un vernis qui masque une forme de frustration, le vrai visage d'hommes et de femmes en quête de bonheur, mais n'étant que des acteurs d'une mauvaise comédie.
C'est ce que m'inspirent la lecture du monde des réseaux sociaux et d'une certaine façon You tube pour ces hommes et ces femmes qui se mettent en scène. Mais ne jetons pas trop facilement la pierre. Nous aussi, nous sommes parfois les sujets de cette surexposition à laquelle nous sommes familiers, depuis que la téléréalité et les réseaux sociaux sont venus inonder les écrans à plasma, et s'imposer parfois à nous.

Le succès, sans doute, de la téléréalité, comme des réseaux sociaux, repose essentiellement sur deux fictions : l'apparence d'un accès facile à la notoriété, l'illusion que nous renvoient nos images qui deviennent en quelque sorte nos avatars. Nous nous identifions à eux, nous sommes eux.

La téléréalité est le reflet symptomatique de la postmodernité, d'individus narcissiques heureux de gagner en notoriété, mais qui sont au fond des individus fragiles, incapables de vivre dans ce monde dans la durée, car la téléréalité est forcément éphémère – un jour dans la lumière, demain dans l'ombre qui vous congédie à un triste vous-même sans miroir.

Nous devrions, en conclusion de ce chapitre, nous inspirer de la conduite de Jésus qui n'a pas cherché à attirer l'attention sur lui, refusant les pouvoirs que lui donne la notoriété immédiate, appelant à la discrétion de chacun, afin que lui-même ne soit pas idolâtré. Car le risque est bien l'idolâtrie de la créature au lieu de l'adoration du Créateur. Ce rapport à la téléréalité est également une manière artificielle de construire une représentation de soi.

Ainsi, le rapport narcissique de la société à la consommation, ce rapport à la téléréalité est également une manière artificielle de construire une représentation de soi, une idéalisation de l'égo, comme l'écrit Alain Ledain, dans son livre *Regard d'un chrétien sur la société*,[204] « (...) mais d'un soi déraciné, arraché à sa réalité. C'est comme si le monde cherchait à créer non l'identité par ce que l'on est, mais à « être » par ce que l'on possède. »

---

[204] Alain Ledain, *Regards d'un chrétien sur la société. Se conformer ou influencer ?* Éditions Ethique Chrétienne, 4 juin 2015, 185 pages.

22

Les mondes numériques et virtuels deviendront-ils demain des univers occultes ?

Nous souhaitons aborder une nouvelle fois avec nos lecteurs un thème qui ne peut pas nous laisser indifférents. Ce sujet touche aux développements des sciences cognitives, des technologies numériques et digitales. L'ensemble des économistes, chercheurs et sociologues pronostique un développement fabuleux de l'économie numérique et du monde virtuel dans lequel nous sommes en effet entrés en moins de deux décennies. Les évolutions technologiques liées au monde numérique, si elles nous fascinent, ne sont pas sans danger, notamment celles liées à leurs pouvoirs, leurs nouvelles capacités à tracer nos faits et gestes. Nous souhaitions donc aborder deux menaces occultes que font peser ces technologies sur l'homme, l'une touchant à son esprit, l'autre affectant ses ressources. Ce sont ces propensions de captation de la machine sur l'être humain que nous souhaitions, dès lors, débusquer en quelque sorte, mettre en lumière pour éveiller notre prudence.

L'envoûtement du monde numérique s'impose-t-il aujourd'hui comme une réalité ?

Le monde numérique comme le monde virtuel pourraient-ils demain s'apparenter à un monde occulte, dont nous aurions accepté les univers de divertissement, de contrôle et la prédiction concernant les orientations données à notre vie ? Les données, les banques de données des principaux sites Web utilisent, exploitent et mobilisent ainsi une quantité d'informations qui permettent d'affiner les corrélations entre nos activités et l'environnement dans lequel nous évoluons, et ce à des échelles bien plus massives et plus détaillées que nous ne pourrions l'imaginer. Le monde virtuel, qui se confond avec le réel, nous promet également de nous déconnecter de notre quotidien. Ce monde virtuel n'ouvre-t-il pas également des portes à un monde magique certes, mais sans doute demain cauchemardesque ?

Ainsi, avec les nouveaux objets du monde numérique, nous pouvons planifier et organiser notre vie en relation ou en fonction des données concernant le temps qu'il fera, à partir de notre smartphone, et identifier les amis que nous pourrions rencontrer, amis qui ont pris soin de laisser des informations permettant de les géolocaliser. Au cours de notre trajet, nous nous laissons tenter de nous rendre dans un restaurant, où nous pouvons régler avec notre compte bancaire depuis notre smartphone, lequel restaurant, sachant que nous sommes dans les parages, nous adresse une information promotionnelle sur notre smartphone, pour nous inviter à prendre un menu à un tarif très spécial et ne pas nous laisser dérouter par le concurrent voisin, dont le menu est si séduisant.

Pour nous y rendre, notre GPS nous conseille une autre voie, en raison de travaux réalisés à proximité de ce restaurant. Puis, après avoir dîné et commandé sur une « gondole » numérique notre repas, nous décidons de finir notre soirée dans les mondes virtuels, en nous plongeant dans celui des écrans, de la réalité augmentée, pour nous divertir et nous plonger dans les univers imaginaires. Ces univers qui mobilisent tous nos sens, où nous nous sentons comme dans la réalité, mais transportés dans un autre monde, où nos sens, tous nos sens, vibrent et semblent interagir. Ces univers virtuels nous font vivre des émotions supranaturelles, des relations connectées, des vies « par contumace ». Notre imagination se prend à croire que nous touchons là un autre monde, que nous sommes, en quelque sorte, passés de l'autre côté, comme dans l'armoire magique de Narnia. Un monde « magique », mais qui peut être aussi terrifiant, lorsque nous sommes ramenés à notre réalité.

Nous voilà ainsi séduits par le monde virtuel. Nous voilà ainsi organisés et gérés par le monde numérique. C'est bien ce monde « fascinant » qui se dessine, et dont nous acceptons peu à peu de lui livrer notre vie sociale sans y réfléchir, ni même apprécier toutes les conséquences induites. C'est également à ce monde envoûtant que nous livrons notre conscience, voulant vivre de nouvelles sensations, sans discerner les effets funestes. Ces « data » prennent, au fur et à mesure, possession de nous-mêmes, ces mondes virtuels, vus comme la quintessence du progrès, envahissent notre monde intime un peu comme le monde occulte.

Nos gestes, nos usages, nos pratiques et nos actions, dans ce monde virtuel, comme dans le monde numérique, sont susceptibles de participer à la construction de connaissances, sans notre consentement, et de dépendances, sans que notre conscience l'ait réellement souhaité. Peu à peu, les data nous enferment dans des « *segments et des ensembles comportementaux* » liés aux traces que nous laissons suite à nos passages sur Internet. Peu à peu, les mondes virtuels finiront par hypnotiser nos esprits, car il est à parier que les télévisions de demain seront des objets qui nous projetteront dans les mondes irréels, affichant des spectacles quasi-surnaturels. Soyons assurés, avec regret, que nous passerons demain, bien plus de temps dans ces mondes-là que d'aller prendre du temps pour boire une bonne bière ou partager une tasse de café avec un ami malade.

Des mondes virtuels et des « data » qui au fur et à mesure développent leur emprise, envahissent notre monde intime un peu comme le monde occulte...

Le monde moderne ne nous entraînerait-il pas vers ce monde occulte, celui des objets magiques et fantastiques ? Tels que ces objets de la modernité qui se dessinent aujourd'hui, ces derniers nous renvoient de façon très étonnante, j'en conviens, au Second Testament, duquel peuvent être tirés de riches enseignements.

Ainsi, dans le récit des Actes, Luc, l'évangéliste, s'attarde sur le voyage missionnaire de Paul et son ministère auprès des Éphésiens. La ville d'Éphèse, au premier siècle, préfigure, en miniature, la civilisation babylonienne, décrite par l'apôtre Jean comme une civilisation devenue une habitation de démons, le « *repaire* de tout esprit impur ». Pour revenir à Éphèse, la ville au cours de ce premier siècle, se caractérise par des pratiques occultes, les sciences touchant aux secrets de la nature. Les Actes nous disent qu'un grand nombre parmi les habitants d'Éphèse, pratiquait la magie. Actes 19:17 décrit une ville où plusieurs habitants étaient eux-mêmes et apparemment liés par des pratiques démoniaques, « *entraînes et dévoyés* » comme l'écrira[205] l'apôtre Paul aux Corinthiens, « *vers les idoles muettes.* »

Le monde numérique contemporain et ses objets virtuels semblent loin de cet univers occulte décrit dans les Actes des apôtres, tout du moins en apparence. Pourtant, le monde numérique poussé à ses extrêmes, entraîne bien une forme de dépendance et de contrôle sur les sujets qui en sont consommateurs, certains jeux virtuels qui provoquent une sensation de plaisir, de relaxation, de bien-être, voire d'euphorie, sont également reconnus comme pouvant susciter de l'hostilité, des troubles de l'humeur, des phobies sociales, des désorientations, des perturbations et des troubles psychiques[206] importants <u>similaires</u> à ceux qui se manifestent chez des personnes dites possédées.

Or, nous prenons conscience que cet univers numérique est de nature à créer une forme, finalement, de fascination et de vampirisation sur la vie des humains, en les rendant addicts, dépendants. La vie des objets numériques, des écrans augmentant la réalité s'apparente, finalement, à des « *idoles muettes,* » ces objets occultes qui avaient cours dans cette période de l'Antiquité où les livres de magie abondaient. Livres de magie qui fascinaient et ouvraient à des espaces offrant des promesses de vie meilleure. Or, nous voyons bien que la technologie numérique, dans certains cas, s'avère opérer comme un livre de magie. Un livre de magie qui a subi une forme de mutation, se transformant en objet moderne, de contenance sympathique et d'apparence inoffensive. Ce livre de magie est aujourd'hui cet écran virtuel augmentant la réalité, conduisant ses sujets dans l'expérience de déréalisation « spatio-temporelle. »

---

[205] Citation extraite de la Bible, première épître aux Corinthiens, chapitre 12, verset 2.
[206] Sur les addictions aux jeux vidéo, nous vous recommandons de lire cet article concernant leur influence sur les enfants : http://www.academie-medecine.fr/publication100036418/.

Rappelons à nos lecteurs que la magie se définit comme une pratique fondée sur « la croyance en l'existence d'êtres ou de pouvoirs surnaturels et de lois naturelles occultes permettant ainsi d'agir sur le monde matériel. » En définissant ainsi la magie, nous prenons alors conscience que ce monde numérique et virtuel, plein de séduction et d'enchantement, nous promet de vivre dans un autre monde qui s'apparente bien à une forme d'envoûtement. Celui-ci suscite chez bon nombre de ses sujets de réelles crises psychiques. Ces troubles de la personnalité, liés à la pratique de jeux virtuels, sont rapportés par de nombreux experts qui se sont intéressés à ces formes de divertissements désincarnés et aux conséquences touchant à l'addiction à ces mêmes pratiques.

Le monde matérialiste dans lequel nous sommes immergés n'échappe pas ainsi à l'attrait d'une forme de tentation de divination. Ce monde pourrait bien se laisser séduire par les univers occultes que produisent, en quelque sorte, la fascination et l'usage d'objets numériques et virtuels, dont nous acceptons qu'ils puissent divertir, contrôler finalement notre existence, et même la prédire. Aujourd'hui, et pour conforter notre propos relatif à cette tentation de divination, certains n'hésitent pas, pour trouver leur alter ego, à s'en remettre à la machine, à une forme de IA (intelligence artificielle) pour se rapprocher de l'âme sœur. Cette pratique moderne de confier son destin à une machine s'apparente aux livres divinatoires que consultaient les habitants d'Éphèse (cf. le livre des Actes, chapitre 19) et qui souhaitaient ainsi lire l'avenir ou avoir un meilleur sort. L'âme sœur pourrait être également rencontrée dans un artefact, un monde virtuel et paradisiaque promettant de faire vivre des sensations amplifiées, si nos rencontres, dans le réel, n'ont pu finalement se réaliser.

Nous voyons ainsi la fascination opérée par cette nouvelle magie, l'emprise également que peut exercer l'IA, devenant une forme de troisième conscience, une sorte de surmoi. Ce surmoi doté d'un savoir inégalé, ou tout au moins d'une capacité de calcul qui dépasse l'entendement humain. Cette IA qui est en mesure en un instant t d'apporter à l'homme les bonnes décisions, les bonnes orientations. Ce surmoi qui, réduisant la part de risque en engrangeant de façon systématique toutes les données possibles, prédirait les conséquences possibles de ses choix.

C'est là où nous rapprochons l'IA d'une forme mécanisée et prédictive de la divination : l'IA est finalement un dispositif qui est de nature à réduire la liberté, la part impalpable et mystérieuse de l'existence humaine face à son avenir.

Il faut également voir l'addiction au monde virtuel comme un autre changement de niveau de conscience, livrant la conscience à un monde susceptible, en l'enivrant, de l'enfermer, de la posséder. Cette magie-là pourrait bien ressembler à ce monde que décrit l'apôtre Jean dans le livre de l'Apocalypse, un monde qu'il assimile à un repaire de démons.
Il faut bien divertir l'humanité et s'enrichir.

Dans cette partie de notre texte, après avoir analysé les dangers auxquels conduit l'enchantement de l'innovation d'un monde numérique sans curseur, nous voulons susciter une prise de conscience : cette fascination n'a finalement pas d'autre objectif que d'enrichir les auteurs de ces algorithmes.

En quelque sorte, le monde numérique, en effet, est en train de mettre au pas notre monde. C'est bien la dimension totalisante, tout en donnant l'apparence de l'innocence des objets qui nous environnent, véritables capteurs d'informations, senseurs de données et de pratiques touchant à notre quotidien. Les ressources des marchands du monde numérique tirent en effet leurs bénéfices de nos comportements, qu'ils ont rendus dépendants de notre étrange fascination pour le divertissement du monde virtuel.

Aujourd'hui, les sociétés aux plus grosses capitalisations boursières au monde sont des entreprises qui vivent principalement de nos usages numériques : Apple, Alphabet (Google), Microsoft, Facebook, Amazon.com. Les entreprises citées sont classées parmi les premières au monde. Gageons que plusieurs entreprises de l'économie numérique les rejoindront.

Nous assistons, de fait, dans notre monde contemporain, à une marchandisation totale de la vie, à une intensification consumériste touchant à la chosification même de la vie. La numérisation du monde rend ainsi possible la cartographie de chaque existence ; nous assistons, massivement et passivement, à l'émergence d'un monstre « doux » qui nous place sous le sceau de ses prothèses technologiques et financières. Nous rentrons dans une forme d'asservissement pernicieux et malveillant de la société babylonienne. Notre culte est celui de la société marchande qui nous donne l'illusion de la fertilité et de l'abondance, nous dispensant de tout autre culte rendu au Dieu créateur des cieux et de la terre.

Cette visibilité continue de notre vie est une forme de diktat doux, mais s'avère être, en réalité, un véritable asservissement, une subordination à un monde invisible, finalement, ce qui est qualifié dans les Écritures comme une forme d'empire occulte, de tentation divine, touchant à un monde invisible et virtuel, se rapportant à la connaissance de ce qui est caché.

Prenons ici pour exemple le « bitcoin », cryptomonnaie créée par un pseudo, connu sous le nom de Satoshi Nakamoto, parmi les 1500 et quelques monnaies virtuelles répertoriées[207]. De nombreux articles ont été publiés à son sujet, et pourtant elle reste toujours une énigme, sans que le commun des mortels dont je fais partie sache très bien qui en sont les réels initiateurs et qui en tient les manettes aujourd'hui. Monero, une de ses « concurrentes, » caracole pourtant en tête des cryptomonnaies, une des dernières nées réputée « sécurisée, privée, non traçable ». Tout est dit sur le bitcoin, il servirait à des exercices financiers occultes sur le « darknet », trafics et règlements de compte en tout genre, car inviolable là encore. A qui profite cette monnaie, sinon à un monde occulte déjà bien réel ?

---

[207] Voir Jean-Marc Chardon, « Les cryptomonnaies sont à l'affiche du G 20 de Buenos Aires », 19 mars 2018. https://www.franceculture.fr/emissions/le-billet-economique/le-billet-economique-du-lundi-19-mars-2018.
Et : LesFurets.com, « Crypto-monnaies : que valent-elles vraiment ? », publié le 24 mai 2018 à 10h50. https://www.nouvelobs.com/publicite/20180524.OBS7147/crypto-monnaies-que-valent-elles-vraiment.html.

Tout comme cela a déjà été le cas pour le bitcoin, des pirates informatiques peuvent traquer les failles de tout système et ainsi « voler » des données, voler vos biens « virtuellement protégés » et s'approprier votre identité, votre « mémoire » dans le nuage, votre signature électronique, pour toutes sortes de raisons, peu reluisantes, l'on s'en doute. Quelle sécurité nous offre ce monde dans lequel nous nous engouffrons, tant il est en apparence vecteur d'avenir ? Un miroir aux alouettes qui égare l'homme de ce XXIe siècle dans le seul univers jamais exploré par un homo sapiens.

Nous reprenons ici les propos du philosophe Éric Sadin qui affirme que « que nous sommes en train de réaliser une dystopie, mais nous y allons enthousiastes, émerveillés, dans un état de somnambulisme béat. Il y a parfois des prises de conscience, comme celle qui a été déclenchée par Edward Snowden. Ce qu'il a révélé au sujet des agences de renseignement est éminemment répréhensible, mais aujourd'hui on est bien au-delà de la surveillance qu'il a mis au jour. Par nos comportements, par l'usage croissant d'objets connectés, nous participons à instaurer une visibilité continue de notre vie. »

La visibilité continue de notre vie sur Internet, via l'économie numérique, et la dépendance à des promesses virtuelles nous mettent sous l'emprise d'un monstre doux et à terme cauchemardesque.

Selon le philosophe Éric Sadin, rejoint par de nombreux chrétiens, beaucoup de nos concitoyens, de nos hommes politiques restent particulièrement aveugles quant à l'étendue des graves conséquences civilisationnelles induites par l'industrie du numérique.

Nous devrions ainsi particulièrement nous méfier de l'infiltration quasi-sauvage des objets numériques qui envahissent notre quotidien et notre habitat. Une infiltration sauvage qui, de façon insidieuse, promet monts et merveilles, voulant enchanter notre monde. Cet enchantement est une forme d'artefact qui entend réparer notre monde réel, mais qui reste un monde profondément virtuel. L'univers numérique est ainsi une société finalement cachée, occultant l'emprise qu'elle veut exercer sur chacun, en contrôlant, auscultant, surveillant et répondant aux moindres de nos besoins artificiels.

Comment, également avec l'émergence du monde virtuel, s'étonner alors des frustrations grandissantes de cette génération baignée dans le divertissement des écrans ? Une génération qui à regret confond la vraie vie et la vie virtuelle, les symboles et le réel, une génération qui se déconnecte de tout rapport à la transcendance, qui magnifie une forme d'écologie, sans avoir de contact avec la nature. Nous comprenons alors les termes employés par l'apôtre Jean, quand ce dernier parle de la Babylone, comme un repère de marchands et un repaire où se nichent les esprits impurs. Ce monde-là pourrait bien être associé à un lieu de démonologie, puisque l'homme absorbé, fasciné, hypnotisé par la magie numérique a fini par lui livrer son âme et sa conscience. Un homme potentiellement connecté au monde occulte, **s'il ne sait pas utiliser le monde numérique à des fins bonnes, en maîtrisant son usage**, pourrait laisser ainsi la porte ouverte à des démons.

Un monde numérique raisonné et bienveillant existe pourtant.

Pour autant, en tant que chrétiens, nous ne pouvons pas mépriser et jeter aux orties la puissance numérique qui s'affranchit des frontières qui se dressent contre l'Évangile dans les mondes des pays totalitaires où notamment les chrétiens sont persécutés, nous portons jusqu'à eux un message magnifique à travers un outil qui, finalement, n'obéit pas aux frontières administratives.

Nous ne souhaitons pas non plus conclure sur une note négative concernant Internet, sur ce « sixième continent. » Notre propos vise plutôt à lancer un message d'alerte sur le souhait d'identifier un curseur sur nos usages, de lancer un travail sur l'éthique à engager autour de l'innovation numérique, d'identifier les enjeux, et d'analyser les problématiques que pourrait amener le mauvais emploi des algorithmes. Il serait ainsi temps d'exiger des sociétés Web de créer des ponts et des passerelles avec le monde des boutiques, des enseignes de proximité, afin qu'elles ne disparaissent pas, de favoriser, autant que possible, les rencontres incarnées, l'entraide ou l'information citoyenne qui mobilisent lorsque l'urgence a pris rendez-vous.

Nous voulons enfin, autant qu'il est possible, valoriser la dimension de contacts qui peuvent se traduire en véritables relations, rapprochant ceux qui nous sont éloignés. Nous voyons aussi dans cet univers, la possibilité de toucher ceux qui sont isolés, ceux qui n'ont pas la possibilité de sortir des murs. Pour de nombreux malades et personnes handicapées, personnes très isolées, l'outil Internet peut s'avérer comme un lieu d'évasion et de réassurance, provoquer les relations, et enfin les visites espérées. Nous voulons également, pour terminer notre propos, souligner la facilité d'accéder à la connaissance, au savoir, et à travers l'usage raisonné et raisonnable de l'outil numérique, d'approfondir la connaissance des sujets qui mobilisent notre intérêt.

La révolution économique

23 La nouvelle vision économique du monde numérisé

Nous assistons à l'émergence d'un nouveau modèle, à la fois civilisationnel et économique, déjà souligné au fil de ces pages. Cette économie numérique et cette société de l'automatisation, via les progrès fulgurants de l'intelligence artificielle, entendent dessiner une forme de société vertueuse et idyllique, cachant en réalité la volonté d'intégrer l'ensemble des données qui caractérisent la vie humaine.

Ce nouveau chapitre est consacré à la vision qu'instaure peu à peu l'économie numérique dans les rapports qui se tissent, transformant les informations en services et applications mercantiles, visant sans aucun scrupule à exploiter, puis à monétiser l'ensemble de nos comportements, à favoriser de nouveaux gisements financiers.

La vision de ce capitalisme numérique nous fait entrer dans une forme d'âge d'or qui entend personnaliser à outrance les réponses apportées individuellement à chaque consommateur. Ce capitalisme se donne également les habits d'une forme de grande communauté numérique, une forme de communisme vertueux, de société de partages avec l'émergence de services apparemment gratuits ou à des coûts marginaux. Mais cette offre numérique opère en réalité une conquête insidieuse, sournoise de l'esprit humain, c'est une conquête absolue de la vie humaine, jusqu'à nous rendre dépendants, en nous suggérant des réponses aux besoins et aux attentes qui s'expriment dans le quotidien.

Cette hyper personnalisation est sous-tendue par le développement de capteurs de données qui se nichent dans toutes les dimensions de la vie, incluant l'intime, les déplacements, les relations. Ces capteurs que sont les smartphones, les téléviseurs, les véhicules, embarquant eux-mêmes des capteurs numériques, jusqu'aux compteurs d'énergie, en passant par les montres, les bracelets numériques qui encerclent toutes les dimensions du quotidien, du domicile à l'usage de sa voiture, de sa vie professionnelle à ses loisirs.

Ce modèle économique est également sur le point de refondre le capitalisme moderne en déconstruisant la verticalité des circuits de production et de distribution, en développant également des services dématérialisés, sans qu'il soit nécessaire d'avoir besoin de rapport avec un agent, c'est ainsi que le monde des assurances et de la banque se développeront, sans qu'il soit nécessaire de s'appuyer sur des guichets ; les guichets seront virtuels, les contacts désincarnés. La médiation qui s'incarnait à travers l'existence d'agents humains en contact, en relation, de succursales se manifestant au travers de contacts humains, tendra ainsi à se réduire puis sans doute à disparaître.

Ce modèle économique déconstruit le rapport à la proximité et modifie substantiellement le rapport à la valeur dans un rapport à l'autre. Nous devenons, chacun d'entre nous, une valeur « dématérialisée » et monétisée.

Le monde numérique est en train de façonner l'économie mondiale.

Les chiffres, publiés par l'UIT, montrent que les technologies de l'information et de la communication (TIC) ont connu « un essor sans précédent au cours des 15 dernières années, ouvrant ainsi de vastes perspectives pour le développement socio-économique. »[208] Les perspectives annoncées d'ici les quinze prochaines années promettent également une expansion galopante des univers numériques, embrassant d'autres domaines de notre existence, touchant à la santé, à la sécurité, aux déplacements, aux rencontres.

La création de données numériques[209] n'a jamais été aussi féconde, l'augmentation est exponentielle. Plus de 40% de la population mondiale font aujourd'hui usage d'Internet[210] .

---

[208] http://www.itu.int/net/pressoffice/press_releases/2015/17-fr.aspx.
[209] 90% des données numériques ont été créées durant ces deux dernières années.

Entre 2000 et 2015, le taux de pénétration du Web a été multiplié par sept, passant de 6,5 à 46% de la population mondiale, et de 46% en 2015 à 54%, soit 4,12 milliards d'internautes[211].

Les ambitions des géants mondiaux du Web (Facebook, Google) sont également de numériser le monde entier.[212] Leurs projets sont de démultiplier les satellites ou les ballons stratosphériques, pour se passer des opérateurs de télécommunications traditionnels, afin de connecter le reste de la population n'ayant pas encore accès à Internet.
La révolution du numérique se répand à la vitesse de l'éclair à l'échelle de l'histoire de l'humanité, et de manière bien plus rapide que les précédentes révolutions industrielles, de l'électricité et des télécommunications. Le monde entier est ainsi sur le point d'être connecté, aucun habitant de cette planète à terme ne sera oublié. Dans cette démultiplication exponentielle des connexions, l'univers numérique se confondra de plus en plus avec l'économie, et ce pour l'ensemble des sphères de l'économie. En d'autres termes, le monde numérique est en train de façonner le monde, et ses conséquences doivent être appréhendées, analysées pour comprendre un autre aspect de la déconstruction de l'homme.

L'homme comblé au sein d'un nouvel eldorado

Dans des contextes de révolution numérique mondiale, souvenons-nous que le XIXᵉ siècle consacrait le primat de la matière sur l'esprit, le XXIᵉ siècle, lui, entérinera, en quelque sorte, le règne du virtuel sur la matière, le règne des connexions Internet sur les relations, le règne des robots sur l'outil, comme prolongement du travail accompli par l'homme.

---

[210] Données issues d'un rapport de la Banque mondiale.
[211] Source : https://www.blogdumoderateur.com/chiffres-reseaux-sociaux/.
[212]http://www.numerama.com/sciences/188251-les-ballons-stratospheriques-de-google-une-opportunite-pour-le-cnes.html.

Il est incontestable que la société consumériste qui accompagne les changements technologiques introduit un changement dans les rapports aux autres, promouvant outrancièrement leurs quêtes respectives du désir de s'accomplir, de se réaliser.

Le rêve de l'homme est toujours poussé plus loin, jusqu'à créer des réponses virtuelles ou matérielles censées procurer un bonheur artificiel, le libérant des corvées, des servitudes, de la « *sueur.* »

Alain Ledain, auteur du livre *Regard d'un chrétien sur la société* déjà mentionné précédemment, aborde « le rapport narcissique de la société à la consommation. » L'auteur décrit, comment, d'une manière artificielle, l'homme consumériste construit une représentation de soi, une idéalisation de l'égo... mais d'un soi déraciné, un narcissique arraché à sa réalité.

Les objets que l'on porte sur soi deviennent ainsi les marqueurs de cette identité, transcendant l'être dans ses émotions, sa culture, ses croyances.

L'idolâtrie des temps modernes, c'est le consumérisme qui joue à fond sur le plaisir de consommer, de posséder. Nous consommons, non seulement par utilité, mais pour combler des désirs. Il y a une véritable quête de plaisir ; plaisir qui favorise certains secteurs : les loisirs et les nouvelles technologies notamment. »

Au cours d'un discours prononcé à l'Assemblé nationale,[213] Victor Hugo, ce géant de la littérature, parlant de son siècle, le XIXe siècle, soulignait déjà la tentation consumériste, et mettait ainsi en exergue un même mal qui, au fil de l'histoire de l'humanité, ronge l'homme, lamine, broie, atrophie son esprit, la conscience du bien, du beau et du vrai.

Dans ce discours, Victor Hugo évoquera un mal, « un mal moral, un mal moral profond nous travaille et nous tourmente ; ce mal moral,

---

[213] http://www.assemblee-nationale.fr/histoire/victor_hugo/discours_fichiers/seance_11novembre1848.asp

cela est étrange à dire, n'est autre chose que l'excès des tendances matérielles. » Puis, plus loin, il ajoute : « Eh bien, la grande erreur de notre temps, ça a été de pencher, je dis plus, de courber l'esprit des hommes vers la recherche du bien matériel. Il importe, messieurs, de remédier au mal ; il faut redresser pour ainsi dire l'esprit de l'homme ; il faut, et c'est la grande mission [...] relever l'esprit de l'homme, le tourner vers la conscience, vers le beau, le juste et le vrai, le désintéressé et le grand. C'est là, et seulement là, que vous trouverez la paix de l'homme avec lui-même et par conséquent la paix de l'homme avec la société. » Que dire alors des tentations consuméristes associées à ce monde virtuel qui caractérise la société contemporaine ? Le discours de Victor Hugo aurait été identique à celui prononcé il y a un peu plus d'un siècle.

Dans un texte admirable de Charles Péguy,[214] texte qui fait écho à Victor Hugo, Charles Péguy souligne la Babylone matérialiste et consumériste qui se dessine et souligne ce mal chronique et puissant d'une société soumise au veau d'or :

« Pour la première fois dans l'histoire du monde, les puissances spirituelles ont été toutes ensemble refoulées non point par les puissances matérielles mais par une seule puissance matérielle qui est la puissance de l'argent. Et pour être juste, il faut même dire : Pour la première fois dans l'histoire du monde toutes les puissances spirituelles ensemble et du même mouvement et toutes les autres puissances matérielles ensemble et d'un même mouvement qui est le même ont été refoulées par une seule puissance matérielle qui est la puissance de l'argent. Pour la première fois dans l'histoire du monde toutes les puissances spirituelles ensemble et toutes les autres puissances matérielles ensemble et d'un même mouvement ont reculé sur la face de la terre. Et comme une immense ligne elles ont reculé sur toute la ligne. Et pour la première fois dans l'histoire du monde l'argent est maître sans limitation ni mesure. Pour la première fois dans l'histoire du monde l'argent est seul en face de l'esprit... »

---

[214] Charles Péguy. *L'argent* (1913). Éditions des Équateurs parallèles, 1992, p. 29-37.

Gilles Lipovetsky, dans son livre *Le bonheur paradoxal*,[215] décrivant la modernité, évoque à propos de cette société matérialiste, quant à lui, l'idée d'une société dopante, flattant la performance construite autour « des idéaux de compétition et de dépassement. » C'est l'impératif de l'optimisation de soi en toute situation, à tout âge, et ce par tous les moyens. Gilles Lipovetsky dénonce ainsi cette société de la prouesse, cette société qui pousse les individus de façon continue à idéaliser les savoir-faire, les savoir être. Il faut se construire, se surpasser, toujours exceller, briller.   « La société de performance tend ainsi à devenir l'image d'une nouvelle prévalence résultant de l'hyper modernité. »

La marchandisation numérisée et généralisée de la vie

Dans ces contextes, nous entrons dans une marchandisation totale et globale de toutes les parcelles de la vie sociale et des besoins qui l'accompagnent.

Cet extrait d'un article du Monde[216] est tout à fait éclairant : « Derrière les bonnes intentions déclarées des GAFA,[217] l'objectif est bien de marchandiser toutes les parcelles de nos existences. La libération promise par les technologies est aussi notre prison. » C'est ce que le philosophe Eric Sadin souligne : « Le modèle dominant développé par l'industrie du numérique consiste à offrir une infinité de « solutions » à l'égard de tous les moments du quotidien. Nous assistons actuellement à une « servicisation » généralisée de la vie. »

Nous nous « *infiltrons,* » comme nous l'avons par ailleurs écrit, dans un monde « serviciel » et dématérialisé, où tout est construit pour offrir la plus large palette de services, donnant l'illusion de combler la totalité des besoins dérivés de l'être humain, l'ensemble de ses désirs.

---

[215] Gilles Lipovetsky, *Le bonheur paradoxal*, Folio, collection Folio Essais, 15 janvier 2009, 496 pages.
[216] *Le Monde* du 14 février 2016. Citation extraite d'un article rédigé par Lionel Meneghin (rédacteur en chef du magazine *Dirigeant*).
[217] GAFA est l'acronyme de Google, Amazon, Facebook et Apple.

Au-delà de la marchandisation numérique des biens et des services, nous voyons le jour d'un nouveau commerce, c'est aujourd'hui la marchandisation de tous les processus vitaux qui représente une nouvelle phase de la mondialisation et de la globalisation – concernant au premier chef le corps. Le corps humain constitue également et de nos jours une « *matière première essentielle au déploiement de l'industrie biomédicale* » et « *destinataire des innovations biotechnologiques.* » Ce corps en morceaux, en pièces détachées, pourrait être demain, achalandé dans les rayons du Web. Cette marchandisation touchera non seulement le corps, mais également la commercialisation du sperme et d'ovocytes, l'eugénisme « *high tech,* » *cette pratique d'achat en ligne du sperme semble avoir déjà eu lieu.*[218]

Il est impossible de ne pas songer, dans cette réflexion sur la marchandisation généralisée de la vie, au livre de l'Apocalypse de l'apôtre Jean, chapitre 18, dans lequel un passage au verset 11 aborde littéralement la vente des corps et des âmes d'hommes, comme objets de commerce de la Grande Babylone.[219]

L'eldorado numérique, un leurre social et économique

L'eldorado numérique brosse l'idée d'une économie florissante, d'un nouvel âge d'or libéré des astreintes de l'économie issue du monde réel. Les axiomes posés promettent un changement des paradigmes, promettant un monde libéré de toute attache, une liberté des consommateurs sans cesse augmentée, promettant à chacun, du moins en apparence, de n'obéir qu'à sa seule « autonomie, » sa propre volonté. En fait, le consommateur « autonome » sera assujetti à de

---

[218] http://www.e-sante.fr/achat-sperme-en-ligne/actualite/1454.
[219] Avant même la révolution numérique, il existait déjà une marchandisation du corps avec la réutilisation des embryons avortés dans l'industrie pharmaceutique. Voir par exemple les articles suivants :
http://www.prolife.com/harvestingabortedbabies.html.
https://www.lifesitenews.com/news/federal-database-shows-pharmaceutical-companies-in-bed-with-abortion-doctor.
https://www.lifenews.com/2017/12/09/two-companies-that-sold-aborted-baby-parts-for-planned-parenthood-forced-to-close-down/.

nouvelles normes sociales encadrant son vouloir et son faire. Les normes sociales, sans cesse, codifieront les gestes, remplaceront les lois de l'ancien monde. La « disparition des lois » donnera l'illusion de la liberté, mais en réalité les normes s'avéreront être de véritables carcans, encartant la liberté de penser, de mouvement. Certes, l'homme se considérera comme autonome, mais non libre, libre de sa mobilité, sans cesse surveillé.

L'eldorado numérique ne sera pas accompagné, en réalité, d'un plein emploi, et risque bien, sinon avec certitude, de créer de nouveaux fossés entre les riches et les pauvres. L'eldorado économique sera un leurre, une tromperie, l'économie numérique n'effacera et n'endiguera nullement le chômage. La croissance économique, comme nous le savons, n'est pas nécessairement associée à l'emploi, mais elle peut être adossée à des efforts de rationalisation et d'économie d'échelle, avec la volonté drastique de toujours réduire le coût des ressources humaines, dans la seule perspective de satisfaire les investisseurs spéculateurs.

Comme l'écrivait Jacques Ellul, dans son livre Le Bluff technologique,[220] « est-ce que les techniques de pointe nouvelles ne seraient pas à l'origine de la crise économique (exactement l'inverse de ce que croient les politiques) ? L'hypothèse (qui est plus qu'une hypothèse, puisqu'elle reçoit un début de démonstration) avait été soutenue entre les deux guerres par des économistes comme Kondratieff et Schumpeter. Elle réapparaît aujourd'hui en reprenant la thèse essentielle de Schumpeter : le progrès technique représente le principal facteur dynamique caractérisant le développement économique, mais il a un effet déstabilisant en raison de son moment d'apparition, de sa vitesse de diffusion et de la multiplication de ses applications qui sont toutes perturbantes. Chaque grande innovation met en question des secteurs entiers des activités économiques traditionnelles... »[221]

Écrivain américain futuriste et auteur de romans de science-fiction, Ramez Naam dit que nous devons absolument prendre conscience du

---

[220] Jacques Ellul, *Le bluff technologique,* Fayard/Pluriel, 11 janvier 2012, 768 pages.
[221] *op. cit.,* p. 46.

potentiel « chômage technologique » susceptible d'être engendré par l'économie numérique et robotique, par l'économie de l'automatisation. Ce non emploi des êtres humains sera créé par le déploiement sauvage de l'automatisation des technologies numériques et robotiques, qui remplaceront demain le travail humain. Pour conforter notre propos, nous renvoyons notre lecteur à son usage des autoroutes : s'il est un « *vieux* » conducteur, il se souvient, sans doute, des aires d'autoroutes équipées de cabines dans lesquelles des hommes et des femmes effectuaient l'encaissement des paiements. Ces personnels des aires d'autoroutes ont finalement fini par totalement disparaître, remplacés par l'automatisation des péages.

Ainsi, l'auteur de romans de sciences fiction, Ramez Naam, précise les enjeux prospectifs liés aux développements d'une société devenue hyper technique, numérisée et robotisée, en précisant les conséquences et les ravages d'un monde dominé par l'automatisation, l'informatisation, le pouvoir technicien. L'un des enjeux, décrit par le romancier, est celui concernant *« le taux de chômage potentiel des chauffeurs de taxi, des conducteurs de poids lourds, suscité vraisemblablement par des véhicules demain sans conducteurs, des voitures autonomes. »*

Ce phénomène de destruction de l'emploi n'est certes pas nouveau, la problématique date des siècles et a souvent galvanisé les transformations sociales les plus radicales. Un tel mouvement de transformation sociale tendra à s'amplifier avec la révolution numérique et transhumaniste. Pour éclairer notre propos et aller au-delà de la simple assertion, prenons quelques exemples issus de secteurs en pleine mutation : le textile, l'agriculture, la logistique, l'e-commerce, le transport...

Jadis, la fabrication des textiles était initialement un art manuel, pratiqué soit par des fileurs ou des tisseurs qui exerçaient leur activité à domicile. Or, en quelques siècles, les progrès techniques, la révolution technologique dans le monde du textile ont fait naître de grandes entreprises textiles économiquement plus performantes. Ainsi, les progrès techniques accomplis au cours des XVIIIe et XIXe siècles n'ont pas seulement donné le coup d'envoi à l'industrie textile moderne, mais ont été à l'origine de mutations considérables, issues de cette révolution industrielle, révolution industrielle accompagnée de transformations familiales et sociales profondes.

De nouveaux changements ont lieu aujourd'hui, puisque les entreprises textiles les plus importantes se délocalisent vers les pays en voie de développement offrant une main-d'œuvre et des ressources moins onéreuses, tandis que la bataille concurrentielle suscite des développements techniques incessants, tels que la robotisation et l'informatisation. Ces avancées technologiques permettent de réduire drastiquement les effectifs et d'améliorer sans cesse la productivité. Hélas ! les conséquences sociales sont vécues comme une fatalité quasi-programmée, dans ce monde où la rationalité et l'efficience technique deviennent les règles d'une nouvelle gouvernance du monde marchand.

L'autre révolution touche également le monde paysan, l'image passéiste du paysan jardinier de nos campagnes se ringardise. Enfant, j'arpentais et sillonnais les champs avec mon père qui me faisait découvrir toute la biodiversité et me sensibilisait à la terre, au monde des végétaux. Aussi loin que remontent mes souvenirs, je me souviens de chevaux qui tiraient une herse, c'était dans le début des années 1960. La ferme de mes grands-parents occupait alors plus d'une dizaine de personnes vaquant à toutes les tâches agricoles, y compris l'élevage.

Enfant, puis adolescent, j'étais le témoin d'une mécanisation progressive de la terre et d'une réduction drastique des personnels. La mécanisation de la terre se poursuit, et au cours d'un échange avec mon père, qui fut lui-même paysan, ce dernier me confia que pour viabiliser l'exploitation agricole, cette dernière devait être adossée à la fois à une gestion nettement plus techniciste, et à la gestion d'une terre comprenant au moins deux cents hectares, demain probablement quatre cents hectares. En l'espace de quarante années de vie agricole, le monde paysan a vu le départ d'un nombre important d'agriculteurs, et parfois même le suicide de nombreux paysans qui n'étaient plus en mesure d'assurer leurs charges.

Or, le monde agricole est en train de franchir un nouveau cap ; l'agriculture, comme l'univers industriel, est en passe de vivre une profonde mutation,[222] ces champs qui étaient l'espace du réel, une image d'un monde évoquant la nature seront, eux aussi, envahis par les drones, les robots, de nouvelles applications du génie génétique et du monde numérique, les GPS[223] qui constitueront demain les guides de machines sans chauffeurs.

Yves Darcourt Lézat, dans un article intitulé « Le paysage une question de société, » souligne cette mutation qui se déroule à grands pas : « Le développement technoscientifique qui prévaut depuis la fin du XVIIIᵉ siècle a changé la donne : la fonctionnalisation des espaces agricoles, l'industrialisation de l'agriculture, l'expansion des villes, le foisonnement des périphéries urbaines, la propension à «grossir coûte que coûte,» les spéculations à outrance... se conjuguent pour percuter des trames structurantes et leur substituer, trop souvent, l'exhibition spectaculaire d'une modernité conquérante et hégémonique, la gestion des flux et des temps primant sur la qualité et la singularité des territoires. »

L'agriculture vit sans doute la plus importante mutation de son histoire, après celle du tracteur apparu à la fin de la Seconde Guerre mondiale. Dans le monde agricole, les technologies, toujours plus perfectionnées, envahissent, d'ores et déjà, les exploitations. Les engins deviennent de super véhicules de haute technologie, les agriculteurs sont de plus en plus des hommes connectés, rivés sur leurs écrans et pilotant, sans doute dans un très proche avenir, de leurs bureaux, leurs « *machines high tech* » sans chauffeurs. D'ailleurs, aura-t-on encore besoin de superviseurs humains pour contrôler un tel dispositif technique qui pourrait être contrôlé par lui-même ?

---

[222] Lire l'article de Romain Charbonnier, «Demain l'agriculteur sera encore-t-il dans le pré ?» : http://acteursdeleconomie.latribune.fr/territoire/attractivite/2015-10-08/demain-l-agriculteur-sera-t-il-encore-dans-le-pre.html.

[223] GPS : Global Positioning System, soit système de positionnement par satellite. Système qui permet de se repérer et de se mouvoir par guidage satellite.

La logistique « e-commerce » est également sur le point de connaître une profonde mutation, et l'exemple vient de l'une des quatre grandes entreprises du Web, la société Amazon, qui a engagé une évolution majeure de son organisation, l'articulant autour de la robotisation de l'entreprise. L'enjeu pour l'entreprise est d'augmenter constamment l'efficience, ses cadences, ses marges, et de remplacer l'humain par la machine effectuant les tâches de gestion logistique, de préparation des commandes.

La robotique n'est qu'un des aspects de l'innovation logistique « made in Amazon ». Toutes les tâches liées aux contacts clients, à la vente des produits font l'objet des dernières applications techniques, qui sont des concentrés de savoir-faire numérique et de gestion des données.[224]
Dans le domaine du transport, c'est également là l'autre révolution technologique, qui n'est pas pour demain, mais qui est bel et bien amorcée. La « Google Car[225] » a été le premier prototype de véhicule de transport piloté sans chauffeur, grâce à de nombreux applicateurs, adossé à un système de guidage particulièrement sophistiqué.

Aujourd'hui, c'est dans le domaine du transport collectif et également dans le transport de frets que les changements s'opèrent avec des expérimentations déjà mises en œuvre, y compris en France. Ces transports collectifs ou transports de marchandises sont aujourd'hui parfaitement en mesure de détecter les obstacles statiques et dynamiques, d'adapter et de synchroniser la conduite à l'environnement, en fonction également des flux routiers en journée.
Aujourd'hui, le remplacement des ressources humaines par l'automatisation, les systèmes de guidage, la robotisation, s'étendent au-delà de la production industrielle.

Dans les années 1986, au début de ma carrière professionnelle, je menais une étude de marché sur la gestion automatisée des files

---

[224] Nous vous renvoyons à l'article des *Echos*, qui décrit la révolution technologique engagée par la société Amazon. Voir http://www.lesechos.fr/16/10/2015/LesEchosWeekEnd/00003-009-ECWE_amazon-danse-avec-les-robots.htm#SRQFjikaGUxEGJOi.99.
[225] La Google Car est un système de pilotage automatique pour automobile aidé de radars, caméras vidéo et GPS lancé en octobre 2010 par la société Google devenue Alphabet.

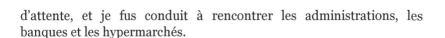

d'attente, et je fus conduit à rencontrer les administrations, les banques et les hypermarchés.

Un directeur d'hypermarché m'avait indiqué en 1987, lorsque je lui exposai le concept de caisse automatisée (produits auto-scannés par les clients sans l'intervention d'une caissière), que cette idée avait certainement un grand avenir, et il pronostiquait l'avènement des caisses entièrement automatisées, dans les cinquante prochaines années. Aujourd'hui, et au début de ce XXIe siècle, dans les supermarchés, les caissières sont peu à peu remplacées par une série de machines enregistreuses en self-service qui permettent aux clients de transcrire leurs achats sous la surveillance d'un seul employé, ce qui est d'ailleurs le cas dans les enseignes IKEA.

Pour ceux qui appréhendent la menace que l'automatisation fait peser sur les travailleurs non qualifiés, la première réponse qui vient à l'esprit est d'adapter les ressources humaines, de former les salariés. Mais voilà, inéluctablement, le progrès technologique commence également à détruire, anéantir les emplois qualifiés, y compris les emplois hautement qualifiés, et il n'y a probablement aucune sphère qui ne soit demain impactée par la conquête technique, celle de la digitalisation, de la robotisation, de l'automatisation et de l'informatisation.

La déshumanisation de la société est, dès lors, bel et bien en marche, et cette marche est incontestablement violente et augure d'une prochaine barbarie à visage économique.

Vers l'ubérisation[226] de la société

La question à ce jour est d'appréhender la capacité de l'homme de s'adapter à un monde en perpétuel changement, à des changements qui

---

[226] Le terme *ubérisation* est un néologisme, provenant de l'entreprise Uber qui a généralisé à l'échelle planétaire un service de voitures de tourisme avec chauffeur entrant directement en concurrence avec les taxis. Ce service se caractérise par la mutualisation des ressources et la faible part d'infrastructure lourde (bureaux, services supports, etc.) dans le coût du service, ainsi que par la maîtrise des outils numériques.

dessinent avec la mutation révolutionnaire de l'économie numérique, susceptible d'engendrer de nouvelles crises sur l'emploi. C'est « l'ubérisation » de la société qui est en route, un phénomène social récent, l'archétype de la nouvelle économie numérique, qui se traduit par l'utilisation de services permettant ainsi aux professionnels comme à leurs clients de construire des transactions commerciales directes, de manière quasi-instantanée, grâce à l'utilisation des nouvelles technologies. La mutualisation de la gestion administrative et des nouveaux systèmes de l'économie numérique réduit, de facto, le coût de revient de ce type de service, mais cette ubérisation n'est pas sans conséquence sur la vie sociale des artisans qui, légitimement, s'inquiètent des développements et des avancées du monde numérique, d'un monde transhumaniste, qui réinterroge l'économie traditionnelle.

Dans ce contexte de bouleversements introduits par l'industrie numérique, la robotique et l'intelligence artificielle, il importe de prendre conscience du leurre numérique, fossoyeur **social** des temps modernes, et des desseins qui se dessinent dans un monde qui chancelle, dont les fondations, au fur et à mesure des avancées de la technique, fragilisent les ressources issues de la **vie relationnelle**, les rapports entre les hommes, les équilibres des écosystèmes dans lesquels l'humain est fondamentalement inscrit. Inévitablement, les bouleversements conduiront les salariés dans l'ensemble des secteurs économiques à des situations anxiogènes, des troubles résultant de taux massifs de chômage, d'effondrements sociaux et de crises, déconstruisant les liens au sein même des familles.

Le client consommateur sous contrôle de l'intelligence artificielle

Nous sommes nombreux à avoir effectué des achats sur des sites Internet, mais nous ignorons sans doute que pendant l'achat des robots assistants peuvent guider le client, en comprenant et interprétant ses besoins et en enrichissant l'expérience client. L'intelligence artificielle est devenue, de façon quasi-incontournable, l'outil informatique intrusif mobilisé par les plate-formes des grandes enseignes d'achat du monde numérique. L'intelligence artificielle est devenue ainsi un outil capable de fouiller les habitudes, de suggérer, d'adapter les réponses, capables même d'empathie envers le client.

Pour Catherine Michaud,[227] l'intelligence artificielle est devenue l'instrument de la relation client permettant de comprendre les modalités d'achat et d'interpréter les données de l'achat client :[228] *« L'intelligence artificielle offre une capacité de connaissance qui devient infinie. Non seulement c'est de la connaissance en temps réel mais elle apporte en prime une information précise et puissante dans la relation client. »* Elle inaugure aussi une nouvelle ère dans la relation client, car elle est adaptative. Elle permet, en amont du parcours d'achat, d'aller chercher et interpréter des données dans le monde ouvert.

Le monde de la finance régulée par la machine[229]

Le monde des transactions boursières manifeste un appétit marchand de plus en plus dévorant. Ce monde de la finance est aujourd'hui au pouvoir des algorithmes et des logiciels les plus sophistiqués. Les transactions boursières s'effectuent au moyen de robots, surnommés les robots de « trading ». Les démarches spéculatives et organisées, au moyen d'algorithmes et de techniques élaborées, permettent d'engranger des revenus substantiels, mais totalement immoraux, puisque fondés sur des gains spéculatifs et virtuels.

Ainsi, l'ensemble des volumes de transactions sur les marchés de la bourse sont désormais traités par de nouveaux acteurs qui ne sont pas des humains, mais des traders technologiques appelés « les traders à

---

[227] Catherine Michaud est PDG d'Integer et administrateur à l'AACC. L'Association des Agences-Conseils en Communication (AACC) est un syndicat professionnel régi par la loi du 21 mars 1884. Représentant plus de 80% de la profession, l'AACC regroupe 200 entreprises qui emploient aujourd'hui près de 10000 salariés.

[228] Extrait d'un commentaire paru sur le site Internet e-marketing : http://www.e-marketing.fr/Thematique/general-1080/Breves/Intelligence-artificielle-quelles-opportunites-marques-308916.htm#lbH6mDwoSU5xtW0z.99.

[229] http://www.creg.ac-versailles.fr/la-regulation-de-la-finance-et-ses-limites.

haute fréquence. » Pour l'expliquer, en des termes simples, le trading à haute fréquence consiste à recourir de façon automatisée à des algorithmes et à des technologies sophistiquées pour repérer et exploiter les mouvements de marché avec une échelle de temps d'une dizaine de millisecondes, un temps qui ne saurait être maîtrisé par l'homme.

Citons le journaliste suisse François Pilet : « On est passé d'une seconde à une microseconde [un millionième de seconde qu'on peut appeler la nouvelle seconde puisque c'est la nouvelle unité de temps du fonctionnement des marchés : c'est un million de fois plus petit. Un exemple : si vous prenez une journée et que vous l'agrandissez un million de fois ça fait 4000 ans de transaction boursière et durant ce temps, il se passe beaucoup de choses. Ce qui veut dire qu'aujourd'hui dans une seconde il se passe énormément de choses. »[230]

Les transactions menées au moyen des logiciels sophistiqués totalisent désormais plus de la moitié des échanges sur les marchés de la bourse. Ces transactions, traduites en ordres de bourses (acheter ou vendre), se réalisent dans des temps qui ne peuvent être gérés par l'être humain, puisque les transactions s'opèrent en millièmes de seconde.
Or, ces transactions, ces ordres de bourses confiés aux algorithmes, ont été la cause de dysfonctionnements graves, d'un mini krach le 6 mai 2010,[231] et les problématiques posées aujourd'hui par l'intervention de ces traders non humains inclinent largement à penser qu'une régulation de leur usage est devenue absolument nécessaire.

La révolution numérique est aussi une révolution sociale et économique effeuillant l'individu.

La révolution numérique a commencé, elle relève bien plus que d'une innovation majeure, d'un événement technique fascinant, cette révolution touchera en réalité toute la vie sociale, d'abord en la

---

[230] Citation de François Pilet extraite du site Internet de France Inter.
[231] https://www.franceinter.fr/emissions/l-enquete/l-enquete-08-avril-2016.

décryptant, puis en l'organisant. Si le lien social, à l'heure numérique, est « *fabriqué* » par les ordinateurs, la numérisation du monde franchira un nouveau pas, en emmagasinant toutes les données concernant notre quotidien, puis en contrôlant une vie sociale intégralement numérisée. Avec ce monde numérique, à qui nous léguons de l'information sur nous-mêmes, nous sommes sur le point de lui troquer une partie de nous-mêmes, croyant gagner la liberté, la fluidité, la facilité, le gain de temps ; or, nous sommes sur le point de lui céder notre âme contre un nombre.

Nous sommes, comme chacun le sait, environnés d'objets numériques, nous nous en accommodons depuis trois décennies. Nous sommes également usagers de cartes de paiement contenant un microprocesseur (une puce) capable de traiter une information. Chaque fois que nous faisons usage d'Internet, que nous réalisons une commande sur un site commercial, laissons un commentaire sur un réseau social, effectuons un achat avec notre carte bancaire, nous laissons une trace, nous abandonnons une information, nous communiquons une partie de nous-mêmes.

Cette trace est une donnée, elle constitue un support d'informations, propagée dans l'environnement du Web, mais également exploitée par les réseaux bancaires. Ces données, associées à nos usages d'internet, nos usages de paiements numérisés, sont immédiatement consignées. Toutes ces données indexées, enregistrées autorisent de fait une lecture de nos pratiques, de nos habitudes d'achat, de nos façons d'utiliser les réseaux sociaux.

Peu à peu notre personnalité numérique s'affiche, nous devenons un livre ouvert (là où un livre ne donne accès qu'à des connaissances, votre personnalité numérique ouvre les portes de votre intimité), une forme de tableau qui restitue peu à peu une image, et au-delà même une identité. Nous constituons peu à peu un matériel d'informations pour les géants du Web, et pour l'ensemble des acteurs du monde bancaire. Aujourd'hui, ces acteurs, ceux du Web et du monde bancaire, sont conscients de posséder une mine de renseignements.

Or, posséder cette double information, touchant simultanément aux registres des comportements sociaux et de consommation, constitue le rêve d'une société totalisante qui pourrait, de fait, posséder une forme de pouvoir et de contrôle sur les individus. Dans ce nouveau chapitre, nous vous invitons à regarder avec nous comment ce processus est devenu possible. Nous vous convions à comprendre pourquoi notre monde est en train de basculer, de dériver vers une forme d'asservissement des êtres humains.

La numérisation du secteur bancaire

La numérisation du secteur bancaire est en marche : « La numérisation pousse les banques vers la plus grande transformation de leur histoire, » de nombreuses banques se sont d'ores et déjà lancées dans le monde digital. Cette révolution est également inquiétante, elle augure une nouvelle fois d'une déshumanisation du monde dans lequel nous entrons inévitablement.

Le constat de cette révolution numérique est sans appel, les agences dans le secteur bancaire sont de moins en moins sollicitées, fréquentées. En effet, dans des proportions de plus en plus importantes, les usagers, déjà largement familiarisés au monde numérique, ont pris l'habitude de consulter leurs comptes à partir de leurs écrans - tablettes, ordinateurs, smartphones...
C'est l'organisation de la banque de détail, qui a maillé autrefois les territoires, qui est remise en cause radicalement. Cette transformation, que le monde numérique opère, n'affecte pas seulement le monde bancaire : nous n'évoquerons pas ici la disparition des services dans certaines zones de nos territoires, tels que les services sociaux, la Poste, les points de distributions alimentaires, les écoles, les maternités, etc. qui sont autant d'agoras, de lieux désormais inopérants.

Aujourd'hui, le modèle économique bancaire (la banque de détail) est confronté à des crises successives, à une baisse implacable des fréquentations de clientèles. La conversion accélérée de la banque de détails au modèle d'organisation numérique de la banque digitale s'est littéralement imposée. Cette mutation numérique est un couperet net en matière de nombre d'emplois. Pourtant, le consommateur lambda ne se lamente pas de la disparition de son guichetier, il voit à travers ses opérations effectuées sur son smartphone un gain de temps extraordinaire qui lui évite la file d'attente interminable et ses rendez-vous ratés.

Face à ce phénomène touchant les nouvelles pratiques de ses clients, les banques sont conduites à faire évoluer leurs services, et seront à terme amenées à diminuer physiquement le nombre de succursales. Nous pourrions d'ailleurs parier sur la disparition prochaine des agences bancaires de proximité. Cette disparition se fera au profit du monde des portables téléphoniques, ces smartphones deviendront ainsi le premier guichet pour bon nombre d'usagers.

Le monde bancaire deviendra digital, c'est l'autre révolution qui est en marche. Le client pourra éventuellement rencontrer son conseiller sur écran avec « Skype, » ou échanger avec une intelligence artificielle sur d'éventuels conseils financiers, des transactions ou des demandes de prêts. Les conséquences pour les salariés seront évidemment dramatiques, l'emploi dans le secteur bancaire subira les effets de la numérisation. Cette numérisation de la banque aggravera, accentuera la baisse tendancielle des effectifs déjà connue dans le monde bancaire. Cette tendance mondiale ne touche pas seulement le monde bancaire. La recherche du profit, via la numérisation du monde économique, n'est que le facteur d'une transformation majeure de nos sociétés : le travail n'est plus ainsi le seul outil de répartition des richesses.

C'est cette fragilité du monde bancaire qui pourrait bien constituer le socle des ambitions des géants du Web, de leurs velléités à vouloir franchir un nouveau cap dans la gestion des profits, en exploitant au mieux les données numériques de leurs clients.

L'intrusion du monde bancaire dans la vie privée des consommateurs
Comme nous l'avons déjà largement appréhendé dans ce livre, les nouveaux services déclinés par les géants du Web apportés aux consommateurs seront de nature à chambouler la donne des grands équilibres économiques actuels. À terme, ces bouleversements seront inévitablement destructeurs de valeurs.

L'autre réalité du monde numérique, c'est celle d'avoir fait émerger un médium (le Web), qui a généré de multiples marchés sans équivalent dans le monde, cassant certains monopoles de la distribution et du commerce physique. Demain, il est à parier que c'est l'ensemble du monde bancaire dans sa forme traditionnelle qui sera remis en cause.

Ce monde numérique génère, dès lors, des problématiques nouvelles, typiques, parce que nous sommes face à de nouveaux géants mondiaux (Google, Facebook, Apple, Amazon...) qui cumulent des caractéristiques leur conférant un pouvoir sur les marchés économiques sans égal au monde. Les géants du numérique ont ainsi une parfaite maîtrise des algorithmes. La maîtrise liée à la gestion des données numériques (données sur nos usages, nos opinions, nos humeurs, etc.) leur confère, à ce jour, la détention de données comportementales touchant à nos représentations, croyances, convictions, sans équivalent dans le monde. Mais le risque à venir, c'est celui du franchissement d'un nouveau Rubicon, croisant les « data » de notre vie sociale, et les « data » de consommations gérées par le monde bancaire.

Il n'est pas inimaginable de concevoir l'émergence, au sein même de l'économie numérique, de nouvelles alliances entre les géants du Web et le secteur bancaire. Les géants d'Internet ne font plus mystère de leurs ambitions de développement dans les services bancaires et notamment dans le domaine des paiements et des monnaies électroniques. Votre téléphone scanne les codes-barres et peut permettre déjà dans de nombreux pays d'effectuer des paiements de factures, de les effectuer chez les commerçants. Dans ce monde totalement numérisé, l'on peut raisonnablement penser qu'à terme les banques et les opérateurs de téléphonie mobile ne feront plus qu'un dans l'émergence de ce nouveau marché.

Nous le savons bien, les moyens de paiement transitant par la banque sont une des sources de revenus du monde bancaire. Comment alors ne pas se saisir, pour les géants du Web, d'une telle aubaine et, telle une pieuvre, agripper une nouvelle proie, augmentant ainsi sa soif intarissable de puissance et de domination ? La connaissance du client et la possibilité de gérer le risque prédictif le concernant sont sans doute l'investissement à venir. La capitalisation des données clients pour adapter les services et générer des sources de revenus est sans doute l'autre enjeu.

Comme me le confiait le cadre d'une très grande banque française, le client n'a plus de secret pour sa banque. La monétisation numérisée de nos moyens de paiement (5,9 milliards de transactions par an sont effectuées en France) nous rend soudainement totalement transparents aux yeux de notre banque. Grâce à ses algorithmes, en un clic, la banque est en effet capable aujourd'hui d'analyser le profil des comptes de ses clients. Le client est mis à nu, effeuillé, la banque sonde les data des achats effectués, l'intégrité et la plénitude du portrait de son client se dessinent.

Sur l'écran, le banquier a immédiatement connaissance des caractéristiques des dépenses et du profil risque que représente le client. La banque croise, analyse, recoupe les données, établit des corrélations, structure les informations relatives aux dépenses, aux mouvements des comptes. Une véritable intrusion s'organise. Une connaissance fine et détaillée du client se déploie, sous les yeux du banquier. Le client devient prévisible, il est possible de le catégoriser, de le placer dans l'une ou l'autre des typologies client Pépère, client Flambeur, client Prometteur ou client Sans Avenir.

C'est toute la vie du client qui se confesse devant ses yeux, même si ce dernier s'imagine qu'il n'a pas mis tous ses œufs dans le même panier. Aucune autre entreprise que la banque ne détient ainsi autant de données sur ses clients : revenus, propension à dépenser ou au contraire à épargner, enseignes fréquentées, habitudes alimentaires, dépenses santé. Le client est dévisagé, totalement dévisagé. Dans ce jeu des data, la banque est en mesure d'apprécier les évolutions, les changements intervenus, les rythmes de consommation, y compris l'intimité du client, ce que lui-même n'oserait confier à ses amis - sa banque, elle, en revanche le sait. Le client ne saurait alors tricher, mentir, les demi-vérités n'existent pas pour le banquier.

Le client est en quelque sorte en train de devenir un livre ouvert, un livre que toutes les entreprises aimeraient pouvoir lire, que des organisations étatiques, que les géants du Web pourraient bien vouloir sonder, si les mesures liées à la sécurité des citoyens devaient se développer. D'ores et déjà, ces « big data » bancaires savent localiser les déplacements, les lieux que vous fréquentez, les habitudes, les récurrences de ces achats.

Le mariage quasi-diabolique du secteur bancaire et des GAFA

Mais le plus inquiétant est à venir, face à la puissance financière des big data, nous pourrions dans un proche avenir imaginer sans peine les mariages des majors de la finance mondiale et des entreprises comme Google et Facebook.

Le souci de la connaissance client est un axe de développement primordial pour le secteur bancaire, et d'ailleurs cela est aussi vrai pour l'économie numérique qui peut espérer l'emploi et l'usage des nouvelles formes d'interactivité offertes par les réseaux sociaux. Les mondes des réseaux sociaux et des data exploités dans le secteur bancaire inévitablement se croiseront.

Dans ce monde déjà dystopique, les partenariats entre les secteurs bancaires et les géants du Web se renforcent. La collaboration entre les banques et les géants du numérique œuvre pleinement en ce sens. Ces collaborations s'appuient sur une nouvelle gouvernance des rapports clients, construite autour d'une feuille de route nécessairement commune, celle de la connaissance du client. Mais au-delà des ententes possibles et envisageables, il est tout à fait concevable que les géants du Web disposent demain de leurs propres moyens de paiement, comme nous l'avons indiqué en préambule, en évoquant cette possibilité que Facebook permette à ses internautes de transférer de l'argent électronique entre eux.

Les géants du Web disposent de moyens financiers colossaux et sont en mesure de déstabiliser les banques traditionnelles, de faire demain irruption, non seulement sur les marchés des moyens de paiement, mais également de l'épargne.

Notons, pour illustrer notre propos, ce service de paiement en ligne appelé PayPal qui permet de payer des achats, de recevoir des paiements, d'envoyer et de recevoir de l'argent. PayPal a été créé en 1998 par la fusion de deux start-ups : Confinity et X.com. En 2002, PayPal a été rachetée par la société eBay pour 1,5 milliard de dollars américains, ce rachat était expliqué par l'usage important du site d'enchère lié aux transactions, utilisant ce service de paiement en ligne. Nous voyons bien ainsi l'intrusion de sociétés spécialistes du Web, investissant le monde bancaire, et la possibilité immense d'exploiter allègrement les données clients, pour augmenter le pouvoir d'informations sur les clients.

Le secteur bancaire est sur le point de connaître des bouleversements sans précédent, quand on sait aujourd'hui à quel point les consommateurs sont devenus si familiers avec l'usage de leurs smartphones, dont la convivialité d'usage est devenue si intuitive. Le smartphone devient à terme le concurrent de la banque de proximité, du guichet bancaire qui pourrait à terme disparaître. Rappelons ce chiffre déjà recueilli en 2012 : 67 % des détenteurs de smartphones[232] (étude KANTAR TNS) se servent de leurs téléphones mobiles pour effectuer des opérations bancaires. Les banques se doivent, dès lors, de suivre en permanence les performances de leurs supports en ligne, de manière à les faire évoluer, afin de s'adapter aux nouvelles pratiques consuméristes de leurs clients.

Mais, au-delà de la disparition plus que probable du guichet bancaire, le plus inquiétant n'est sans doute pas cette transformation inévitable des modalités de vente, d'achat, d'emprunts bancaires, mais bien **l'utilisation intrusive** des données relatives aux comportements de consommation et aux croyances des consommateurs. Il deviendrait donc aisé, en numérisant les connaissances des comportements et les connaissances des croyances, de tracer, de suivre, d'ausculter, de surveiller chaque consommateur, le consommateur ne devenant ainsi qu'un nombre.

---

[232] Source : KANTAR TNS, Enquête 2012 : https://www.tns-sofres.com/publications/les-francais-internet-et-leur-banque.

Nous comprenons alors beaucoup mieux la dimension prémonitoire que nous trouvons dans le livre de l'Apocalypse, au chapitre 13 et au verset 17 : « personne ne pût acheter ni vendre, sans avoir la marque, le nom de la bête ou le nombre de son nom. »

Conclusion

Les variables changent, le monde économique est en train de muter à toute vitesse, vers le tout numérique, vers la dématérialisation. Cette mutation se traduit par moins de travail pour les hommes, plus de systèmes à gérer. Les mutations vécues, via ce monde numérique, se traduisent ainsi par un changement de modèle radical, un bouleversement de paradigme, avec des implications sociales équivalentes à celles de la révolution industrielle.

Pour être appréhendé par le plus grand nombre, ce monde en mutation incessante nécessite de nouvelles grilles de lecture pour les citoyens, les usagers d'un service, les consommateurs. Le numérique n'offre aucune assistance, mais une pléiade de services, en changement permanent, suivant des modes et des tendances, à la merci de marchés à conquérir ou de parts de marchés.

Que dire de tous ceux qui n'ont pas accès à ce type de services, qui sont donc de facto « exclus » des data ? Seront-ils représentés ailleurs ? Comment et par qui ? Pas de téléphone, pas de place de cinéma ; pas de courses, pas de commandes ; pas de smartphone lié à un compte, pas de livraisons, etc.

Nous évoquions implicitement dans un précédent article le vol de données, nous reposons la question, tout en voulant bien accepter le bond en avant que constituent toutes ces avancées, il est plus facile aujourd'hui de pirater un téléphone que de cambrioler une banque : avantage ou inconvénient du numérique... ?

Enfin, pour terminer ce chapitre, nous aimerions donner une illustration à l'ensemble de notre propos, cette illustration nous vient de Chine. L'état chinois entend en effet utiliser les fameux big data pour mieux évaluer ses citoyens dans leurs actes sociaux et citoyens, leurs bonnes conduites, par exemple comme automobilistes, leurs comportements vis-à-vis du parti unique. Sur quelques zones test, la Chine met ainsi en place un dispositif d'évaluation qui permettra aux personnes les mieux évaluées d'accéder à tels ou tels services, d'autoriser ou non ses citoyens à voyager hors de Chine.

Prévu pour 2020, ce dispositif dénommé « Système de crédit social »[233] doit récoler les données de   millions d'internautes chinois. Du respect du code de la route aux discours tenus sur les réseaux, tout élément pouvant décrire le comportement d'un citoyen est ainsi systématiquement relevé.

Cette information, nous l'avons relevée dans un article publié dans le blogue maRTS le 23 mars 2018, dont nous vous proposons un extrait :

« Le concept repose sur un système de notation des citoyens. Chacun part avec une réserve de 1000 points ou crédits. Un comportement jugé positif rapporte des points. A l'inverse un comportement négatif fait perdre des points. Au-dessus de 750 crédits, un individu pourrait par exemple bénéficier de baisses d'impôts. Les mauvais élèves se verront en revanche inscrits sur la fameuse liste noire. »

---

[233] Extrait de l'article lu dans la *Tribune* : http://www.latribune.fr/economie/international/chine-le-big-data-pour-noter-les-citoyens-et-sanctionner-les-deviants-610374.html.

24

La dématérialisation de la monnaie, une quadruple menace géopolitique, économique, écologique et sociale

Nous sommes peu à être réellement familiers avec les arcanes de la nouvelle finance dématérialisée, avec ces concepts qui pullulent et fourmillent sur la toile mondiale de l'Internet, qui transitent dans les mondes des algorithmes.

Or, un véritable engouement saisit un nombre de plus en plus important d'usagers pour les gains ou les attraits, les séductions de facilité et de confort, apportés par ces monnaies virtuelles, appelées cryptomonnaies ou monnaies numériques. Les chalands, appâtés par ce monde virtuel, méconnaissent, en réalité, les menaces que font peser ces pratiques d'échanges de liquidités électroniques. La plupart d'entre nous en ignorons les risques, comme nous ne conscientisons pas la quadruple menace géopolitique, économique, écologique et sociale.

La monnaie virtuelle a été lancée à la suite de la crise financière de 2008 comme une forme de protestation sociale, pour ne pas subir le diktat des autorités monétaires publiques et des grandes banques privées, pour échapper à l'intermédiation (la promesse du monde virtuel), qui casse toutes les verticalités. Mais, d'une contestation sociale, d'antisystème, cette monnaie virtuelle, dont le bitcoin fut le porte-drapeau, est aujourd'hui l'objet de toutes les frénésies et convoitises, et devient même un sujet spéculatif, augurant de risques équivalents à ceux connus en 2008, et sans doute bien pires.

Le monde mystérieux de la cryptomonnaie et des monnaies virtuelles
En quelques siècles, le monde est passé du troc aux cryptomonnaies, de l'économie réelle à l'économie virtuelle. Le troc était l'incarnation d'une économie peu sophistiquée, primitive, une transaction que nous « **visualisons** » ; en revanche, la cryptomonnaie est bien une

transaction qui est le fruit de la mathématisation de l'économie, et pour de nombreux néophytes, **opaque**, voire **invisible,** avec un brin d'ironie. Toutes ces monnaies virtuelles empruntent des réseaux, des routes dessinées par le monde des algorithmes crayonnés par ce qui est communément appelé la « block chain » ou chaîne de blocs (technologie de stockage et de transmission d'informations), une forme de support et d'infrastructure informatique qui assure la circulation des monnaies, en utilisant la toile Internet.

La chaîne de blocs se présente comme une technologie de chaînage et de stockage d'informations, dans une forme d'espace, un serveur à distance, accessible sur Internet. La chaîne de blocs est donc un espace qui permet le transfert des données et l'établissement entre des personnes ou des agents d'un rapport de confiance concernant la transaction de ces mêmes données, en l'occurrence une transaction de monnaie non fiduciaire (pièces et billets de banques), une monnaie virtuelle. L'ensemble de la transaction virtuelle (une monnaie numérisée) est ainsi sécurisé par de nombreux codes d'accès, un chiffrage, un algorithme, par cryptographie, et formant ainsi une chaîne garantissant l'opération commerciale, en laissant cependant une trace qui authentifie le « troc. »

Ainsi, pour résumer notre propos, au fil de l'histoire de la monnaie, nous avons relevé une mutation majeure dans les moyens et les modes de paiement. Il y a plusieurs millénaires, le troc constituait le moyen d'échange - l'échange de marchandises contre des marchandises, la négociation de biens contre des biens -, puis la monnaie est venue simplifier les systèmes de transaction, faciliter les échanges, attribuant une valeur, un prix à toutes les marchandises.

Mais la monnaie fiduciaire s'est par la suite sophistiquée, prenant des formes multiples, jusqu'à ses formes nouvelles qui sont celles d'une monnaie électronique ou sensiblement dématérialisée, avec sa configuration la plus connue qui est celle de la carte bancaire que nous avons tous dans notre portefeuille. Mais, depuis le début de ce XXIe siècle, de nouvelles formes de monnaie ont cours avec l'émergence des paiements dits virtuels, PayPal, Bitcoin, Ripple (l'étoile montante) et d'autres formes de paiement électronique et numérique.

L'on compte, à ce jour, plus de 1500 monnaies virtuelles dans l'ombre du Bitcoin, totalisant ensemble des centaines de milliards de transactions. Nous ne définirons pas ici le contenu de ces nouvelles pratiques monétaires, pas plus que nous n'expliquerons, en les détaillant, les spécificités de ces nouvelles formes de monnaies, car ce n'est pas ici notre propos. Chacun peut ici consulter les sites spécialisés qui déclineront les caractéristiques propres à ces nouveaux moyens d'échanges qui accompagnent la révolution numérique, telle que nous la connaissons à ce jour.

Alerte sur les pratiques d'une économie virtuelle capable de fragiliser des pans entiers de l'économie réelle

Notre démarche est tout autre, et dans l'esprit de ce livre qui porte le sous-titre *Critique du système technicien*, nous souhaitons plutôt anticiper et lancer une forme d'alerte concernant ces pratiques qui peuvent demain fragiliser les socles de toute vie sociale en raison d'un système apparemment libre, mais d'un système qui défie l'économie réelle, les institutions, contrôlant et régulant les marchés économiques. Les apparences flexibles d'une transaction confortable et facile peuvent, en effet, cacher une forme de « loup, » et demain renverser durablement les grands équilibres économiques, en raison de transactions qui auraient échappé au contrôle des états.

Néanmoins, pour comprendre notre démarche réflexive et vous permettre d'appréhender les problématiques de la sphère de la monnaie virtuelle, de la cryptomonnaie, il importe de rappeler, en premier lieu, la définition de la Banque centrale européenne qui définit la monnaie virtuelle comme « un type de monnaie numérique non réglementée, émise et généralement contrôlée, par ses développeurs, utilisée et acceptée par les membres d'une communauté virtuelle spécifique. »

La monnaie virtuelle est donc une monnaie non réglementée, émise par ses développeurs et acceptée par les membres d'une communauté, mais elle s'appuie, il importe de le préciser, sur des moyens de traçage, de chiffrage qui authentifie les transactions ; cependant, cette notion de non-réglementation présente, bel et bien, un risque, un risque notamment fiscal pour les nations pour qui l'imposition n'a pas été exercée sur ces échanges, mais, également un risque social, en raison des dimensions cachées, dont les conséquences écologiques devront être aussi dévoilées.

Ces monnaies virtuelles constituent également des monnaies alternatives qui n'ont de cours légal dans aucun pays et peuvent échapper au contrôle même des états ; inversement, certains états peuvent également y avoir recours, pour contrecarrer les puissances mondiales qui régulent, sur l'ensemble de la planète, les marchés financiers. Pour Jean Tirole, prix Nobel d'économie, citant une de ces monnaies virtuelles, « *le rôle social du Bitcoin est « insaisissable. » Les bitcoins sont concentrés dans des mains privées notamment pour la fraude en général et l'évasion fiscale en particulier,* » ce qui est incontestablement un manque à gagner pour les états.

Depuis les années 2010, et plus récemment encore, il convient de noter la montée croissante, l'utilisation quasi-généralisée de la monnaie virtuelle, l'emploi progressif de cette monnaie constitue incontestablement un nouveau défi, relativement à la régulation et au contrôle des politiques monétaires et de changes qui ont cours au sein des états, mais, ce défi ne concerne pas seulement la sphère monétaire, il nous semble, également, que ce défi touche aussi les dimensions sociale et écologique.

Les menaces sociales et écologiques que fait peser la dématérialisation des monnaies

Ainsi, au-delà de la dimension de la dématérialisation de la monnaie, il y a bien des enjeux et des risques géopolitiques, sociaux et écologiques qu'il convient d'appréhender, dont beaucoup n'ont probablement pas pris conscience, en considérant les seuls bénéfices touchant à la dimension du confort, de la facilité, de la disparition des intermédiaires financiers. Nous cédons, une fois de plus, à la facilité, en évitant les processus d'intermédiation, les circuits longs touchant au contrôle de la circulation de la monnaie. Un exemple d'avantage ou de privilège apporté par ce type de monnaies est celui que propose la banque Assurance AXA qui dédouane immédiatement ses sociétaires pénalisés par un retard d'avion, en les créditant d'un remboursement quasi-immédiat et instantané, sur leurs comptes, et ce sans intermédiation. Ce service, proposé par l'assureur, est basé sur un contrat dit intelligent, hébergé dans la chaîne de blocs Ethereum. Ce service facilite le remboursement immédiat des voyageurs assurés en cas de retard sur un vol. Nous prenons, de fait, conscience de l'attrait qu'exerce ce type de procédé monétaire, apportant une transaction immédiate et sans intermédiaire. L'attrait de ce procédé est donc sans équivalent sur le marché de l'assurance traditionnelle.

Si la monnaie virtuelle, la cryptomonnaie, fait figure d'un service quasi-participatif et convivial pour ses usagers, du fait qu'elle permet des transactions digitales, un versement de compte à compte, elle se développe, nonobstant, indépendamment des institutions financières, quelles qu'elles soient.

Or, derrière l'attrait de ces transactions et du succès que connaissent les monnaies virtuelles, comme le Bitcoin, Ethereum et bien d'autres monnaies antisystème (plus d'un millier, rappelons-le), les menaces ou les périls ne sauraient être demain occultés. Les périls sont géopolitiques, puisque, nous l'avons bien compris, les transactions échappent aux circuits des institutions bancaires, des banques centrales, des états. Inévitablement, cela peut représenter un dégrèvement dans les recettes fiscales de l'État, ce sont, en effet, de nombreuses transactions qui échappent au contrôle de l'État, du fait de l'opacité fiscale de ces transactions qui circulent sur les routes de l'Internet.

Une opacité qui pourrait aussi cacher de véritables menaces touchant, notamment, à la cybercriminalité, et inévitablement, en toile de fond, à la déstabilisation des nations. Ainsi, *les risques liés aux monnaies virtuelles sont également et dès lors* **les possibles instabilités financières,** en raison du caractère spéculatif et volatil (ce que Christine Lagarde, directrice générale du FMI, soulignait lors d'une de ses interventions sur la cryptomonnaie[234]) de ces nouvelles plate-formes, et des séductions qu'elles opèrent sur les publics, mais les risques connus concernent le blanchiment d'argent, ou bien ceux qui concernent la dimension écologique.

La monnaie virtuelle est d'ores et déjà annoncée comme une catastrophe écologique et sociale[235].

La menace est en effet environnementale et touche à la dimension énergivore de ces plate-formes financières qui sont consommatrices d'électricité. En effet, la chaîne de blocs, qui est un support informatique, repose sur une multitude d'opérations et des empreintes informatiques laissées lors des transactions, des traces fragmentées, disséminées et hébergés dans les « silos virtuels. » Selon le site Internet *The digiconomist* s'appuyant sur des données relevant de l'analyse d'experts, « *l'archivage des transactions nécessite chaque année une moyenne de plus de 30 milliards de kWh, soit la production énergétique annuelle de 4 centrales nucléaires[236]* »[237].

---

[234] http://www.ledevoir.com/economie/actualites-economiques/514215/analyse.
[235] https://www.lesechos.fr/infographie/bitcoin/.
[236] https://digiconomist.net/bitcoin-energy-consumption.
[237] N.d.E. : Il convient de moduler ici le propos de l'auteur au sujet de la crise écologique. Éric Lemaître souligne avec raison l'aspect énergivore de la chaîne de blocs, qui consomme énormément d'électricité, cette électricité étant produite en partie par des centrales nucléaires. Mais il y a lieu de distinguer cet aspect énergivore avec émission de CO_2 d'un effet écologique catastrophique. Nous renvoyons à la présentation donnée le 2 avril 2013 au Visiatome et intitulée « Les défis énergétiques de la France » d'Etienne Vernaz, ancien directeur de recherche au Commissariat à l'Energie Atomique (CEA) à l'état-major du département en charge de la recherche sur les déchets nucléaires, et spécialiste de la vitrification [https://www.youtube.com/watch?v=-4QgJiaoiqc] : contrairement à ce qui est dit en boucle, l'énergie nucléaire est l'énergie la plus propre écologiquement par rapport aux énergies fossiles, au gaz naturel et à l'énergie hydroélectrique. Les centrales nucléaires produisent très peu de gaz à effet de serre, et l'énergie nucléaire est abondante et induit des coûts maîtrisés, ce qui explique que la France, dont 80% de l'énergie sont d'origine nucléaire, se classe en troisième position dans le classement mondial des meilleurs systèmes d'énergie devant 102 autres pays, et même en deuxième position sur le critère de développement durable (cf.

Ainsi, la consommation totale d'énergie du réseau Bitcoin a atteint des proportions homériques. L'ensemble du réseau Bitcoin consomme

---

https://www.lesechos.fr/06/03/2013/LesEchos/21390-079-ECH_le-systeme-energetique-de-la-france-parmi-les-meilleurs-du-monde.htm). Ces faits sont corroborés par Samuel Furfari, ancien haut fonctionnaire expert sur la question énergétique auprès de la Commission Européenne et ancien professeur de géopolitique de l'énergie à l'Université Libre de Bruxelles dans son livre récent *The Changing World of Energy and the Geopolitical Challenges: Understanding Energy Developments.* Volumes 1 et 2, CreateSpace, publié en février 2017, et qui est destiné à devenir une référence sur le sujet.

Pour avancer dans le débat scientifique de fond, cinq idées maîtresses doivent être retenues et mises en avant :

1) Il n'y a pas en fait de consensus scientifique à 97% sur le caractère anthropique du réchauffement climatique. Les articles scientifiques en accord avec les conclusions du comité IPCC ne représentent que 0,3% des articles sur le sujet. Voir David R. Legates, Willie Soon, William M. Briggs, Christopher Monckton of Brenchley, « Climate Consensus and 'Misinformation': A Rejoinder to Agnotology, Scientific Consensus, and the Teaching and Learning of Climate Change. » *Science & Education,* avril 2015, Volume 24, Issue 3, pp. 299–318. http://link.springer.com/article/10.1007/s11191-013-9647-9.

2) En réalité, les données scientifiques ne montrent même pas de réchauffement climatique, mais des variations locales qui sont indistinguables des incertitudes de mesure et qui, vues sur une échelle temporelle plus longue, rentrent dans le cadre des fluctuations historiques normales.

3) L'émission de CO_2 n'est pas mauvaise pour l'environnement. Au contraire, le CO_2 favorise la flore et la faune. « Il n'y a pas de preuve scientifique convaincante que les émissions anthropiques de CO_2 provoquent ou provoqueront un réchauffement catastrophique de l'atmosphère et un dérèglement du climat. En revanche, il existe des preuves scientifiques substantielles que l'accroissement de la teneur en CO_2 produit des effets bénéfiques sur la faune et la flore terrestres. » C'est la déclaration signée en 2009 par 31478 scientifiques (liste exhaustive donnée dans *Climate Change Reconsidered* publié par C. Idso et 36 coauteurs. http://folk.uio.no/tomvs/esef/NIPCC-Final_090602.pdf).

4) Les projections dans l'avenir sont faites à partir de modèles météorologiques globaux qui sont complexes, comportent infiniment de paramètres, et ne collent pas avec l'évolution empirique du climat.

5) Il faut distinguer, d'une part, pollution (qui peut être bien réelle et qui doit être déplorée, bien que beaucoup d'indicateurs environnementaux se soient améliorés [air, eau, etc.] depuis un demi-siècle) et réchauffement climatique, et d'autre part, émission de CO_2 et réchauffement climatique.

Le lecteur intéressé par la question est renvoyé au livre *L'innocence du carbone : L'effet de serre remis en question* aux éditions Albin Michel (6 septembre 2013) de François Gervais, professeur émérite de l'Université François Rabelais de Tours (France), où il enseigne la physique et la science des matériaux. Il pourra également avoir un aperçu de la thèse avancée par l'auteur en lisant l'entretien accordé à *Liberté,* dans lequel l'auteur présente une série d'objections scientifiques aux différentes affirmations courantes sur le réchauffement climatique : https://www.liberte-algerie.com/actualite/le-pr-gervais-conteste-les-verites-du-rechauffement-climatique-259984.

maintenant plus d'énergie qu'un certain nombre de pays, ce que confirme le rapport publié par l'Agence internationale de l'énergie. Si Bitcoin était un pays, le réseau de cryptomonnaie se classerait devant la Suisse et la République tchèque (voir le graphe le démontrant sur le site Internet *The digiconomist* auquel nous vous renvoyons[238]).

La dépense énergétique, du fait des usages électroniques des centres de données, est ainsi de plus en plus impactée par la chaîne de blocs générée par l'ensemble des transactions informatiques effectuées. Les usages sont en forte croissance, non pas en raison de la croissance de l'utilisation ou de la valeur de la monnaie électronique elle-même, mais en raison de la mécanique informatique même, liée à la chaîne de blocs. À titre d'illustration, fin 2017, comme l'illustre le site que nous avons consulté[239], 159 pays consommaient moins d'électricité que celle nécessaire à l'écosystème Bitcoin.

La menace est également sociale, et pour la simple bonne raison que toute crise financière est nécessairement corrélée à une crise sociale, l'effondrement d'une bulle financière, aura, de fait, nécessairement des impacts sociaux, augmentant des risques de précarité et de pauvreté. Avec l'utilisation croissante des cryptomonnaies, entachée de frénésies et de fièvres spéculatives, les banques centrales craignent l'avènement possible de crises financières. Le Bitcoin, qui est une cryptomonnaie parmi d'autres, a vu ainsi sa valeur augmenter de manière totalement artificielle, et avec la croissance des usagers, l'effet de mode passé, il se pourrait que les retentissements, du fait d'investissement inconsidérés, aient des effets néfastes sur l'ensemble de l'économie et contribuent, par conséquent, à une crise majeure et sans précédent, comme le fut en 2008 la crise des « subprimes », qui toucha le secteur des prêts hypothécaires à risque.

---

[238] « Bitcoin Energy Consumption Index ». https://digiconomist.net/bitcoin-energy-consumption.
[239] https://acteursdeleconomie.latribune.fr/debats/opinion/2018-03-27/le-bitcoin-entre-menaces-et-perspectives-773285.html.

Fin des guichetiers, voici maintenant le sourire de « l'aRgent »

Dans cette dimension de crise sociale, c'est aussi la dimension du lien social qui doit être relevée : le monde virtuel contribue à assécher définitivement les rapports, les transactions se font par la seule entremise des machines et des robots virtuels, des algorithmes ; c'est la fin des guichetiers, voici maintenant le sourire de « l'aRgent. » Dans cette création de monnaies virtuelles, les hommes, avec une grande ingéniosité, ont ainsi inventé un contre-système, non pour déployer de nouvelles solidarités, mais en refaçonnant les échanges financiers ; ils ont asséché, puis gommé, les vertus associées à la philanthropie et l'altruisme, pour un goût immédiat du gain. Au fond, la monnaie virtuelle est le reflet d'un monde virtuel déconnecté de la relation avec le réel, le miroir de la dimension incarnée de l'échange, visant le bonheur des uns et des autres ; ici, l'enjeu est une affaire de prospérité, et tant pis si la maison devait brûler.

Une fois de plus, nous attirons l'attention sur le mirage d'un monde virtuel qui plonge bien notre humanité dans un marasme possible, car l'on n'a pas pris garde à la nécessité de mettre des curseurs à la folie technique qui envahit à ce jour l'environnement humain, et face à une crise majeure, nous pourrions, bel et bien, entrevoir demain l'avènement d'un système de contrôle universel, une forme d'ordre, régulant et supervisant tous les modèles de transactions, afin que rien n'échappe à l'emprise d'un système technicien autoritaire, s'appuyant demain, et entre autres, sur l'intelligence artificielle, pour prévenir, à l'avenir, d'autres crises financières.

25 Le culte de la consommation

Force est de constater que nous assistons à un glissement de société, une société qui voit disparaître les institutions qui pouvaient dire, énoncer, exprimer le « bien. » La famille est dans tous ses états, se disloque, ne sert plus de seul repère, la religion est reléguée au magasin des vieilles reliques, le politique n'est plus capable de se révéler comme une conscience morale, mais il devient lui-même un miroir social instrumentalisé par les sondages, le reflet d'un conformisme qui doit taire la conscience. Une société de marchés, de l'hyper consommation, le monde des biens remplace au fil de l'eau, la société du « bien » commun, des institutions : la famille, l'Église, la politique.

Une nouvelle scène se joue aujourd'hui et s'impose, celle où priment les valeurs de jouissance, où prédomine l'individualisme, nous ne vivons plus un monde où nous serions reliés aux autres, mais nous passons à un autre monde, celui des connexions, où tout se chosifie, où chacun peut être réduit à une marchandise. Tout pourrait ressembler aujourd'hui à cette fameuse grande Babylone que décrit l'apôtre Jean.

La Babylone de l'apôtre Jean, un vaste système marchand

Babylone, c'est l'épilogue de l'histoire de l'humanité, que décrit l'apôtre Jean dans le dernier livre de la Bible, le terme et l'aboutissement d'une humanité qui, de fil en aiguille, dans le déroulement de son histoire, s'est peu à peu et totalement éloignée de Dieu, évacuant toute référence à Christ. Babylone est décrite par l'apôtre Jean, non pas seulement comme un système totalitaire, dans toutes ses dimensions, politiques et religieuses. Mais Babylone est également présentée comme un vaste système marchand. Un système consumériste « ***Panem et circenses***, du pain et des jeux, » désireux de nous rendre dépendants et conditionnés, esclaves, en nous offrant toutes les jouissances matérielles, corrompant toutes les mœurs et les vertus civiques - il faut après tout jouir, et ringardiser, se moquer de la morale qui donnerait mauvaise conscience.

La dissociété, un monde social morcelé

Dans ce contexte d'un monde d'évergétisme,[240] la « dissociété, » ce terme intriguant, m'était tout à fait inconnu et, avec curiosité, je me suis empressé de découvrir ce qui se cachait à travers ce mot. L'auteur, Jacques Généreux, économiste, faisait mention, en évoquant l'explication qu'il donne à ce mot étrange, d'une société marchande totalement morcelée, composée finalement d'êtres qui ne sont plus « avec ». Une société de plus en plus clivée, avec des gens individualistes, enfermés dans une pléthore de nébuleuses, de corporations, de chapelles, et qui trouvaient de fait satisfaction non au travers de réponses religieuses, culturelles ou familiales, mais autour des biens de consommation. Pour Jacques Généreux, la « dissociété » est une forme de civilisation marchande, qui refoule le désir d'« être avec » pour réclamer la tutelle du désir d' « être soi. » Autrement dit, le regard sur l'autre s'est déplacé vers soi, comme l'unique sujet à combler, à satisfaire.

Les biens de consommation sont devenus le substitut du Bien, le bien qui se traduit par l'amour du prochain, l'incarnation dans les relations et le culte du vrai Dieu. Le culte contemporain est celui, aujourd'hui, des biens de consommation. Nous assistons, peu à peu, à une forme d'étouffement de la liberté de conscience, de la liberté intérieure, de la socialisation des rapports humains, du vivre ensemble, l'homme se laissant, peu à peu, séduire par cette nouvelle religion que veut nous imposer le culte du divertissement et de la consommation, avec ses nouveaux temples, virtuels ou non, ces nouvelles plate-formes de la consommation. Nous le savons, l'homme a horreur du vide, nous voyons ainsi émerger une société atteinte d'une « maladie dégénérative

---

[240] Définition du Wikipédia : l'évergétisme consiste, pour les notables, à faire profiter la collectivité de leurs richesses, d'abord par l'embellissement de leur ville (construction de monuments, érection de statues), ensuite par la distraction (organisation de spectacles).

» qui se déshumanise, rejette les valeurs de l'amour, de la solidarité, de la bienveillance, mais qui au fil de l'eau se donne satisfaction.
Ce monde se tourne vers les petits plaisirs, les plaisirs de la consommation.

En lieu et place d'un monde qui se tournerait vers une bonne nouvelle, celle de la proclamation de l'Évangile, ce monde se tourne vers les petits plaisirs, les plaisirs de la consommation. Une nouvelle culture, celle de la consommation, est en passe de s'imposer dans les esprits, appelant à la libération des émotions, à une forme de débauche des sens et des biens. Ce monde de Babylone est décrit dans le dernier livre de Jean (Apocalypse) comme un lieu d'ivresse et de débauche, le symbole de toutes les corruptions et de toutes les décadences.

Ce monde de Babylone qui appelait, en quelque sorte, à la réification des êtres, à la chosification de la vie, transforme nos vies en biens marchands, le commerce de corps d'hommes et d'âmes d'hommes, comme le prophétise le livre de Jean, l'Apocalypse en 18:13. « La chosification d'autrui, » disait Alexandre Jardin, fondateur du groupe de réflexion les « Zèbres, » « cela commence par le SDF que l'on enjambe un soir d'hiver sur un trottoir, et cela se termine à Auschwitz.»

Ce monde glisse peu à peu vers un matérialisme exacerbé, au mépris de l'âme humaine, de la vie.

Ce monde glisse peu à peu vers un matérialisme exacerbé, au mépris de l'âme humaine, de la vie, plus rien ne compte, puisqu'il faut même détourner la femme qui désire mettre fin à sa grossesse de recourir à une alternative. Aucun site d'information ne pourra plus désormais s'opposer à un état mortifère qui a décidé de priver la femme de réflexion, afin de banaliser son choix, et d'ôter chez elle tout remord, toute culpabilisation possible.

Au fond, cette société voit, ni plus ni moins, la résurgence de Dionysos, une divinité de la mythologie grecque, la divinité de la vigne, du vin, des excès, de la folie, de la chair, de la démesure. Dans la mythologie grecque, la divinité Dionysos est un être fugitif, à la fois, immoral, nomade et sédentaire, il représente la figure de l'autre, de ce qui est différent, accidentel, insolite, déconcertant, baroque. Il est l'expression de l'individualisme, plongé dans le monde des divertissements, la revanche des sens sur l'esprit, une divinité qui s'extasie dans la frénésie gourmande de l'opulence marchande.

Cette opulence marchande devient ainsi l'opium des masses, alors que jadis l'on reprochait à la religion de l'être. Ce monde marchand est une machine qui se veut ainsi être productrice de biens artificiels aliénant la conscience, cherchant à endormir les ressorts de l'âme, la dimension intime de l'esprit.

Il appartient à chacun d'entre nous de sortir de Babylone.

Mais la mondanité envahit aussi les Églises, l'Évangile de la prospérité, prêché dans certaines églises, est un vernis spirituel désastreux qui ne libère pas les âmes de la matérialité envahissante. C'est Mammon qui rentre ainsi dans les lieux de culte. Il appartient alors aux chrétiens de sortir de Babylone et de donner un coup de pied à ces faux prédicateurs de l'Évangile, de dénoncer ces faux pasteurs rutilants dans leurs habits de religieux imprécateurs et faux prophètes.

Il est urgent d'entendre la voix de sentinelles sûres, celles qui sont restées en haut des murs, et qui ont veillé, celles qui annoncent l'amour de la vérité et l'amour de notre prochain, l'Évangile dans son entièreté. Comme nous y invite l'auteur du livre aux Hébreux, chapitre 13, verset 12 : « Voilà pourquoi Jésus aussi, afin de procurer la sainteté au peuple au moyen de son propre sang, a souffert à l'extérieur de la ville. Sortons donc pour aller à lui à l'extérieur du camp, en supportant d'être humiliés comme lui » (version Louis Second 21).

Il est urgent de prêcher l'Évangile de solidarité, l'amour du prochain, la quête et le sens de l'autre.

Il est urgent de prêcher l'Évangile de solidarité, l'amour du prochain, la quête et le sens de l'autre, de venir au secours de celui qui souffre, et non de l'enjamber, comme pour éviter ce qui me dérange. Le croyant d'aujourd'hui, comme le dit la Parole de Dieu, veut entendre une parole qui caresse ses oreilles, et comme le déplorait David Wilkerson, a en horreur toute forme de correction... Gardons vivante et réelle cette identification à Jésus, qui allait vers les pêcheurs, les malades, les infortunés, les faibles, et les aimait tels qu'ils étaient, avec le cœur du Père.

Laissons-nous importuner par l'amour d'un regard différent, laissons-nous gagner par le désir de sortir de nos murs, pour être le sel hors de sa salière, nous entremêlant au monde, en rencontrant l'homme déchu, sans domicile, l'exclu, l'immigré, le pauvre. Fuyons le confort matériel qui étouffe la foi et le prochain. Ne soyons plus ainsi l'être pour soi, mais l'être pour l'autre. Sinon, comment faire des disciples ?

26

Babylone, la civilisation du nombre

Si aujourd'hui notre monde est entré dans une nouvelle révolution industrielle, celle de l'économie numérique, cette dernière nous amènera probablement à basculer des rapports sociaux aux personnes vers des rapports sociaux aux choses, déshumanisant l'homme en le réduisant à un nombre, un numéro de compte.

Cette révolution numérique probablement modifiera en profondeur et structurellement toute la vie sociale, cette révolution civilisationnelle que nous allons connaître est sans doute une mutation comparable à la révolution agricole (période néolithique) qui a permis aux hommes de sortir des premiers âges de l'humanité marquée par le nomadisme, la chasse et la cueillette pour les faire entrer dans une civilisation urbaine et davantage codifiée.

Ainsi, la première révolution agricole au quatrième millénaire avant notre ère avec sa transition vers un environnement radicalement différent vit l'apparition des premières villes, la maîtrise de l'écriture et des nombres. Plusieurs millénaires plus tard, nous assistons à l'émergence des révolutions industrielles (charbon, pétrole, électricité). Or, de nouvelles mutations sont encore de nos jours en cours, nous faisant passer d'un monde de la matière à un monde sensiblement plus virtuel.

Un nouveau paradigme se déroule sous nos yeux en passe de modifier l'ensemble des règles politiques, sociales, géopolitiques et techniques. Ainsi, en quelques millénaires nous sommes passés du quatrième millénaire (le néolithique) marqué par la science des nombres au monde numérique. Sans oublier, bien entendu, l'impact successif et majeur de la révolution industrielle qui a totalement métamorphosé et réorganisé la société, les rapports sociaux et humains déstructurant notamment le socle traditionnel d'une société qui était davantage à hauteur d'hommes.

Mais une autre révolution est en marche, bouleversant à nouveau l'ensemble des rapports humains, transformant les règles sociales, règles qui seront marquées par la prégnance considérable de l'économie numérique et marchande sur la sphère économique, la gouvernance du monde et sur les modes de vie.

Cette révolution numérique sans précédent nous fera entrer dans une nouvelle configuration sociale, une mise en réseau planétaire de l'humanité en convertissant toutes les data de consommation et les informations sur les milliards d'individus en données chiffrables.

Cette civilisation sera celle du nombre. Or, l'histoire de l'humanité montrait déjà plusieurs siècles plus tôt les prémices de cette civilisation : Babylone et la science des nombres.

Cependant, la mathématisation du monde s'est largement opérée et développée au XXe siècle quand la science a quitté le terrain du réalisme philosophique et scientifique pour embrasser l'idéalisme nominaliste. Cette transition a eu lieu encore plus tôt en prémices, plusieurs siècles auparavant, avec l'empirisme de Roger Bacon, puis le mécanisme de Newton, et surtout le rationalisme mathématique de Descartes qui a définitivement fait quitter la science son approche qualitative en harmonie avec l'ordre du monde en faveur d'une approche quantitative et mathématique.

Pour comprendre la dimension énigmatique qui entoure la civilisation babylonienne décrite par l'apôtre Jean, il me semblait important de s'intéresser à la révolution néolithique, la civilisation sumérienne, et à la ville de Babylone (la porte des dieux), la fameuse cité antique de Mésopotamie (fin du IVe millénaire – 3500 ans avant Jésus-Christ).

La révolution néolithique conduisit à une mutation culturelle et sociale favorisée par la science des nombres.

La transition de tribus et communautés de chasseurs-cueilleurs vers l'agriculture et la sédentarisation au IVe millénaire avant notre ère placèrent l'humanité sur le chemin d'une nouvelle vie sociale, urbaine et culturelle. Cette révolution s'est peu à peu caractérisée en effet par le développement sédentaire sans précédent, qui fut aussi une véritable révolution sur le plan de la pensée théorique. Cette révolution singulière est à la fois caractérisée par la maîtrise des sciences techniques et celles de la science des nombres.

Cette science des nombres favorisa notamment le développement des villes marquées par de grandes densités de population, une division du travail complexe, des économies de commerce, des structures administratives et politiques centralisées, des formalismes bureaucratiques. La première manifestation éclatante de toute la période néolithique s'est accomplie au cours des trois millénaires avant notre ère dans les villes sumériennes du Proche-Orient, dont l'émergence inaugure la fin du Néolithique préhistorique et le commencement de l'ère historique.

De nombreuses fouilles et explorations archéologiques autour du bassin sumérien couvrant une vaste plaine parcourue par le Tigre et l'Euphrate, bordée, au Sud-Est, par le Golfe Persique ont permis de découvrir et de mettre à jour une civilisation prodigieusement avancée sur le plan mathématique et dont on ignorait pour beaucoup la dimension sophistiquée des formules algébriques.

Babylone était l'aboutissement, l'épilogue d'une culture fondée sur la maîtrise du nombre, une mégapole également marchande, rayonnant sur l'ensemble de la Mésopotamie. Babylone fut aussi une ville aux proportions gigantesques, aux monuments grandioses, aux systèmes de canalisation élaborés, mais aussi une ville religieuse polythéiste.

Babylone en Mésopotamie était en effet une cité extrêmement avant-gardiste sur le plan de l'abstraction mathématique, les tables trigonométriques n'avaient pas de secret pour les Sumériens babyloniens.

Comme l'ont écrit l'éminent spécialiste d'assyriologie Jean Bottéro et le philosophe des sciences Roger Caratini, la civilisation babylonienne était de plus très en pointe dans de nombreux domaines, capable d'édifier des ouvrages démontrant ainsi une haute maîtrise technique comme en témoignent la construction des grands bâtiments babyloniens et la réalisation de gigantesques travaux de canalisation. C'est au sein de cette civilisation sumérienne que naquit l'idée d'un État qui dirige, contrôle, planifie, bureaucratise. La civilisation babylonienne comprenait un nombre important de scribes calculateurs qui constituaient l'essentiel des « fonctionnaires, » le personnel bureaucratique et administratif de la cité mésopotamienne. Soulignons auprès de nos lecteurs que les Babyloniens furent en outre les premiers à payer des taxes et des impôts, ce qui souligne l'organisation sophistiquée et administrative de la cité près de 3500 ans avant Jésus-Christ. Babylone avait un système administratif et bureaucratique fondé sur le contrôle qui n'envie rien à celui qui caractérise la modernité de notre époque qui est entré dans une nouvelle dimension normative et formelle, plus liberticide que jamais.

Pour revenir à la cité mésopotamienne, les Sumériens babyloniens, entre autres, conçurent l'écriture cunéiforme pour écrire leurs lois afin que l'équité soit la même pour tous. C'est de cette écriture que d'autres sociétés se sont inspirées. Ils maîtrisaient, en outre, de nombreuses techniques et inventèrent aussi la roue, la poterie au tour et l'arche. Les Sumériens babyloniens maîtrisaient également l'association, la combinaison du cuivre et de l'étain pour obtenir du bronze. Nous devons à cette civilisation sumérienne le calendrier de douze mois et trente jours du cadran solaire.

Le grand historien Jean Bottéro dans le livre *Babylone et la Bible*[241] relate les caractéristiques de la vie sociale et politique du régime totalitaire qui caractérisait la cité babylonienne. Hammurabi qui fut le sixième roi de Babylone est connu pour avoir écrit le Code de Hammurabi, l'un des textes de lois les plus anciens jamais retrouvés. Ce roi était à la tête de l'économie entière du pays, « et dans sa correspondance, » nous indique Jean Bottéro, « *ce roi surveillait tout, décidait de tout, il était aussi le juge suprême, suppléé par des juges*

---

[241] Jean Bottéro, *Babylone et la Bible : Entretiens avec Hélène Monsacré.* Fayard, collection Pluriel, 6 juin 2012, 352 pages, p. 193.

professionnels délégués. » Le libéralisme économique ne caractérisait pas en effet les règles de fonctionnement de l'État.

La culture du nombre, caractéristique de la civilisation babylonienne

Dans un livre remarquable Les mathématiques de Babylone,[242] le philosophe des sciences Roger Caratini décrit que des centaines de milliers de tablettes, de briques recouvertes de signes cunéiformes mises au jour par les archéologues sont en réalité des supports de textes dont on a découvert qu'ils étaient de caractère mathématique et concernaient plus particulièrement l'arithmétique et l'algèbre des équations. C'est notamment Thureau-Dangin, assyriologue et archéologue qui joua un rôle majeur dans l'étude du sumérien, qui s'est attelé à découvrir le système de numération assyro-babylonien fondé sur le système sexagésimal.

Le système sexagésimal est un système de fraction particulièrement sophistiqué (60 est le nombre le plus petit à compter autant de diviseurs). Le système sexagésimal est l'origine certaine de numérations que nous employons aujourd'hui dans les mesures des arcs de circonférences, des angles et des temps, et leurs dérivés en astronomie et géographie. Ce système numérique étonnant est basé sur le 60, d'où 60 minutes, 60 secondes et le cercle de 360 degrés.

Le mathématicien australien Daniel Mansfield a fait part récemment en 2017 de son admiration et de son enthousiasme quant à la qualité des formules trigonométriques, des formules logarithmiques, des racines cubiques et des valeurs de fonctions exponentielles découvertes sur les tables d'argile, évoquant « des travaux mathématiques qui font preuve d'un génie indubitable. » Celles-ci ont même, selon le professeur, des applications potentielles qui pourraient bien concerner notre époque en raison de la grande précision de ces formules.

---

[242] Roger Caratini, *Les mathématiques de Babylone.* Presses de la Renaissance, 21 février 2002, 295 pages.

Nous pouvons en conclure, comme l'écrit Roger Caratini, que « **le calcul faisait institutionnellement partie de la culture numéro-babylonienne** tout comme l'apprentissage de l'écriture au même titre que la religion chez les Égyptiens.[243] »

C'est toute la vie sociale qui est également régie par les mathématiques babyloniennes et leurs fameuses tables trigonométriques. La vie sociale parfaitement organisée et bureaucratique s'articulait autour d'un dispositif de numération témoignant d'un formalisme sans égal à l'époque.

« Les mathématiques de Babylone »

Dans la Bible, le livre de Daniel évoque le savoir et les connaissances avancées des sages de Babylone. Tout était, à l'époque suméro-babylonienne, lié à la divination et l'astrologie, les sciences astronomiques de l'époque étant indissociablement liées à l'astrologie.

Nous ne pouvons également imaginer et soupçonner à quel point les Babyloniens étaient une société particulièrement avancée. Nous imaginons à peine, comme le décrit le professeur de mathématiques Daniel Mansfield, l'immense savoir qui caractérisait la cité mésopotamienne dans le domaine trigonométrique. Les Babyloniens théoriciens et pères fondateurs de la science des « Nombres » faisaient preuve, en effet, d'un haut niveau combinatoire, ils étaient entre autres les créateurs d'un système algébrique particulièrement élaboré, singulièrement sophistiqué.

Ils avaient découvert entre autres une résolution des équations de premier degré de la forme $ax + b = o$ et des équations de second degré en partant d'une formule que connaissent en principe nos lycéens ; ils étaient en quelque sorte les initiateurs de l'algèbre des équations.

Les dernières découvertes ont de plus démontré que 1500 ans avant les Grecs, les mathématiciens vivant à Babylone maîtrisaient le calcul des angles et des distances comme nous l'indiquions précédemment. Les

---

[243] Roger Caratini, *op. cit.*, paragraphe « Naissance de la pensée théorique », page 156.

architectes babyloniens utilisaient probablement un système de mesure des relations entre distances et angles pour construire leurs bâtiments, leurs temples, leurs palais et leurs canaux.

Et ce, quinze siècles avant Hipparque de Nicée, le mathématicien tenu jusqu'ici comme le seul inventeur de la trigonométrie. Babylone, en avance sur son temps, est ainsi la cité de la science des nombres, préfigurant la civilisation des mathématiques. Or, quand l'apôtre Jean évoque Babylone, il ne fait nullement référence à l'usage des mathématiques ; en revanche, il parle bien d'une économie du nombre, d'un marqueur numérique comme d'une empreinte indélébile qui rend corvéables ceux qui achètent et vendent. Du fait des brassages culturels entre le monde hellénistique et l'Orient, cette image de Babylone tendrait à démontrer l'empreinte mathématique, la mémoire scientifique laissée par la cité dans l'ensemble de l'empire romain.

La Babylone mésopotamienne, « civilisation du nombre », préfigure le monde algorithmique qui régira la civilisation moderne et son économie.

À tous points de vue, Babylone, la civilisation mésopotamienne, la cité de la science des nombres, préfigurait notre monde contemporain. La nouvelle Babylone qui se dessine au XXe siècle de notre ère est celle de la science des algorithmes numériques.

Les algorithmes numériques[244] sont consacrés à la résolution de problèmes arithmétiques, puis ont été formalisés avec l'avènement de la logique mathématique. C'est en effet l'apparition de l'outil informatique qui a permis la mise en œuvre des algorithmes. Toute l'économie numérique contemporaine s'appuie sur l'outil informatique, celui-ci produisant des fonctions et des valeurs trigonométriques en ayant recours à des bibliothèques de codes mathématiques. Le

---

[244] Suites d'instructions pour résoudre un problème.

parallèle entre le monde moderne et Babylone nous semble de facto saisissant !

Ainsi, de la trigonométrie au monde des algorithmes, nous découvrons que le monde mathématique a considérablement influencé les époques et sera à nouveau déterminante pour notre futur.

La science mathématique, l'émergence d'un modèle devant permettre à l'homme de reculer indéfiniment ses limites

Concernant le développement des mathématiques depuis l'époque suméro-babylonienne, comment alors ne pas rappeler le propos quasi-prémonitoire du philosophe Condorcet qui écrivait plusieurs millénaires plus tard, dans le livre *Esquisse d'un tableau historique des progrès de l'esprit humain* : «*la science mathématique est l'émergence d'un modèle devant permettre à l'homme de reculer indéfiniment ses limites. L'invention (et donc, le progrès) est une combinaison nouvelle d'idées disponibles.* »

Ici est la clef du progrès. L'arithmétique en offre le modèle : « Sa fécondité consiste dans le « moyen heureux de représenter tous les nombres avec un petit nombre de signes, et d'exécuter par des opérations techniques très simples des calculs auxquels notre intelligence, livrée à elle-même, ne pourrait atteindre. C'est là le premier exemple de ces méthodes qui doublent les forces de l'esprit humain, et à l'aide desquelles il peut reculer indéfiniment ses limites, sans qu'on puisse fixer un terme où il lui soit interdit d'atteindre. »

Nous prenons conscience alors que la société babylonienne, quatre millénaires avant Jésus-Christ, avait su tirer parti de cette science des nombres pour bâtir une civilisation finalement moderne et avant-gardiste.

Depuis et plusieurs millénaires plus tard, la révolution numérique a commencé. Elle relève, bien plus que d'une innovation majeure, d'un événement technique fascinant ; cette révolution touchera en réalité toute la vie sociale, d'abord en la décryptant, puis en l'organisant. SI le lien social à l'heure numérique est « fabriqué » par les ordinateurs, la numérisation du monde franchira un nouveau pas, en emmagasinant toutes les données concernant notre vie, notre quotidien, puis en contrôlant une vie sociale intégralement numérisée.

Avec ce monde numérique à qui nous léguons de l'information sur nous-mêmes, nous sommes sur le point de lui troquer une partie de notre être, croyant gagner la liberté, la fluidité, la facilité, le gain de temps. Or, nous sommes sur le point de lui céder notre vie, notre âme, et ce contre un nombre afin de pouvoir acheter ou vendre pour un bonheur fugace, une satisfaction éphémère.

Avec le monde numérique nous entrons dans un monde « serviciel » et dématérialisé où tout est construit pour offrir la plus large palette de services, donnant l'illusion de combler la totalité des besoins dérivés de l'être humain, l'ensemble de ses désirs.

Au-delà de la marchandisation numérique des biens et des services, nous voyons le jour d'un nouveau commerce ; c'est aujourd'hui la marchandisation de tous les processus vitaux qui représente une nouvelle phase de la mondialisation et de la globalisation – concernant au premier chef le corps. C'est en effet Bernard Chazelle, mathématicien et informaticien, professeur à Princeton, qui indiquait, lors d'une séance inaugurale au Collège de France,[245] que « le grand défi est que biologistes, physiciens et informaticiens travaillent ensemble pour bâtir des ponts entre l'algorithmique et les processus du monde vivant. »

Ainsi, l'ensemble des univers économiques, mais également le monde du vivant sont aujourd'hui impactés par le phénomène numérique. De la matière à la vie, des biens aux services, du commerce à la presse, de l'agriculture (usage des drones) à la santé (diagnostics opérés par des robots jusqu'aux opérations complexes), ce sont désormais des pans entiers de l'économie, du divertissement et du vivant qui deviennent numériques.

---

[245]https://www.franceculture.fr/emissions/college-de-france-40-lecons-inaugurales/bernard-chazelle-l-algorithmique-et-les-sciences.

De nouveaux modèles d'affaires émergent, portés par de puissants effets de réseau ; l'exploitation des données à grande échelle bouscule désormais l'information, les réglementations, les relations humaines et notre modèle social.

Le monde numérique génère dès lors des problématiques nouvelles, typiques parce que nous sommes face à de nouveaux géants mondiaux (Google, Facebook, Apple, Amazon...) qui cumulent des caractéristiques leur conférant un pouvoir sur les marchés économiques sans égal au monde. Les géants du numérique ont ainsi une parfaite maîtrise des algorithmes. La maîtrise liée à la gestion des data (données sur nos usages, nos opinions, nos humeurs, etc.) leur confère à ce jour la détention de données comportementales touchant à nos représentations, croyances, convictions, sans équivalent dans le monde. Mais le risque à venir, c'est celui du franchissement d'un nouveau « Rubicon » croisant les « data » de notre vie sociale et les « data » de consommations gérées par le monde bancaire.

Les livres de la Bible, notamment le livre de l'Apocalypse, ainsi que le livre de Daniel de caractère largement prophétique évoquent à plusieurs reprises la ville de Babylone. Le dernier livre écrit par Jean fait ainsi mention de la dimension marchande et mondialiste de cette entité et mentionne une caractéristique : « le nombre. »

Babylone, clairement dans le livre de l'Apocalypse, rayonne sur toute la surface de la terre, la ville est assise sur les grandes eaux. Le sens des grandes eaux nous est révélé dans le même livre de l'Apocalypse au chapitre 17, verset 15 : « Les eaux que tu as vues où la prostituée est assise, ce sont les peuples et des foules et des nations, et des langues. » Babylone est une entité dominatrice qui soumet l'ensemble de l'humanité, assujettit les peuples, gouverne les foules, les nations. Véritable empire consumériste, universaliste absorbant les autres cultures, Babylone s'empare de toute l'organisation économique mondiale. Rappelons à cet effet et dans ce monde dystopique que le monde numérique se traduira par une mise en réseau planétaire de l'humanité. Ce sont clairement les intentions exprimées par la société Google et Facebook.

Puis la Bible décrit les lamentations des marchands au moment où cette entité s'écroulera, « tous ceux qui ont fait commerce avec elle se lamenteront ».

Telle sera la fin de Babylone, la cité de la science du nombre.

27 Serons-nous demain « biopucés » ?

Il y a quelques années de cela, je publiais sur un réseau social un texte portant sur l'émergence possible d'un identifiant cutané susceptible demain d'opérer une forme de contrôle des populations. Ce texte avait alors surpris un de mes amis, persuadé que je me laissais conquérir, voir même vampirisé par un quelconque site complotiste.

Mais il n'en était rien, j'avais eu tout simplement une conversation avec ma nièce qui revenait de la « Singularity University, » université fondée par le directeur de Google AI et futuriste Ray Kurzweil.

Nous échangions des réflexions sur les progrès accomplis dans les domaines des technosciences et susceptibles d'opérer de véritables changements de paradigmes concernant la vie sociale, notamment sur les possibilités de « traque» des possesseurs de smartphones, de géolocalisations des usagers de cette prothèse numérique à laquelle nous sommes devenus tous addicts, j'oserai ici écrire attachés au sens fort même du terme. Addict, le terme utilisé me semble si approprié au vu de ces visages que nous croisons quotidiennement, composant une foule innombrable rivée sur l'écran, attendant le bus, le tram ou le métro. Visages passifs, ignorant le voisin d'à côté mais d'ores et déjà domestiqués, asservis par la technologie, technologie qui les possède en soi.

Interpellé par ces échanges avec ma nièce, je songeais, bien entendu, à ces innombrables articles sur ces puces, véritables technologies d'identification susceptibles d'être implémentées et intégrées à même la peau animale ou à celle d'un être humain. Ces radiomarqueurs sous-cutanés, qui ont été également conçus pour la traçabilité des animaux, peuvent également être utilisés sur des êtres humains.

Notre chat Noé fait de la résistance.

Il y a quelque temps de cela, notre famille a recueilli un chat errant, nous nous sommes employés à retrouver son propriétaire, et après avoir informé notre proche environnement, nous nous sommes mis en quête d'aller trouver un vétérinaire pour identifier les propriétaires de ce chat abandonné. Après avoir ausculté le chat, le vétérinaire vérifia s'il n'était pas « pucé », afin d'éventuellement le scanner pour retrouver son origine et connaître son propriétaire !

Lors de la consultation et en échangeant avec le vétérinaire, j'apprenais que le tatouage électronique de ce chat était obligatoire avant la réalisation de tout transfert de propriété. Mais l'idée de tatouer électroniquement Noé, notre chat, me rendait circonspect, puis m'horrifiait, même si j'en comprenais les motifs. Ma réticence tenait, en réalité, aux raisons rationnelles qui pourraient être promues pour tracer l'ensemble du genre humain. De fait, ce chat, nous l'avons adopté, mais nous l'avons épargné d'être tracé, bien qu'il soit chat d'appartement, mais le félin de compagnie est également partagé par l'envie de fréquenter le jardin de l'un de nos voisins et d'y rencontrer ses autres coreligionnaires. À ce stade, précisons que Noé est eunuque.

Holmes mène son enquête auprès de l'Union européenne.

Pourtant au-delà de cette amusante « anecdote domestique, » subrepticement l'idée d'une puce électronique semble faire son chemin en Europe et n'avait besoin d'aucun site complotiste pour en faire sa promotion. De nombreuses entreprises l'ont en effet adoptée, certaines entreprises ont même proposé à leurs salariés d'implanter volontairement une puce RFID[246] dans la paume de leurs mains. Les

---

[246] RFID : Radio Frequency Identification, soit identification par radiofréquences. Pour des explications sur le RFID, voir le site https://www.droit-technologie.org/actualites/societe-implante-puces-rfid-peau-de-employes/. Le RFID désigne un couple balise/lecteur échangeant des informations en utilisant les radiofréquences. La balise contient une information et est équipée d'une mini-antenne ; le lecteur détecte le signal de la balise et lit l'information qu'il peut ensuite transmettre à un système de traitement de l'information. Les premières applications ont consisté à

reportages se sont multipliés dans les médias accompagnés d'une vraie réflexion sur les conséquences éthiques que revêtirait le développement des recherches comme de la promotion sociale d'une technologie intrusive susceptible de tracer, de traquer, de fliquer demain les individus.

Or, nous constatons que l'idée même de tracer les populations fait largement son chemin, y compris en Europe en proie aux flux migratoires. L'Europe pourrait bien demain articuler de nouveaux mécanismes de régulation, de contrôle et de surveillance des migrants, à l'aune de contextes terroristes et de flux migratoires qui semblent l'inquiéter.

À ce propos, l'Europe, via la politique de la Commission Européenne (CE), vise également à faire accepter l'usage des technologies, y compris les RFID, basées sur des puces implantables sous la peau. En effet, depuis une quinzaine d'années déjà, des recherches et des projets se développent et vont dans ce sens. La CE a financé des études prospectives sur les technologies RFID très vite après l'apparition des premières puces à la fin des années 1990, dont la plus connue est VeriChip.

Sans doute certains lecteurs réagiront avec une certaine défiance ou scepticisme et s'étonneront qu'une telle affirmation soit ici énoncée. Nous les renvoyons donc à l'étude prospective financée par la Commission Européenne[247] que nous insérons à notre blog (« RFID Technologies : Emerging Issues, Challenges and Policy Options »). Le portail du ministère de l'industrie archivé en 2012[248] soulignait déjà en 2012 la création d'un environnement politique encouragé par l'Union Européenne, favorable à l'usage des technologies RFID. Or, si dans les déclarations et les recommandations de l'Union Européenne, celle-ci recommande, voire même somme les fabricants de puces RFID, d'évaluer l'impact sur la vie privée, nous sommes persuadés qu'à terme

---

remplacer le code-barre bien connu par une puce qui remplit le même rôle, mais permet une automatisation plus efficace.
[247] Commission européenne, Joint Research Centre Institute for Prospective Technological Studies. Rapport 2007 de l'Institute for Prospective Technological Studies.
[248] Voir www.industrie.gouv.fr/tic/rfid/union-europeenne.html.

l'éthique européenne risque bel et bien de céder aux nouvelles évolutions sociétales touchant à la marchandisation de la vie et demain à des impératifs touchant à la sécurité des citoyens européens.

Dans d'autres contextes corroborant l'intuition d'une avancée incontestable des moyens de suivi de nos usages ou de « tracking » de nos comportements, le traçage électronique, au moyen des empreintes biométriques ou Internet, s'est aujourd'hui largement et profusément diffusé et ne manque pas de susciter quelques craintes du point de vue de l'aliénation possible de nos libertés individuelles.

Ce traçage, pourtant, est de plus en plus familier, n'évoque-t-on pas dans de nombreux pays la mise en place de la carte d'identité biométrique, ce qui suppose le recueil des empreintes digitales, à cela d'ajouter le contrôle des déplacements de passagers lors de leur embarquement afin d'anticiper les risques de piratage aérien ou de terrorisme ?

Plusieurs d'entre nous, lecteurs de ce texte, ont sans doute entendu l'évocation de la biométrie concernant l'accès à une cantine scolaire, technologie aujourd'hui très largement répandue ; **or, ce qui est devenu affolant, c'est qu'aucune famille ne semble réagir face à la diffusion de ce procédé**. Le sénateur socialiste Gaëtan Force[249] s'en est même ému en écrivant sur son blog cette réflexion profondément pertinente : « *Cette dérive est lourde de menaces dans la mesure où elle conduit à admettre qu'un élément tiré du corps humain (les empreintes digitales, l'iris de l'œil, etc.) puisse servir d'instrument de contrôle. Cette banalisation du recours à la biométrie induira aussi l'acceptation de nouveaux comportements jusqu'alors exigés par les seuls services de police. **C'est à une domestication de l'individu par la technologie que nous sommes malheureusement en train d'assister.** » *

Les procédés qui permettent aujourd'hui ou permettront demain facialement d'identifier toute personne physique sont de plus en plus sophistiqués et développés. En effet, les empreintes digitales ou

---

[249] http://gorce.typepad.fr/blog/2016/07/communique-de-presse.html.

génétiques, la reconnaissance de l'iris, les radars équipés d'algorithmes flashant également toutes les connexions sur les ordinateurs, ces radars numériques et ceux à venir seront autant de moyens pour reconnaître et « filer ou tracer » à l'empreinte même tous les individus agissant dans leur vie quotidienne, évoluant sur les réseaux sociaux ou addicts de contacts avec leurs smartphones, faisant usage de tablettes ou de tout autre clavier numérisant un indice de leur passage.

Nul besoin, comme le suggèrent Jacques Testart et Agnès Rousseaux,[250] d'être technophobe pour s'inquiéter de la prolifération des modalités de traçage des individus et des risques afférents induits par ce nouvel environnement appelant à la définition de nouvelles normes sociales auxquelles tous les individus seront appelés à se conformer ou bien inversement contrôlés, et nous l'ajoutons, par ces institutions ou administrations d'État qui auront mandat de le faire pour des raisons sanitaires ou bien en s'appuyant sur un prétendu contrôle sécuritaire pour surveiller les populations, y compris les opinions émises.

La puce fait son chemin.

La possibilité d'être biopucé fait ainsi inextricablement son chemin et les campagnes médiatiques orchestrées finement et intelligemment obligeront finalement toutes les populations à se conformer, s'appuyant nécessairement sur toutes les campagnes médiatiques qui seront relayées, puis promues par vos assureurs, vos banques, les enseignes de la grande distribution. Enfin, tous les acteurs dans toutes les sphères de la vie sociale, marchande et politique, trouveront leur compte pour vous faire avaler avec force et séduction la fameuse pilule, la biopuce, cette nouvelle forme d'IP indexée à votre patrimoine génétique, un identifiant personnalisé dont vous percevrez évidemment toutes les utilités sociales et les avantages mercantilisés.

---

[250] Jacques Testart et Agnès Rousseaux, *Au péril de l'humain : Les promesses suicidaires des transhumanistes,* éditions du Seuil, 1er mars 2018, 272 pages, page 157.

Les slogans, ou devrais-je plutôt écrire la propagande, tambourinera, puis martèlera le fait que vous n'ayez plus besoin, en effet, de vous embarrasser de votre carte d'identité, de carte bancaire, de carte de fidélité, de carte vitale. « Et si ... [réflexion d'un journaliste du *Point*] ... la puce était le meilleur allié de la lutte contre le déficit de l'Assurance-maladie ? »

Dans ce contexte de généralisation de la biopuce, les récalcitrants et réfractaires seront les laissés pour compte, ils seront marginalisés, puis désocialisés et ne pourront plus profiter des offres alléchantes, bénéficier des primes offertes par leurs assureurs, assureurs qui se donneront, a contrario, le droit de surveiller de près votre santé, par des banques qui seront vigilantes sur vos dépenses, par l'État qui aura un œil attentif sur toutes vos activités sociales et tous déplacements et évalueront même, comme en Chine, les citoyens conformes s'appliquant à vivre les normes sociétales imposées par le LA de la pensée totalisante.

La puce continuera d'évoluer

Des tatouages ou des patchs d'un nouveau genre pourraient à nouveau révolutionner notre vie sociale : le tatouage électronique, une forme de patch[251] qui, placé sur la peau, donnera à distance, toutes sortes d'informations sur nos paramètres vitaux et sans doute au-delà des informations touchant à notre identité. Une technologie impressionnante alliant électronique épidermique, miniaturisation et robotique développée par l'Université de l'Illinois à Chicago.

La puce RFID telle que nous la connaissons dans sa forme actuelle appartiendra certainement demain aux objets de la préhistoire, et c'est sans doute une erreur grossière de s'être à tort focalisé sur la forme même de l'objet. Il est évident que pour être acceptée par la population, la forme même de l'empreinte, le marquage devra nécessairement évoluer vers un format discret, un marquage qui lèvera de fait les

---

[251]https://www.lesechos.fr/15/02/2013/lesechos.fr/0202570803143_un-tatouage-electronique-pour-surveiller-le-corps.htm.

peurs, « indolore, » discret, presque invisible, la nanotechnologie ou de nouvelles formes de marqueurs sophistiquées et d'apparence « ludique » autoriseront certainement ce type d'évolution. Des évolutions patentes en regard même des dernières recherches technoscientifiques mettent ainsi au point une forme de tatouage électronique conçu à partir de silicone flexible et d'électrodes ultrafines grâce auquel le « bénéficiaire-usager » pourra faire l'emploi de son smartphone ou son ordinateur.

D'autres types de tatouages électroniques sont ainsi apparus ces dernières années et transforment ainsi la peau en une interface tactile comme ces tatouages conçus à partir d'une encre électronique qui vient se fixer à même la peau.[252] Ces tatouages connectés prennent de facto des formes ludiques et moins inquiétantes que les puces insérées à même la peau, ce marquage sera de facto aussi facile à appliquer qu'un tatouage que s'autoadministre un enfant. Il devient de fait évident que le marquage ne devra pas avoir une forme qui impressionnerait ses sujets pour que ses derniers se refusent à une forme de marquage collectif, marquage collectif relayé par les meilleures intentions et les promesses d'un monde meilleur. Il est notamment intéressant, dans ce contexte, de noter l'usage et l'emploi du mot grec dans le livre de l'Apocalypse (13:16 ; 13:17 ; 14:9 ; 20:4) pour désigner la marque. En grec, le terme utilisé pour « marque » est le mot *charagma* [khar'-ag-mah], ce qui signifie, entre autres, une marque imprimée, un timbre, mais aussi, dans un second sens, gravé, rayure, éraflure ou gravure. La marque sera surtout un signe et surtout une forme de griffe identifiant ceux qui seront socialement autorisés à acheter ou à vendre en raison de leur appartenance à un système dont ils ont accepté les règles et les principes despotiques.

La fenêtre d'Overton, une ouverture pour la puce

Sur l'agora d'une place publique où les veilleurs ont pris l'habitude de se rencontrer, Edmond entame la lecture d'un texte de Luis Segura,

---

[252]https://www.stayawake.fr/Actualites/high-tech/tatouage-connecte-le-debut-de-la-biotechnologie/.

brillant universitaire espagnol, à propos d'une théorie politique nommée «la fenêtre d'Overton ». Une théorie développée par Joseph P. Overton, diplômé en génie électrique de la Michigan Technological University.

Joseph P. Overton était également un essayiste du courant libéral, membre particulièrement investi dans divers groupes de réflexion libéraux comme l'Institute for Justice et le centre Makinac. La théorie développée par Overton a été conçue comme un outil pédagogique postulant que toute idée politique comprend « une gamme de mesures » considérées comme politiquement plus ou moins acceptables dans le climat qui caractérise l'opinion publique à un instant t.

La fenêtre d'Overton illustre également ce que l'on appelle la fenêtre d'un discours, un mécanisme « par paliers », une série étagée d'idées, un mécanisme par paliers, que le public sera à même d'accepter au fil de l'eau et des contextes sociétaux susceptibles de s'ajuster ou d'évoluer. Selon la théorie développée par l'essayiste politique, la « fenêtre » comprend une gamme d'idées en cinq étapes, considérées comme successivement politiquement irrecevables, puis radicales, ensuite irrémédiablement raisonnables, ensuite encore convenables et finalement populaires. La fenêtre d'Overton est ainsi une évolution non figée mais ajustée de l'opinion publique existante. Ainsi, au regard de l'opinion évolutive, un politicien peut donc proposer une idée sans être considéré comme trop extrême, pour gagner demain la faveur des suffrages alors que préalablement cette idée était tout à fait révoltante. L'idée de l'euthanasie était ainsi rejetée par toutes les opinions publiques après la Seconde Guerre mondiale. Or, dans les faits, aujourd'hui il n'en est rien : sans être populaire, l'idée d'euthanasier n'est plus une idée radicale, mais relativement acceptée par l'opinion publique, notamment dans le cas des grandes souffrances. Toutefois, le passage d'une idée raisonnable au politique dans le cas de l'euthanasie n'est pas encore d'actualité, mais cela ne saurait tarder selon la théorie d'Overton. Nous pourrions également citer l'eugénisme, idée inacceptable, mais bel et bien légalisée quand il s'agit d'avorter les êtres humains atteints de trisomie ou du syndrome de Down[253].

Il existe, de fait, socialement et dans les contextes de fabrication d'une opinion, une forme de graduation d'une idée, à l'origine insoutenable, dans un temps donné selon les situations culturelles du moment, pouvant ensuite évoluer pour devenir plus ou moins politiquement recevable au regard de l'opinion forcément changeante.

Dans les contextes quasi-orwelliens qui touchent aux mutations de notre époque, la fenêtre d'Overton me fait également songer à une stratégie des petits pas ou à la fable de la grenouille qui, s'accoutumant à l'eau douce, n'a su prendre conscience à temps que cette dernière était tout simplement en train de bouillir.

Pour revenir à notre « puce, » l'approbation d'un contrôle aujourd'hui massif de la population est une idée en soi parfaitement inacceptable, inadmissible. La pratique qui consisterait à surveiller les citoyens via une technologie sophistiquée est une idée a priori qui révulserait la plupart des citoyens occidentaux, bien que cette pratique de surveillance soit déjà diffusée et répandue dans les pays totalitaires comme la Chine. Or, cette fenêtre, c'est-à-dire l'idée même de surveiller les citoyens européens, reste encore une fenêtre étroite, pour ne pas dire verrouillée en l'état par nos institutions, étant donné que la société considère cette action de surveillance comme contraire à l'éthique, à nos normes sociales actuelles, à la morale publique.

La fenêtre semble donc verrouillée, mais elle n'est qu'apparemment fermée, car à ce jour cette fenêtre est en réalité entrebâillée et l'idée de surveillance généralisée de la population a trouvé l'aubaine de s'engouffrer subtilement dans les habitudes sociales, du fait même de cette domestication à grande échelle qu'exercent les technologies en cours œuvrant à la fois dans le monde numérique et l'intelligence artificielle. Nous nous sommes ainsi familiarisés à des objets qui ont pris, en réalité, un relatif contrôle sur nos vies, à commencer par la géolocalisation de nos usages et pratiques en termes de vie sociale.

---

[253]La trisomie 21 ou syndrome de Down n'est pas une maladie mais une malformation congénitale. Elle est due à la présence d'un chromosome surnuméraire.

Cette fenêtre d'Overton concernant l'idée d'une mainmise de nos données personnelles est apparemment fermée, mais subrepticement et par capillarité, l'idée de disposer de nos données est devenue acceptable ; la banque ne vous effeuille-t-elle pas ainsi sur vos pratiques concernant vos usages en matière de dépenses ? Vos données de santé ne sont-elles pas aujourd'hui numérisées ? Ne laissez-vous pas des empreintes et des traces concernant vos achats chez les distributeurs sur Internet ?

Or, dans cette dernière étape, le mécanisme de légalisation du phénomène est en cours de préparation. Il est évident que les groupes de pression exerceront une forme de pression morale pour mieux vous identifier, et cela est déjà le cas pour bon nombre d'entre vous. Alors, vous « patcher » ?[254] Il n'y aura demain qu'un pas, dans cette stratégie des petits pas.

Ainsi, une idée qui, en principe, était hier invraisemblable et inimaginable dans tous ses aspects est devenue socialement tolérable dans la conscience collective ! À partir d'un simple postulat qui se résume à activer dans un contexte orwellien une « fenêtre d'Overton, » il est devenu ainsi possible de modifier la perception publique d'une idée révulsive au départ et de parvenir à conquérir et séduire le public, tant et si bien que ce dernier n'est plus en mesure de réagir. Un exemple ici : nous l'illustrons avec la biométrie dans nos cantines parfaitement acceptée par les parents, qui demain accepteront une griffe, « une marque » imposée ou naturellement acceptée par tous. La fenêtre d'Overton est un outil de compréhension nous permettant de mieux appréhender les mécanismes de manipulation publique, mécanisme peu connu et qui méritait cette réflexion que nous vous partageons.

---

[254] *Patcher* est un terme anglicisé qui signifie rustiner, mais en langage informatique signifie modifier (un programme, par exemple) de façon provisoire pour corriger une erreur en attendant la version suivante. Source : https://fr.wiktionary.org/wiki/patcher.

La puce se métamorphosera-t-elle demain en hydre ?

De fait, dans ces contextes d'évolution sociale et d'évolution inquiétante de la technoscience, la puce (autrement dit, la Marque) pourrait bien être également l'instrument de contrôle d'un nouveau totalitarisme, comme l'écrivait en 2015 le journaliste du *Point* Guillaume Grallet[255], se moquant pourtant d'un verset biblique écrit par l'apôtre Jean, d'une grande portée prophétique et qui n'est pas loin de faire sens dans un monde technophile et prêt à se laisser asservir par les idéologies transhumanistes. À l'instar de Jacques Testart, « ainsi les promesses de bien vivre grâce aux progrès de la technoscience ne sont que des illusions mortifères. »[256] Illusions mortifères illustrées par ces versets bibliques prémonitoires.

L'Apocalypse de l'apôtre Jean, au chapitre 13 et versets 13-17 : « Elle opérait aussi de grands prodiges, jusqu'à faire descendre le feu du ciel sur la terre, à la vue des hommes, et elle séduisait les habitants de la terre par les prodiges qu'il lui était donné d'opérer en présence de la bête, persuadant les habitants de la terre de dresser une image à la bête qui porte la blessure de l'épée et qui a repris vie. Et il lui fut donné d'animer l'image de ta bête, de façon à la faire parler et à faire tuer tous ceux qui n'adoreraient pas l'image de la bête. Elle fit qu'à tous, petits et grands, riches et pauvres, libres et esclaves, on mit une marque sur la main droite ou sur le front, et que nul ne pût acheter ou vendre, s'il n'avait pas la marque du nom de la bête ou le nombre de son nom. »
Mais alors que faire ? Nous laisser domestiquer ou bien résister ? Le premier acte, chers amis, est d'éveiller notre propre conscience ; le second est de s'organiser socialement pour renouer avec son prochain, en quittant son écran pour favoriser les relations incarnées et solidaires et surtout abandonner cette lecture immanente du monde pour revenir à l'essentialisme biblique.

---

[255] http://www.lepoint.fr/high-tech-internet/une-semaine-avec-une-puce-sous-la-peau-27-06-2015-1940461_47.php.

[256] Jacques Testart et Agnès Rousseaux, *Péril de l'Humain*. Editions Seuil. Page 216.

La révolution technologique

28

L'avènement de la « *singularité* » technologique[257]

L'autonomie de la technologie[258] et son emprise dans l'organisation sociale

Visionnaire, Jacques Ellul a parfaitement anticipé les dérives « techniciennes » de notre temps, et la façon dont la technique finirait par «modeler» aussi bien notre manière de penser et d'agir que toutes nos valeurs morales.

Jacques Ellul, historien et théologien protestant, penseur méconnu, mena une réflexion sur la technicité,[259] à la fois intuitive et prémonitoire. L'essayiste publia plusieurs ouvrages[260] dédiés à la dimension de la technique, écrits bien avant l'émergence et l'hégémonie de l'informatique, autant d'essais consacrés à une critique de la technique qui s'installe dans l'ensemble des aspects de la vie sociale.

---

[257] La singularité technologique (ou simplement la singularité) est un concept selon lequel, à partir d'un point hypothétique de son évolution technologique, la civilisation humaine pourrait connaître une croissance technologique d'un ordre supérieur conduisant à un nouveau paradigme de l'évolution pour l'ensemble du genre humain.

[258] Nous employons les termes de technologie et de technicité, nous précisons à nos lecteurs leur emploi : « technique » couvre l'ensemble des procédés de fabrication, de maintenance et de gestion, qui utilisent des méthodes issues de connaissances scientifiques ou simplement des méthodes dictées par la pratique ; « technologique » désigne l'étude des outils et des techniques.

[259] Jacques Ellul, *La technique ou l'enjeu du siècle*, Paris, Economica, 2008 (1ᵉ édition 1954, Armand Colin).

[260] Jacques Ellul s'est lancé dans une grande œuvre autour du thème de la technique. En 1954 paraît un ouvrage fondateur, *La technique ou l'enjeu du siècle*, qui sera suivi par *Le système technicien* (1977) et *L'empire du non-sens* (1980). Dans ce livre il explore toutes les conséquences néfastes de la technique sur l'art. Un autre ouvrage remarquable sera écrit en 1981 : *La parole humiliée*, où il dépeint la puissance de l'image qui dépouille la parole. Il écrit en 1988 *Le bluff technologique*.

Pour Jacques Ellul, le développement technique couvre, au fur à mesure de ses développements de ses progrès fantastiques autant le domaine matériel que l'immatériel, en particulier dans le domaine de l'organisation sociale. Pour ce penseur, nous entrons dans une civilisation littéralement technique, où son pouvoir devient quasiment hégémonique, jusqu'à conduire la conscience humaine dans une forme de servitude spirituelle. Pour Jacques Ellul, plus que la culture, la politique ou l'économie, c'est bien la technique qui mène les affaires et la vie sociale de ce monde. Cette vision de la puissance de la technique est d'autant plus remarquable qu'elle fut pensée bien avant l'apparition et l'émergence de la technique numérique qui marque de son empreinte, de façon quasi-radicale, le monde d'aujourd'hui. Cette phrase de Jacques Ellul : « *La technique qui prend l'homme pour objet* » restera à jamais marquante, puisque énoncée plusieurs décennies avant la profusion des produits numérisés.

Citons de nouveau Jacques Ellul, l'auteur du livre La technique ou l'enjeu du siècle : « La technique qui prend l'homme pour objet est bien au centre de la civilisation, et nous voyons cet extraordinaire événement qui semble n'étonner personne, formulé fréquemment en désignant la civilisation technique... civilisation technique cela signifie que notre civilisation est construite par la technique... qu'elle est construite pour la technique (tout ce qui est dans cette civilisation doit servir à une fin technique, qu'elle est exclusivement technique)... »[261]
L'intuition de Jacques Ellul fut d'imaginer la puissance acquise par l'autonomie de la technicité pour interagir avec le monde social, l'organisation sociale. La technologie, qui se traduit par des progrès gigantesques dans tous les domaines de la science, de la science cognitive et de l'information, est ainsi devenue un phénomène autonome, une autonomie à elle seule par rapport à l'économique, au politique et à la culture. Une autonomie jusqu'à l'homme, telle fut l'intuition de Jacques Ellul.

Jacques Ellul affinera sa pensée dans *Le système technicien*, jusqu'à comprendre les dangers d'un système qui exercerait sur l'homme une

---

[261] Jacques Ellul, *La technique ou l'enjeu du siècle*. Collection Economica, page 116.

sorte d'emprise psychologique, une fascination iconoclaste, une technicité qui dépasserait l'homme, qui échapperait en définitive à son contrôle, qui finirait sans doute, dans toute sa puissance, par dominer, contrôler et assujettir son quotidien. Un facteur d'enfermement, un passe-temps, dira Jacques Ellul en 1988, dans *Le bluff technologique*, mais un passe-temps qui s'absorbe comme une drogue, *« l'ordinateur n'est pas un copain, c'est un vampire. »* Dans le même ordre d'idée, le philosophe italien Gianni Vattimo[262] partage cette réflexion sur la technique évoquée par Jacques Ellul : *« Le fait central, c'est que la technique se développe dans un système social basé sur la domination. »*

Cette vision de domination sociale est à nouveau soulignée par Jacques Ellul : « De toute façon, la technique[263] est sacrée parce qu'elle est l'expression commune de la puissance de l'homme et que, sans elle, il se retrouverait pauvre, seul et nu, sans fard, cessant d'être le héros, le génie, l'archange qu'un moteur lui permet d'être à bon marché. Même ceux qui souffrent, qui sont au chômage ou qui sont ruinés par la technique, même ceux qui la critiquent et l'attaquent, sans oser aller trop loin, ont cette mauvaise conscience à son égard qu'éprouvent tous les iconoclastes. »[264]

Pour Jacques Ellul, le développement et l'interaction des techniques entre elles feront émerger un tout organisé, *« le système technicien, »* qui façonnera notre monde social. Décédé en 1994, Jacques Ellul n'a pu assister à l'extension à la planète entière du système technicien,

---

[262] Gianni Vattimo, né le 4 janvier 1936 à Turin (Italie), est un philosophe et homme politique italien.
http://www.academia.edu/10284541/_La_technique_na_pas_tenu_ses_promesses_de_liberté._Ent retien_avec_Gianni_Vattimo_Ina_Global_revue_papier_n._4_mars_2015.
[263] Comprenons ce mot dans le sens de « technologique » dans notre exposé, puisque l'auteur définit la technique comme « expression de la puissance de l'homme, » montrant bien l'élévation de la « technique » comme « image taillée. »
Par analogie, nous soulignons que la technique est l'image taillée de la technologie dans le sens où le principe « divin » (la technologie) se trouve « incarné » (la technique). Aujourd'hui, au nom d'une éthique (et non une morale), l'on est prêt à sacrifier la technique (l'être incarné) pour sauver un humanisme dont le principe de vie est la technologie.
[264] Jacques Ellul, *La technique ou l'enjeu du siècle* (1952), édition Economica, collection classique des sciences sociales, 2008, p. 18.

d'un système numérique, l'Internet, que son livre *La technique ou l'enjeu du siècle,* quasi-prémonitoire, avait amplement et largement anticipé.

Ce monde de l'Internet, comme l'écrit Jacques Attali, dans son dictionnaire du XXIᵉ siècle[265], s'ouvre aujourd'hui sur un monde virtuel, un cyberespace, « un hypermonde où s'installera tout ce qui existera dans le monde réel, mais sans les contraintes de la matérialité : des bibliothèques d'abord, puis des magasins, des agences de publicité, des journaux, des médias, des studios de cinéma, des hôpitaux, des juges ; des avocats, des hôtels, des clubs de vacances... S'y développera un gigantesque commerce entre les agents virtuels d'une économie de marché pure et parfaite sans intermédiaires, sans impôts, sans État, sans charges sociales, sans partis politiques, sans syndicats, sans grâces, sans minima sociaux... »

Le monde des algorithmes est en train de façonner un nouveau visage à l'humanité et de faire chanceler les fondements culturels et spirituels de l'humanité.

Comme Jacques Ellul l'imaginait, déjà dès 1950 (son livre sur la technicité a été écrit en 1950 et il a été publié quatre années plus tard), notre monde contemporain est à ce jour caractérisé par un développement sans précédent des savoirs techniques, l'« ordinatisation[266]» du monde, un développement qui, inversement, se conjugue et va de pair avec l'éradication des représentations culturelles, l'effondrement spirituel et l'effacement, demain, des références culturelles de l'ancien monde, de toute idée de transcendance.

---

[265] Jacques Attali, économiste, écrivain et haut fonctionnaire français, né le 1ᵉʳ novembre 1943 à Alger. Auteur de plusieurs ouvrages dont *Le dictionnaire du XXIᵉ siècle*, Fayard, 1ᵉʳ avril 2014, 349 pages, p. 180.
[266] Néologisme.

Notre époque est ainsi traversée par un changement de paradigme, c'est la vie même qui est atteinte ; pour Michel Henry,[267] philosophe et auteur du livre *La nouvelle barbarie*, « *ce sont toutes ses valeurs qui chancellent, non seulement l'esthétique mais aussi l'éthique, le sacré et avec eux la possibilité de vivre chaque jour.* »

Ce monde est secoué par l'avènement probable d'un nouveau courant idéologique qui ne donne aucune limite à la notion de progrès, ce courant est la singularité technologique.

La singularité technologique désigne un mouvement scientiste, idéologique et techniciste, qui « prophétise » un changement radical, un changement de paradigme : « *la fin des civilisations humaines actuelles* » et le début d'une nouvelle organisation sociale. Raymond Kurzweil, chercheur et futurologue américain,[268] pronostique ainsi que le progrès est sans limite et partage cette conception de Nicolas Condorcet, philosophe des temps des lumières.

Condorcet[269] ne voyait, en effet, aucune limite au progrès scientifique. Ainsi, pour le philosophe, le progrès fait « *reculer indéfiniment ses limites, sans qu'on puisse fixer un terme où il lui soit interdit d'atteindre.* »

Comme le souligne un article écrit par Jacques Julliard, dans *Le Nouvel Observateur*,[270] à propos du livre *La Barbarie du philosophe* de Michel Henry, une « science mathématique de la nature » progresse

---

[267] Michel Henry, philosophe français (1922-2002). Le travail de Michel Henry est fondé sur la phénoménologie. Pour le philosophe, la vie se définit comme la faculté de pouvoir se sentir et s'éprouver. Nous comprenons alors le sens de son livre *La Barbarie,* livre critique sur la dimension scientiste d'une certaine idéologie scientifique. Michel Henry est habité par le souffle prophétique pressentant les menaces d'une civilisation humaine résolument tournée aujourd'hui vers la technicité la privant de la *sensibilité.*

[268] Raymond Kurzweil, directeur de l'ingénierie chez Google, auteur de l'ouvrage *The Age of Intelligent Machines*, MIT Press, 1990.

[269] Nicolas Condorcet (1743-1794), philosophe, économiste, mathématicien et homme politique français.

[270] Article de Jacques Julliard paru dans *Le Nouvel Observateur* à propos du livre *La Barbarie* du philosophe Michel Henry.
http://referentiel.nouvelobs.com/archives_pdf/OBS1162_19870213/OBS1162_19870213_098.pdf

par capillarité « éliminant toutes les particularités individuelles, toutes les qualités sensibles, tout cela qui est constitutif de notre expérience vécue. Car, à l'opposé du projet galiléen,[271] se trouve la vie. La vie qui ne se prouve pas mais qui s'éprouve. »

Ce monde des algorithmes mathématiques est en train de bouleverser le monde social, l'univers économique, notre rapport à l'humanité et à la nature. Ce monde des algorithmes[272] est sur le point de façonner un nouveau visage à l'humanité en la dénaturant. Ce monde des formules informatiques laisserait ainsi songer que tout est prévisible, que notre univers serait la résultante de calculs quasi-prédictifs, que tout pourrait être résolu dans une approche de type exploration des données (*data mining,* en anglais) et qu'à partir d'une grande quantité de données, nous pourrions construire des modèles de prévision, des modèles de vie sociale, où l'humain, dans un monde global, n'est qu'un être dépendant de forces qui le dépassent.

Ainsi, ce modèle ne vampirise pas seulement le monde de la consommation, ce modèle de société numérique s'infiltre, y compris dans les systèmes de régulation, de surveillance, également dans les domaines de l'urbanisme, jusqu'à l'habitat des citoyens.

Nous savons aujourd'hui que les entreprises de marketing exploitent des quantités de données pour réduire le coût d'acquisition de nouveaux clients, en segmentant, catégorisant, classant, ciblant les profils, selon des critères leur permettant d'augmenter les taux de réponses aux questionnaires envoyés. De même, dans le monde bancaire, des prises de risques minimaux résultent de calculs précis, permettant ainsi de repérer dans les portefeuilles clients les bons

---

[271] Le philosophe Michel Henry emploie le terme galiléen pour désigner un changement de sensibilité concernant la manière dont le monde est interprété, ce dernier l'est désormais par les sciences et non par l'art, la religion, la culture.

[272] Pour illustrer notre propos, citons la série américaine « Numbers » ou « La Loi des nombres. » « Agent du FBI, Don Eppes trouve une aide précieuse auprès de son frère Charles (Charlie), mathématicien de génie, pour résoudre les enquêtes les plus délicates. Le jeune homme utilise en effet les nombres pour analyser les crimes, révéler les tendances et tenter ainsi de prévoir les comportements. » Source : https://fr.wikipedia.org/wiki/Numbers_(serie_televisée).

profils et ceux constituant les éléments éventuellement faibles pour la banque.

Nous pourrions, à l'infini, démultiplier les exemples, pour démontrer que les sciences mathématiques et les algorithmes rendent aujourd'hui possible la capacité de contrôler, de prédire, d'analyser l'ensemble des phénomènes sociaux. Les utilisations de l'exploration des données permettent notamment d'appréhender la complexité des phénomènes, les attitudes, les habitudes d'achat, les comportements humains, afin de mieux les comprendre, de réduire les coûts de recherche ou d'exploitation liés à ces pratiques, ou bien afin d'améliorer la qualité des processus services qui convoitent les individus, objets de ces exploitations mathématiques.

Nous arrivons, comme l'indiquait Jacques Ellul, à une nouvelle équation sociétale, dont la matrice est la puissance des moyens techniques susceptibles d'organiser la vie sociale. *« Cette société informatisée, totalement technisée est fatale, inévitable, donc allons dans ce sens, faisons-la arriver, procédons à l'accouchement, donc intégrons les jeunes dans ce monde. Il n'y a pas de choix... »*[273]

Citons à nouveau le propos également prémonitoire du philosophe Condorcet. Il écrit dans le livre *Esquisse d'un tableau historique des progrès de l'esprit humain* qui voit dans la science mathématique l'émergence d'un modèle devant permettre à l'homme de reculer indéfiniment ses limites : *« L'invention (et donc le progrès) est une combinaison nouvelle d'idées disponibles. »*

Ici est la clef du progrès. L'arithmétique en offre le modèle : sa fécondité consiste dans le « moyen heureux de représenter tous les nombres avec un petit nombre de signes, et d'exécuter par des opérations techniques très simples des calculs auxquels notre intelligence, livrée à elle-même, ne pourrait atteindre. C'est là le premier exemple de ces méthodes qui doublent les forces de l'esprit

---

[273] Jacques Ellul, *Le bluff Technologique*. Pluriel. Page 689.

humain, et à l'aide desquelles il peut reculer indéfiniment ses limites, sans qu'on puisse fixer un terme où il lui soit interdit d'atteindre. »

La faillite généralisée de l'ancien monde, humus d'un âge d'or promis à une nouvelle espèce humaine

Le monde est traversé par de multiples feux et incendies, c'est toute la biodiversité qui est ainsi en péril :
- la faune et la flore sont déstabilisées,
- les ressources énergétiques ne sont pas inépuisables,
- les écosystèmes sont fragilisés par les déséquilibres.

Nous ne sommes pas loin d'une faillite généralisée, et cette faillite est aussi économique, sociale et climatique. Jamais, il n'y a eu autant de corrélations entre différents phénomènes, qui par leur conjugaison, peuvent entraîner des calamités irréversibles pour une grande partie de notre humanité.

Ainsi, des pans entiers de notre environnement se délitent, s'étiolent, disparaissent. Tous les instruments qui examinent, mesurent la terre, convergent avec le même diagnostic, la planète s'est embrasée, la planète brûle. Les catastrophes, même les plus apocalyptiques, ne sont plus inenvisageables. Pourtant, les cassandres ne sont pas ou peu écoutées, souvent raillées, taxées de radicales, d'extrémistes. L'homme dans sa démesure et ses rêves démiurgiques est devenu le premier prédateur des espèces et de la nature depuis la chute, depuis le Jardin d'Éden ou il en a été chassé.[274]

---

[274] N.d.E. : Il existe cependant des nuances qui relativisent ces propos, que nous rapportons ici :
1) Les bouleversements qui surviennent aujourd'hui se sont déjà produits dans l'histoire, et résultent d'une malédiction divine due aux transgressions des lois de Dieu. René Dubois, un microbiologiste mondialement connu et un chef de file du mouvement écologiste a écrit dans son livre *A God Within* (New York: Scribner's, 1972) la chose suivante (pp. 158-159) :
L'érosion des terres, la destruction des espèces animales et végétales, l'exploitation excessive des ressources naturelles et les désastres écologiques ne sont pas spécifiques à la tradition judéo-chrétienne et aux technologies scientifiques. À toutes les époques et partout dans le monde, les interventions irréfléchies de l'homme sur la nature ont eu une multitude de conséquences désastreuses ou du moins changé profondément l'aspect de la nature.

Plutôt que de se ressaisir, l'homme continue de se projeter dans les rêves les plus fous ou les folies les plus insensées. Parmi ces rêves, ces nouveaux ersatz d'un paradis perdu, ceux notamment d'artificialiser la nature, de la régénérer via de nouvelles et savantes technologies,

---

Et également :

> Sur toute la surface du globe et à toutes les époques dans le passé, les hommes ont pillé la nature et perturbé l'équilibre écologique... (p. 161).

2) Il importe de bien faire la part des choses entre ce qui est vrai et ce qui est faux concernant le changement climatique et d'autres mythes urbains concernant l'augmentation des catastrophes. La tournure alarmiste et catastrophiste de la rhétorique environnementaliste s'appuie souvent sur des données tronquées et même falsifiées pour promouvoir une idéologie écologiste antientrepreneuriale. En réexaminant attentivement les données, l'on trouve une image bien différente de ce qui est relayé par les médias. Il est important ici de ne pas se laisser piéger par cette rhétorique et de discerner les motivations profondément antichrétiennes qui président à ce mouvement globaliste. Par exemple, il est possible de réfuter l'affirmation très répandue selon laquelle le nombre et l'intensité des tremblements de terre auraient augmenté depuis un siècle. Voir, par exemple, http://www.icr.org/article/earthquake-data-does-not-mean-more/ et http://www.icr.org/article/twentieth-century-earthquakes-confronting-urban-le/.

3) Il doit être souligné que la croissance économique et l'épanouissement de l'environnement à long terme sont le produit de la grâce Dieu en réponse à la fidélité alliancielle de l'homme. En d'autres termes, la situation actuelle de dégénérescence dans certaines parties du monde n'est pas une situation irrémédiable et irréversible, mais plutôt une situation temporaire. Les pays qui marchent en conformité avec la loi de Dieu voient leur situation économique et sociale se redresser de manière évidente : c'est le cas, par exemple, de la Hongrie qui est dirigé par un chrétien, Victor Orbán qui en est à son troisième mandat. Au deuxième trimestre de 2018, la Hongrie affichait un taux de croissance annuel de 4,8 % : https://tradingeconomics.com/hungary/gdp-growth-annual. Et cette croissance est solide. Voir également les cas de l'Ouganda et des îles Fidji.

4) Une lecture prémillénariste de l'Apocalypse pourrait, certes, encourager les chrétiens à voir dans la crise écologique due au changement climatique global annoncée presque à l'unanimité par les médias, les scientifiques et les hommes politiques un accomplissement des prophéties du livre de la révélation. Mais les données scientifiques ainsi que les considérations d'ordre théologiques rappelées précédemment ne permettent pas une telle transposition. Au plan eschatologique, l'Écriture, tout comme l'histoire, montre plutôt des conditions mélangées (ténèbres et lumière, apostasie et réveil, jugements divins et bénédictions divines, etc.), et ce *jusqu'au retour de Christ*. En outre, l'Écriture enseigne que le règne de Christ depuis son ascension doit s'étendre progressivement dans l'histoire, *jusqu'à ce que tous ses ennemis soient mis sous ses pieds*. Le théologien calviniste Iain Murray a fait valoir dans son livre *The Puritan Hope* (Banner of Truth, 1971) que l'espérance d'un réveil mondial à la fin des temps faisait partie du substrat de l'orthodoxie protestante depuis la Réforme et spécialement chez les Puritains. L'on trouvera l'introduction en français de cet ouvrage capital ici : http://sentinellenehemie.free.fr/iainmarray1.htm. Cette perspective eschatologique optimiste (qui n'annule en rien ni ne contredit la réalité de la persécution grandissante des chrétiens et de l'opposition agressive au christianisme) offre une base suffisante pour moduler les affirmations d'Éric Lemaître au sujet de la crise écologique irrémédiable qu'il entrevoit.

d'inventer de nouveaux artefacts ou artifices, pour suppléer les limites physiques ou les facultés psychiques du genre humain.

Plus que Jamais, les pulsions enfouies qui sommeillaient dans le cœur de l'homme se réveillent et lui donnent un regain de désir de jouvence, cette volonté de faire disparaître, à tout prix, la mort, comme s'il fallait imaginer que le diable dans le Jardin d'Éden n'avait pas tout à fait tort. Genèse 3:4 : « Alors le serpent dit à la femme : **Vous ne mourrez point** ; mais Dieu sait que, le jour où vous en mangerez, vos yeux s'ouvriront, et que vous serez comme des dieux, connaissant le bien et le mal. »

Il faut pour ces nouveaux docteurs Folamour oublier le corps aliénant qui nous confine dans les limites et l'encerclement ; au contraire, il faut aujourd'hui vanter sa plasticité, inverser les rapports au vivant, vaincre les contingences d'un réel qui condamnent l'espèce humaine.
Parmi les projets délirants de ces nouveaux savants fous, celui de :
- rapprocher le vivant et la technique,
- de fusionner cerveau et machine, implémentant le cerveau humain, le reprogrammant afin d'augmenter ses facultés cognitives.

Ce fameux docteur Folamour qui est, en l'occurrence, une pure fiction, aspirait à sauver l'humanité.

Avec la société Google, se rejoue la scène du savant fou, en répliquant la scène déjà jouée : il s'agit pour une des sociétés du numérique, l'une des quatre de ce fameux GAFA (Google, Apple, Facebook, Amazon), de sauver l'humanité de sa mortalité promise et d'augmenter la performance cognitive de l'homme.

Un monde dans le déni du réel

Dans des contextes de crises multiples, y compris de terrorisme individuel ou de masse, de mutation climatique, technologique, notre monde chancelle. S'ajoute à ce monde en crise un monde consumériste qui domine nos manières d'agir et de vivre. Face à une modernité hors sol, sans racines, ce monde n'est plus ancré dans un rapport au réel, ce monde postmoderne aspire à des rêves déconnectés, dédouanés de toute profession de foi, de tout rapport aux dogmes, de tout rapport à la religion, de tout rapport à un récit, une histoire et une filiation culturelle. Dans ce déni spirituel, nous sommes face à une dématérialisation de l'économie et des biens, une désincarnation des relations. En effet, la modernité numérique veut s'ouvrir à de nouvelles perspectives, en étant dans la contestation du réel, comme si cette modernité voulait aujourd'hui s'arracher de ses limites, de son univers incarné, s'arracher à un monde en flammes, le renier par-dessus tout, s'en évader.

Ce livre que nous coécrivons avec plusieurs auteurs, regroupant plusieurs disciplines des sciences humaines, - philosophie, théologie, socio-économie, génétique, sciences physiques, mathématiques, vise à interpeller nos concitoyens, chrétiens ou non, à l'urgence d'une réflexion de tous, relativement à l'évolution des technosciences, à l'ensemble des mutations scientifiques et technologiques, dont les répercussions se font déjà ressentir dans notre quotidien.
Ce livre décrit les relations, les interactions de plus en plus prégnantes entre les technologies et nos modes de vie. Nous pointons, comme d'autres auteurs l'ont déjà fait par ailleurs, dans le monde de la philosophie, de la science ou de la religion, l'émergence de technostructures déshumanisantes, d'une nouvelle oligarchie issue du monde numérique. Nous avons la conviction que les connexions entre les êtres humains et les technologies se feront plus pesantes que jamais, « tout est lié dans le monde ». La dernière encyclique du pape François est ainsi dans ce contexte une analyse critique du nouveau paradigme imposé par le monde des technosciences, et au-delà, « des formes de pouvoir qui dérivent de la technologie. »

Bien que l'encyclique ne fasse pas du transhumanisme et du monde numérique le cœur de son sujet, nous avons noté qu'implicitement ce texte du pape François en faisait indirectement référence. C'est pourquoi nous souhaitions l'évoquer dans notre livre.

Nous souhaitons à travers ce livre informer, avertir, pour anticiper les orientations qui se dessinent, d'ores et déjà, orientations techniques qui sont de nature à asservir la conscience humaine, une puissance technique infiniment néfaste, sans doute une nouvelle barbarie qui a plus de pouvoir que tout autre médium, un pouvoir quasi-occulte, car l'emprise se fait dans l'esprit des hommes.

Au fond, il s'agit de lancer une démarche d'alerte, d'éveil des consciences, de saisir, de conscientiser, y compris dans le quotidien, comment le monde des datas se dessine, comment le monde des objets numériques qui nous entourent peut être aussi un environnement nocif. Ce monde des objets numériques qui nous tracent constitue autant de marqueurs d'une époque qui, peu à peu, en raison de leur emploi addictif, nous habitue et nous prépare à de nouvelles servitudes, comme si ces objets étaient indispensables à notre propre survie, des nécessités quasi-vitales, alors que ces objets ne sont qu'artificiels et ne constituent nullement notre raison de vivre.

L'égrégore

Ces objets de « la modernité numérique » nous lient ainsi, d'ores et déjà et demain, aux projets d'une société virtuelle et déshumanisante. Cette modernité ne fait plus de l'homme un être incarné dont il conviendrait de prendre soin, un être d'abord de relations, mais fait de lui une matière connectée à d'autres matières, dans une sorte d'égrégore.[275]

Dans un récit talmudique intitulé le Pacte,[276] Emmanuel Levinas[277] interroge les dimensions qui caractérisent la communauté, en tant que lieu de relations et de rencontres interpersonnelles, mais de manière allusive son propos nous renvoie au monde artificiel des réseaux sociaux, à cette masse d'individus connectés, unis artificiellement.

---

[275] Un égrégore est, dans l'ésotérisme, un concept désignant un esprit de groupe, une entité psychique autonome, une force produite et influencée par les désirs et émotions par une masse d'individus unis dans un but commun.

[276] Emmanuel Levinas, *L'au-delà du verset*, Éditions de Minuit, 1982.

[277] Emmanuel Levinas, philosophe (1906-1995). Il fut le philosophe de l'altérité. Il s'est spécialisé sur les questions d'éthique et de métaphysique.

Ainsi, Emmanuel Levinas exprime, selon nous, cette idée de solitude, dans cette masse informe d'âmes connectées : « *Chacun a l'impression d'être à la fois en rapport avec l'humanité tout entière, mais aussi solitaire et perdu.* » Il y a dans cet univers des réseaux sociaux à la fois un sentiment de proximité dans l'interaction sociale, mais en réalité aussi un sentiment d'éloignement, car l'indifférence sociale reste, malgré tout, prégnante, même si les « gens » donnent l'impression de compatir.

Le monde des réseaux sociaux fabrique un univers quasi-artificiel, où les relations qui se tissent n'ont en réalité aucun socle. Aussitôt vous disparaissez des écrans, aussitôt vous entrez dans l'anonymat, l'oubli. Les relations sont en réalité impersonnelles, vous êtes une image derrière un écran, des textes qui suggèrent, mais qui n'incarnent pas la réalité, la singularité de votre personne.

Emmanuel Levinas exprime bien mieux cette dimension touchant à l'impersonnel issu de ces mondes numérisés. « On s'aperçoit que les progrès mêmes de la technique, qui mettent tout le monde en relation avec tout le monde, comportent des nécessités qui laissent les hommes dans l'anonymat. Des formes impersonnelles de la relation se substituent aux formes directes. »[278]

Le monde des réseaux sociaux est à l'inverse des relations interpersonnelles décrites par le philosophe. Le monde des connexions sociales est une « *forme impersonnelle de la relation,* » une nouvelle forme d'égrégore, une nouvelle société virtuelle constituée d'images nous connectant et nous reliant les uns et les autres dans une toile numérique exerçant un pouvoir fascinant dans nos esprits. L'égrégore. Le mot égrégore, que nous utilisons pour qualifier l'entité psychique formée par une masse d'individus connectés, est une expression ésotérique, une métaphore d'un puissant courant de pensée collective.
Cet égrégore numérique est caractérisé par ce mouvement des connexions démultipliées et interconnectées des réseaux sociaux

---

[278] *Emmanuel Levinas 100: Proceedings of the Centenary Conference,* 4-6 septembre 2006, édité par Cristian Ciocan, p. 293.

Twitter, Facebook, Google, Instagram, et par résonance, influencent, font interagir les attitudes, les comportements, les modes d'agir. Pierre Mabille,[279] médecin et anthropologue, considérait que l'égrégore possède « *une personnalité différente de celles des individus qui le forment,* » nous enfermant dans un nous collectif.

Cet égrégore a cette faculté d'atténuer et de nous dissoudre dans la masse, dans une dimension collective ; nous le constatons, notamment, lorsque dans leurs interactions, les propos polémiques qui sont échangés finissent, soit par s'opposer, se cliver ou se nuancer, jusqu'à une forme de consensus. Mais l'ensemble de ces relations virtuelles déconstruisent la relation, le dispositif numérique bouleverse les rapports et les égos, l'espace virtuel se superpose à l'espace sensible, une forme d'hybridation s'opère, transformant l'échange qui ne repose plus sur le réel, sur un face à face réellement incarné, nourri de la rencontre de l'autre.

Pierre Mabille appelait lui-même à une nouvelle civilisation, où l'individu s'émanciperait d'un monde ancien qui l'entrave et l'aliène. En quelque sorte, le monde virtuel pourrait être ce lieu d'émancipation des égos narcissiques qui, enfin, auraient le sentiment artificiel d'exister pour les autres. Dans un tel contexte, nous mesurons combien la pensée de Jacques Ellul était pertinente et appropriée à une lecture d'un monde relié et dépendant d'une organisation sociale, régie par les connexions informatiques qui seraient alors de nature à aliéner la relation vivante et incarnée.

Nous croyons, en effet, indiscutablement, que nous sommes comme conditionnés par les objets et des techniques qui nous sont devenus si familiers. A travers ces objets virtuels, les connexions, via les réseaux sociaux, nous avons fini par nous habituer à leurs contacts dématérialisés, à devenir leurs sujets, et demain totalement asservis,

---

[279] Pierre Mabille, médecin et écrivain français, né le 2 août 1904 à Reims, mort le 13 octobre 1952 à Paris. Professeur à l'École d'anthropologie de Paris, il fut un proche d'André Breton et du surréalisme. Adepte de l'hermétisme et de l'imaginaire, ses ouvrages se situent au carrefour de l'anthropologie, de la sociologie et de la médecine. Pierre Mabille aborde dans ses livres une approche de la totalité de l'homme et des civilisations.

dépendants, assujettis, sans que nous ayons la volonté de nous en défaire, de nous affranchir.

Ces objets qui reflètent et symbolisent notre modernité nous emprisonnent et nous rendent dépendants ! Nous croyons, en effet, que nous sommes arrivés, au point d'être fascinés, par le pouvoir captivant et séducteur des réseaux sociaux. Naturellement, ce monde numérique, ces objets connectés, ces mondes virtuels sont comme des leurres et tromperont bon nombre d'entre nous.

Qui, en effet, n'a pas tel ou tel objet numérique (portable, ordinateur, tablette, appareil photo numérique, montre connectée...) chez lui, et n'est pas tenté par les dernières évolutions technologiques, par le confort qu'apportent ces nouveaux environnements de notre consommation ? Mais le plus inquiétant est l'interconnexion qui existe entre ces objets qui nous lient, nous relient et interagissent avec d'autres objets et serveurs contrôlés par les géants du Web.

Ce monde numérique construit un monde collectif qui lie les membres, les harmonise, les motive, les stimule, osons le terme, les vampirise jusqu'à la servitude spirituelle. C'est cela finalement la culture de l'égrégore : plagiant une création, elle assemble une forme de communauté mondiale, une sorte de corps, sans doute une forme mystique du corps que décrit l'apôtre Paul, pour dépeindre l'unité des croyants, formant un même corps spirituel dans la personne de Christ. Il semble certain que ce concept (ou notion) de l'égrégore est une forme de contre-pied au corps mystique de Christ : c'est un corps virtuel, où chacun est interconnecté à l'autre, relié à un hypermonde, un cybermonde, un espace mental, voir un univers « astral. »

L'une des dérives de l'égrégore numérique réside dans ce pouvoir technologique. Le pouvoir technologique est ce besoin irrésistible, implacable, voire demain impitoyable, d'accroître sa puissance de divertissement, de savoir, de contrôler, d'augmenter la capacité de servitude, d'assujettissement sur le monde, de faire également reculer les limites biologiques de l'homme qui l'ont enfermé jusque-là dans une forme de vulnérabilité, de fragilité qu'incarne la mortalité.

Les nouveaux enjeux terrifiants d'une science sans conscience

Nous résumons ainsi les nouveaux enjeux terrifiants d'un monde totalisant, sous l'emprise des algorithmes, des connexions numérisées. Les enjeux sont illustrés par ce propos, extrait de la lettre écrite par le pape François dans sa dernière encyclique : « *... Nous ne pouvons pas ignorer que l'énergie nucléaire, la biotechnologie, l'informatique, la connaissance de notre propre ADN et d'autres capacités que nous avons acquises nous donnent un terrible pouvoir. Mieux, elles donnent à ceux qui ont la connaissance, et surtout le pouvoir économique d'en faire usage, une emprise impressionnante sur l'ensemble de l'humanité et sur le monde entier. Jamais l'humanité n'a eu autant de pouvoir sur elle-même et rien ne garantit qu'elle s'en servira toujours bien, surtout si l'on considère la manière dont elle est en train de l'utiliser.* »[280]

C'est le mot « emprise » qui est saisissant, comme l'expression d'une possession d'un nouveau territoire qui s'offre désormais à l'homme. La conquête n'est plus géographique, la conquête s'inscrit désormais dans un nouveau type de territoire, dans le champ de la conscience humaine. Dans ce nouveau territoire, il appartient à l'homme transhumaniste tout à la fois de dépasser ses limites, mais aussi de transcender les frontières qui l'ont jusqu'alors enserré. La technologie numérique (demain quantique) est le recours, comme une forme de pouvoir qui s'offre à l'homme, désormais, pour dépasser la finitude de l'existence humaine, l'infirmité biologique de l'homme.

La technologie est sur le point de revêtir une fonction idéologique, et cette fonction idéologique est portée par le transhumanisme, un mouvement culturel très actif qui prône le dépassement de l'homme, emmuré dans sa finitude, et d'abord sa mortalité.

Il faut ainsi, pour ce mouvement, permettre à l'homme d'échapper à sa souffrance, comme le rappellent Geneviève Ferone et Jean-Didier

---

[280] *Laudato si'* est l'encyclique du pape François sur l'écologie humaine.

Vincent, dans leur remarquable livre, *Voyage en Transhumanie,*[281] en citant Freud, le père de la psychologie moderne qui mettait en évidence les sources des tourments qui pèsent sur la condition humaine : « *La puissance écrasante de la nature, la caducité de notre propre corps et l'insuffisance des mesures destinées à régler les rapports des hommes entre eux que ce soit au sein de la famille, de l'état ou de la société.* »

Le transhumanisme est ainsi cette idéologie méconnue de beaucoup. Elle est fondée sur une nouvelle matrice, celle d'une toute-puissance prométhéenne, une puissance sans limites qui donne à l'homme de nouvelles facultés démiurgiques et des pouvoirs étendus ne connaissant aucune frontière pour renverser les représentations touchant à l'être humain qui ont été jusqu'alors les nôtres.

L'un des thèmes débattus par l'idéologie transhumaniste touche notamment à l'allongement infini de la durée de la vie, l'émergence d'une nouvelle posthumanité, la fusion hybride des hommes et des machines.

Dans le monde d'aujourd'hui, c'est la société Google[282] qui est porteuse de cette idéologie transhumaniste. Comme nous l'avons précédemment écrit, ces idéologues rêvent d'une humanité enfin débarrassée de ses dogmes, de ses vérités, qui l'enfermaient jusqu'alors dans un réel construit autour de la finitude, la fragilité, la vulnérabilité.

Nous comprenons ainsi que cette société qui se dessine à travers *Google* nous projette dans une société mutante, une véritable révolution, un changement de paradigme. Dans cette société transhumaniste, il s'agit, ni plus ni moins, de proposer un homme

---

[281] Geneviève Ferone et Jean-Didier Vincent, *Bienvenue en Transhumanie : Sur l'homme de demain*, Grasset, 5 octobre 2011, 304 pages. Jean-Didier Vincent est biologiste, fondateur de la neuroendocrinologie, membre de l'Académie des sciences et professeur émérite de l'Université Paris XI. Geneviève Ferone est docteur en droit, elle est l'auteur du *Krach écologique* paru chez Grasset (2008).

[282] Google est une filiale de la société Alphabet fondée le 4 septembre 1998 dans la Silicon Valley, en Californie, par Larry Page et Sergueï Brin, créateurs du moteur de recherche Google. L'entreprise s'est principalement fait connaître à travers la situation monopolistique de son moteur de recherche.

immortel, mais également un homme augmenté. Le rêve du transhumanisme, c'est un homme qui ne meurt pas, l'homme décidant de cesser d'être une créature mortelle, de gommer la malédiction lancée depuis le Jardin d'Éden, décidant enfin de prendre son destin en main, n'hésitant pas à « devenir lui-même Dieu. »

Je cite à nouveau les auteurs du livre *Bienvenue en Transhumanie* : nous pouvons dire que le monde est entré dans de fortes turbulences : de toute l'histoire technologique, nous prenons conscience, aujourd'hui, que l'humanité détient une puissance technologique inégalée, que les « forçages technologiques » organisés nous permettent de reculer les limites qui ne sont pas éloignées des projections les plus futuristes de la science-fiction.

Dans ces contextes d'idéologie transhumaniste, la fameuse Silicon Valley est devenue mégalomaniaque, démiurgique. C'est dans le cœur même de la Silicon Valley, au sein de son université « Singularity,[283] » que se construit une nouvelle idéologie, dont la matrice est la négation de l'omnipotence, de l'intelligence et de la sagesse de Dieu qui a créé, qui nous a créés. « Dieu n'existe plus. S'il a existé, Dieu, c'est nous, augmentés par les nano et biotechnologies. » Le Dieu qui est annoncé est « l'homme 2.0, » selon l'expression même des nouveaux idéologues et magiciens de San Francisco. L'homme 2.0, sera l'homme hybride, avec l'intelligence artificielle, l'homme rendu immortel, grâce aux nano-bio-technologies.

Mais, comme Mathieu Dejean, l'auteur de l'excellent article[284] « Que cache la Nébuleuse transhumaniste ? » le souligne en partageant cette réflexion : « Ces mystérieux apprentis sorciers qui conjuguent au futur le conditionnel des romans de science-fiction sont philosophes, ingénieurs et biologistes, ils partagent un même diagnostic : le progrès exponentiel des sciences et des techniques, et la convergence technologique des NBIC, ces derniers mettent le présent sous la

---

[283] L'Université Singularity : http://singularityu.org/.
[284] Citation extraite du blog lesinrocks :
http://www.lesinrocks.com/2014/11/29/actualite/prolongement-vie-eradication-mort-hommes-machines-cache-nebuleuse-transhumaniste-11537651/.

pression du futur. » Les plus extrémistes, comme les plus militants, de cette mouvance culturelle du transhumanisme, annoncent l'avènement de la « singularité », c'est-à-dire du point de rupture qui verra l'humanité basculer, et les intelligences artificielles prendre en charge, elles-mêmes, l'innovation, le développement des améliorations touchant à la santé, la technologie, la vie sociale, la surveillance.

Dans ces contextes transhumanistes et de croyances sans limites dans le progrès, Google déploie des algorithmes complexes, s'emploie à développer, à améliorer l'ensemble des processus techniques touchant à l'intelligence artificielle faible. L'intelligence artificielle faible se définit comme une suite d'opérations élémentaires qui permettent de résoudre un problème, un calcul. Sur la base de ces algorithmes, le processeur ainsi programmé est capable d'effectuer des opérations avec une grande vitesse, de stocker et de manipuler des volumes considérables de données ; l'intelligence artificielle devient ainsi un incroyable auxiliaire, aux capacités de calcul illimitées qui contrastent, forcément, avec les capacités limitées, définissant aujourd'hui les capacités cognitives de l'être humain.

La programmation, à partir de ces algorithmes, permet ainsi à l'homme de ne plus avoir recours à des tâches en mobilisant chez lui ses propres ressources cognitives. Les tâches qu'il accomplissait peuvent être désormais exécutées par des systèmes de plus en sophistiqués, de plus en plus performants.

Dès lors, poser un diagnostic sur une maladie affectant le corps humain pourra être valablement fait, à l'avenir, par une machine, grâce à ses capacités de contrôler l'ensemble du génome humain, grâce à la puissance des processeurs d'aujourd'hui et à la sophistication des algorithmes de calculs utilisés. Dans le monde des jeux d'échecs, nous savons que ce ne sont qu'une dizaine de coups d'avance que calculent les meilleurs ordinateurs, mais plus d'une vingtaine dans un horizon temporel extrêmement court, de l'ordre du dixième de seconde, et qu'il sera impossible à l'homme de rivaliser, comme de vaincre les capacités techniques d'une superstructure qui analyse des milliards de combinaisons possibles et les évalue à une vitesse prodigieuse.

Un robot, commandé à distance ou non, pourrait également intervenir sur des opérations chirurgicales (c'est de l'intelligence artificielle faible) ; demain, le projet de la voiture Google qui nous pilote, sans que nous ayons besoin d'intervenir, n'est plus un projet inimaginable.

Le rêve de Google est de doter l'homme de nouvelles capacités, de suppléer ses insuffisances, de rapprocher l'homme de la machine, de les fusionner.

Comme l'écrivent les auteurs du livre *Bienvenue en Transhumanie*, « le temps est venu pour l'apprenti sorcier de devenir sorcier. Pour cela, il lui faudra s'affranchir de règles de bon sens élémentaires, cultiver l'art du déni, faire vœu de bricolage, et à défaut, posséder toutes les clés de la connaissance, tordre le cou aux considérations éthiques. »

J'ajoute que ces transhumanistes s'assoient avec mépris sur la Bible et ses avertissements répétés, concernant la tentation de l'homme de devenir lui-même Dieu.

Ainsi, le sorcier ou la nouvelle bête, en rapprochant l'homme et la machine, en les connectant, aspire à intégrer au corps et au cerveau humain des éléments d'intelligence artificielle, comme une mémoire étendue ou un « moteur de recherche » intégré, par exemple. Plus besoin, finalement, de faire l'effort de mémoriser, Wikipédia auxiliaire de notre cerveau, serait inséré sous forme d'une puce discrète, pour augmenter nos performances et épater nos amis qui, eux-mêmes, rivaliseront de leurs connaissances artificielles. L'avènement du surhomme est à nos portes !

L'avènement du posthumain

Le projet de Google n'est pas l'intelligence artificielle faible ou la création de supports augmentant « *la connaissance du bien et du mal,* » mais bien l'intelligence artificielle forte, la machine dotée d'un libre arbitre, de « conscience ». Mais, comme nous l'écrirons dans un autre chapitre, cela relève d'une utopie spirituelle, une telle conscience restera de notre point de vue factice, un artifice, un subterfuge.

Pour conclure notre analyse sur cette dimension d'une nouvelle ère que franchit notre humanité, en ouvrant de nouvelles perspectives, pour refonder l'homme à travers l'idéologie transhumaniste, nous insisterons sur trois points. Ces points ont été partagés avec Charles-Eric de Saint Germain[285], professeur de philosophie et auteur de nombreux livres :

Le premier point concerne la focalisation de cette idéologie sur l'augmentation de la puissance de calcul, la performance cognitive de l'homme (l'homme amélioré, l'homme augmenté), mais qui ne dit rien (ou pas grand-chose) de la dimension spirituelle, de l'émotion et du sens de la vie. Au fond, l'homme augmenté reste profondément vide, que lui donnera-t-on comme supplément d'âme ?

« C'est le signe d'une utopie scientiste qui participe de l'idéologie scientiste, laquelle privilégie le mesurable et l'objectivable sur la qualitatif et l'interrogation sur le sens de la vie, » comme le partage le philosophe Charles-Éric de Saint Germain.

L'âme de l'homme, qui le définit comme vivant, se dérobe finalement. La vie est totalement occultée, comme broyée par la machine numérique, dont il pourrait n'être, à terme, qu'un simple auxiliaire, et demain le produit, puisque corvéable vis-à-vis de l'outil. Ainsi, le désir, la convoitise, le besoin de possession sont, sans nul doute, une maladie incurable de l'âme, un cancer qui ronge le bonheur d'être au contact du jardin perdu, un cancer qui annihile le sens du toucher, un cancer qui détruit la relation vivante un cancer qui anéantit les impressions, les sensations, les émotions. Cet homme augmenté est loin des émotions, loin de ces émotions qui tiennent, justement, à sa fragilité, ses limites, sa vulnérabilité.

---

[285] Professeur de philosophie en Hypokhâgne et Khâgne, normalien, agrégé et docteur en philosophie, Charles-Éric de Saint Germain est l'auteur des *Cours particuliers de philosophie* en deux volumes, Ellipses, octobre 2011, et de plusieurs ouvrages de philosophie dont *La défaite de la raison : Essai sur la barbarie politico-morale contemporaine*, Salvator, collection Forum, 13 mai 2015, 356 pages.

L'avènement de l'homme augmenté

- n'était-il pas dans le Jardin d'Éden avec le premier acte de transgression (consommer le fruit de la connaissance du bien et du mal) ?
- N'était-il pas caressé dans les rêves du philosophe Nietzsche, l'avènement de la toute-puissance, de l'homme divin, du surhomme ?
- Son avènement n'était-il pas implicitement contenu dans l'idéologie nazie ?

Mais un tel événement ne doit-il pas nous amener à craindre des risques sur le plan social ? « L'amélioration artificielle de l'homme ne risquerait-elle pas de devenir une norme imposée, directement ou indirectement, par les employeurs, l'école ou le gouvernement ? » Ne serions-nous pas alors confrontés à un nouvel ordre social aux caractéristiques eugénistes, « une société de la performance de forme eugéniste » ?

Le deuxième point est celui de l'émergence de la norme, susceptible de réguler les formes de dopages techniques, les fonctions attribuées pour améliorer les performances humaines. Serons-nous dotés des mêmes pouvoirs ? Quelle gouvernance décidera de la gestion de ces mutants ?

Cette société transhumaniste régulera-t-elle la gestion de la performance et comment ? Quels seront les critères de répartition ?

L'autre danger, souligné par le philosophe Charles-Éric de Saint Germain « est celui qui tient à l'uniformisation de la société selon des normes de perfection génétique qui, d'une part, sont relatives à une époque donnée et qui, d'autre part, aboutissent à nier le fait que la diversité (et non l'uniformité) est source de complémentarité, de richesse et de progrès. »

Ici, sous couvert de progrès, il s'agira d'uniformiser » les gens, en les soumettant à des normes d'amélioration, mais cela va aboutir dans les faits à une régression qui ira dans le sens d'une mécanisation et d'une perte de sens, confinant à l'absurde.

Comment ne pas songer, dans ces nouveaux décors façonnés par le transhumanisme, à ce film qui nous projette dans un futur, « Bienvenue à Gattaca » ?

« Bienvenue à Gattaca »[286] est un film de science-fiction qui n'utilise pas les codes du genre avec comme arrière-plan les effets spéciaux et des objets extravagants. Le film met plutôt l'accent sur une cité scientifique, un centre d'études et de recherches spatiales pour des jeunes gens au patrimoine génétique remarquable, quasi-parfait ! L'univers architectural de la cité scientifique où évoluent des hommes surfaits se caractérise par des couleurs jaunies, sans réels contrastes, des formes géométriques droites, des courbes parfaites, des profils épurés, des décors comme l'escalier, de forme hélicoïdale, qui rappelle la structure de l'ADN du génome humain.

La cité scientifique et futuriste de Gattaca évolue dans un univers froid, sans réelles altérités, sans couleurs, sans chaleur, sans diversités, où le déterminisme génétique triomphe, concevant des humains biologiquement sans défauts.

Le centre de recherches est peuplé d'hommes et de femmes désincarnés, déshumanisés, anonymes, comme mécanisés, surveillés, contrôlés. Des êtres surdoués, aux capacités cognitives exceptionnelles, conçues par la génétique moderne, mais aux visages énigmatiques, sans âmes, placides. Ils se croisent sans se rencontrer, sans échanger, ils sont identiques, ils sont indifférents.

Des citoyens dociles, comme pilotés par la servitude d'un système qui les transforme en subordonnés, en vassaux totalement soumis à des actions bien ordonnées, pour garantir la cohésion sociale de l'ensemble.

Le film Gattaca, réalisé par Andrew Niccol, a vocation à éveiller la conscience, ce film dystopique n'a peut-être rien d'utopique. Il est aisé de comprendre que la trame d'un monde docile et indifférenciée, une société qui va vers l'uniformisation est une projection transposable à une réalité qui se dessine subrepticement. Tout ce que l'on voit est

---

[286] Il s'agit du film d'anticipation Gattaca réalisé par Andrew Niccol, sorti en 1997.

incontestablement transposable, des ambiances architecturales, jusqu'aux idéologies qui effacent la dimension de l'altérité, qui portent intrinsèquement les dangers et les limites de la génétique moderne, du transhumanisme.

Le transhumanisme, en mécanisant l'homme, réduit sa part de lui-même, l'atrophie de son identité qui est sa chair. Dans ces contextes de transhumanisme, la chair serait potentiellement aliénée, comme anéantie. Or, ce qui fait la beauté chez l'homme, c'est bien :

- cette vulnérabilité qui le caractérise,
- cette capacité relationnelle qu'il doit déployer pour survivre,
- cette émotion pour coloriser la vie,
- ces contacts, pour créer du sens à ses engagements,
- ces limites qui lui font dessiner le réel, afin de comprendre, qu'en tout, il est un être mortel.

Enfin, et c'est le troisième point que nous traitons, nous retrouvons dans ce projet transhumaniste qui est au cœur de toutes les idéologies totalitaires : la création d'un homme nouveau ou d'un surhomme. Par contraste, le christianisme affirme que seul Dieu peut faire un homme « réellement nouveau ». En voulant soi-même se faire Dieu, l'homme va au contraire y perdre son humanité, au sens moral du terme.

Or, l'Évangile nous propose, non la figure d'un homme connecté et augmenté, mais celui d'un homme transfiguré, régénéré, non seulement relié à la création, mais relié à l'Esprit de Dieu.
L'homme, selon l'Évangile de Christ, n'est pas amélioré, mais il est transformé par la grâce, par l'amour, par la relation avec son Créateur, renouant ainsi le contact dans une dimension verticale, nourrie par la diversité, la différence et la complémentarité, éloignées de toute idée d'uniformiser et de robotiser l'homme. L'action de l'Esprit de Dieu est de libérer l'esprit de l'homme, pour justement l'amener à être vraiment, pleinement, complètement, tel qu'initialement créé par Dieu... Une sorte de « retour à la quintessence » et non « un enfoncement dans l'apparence. »

29 L'intelligence artificielle et le transhumanisme

~ Par Eddy Marie-Cousté[287] ~

L'homme a toujours essayé de comprendre comment il comprend, c'est-à-dire quels sont les mécanismes de son raisonnement ou, assurément trop synthétiquement écrit, comment fonctionne son intelligence. C'est ainsi que nous connaissons les robots de la Grèce antique comme la servante-robot de Philon[288] ou le golem kabbalistique.[289] Toutes ces recherches incessantes de l'homme pour comprendre son propre fonctionnement sont très certainement sous-tendues par deux motivations profondes et originelles : s'extraire de la nécessité du travail quotidien, routinier et fastidieux qui est souvent présenté comme une aliénation ; pouvoir s'améliorer dans ce qui fait le propre de l'humanité, la conscience de soi et donc, théoriquement, de ses propres limites.

---

[287] Plusieurs formations (études d'architectures navales, d'hydrodynamique et de thermodynamique des fluides [1991 – 1993] ; Soutien Logistique Intégré dit PLI et SLI de l'armée américaine [1999 – 2002] ; management et neuropsychologie [2002 – 2004]) ont amené Eddy Marie-Cousté à occuper divers postes à responsabilité (responsable d'un bureau de Méthodologie en structures métalliques, expertise et suivi de chantier sur des chantiers de constructions navales pour le Ministère de la Défense ; responsable Logistique (RexLog) sur la Flotte des Sous-Marins Nucléaires Lanceurs d'Engins [SNLE et SNLE NG] français ; responsable d'achat et de suivi de contrats d'entretien – réparation sur des bâtiments de la Marine Nationale Française). Aujourd'hui chef d'entreprise, il est le créateur et l'auteur des articles et des vidéos sur le site Internet *Théonoptie* (www.theonoptie.com) et sur la chaine YouTube afférente.

[288] Premier robot anthropomorphe connu : lorsque le visiteur posait une coupe dans sa main gauche, la « servante » versait automatiquement d'abord du vin, puis de l'eau (les Grecs buvaient généralement le vin étendu d'eau).

[289] Le Golem est une créature d'apparence humaine créée par des procédés magiques dans l'antichambre d'un kabbaliste à partir d'argile. Dépourvu de libre-arbitre, il est façonné pour assister ou défendre son créateur. On trouve les traces de la fameuse créature dans le Talmud, dans le Sefer Yetzirah, dans le Prague du XVIe siècle, au XXe siècle sur les écrans et encore aujourd'hui dans les jeux de rôles ou dans la littérature.

Depuis moins de deux siècles, la transcendance de la matière n'étant plus de mise, tout évolue. Il semblait clair que depuis Antoine Lavoisier (XVIIIᵉ siècle), tout évoluait en effet, mais dans une sorte de vase clos, puisque « rien de créé, rien ne se perd mais tout se transforme, » avec un fait tragique pour l'humanité : dans la transformation, il y a des éléments perdus pour l'homme (premier principe de la thermodynamique) ! Cette notion est plus précisément circonscrite près d'un siècle après Antoine Lavoisier : Rudolf Clausius l'a appelée l'entropie, construite justement à partir du mot grec signifiant « transformation. » Ce mot caractérise le degré de désorganisation ou de manque d'information d'un système induit par la transformation. De plus, défini de façon triviale, il caractérise l'augmentation du désordre, de la désorganisation d'un système se transformant ou transformé. Et les découvertes de Louis Pasteur ne vont pas rassurer le commun des mortels : rien ne reste figé, le biologiquement vivant ne reste pas fixe. Il se transforme en permanence.

Heureusement pour la philosophie humaniste, un homme vient apporter une idée nouvelle qui va permettre une profonde transformation de la pensée. Charles Darwin expose une idée salvatrice en proposant de voir l'histoire du vivant sortir de la physique de laboratoire : les êtres vivants ne sont, en réalité, que des maillons d'une longue chaîne de transformations positives... et la théorie de l'évolution est née. Nous devrions d'ailleurs employer l'expression « théorie de la dévolution » dans le sens où une évolution basée sur la transformation d'un organisme en un autre amène une augmentation de l'entropie, donc une désorganisation plus importante et surtout une perte d'information, et donc un amoindrissement du potentiel initial, originel. En effet, le sens entropique d'une transformation est précisé par le second principe de la thermodynamique qui est un principe d'évolution : il introduit la notion d'irréversibilité des transformations physiques. De plus, le terme « dévolution, » en plus de se différencier de celui d'évolution, amène une notion de passage de droits héréditaires à un degré subséquent par une attribution de biens ou de pouvoirs. Or, il s'agit bien de cela dans la théorie darwinienne, puisque chaque échelon transmet au suivant le pouvoir de perpétrer la vie et de la faire muter (et non évoluer) par toutes sortes d'innovations précédemment acquises au prix de milliers, voire de millions de morts, pour progresser.

Mais alors surgit une question ontologique : dans cette chaîne inexorablement dévolutive, qu'y aura-t-il après l'humain que nous connaissons aujourd'hui ? Beaucoup sont convaincus que l'humanité doit prendre son avenir en main en influant les mutations à venir, en particulier en intégrant des technologies nouvelles et performantes (voire plus performantes que l'existant, naturellement) aux corps biologiques, ou en modifiant génétiquement l'humain de façon à l'améliorer ou à lui faire connaître une évolution. Cette orientation faisant peur à ceux qui ont connu les épopées eugénistes des XIXe et XXe siècles, l'on trouve de plus en plus de penseurs, quelques philosophes ou politiques, qui demandent un encadrement de cette vision progressiste. Ce cadre doit être législatif mais surtout amoral pour ne pas être à nouveau confronté à une transcendance d'un arrière-monde duquel il a fallu deux siècles de transformations scientifiques pour se détacher.

L'un des secteurs les plus prometteurs du nouveau mythe de Prométhée est l'informatique qui permet la miniaturisation de circuits de commande et de schémas d'aide à la décision. Tant qu'il ne s'agit que de finances, de politiques, de contraintes commerciales, les arbres de décisions[290] pouvaient être simples. Avant l'invention des outils informatiques, l'aide à la décision se basait sur l'expérience, le savoir, l'expérience de conseillers ainsi que, quelquefois, sur une analyse historique. Mais l'opinion et la subjectivité conservaient une grande importance. Pour s'extraire d'une telle contrainte, il fallait développer des outils « froids, » purement logiques et mathématiques. Mais comment ?

---

[290] Outil d'aide à la décision représentant un ensemble de choix sous une forme graphique. L'ensemble ressemble à un arbre, les différentes décisions possibles, situées aux extrémités des branches, semblent en être les « feuilles. » Ces décisions sont atteintes en fonction de décisions prises à chaque étape. Ceci permet d'appréhender les décisions raisonnablement possibles et celles qui seront parsemées de difficultés ou au contraire celles qui seront plus simples à prendre.

C'est alors qu'émergea une nouvelle discipline nécessaire : l'Intelligence Artificielle (IA). Une intelligence capable de réfléchir froidement, de façon autonome. John McCarthy va être le principal pionnier de l'Intelligence Artificielle avec Marvin Lee Minsky, mettant l'accent sur la logique symbolique. Très rapidement, les chercheurs en IA se trouvent confrontés à une question de fond : la conscience. C'est Alan Turing qui, dans les années 1950, va poser les premiers fondements d'une norme permettant de qualifier une machine de « consciente. » Depuis, un autre domaine scientifique vient ajouter une pierre à l'édifice unificateur de l'humanité : les neurosciences, avec, en particulier, un domaine de recherche très important, à savoir la résolution de la question de savoir quel est le processus neurologique qui nous amène à être conscients de nous-mêmes.

Le cerveau humain est d'une complexité sans égal : avec ses cent milliards de neurones, chaque expérience emprunte ou crée différentes connexions neuronales qui suscitent des émotions différentes. En fonction de neurones stimulés, certaines connexions se renforcent et deviennent plus efficaces, tandis que d'autres peuvent devenir plus faibles. C'est ce qui est appelé la *plasticité neuronale*. Rationalité et résilience émotionnelle fonctionnent de la même manière : peu importe ce que nous faisons et peu importe le moment où nous le faisons, la plasticité neuronale est active pour que nous puissions nous améliorer à le faire. Des neurones spécifiques et des neurotransmetteurs, comme la noradrénaline, déclenchent un état défensif quand nous sentons que nos pensées doivent être protégées contre une influence extérieure. Si nous sommes confrontés à des divergences d'opinion, notre cerveau libère des produits chimiques, les mêmes que ceux qui vont nous permettre d'assurer notre survie en cas de risque ou de danger imminent. Dans cet état défensif, la partie autonome inconsciente de notre cerveau interfère avec la partie consciente empêchant toute réflexion rationnelle : la partie inconsciente est en mesure de gérer environ 400 millions de bits par seconde contre 200 dans le même laps de temps pour la partie inconsciente. Ainsi, le système limbique met hors service notre mémoire de travail qui permet de stocker tous les éléments sensoriels à notre portée durant les trois à cinq dernières minutes. Ceci a automatiquement pour effet de créer une étroitesse d'esprit,[291] et alors, peu importe la valeur d'une idée, le cerveau ne peut véritablement la traiter dans un tel état.

De plus, les recherches en neurosciences ont mis en évidence l'existence de neurones miroirs empathiques : lorsque nous éprouvons une émotion ou effectuons une action, des neurones s'activent ; quand on observe quelqu'un d'autre qui éprouve cette émotion ou qui est en train d'exécuter cette action, même quand on l'imagine, une grande partie de nos neurones se déclenchent à nouveau, comme si nous ressentions ce sentiment ou exécutions cette action nous-même. Ce sont ces neurones empathiques qui nous retiennent à d'autres personnes, qui nous permettent de ressentir ce que d'autres ressentent. Et comme ces neurones réagissent à notre imagination, nous pouvons éprouver des réactions émotionnelles, comme si elles venaient de quelqu'un d'autre. C'est ce système intégré qui permet l'autoréflexion et donc la conscience de soi, préambule indispensable à la conscience.

L'apparence d'unité est trompeuse car, en réalité, le réseau de neurones miroirs se trouve dans tout le cerveau et même dans les zones neuronales actives dans tout le corps. Et chacune de nos expériences et de nos émotions influence et modifie non seulement nos connexions neuronales, mais aussi le réseau neuronal miroir. Ainsi, notre conscience, partie intégrante de tout notre être, se trouve en perpétuel renouvellement.

Ces réseaux neuronaux sont la base fondamentale des réseaux informatiques avec lesquels les chercheurs en IA envisagent sérieusement de construire, sur divers supports informatiques et technologiques, différentes sortes de systèmes capables de se représenter eux-mêmes dans leur environnement pour arriver à une cognition artificielle, nom moins ambitieux que celui de conscience artificielle. Le premier succès de la reproduction de ce grand schéma de

---

[291] La politique de la peur pratiquée par certains gouvernements utilise cet « état de conscience modifié » de la population pour faire adopter des mesures impopulaires, en particulier celles réduisant les libertés individuelles.

construction est le transistor qui a permis aux ordinateurs de voir le jour. Aujourd'hui, la course à la miniaturisation amène à des capacités phénoménales de calculs dans des volumes incroyablement petits ! Un bond en avant est fait avec le memristor[292] désigné comme la synapse artificielle qui permet de passer d'un schéma cognitif basé sur un algorithme à un schème.[293] De même que les neurones communiquent entre eux via des impulsions électriques par libération d'ions après que le neurone s'est plus ou moins rapidement chargé électriquement, le memristor garde une mémoire du champ électrique appliqué, et notamment dans les états intermédiaires entre deux impulsions électriques où certaines zones sont chargées positivement et d'autres négativement. Cette capacité permet pour la première fois à un réseau artificiel de procéder à un apprentissage non-supervisé en reproduisant une fonction synaptique du cerveau biologique appelée « plasticité fonction du temps d'occurrence des impulsions. » Cette fonction permet aux synapses artificielles de gérer des formes d'apprentissage non-supervisé, et ceci sans consommer beaucoup d'énergie puisque le composant se « souvient » en quelque sorte de l'historique des impulsions électriques auxquelles il a été précédemment soumis.

Cette découverte est essentielle dans le développement de l'IA appliquée au monde du vivant, car même si initialement le rêve de l'homme était de s'extraire de la nécessité de la réalisation de tâches plus ou moins fastidieuses ou routinières, rapidement l'IA est devenue une voie de concrétiser un vieux rêve : ne plus avoir à travailler. Et depuis peu, la technologie aidant, l'on commence à envisager à demi-mot un objectif encore plus grand : ne plus être assujetti à la mort ! Mais pour ce faire, la mécanique ne suffit pas. Il faudrait pouvoir relocaliser la conscience humaine dans une machine ou un système autonome. Ceci reste encore du domaine de la science-fiction.

---

[292] Contraction de « memory » et « resistor. »
[293] Le schème est une structure ou organisation des actions telles qu'elles se transforment, se généralisent ou se renforcent lors de la répétition de cette action en des circonstances semblables ou analogues.

Cependant, des avancées en neurosciences sont « prometteuses. » L'implant d'électrodes directement dans le cerveau permet d'activer ou de désactiver à la demande telle ou telle activité cérébrale :

- Des souris se transforment en prédateurs féroces dès l'activation de deux électrodes lumineuses en utilisant l'optogénétique, un nouveau domaine de recherche, qui permet à l'aide de la lumière, en l'occurrence un laser, d'activer sélectivement certains neurones dans le cerveau et donc de créer une faim insatiable chez les petits rongeurs qui, de fait, deviennent extrêmement agressifs vis-à-vis de tout ce qui pourrait se manger.[294]
- Des libellules contrôlables à distance : en implantant une optrode[295] qui crée une interface optique avec les neurones, il est possible soit d'influencer les neurones par des émissions lumineuses, soit de capter la lumière émise par ces neurones pour en surveiller l'activité. En parallèle, les scientifiques ont introduit une protéine spécifique qui réagit en fonction des couleurs à laquelle elle est exposée. Il est alors possible d'orienter les libellules comme un drone piloté à distance.
- Roger Frish est un violoniste atteint d'une dégénérescence dans une toute petite zone du cerveau qui l'amène à avoir des tremblements importants au niveau des mains et des avant-bras. L'implant d'une électrode reliée à un système de gestion qui se trouve dans sa poche permet au musicien d'activer l'électrode dès qu'il commence à jouer, ce qui a pour effet immédiat de supprimer tout tremblement.

L'idée même d'agir sur un être vivant en intervenant directement au niveau de son cerveau profond n'est pas nouvelle. En 1963, en Espagne, José Delgado faisait une démonstration médiatisée durant laquelle il parvenait à interrompre l'élan d'un taureau équipé d'un

---

[294] Expériences menées à l'Université de Yale aux États-Unis.
[295] Ces optrodes sont reliées à un petit système fixé sur le dos de l'insecte, possédant de petits panneaux solaires et un système autonome de contrôle dans le cas où l'insecte passerait dans une zone non couverte par les systèmes de communication.

implant cérébral et contrôlé à distance grâce à un transmetteur radio qu'il tenait dans sa main. D'après le magazine *Scientific American*, il contrôlait chaque action de l'animal.[296] En 1966, Delgado affirmait que ses travaux « amènent à la conclusion déplaisante que les mouvements, les émotions et l'humeur peuvent être contrôlés par des signaux électriques et que les humains peuvent être contrôlés comme des robots en appuyant sur des boutons. »[297] En 1969, il parlait de dérive orwellienne de ses travaux qui pourraient servir à réduire en esclavage des êtres humains.[298]

De nombreuses expériences ont démontré la véracité de ces propos. Parmi celles réalisées sur des êtres humains, nous pouvons citer le cas d'une jeune femme épileptique de vingt-et-un ans qui jouait calmement de la guitare et qui devenait violemment enragée par simple action du stimorécepteur (*stimoceiver*) qui lui avait été implanté ;[299] le cas d'une patiente de trente ans qui, lorsqu'elle était stimulée à un point particulier du lobe temporal, avouait au thérapeute son intérêt pour lui et lui embrassait les mains, alors que la stimulation terminée, elle redevenait aussi distante qu'à son habitude.[300]

Cette technologie est utilisée aujourd'hui :
- pour venir en aide à des personnes paralysées qui peuvent animer et diriger un bras articulé par la pensée ;
- pour venir en aide à des aveugles qui ont pu retrouver partiellement la vue grâce à des implants rétiniens ;[301] des chercheurs ont déjà mis au point des lentilles de contact qui peuvent zoomer, mais une prothèse rétinienne, qui pourrait faire la même chose, devrait permettre de pouvoir le faire en permanence ;

---

[296] John Horgan, « The Forgotten Era of Brain Chips, » *Scientific American*, vol. 293, n° 4, octobre 2005, p. 66–73.
[297] Kreech, David, *Controlling the Mind Controllers,* 1966.
[298] John Horgan, *op. cit.*
[299] John Horgan, *op. cit.*
[300] Maggie Scarf, « Brain researcher José Delgado asks 'What kind of humans would we like to construct?'» *New York Times,* novembre 1970, pp. 153–170.
[301] Les implants consistent en une grille d'électrodes implantées au niveau de la rétine. Une caméra numérique est fixée sur le corps de l'utilisateur, par exemple sur des lunettes, et un microprocesseur convertit les images en signaux électriques qui sont envoyés sur les électrodes.

- pour les projets de recherche avancée dans le domaine de la défense, l'Agence américaine expérimente déjà sur le terrain militaire des implants au cerveau pour aider les soldats qui souffrent de lésions cérébrales traumatiques, en utilisant des électrodes pour stimuler les tissus endommagés ;
- cette même agence travaille également sur des neuroprothèses qui peuvent soigner la dépression et les troubles du stress post-traumatique, avec de futurs implants qui pourraient réguler le cerveau et s'assurer qu'il continue à fonctionner comme il se doit, fournissant une stimulation si nécessaire.

Toute la panoplie existe ou est en test pour utiliser la plasticité neuronale naturelle et remodeler le cerveau conformément à une norme préétablie. Il ne s'agit plus de futur ou de science-fiction, mais bien d'une réalité non pas augmentée celle-ci.

Certains imaginent déjà des puces électroniques cérébrales implantées avec la technologie RFID2[302] permettant une connexion permanente à des centres de données qui pourraient transmettre des informations instantanément. Or, on le sait, il suffit d'agir sur les émissions de certains neurotransmetteurs pour que non seulement la personnalité d'un individu soit annihilée, mais en agissant sur certaines zones spécifiques, qu'on puisse lui donner des souvenirs qu'il n'a en réalité jamais eus ou lui donner des connaissances particulières, l'amener à agir selon une directive précise et l'amener à une conscience de soi dans le meilleur des cas remodelée à l'image d'un humanisme postmoderne en réalité désincarné, dans le pire des cas ayant subi une transformation complète sans plus aucune possibilité de libre choix, de libre arbitre, de libre pensée, refaçonnée à l'image et à la ressemblance d'un modèle décharné.

Un texte biblique peut nous interpeler dans ce sens. Dans le livre de l'Apocalypse, dernier livre de la Bible qui vient compléter des textes du Premier Testament au sujet des événements de la fin des temps, il est

---

[302] Dispositifs actifs, émetteurs et récepteurs de radiofréquences.

écrit que certains hommes recevront une marque, appelée la marque de la bête et qu'à partir du moment où ils l'auront, ils ne pourront plus accepter Jésus-Christ comme Sauveur.[303] Ces passages sont curieux, car ailleurs il est clairement stipulé que tout homme a la possibilité d'être sauvé en acceptant par la foi (donc sans aucun autre acte à réaliser) que Jésus est venu pour mourir en tant que Fils de Dieu pour payer la dette imposée par le péché.[304] Comment une simple marque pourrait-elle supprimer la possibilité d'un libre choix ? Cette question devient plus prégnante quand on sait que le terme grec employé dans les textes de l'Apocalypse est χάραγμα [charagma] et que ce mot désigne, chez les auteurs grecs antiques tels Aristophane ou Démosthène, un long pieu effilé et pointu, un élément bloquant ou au contraire formateur de la pensée dans l'esprit[305] et un élément gravé, en relief, marqué et imprimé[306].

Ne voyons-nous pas ce golem antique ressurgir dans la pensée postmoderne ? Un être sans parole qui se trouve être recréé à l'image et à la ressemblance d'une bête technologiquement idéalisée, programmée pour assurer la survie et la protection de ses créateurs idéologiques dans un combat de l'humanité contre une transcendance pourtant originelle ? Alors tous ces golems seraient prêts à affronter leur essence même dans une sorte de bataille sans conscience, une bataille d'Armageddon inéluctablement à venir ?

---

[303] Apocalypse 13:16 et 17 ; 14:9-11 ; 16:2 ; 19:20 ; 20:4.

[304] Évangile de Jean 3:16.

[305] Mot utilisé pour traduire le mot hébreu רסחי יתסר dans la traduction des Septantes.

[306] Cette « marque » sera apposée sur le front ou sur la main : le mot traduit par front, μέτωπον (metoton), n'est employé que pour désigner un élément reçu par les hommes « marqués » soit de la marque de la bête, soit du sceau de Dieu pour ceux qui auront accepté Jésus-Christ comme Sauveur (Apocalypse 7:2-8). Littéralement, il désigne la partie à l'arrière de ce qu'il y a entre les yeux. Il s'agit donc de la partie en arrière du front, le cortex (le mot « sur » dans l'expression « sur le front » est ε π ι (epi) qui signifie « sur, » mais aussi « à travers »).

30 L'intelligence artificielle, fascination et déshumanisation

Faut-il dénoncer les dérives des fameux algorithmes qui servent aujourd'hui à la programmation informatique ?

Existe-t-il des motifs sérieux, à terme, qui pourraient constituer une menace sur la vie sociale, l'emploi, les rapports au travail ? En quoi, aujourd'hui, les progrès informatiques sont-ils de nature à inquiéter l'humanité, du fait de nouvelles facultés cognitives qui sont données à la programmation ?

Autant de questions qu'il importerait de formuler ouvertement. Questions à formuler à l'aune des groupes industriels de plus en plus nombreux songeant à mécaniser totalement l'entreprise et à remplacer l'ouvrier, en lieu et place, par des opérateurs robots qui effectuent les gestes répétitifs.

Or, force est d'observer que la machine, peu à peu, est en train de coloniser non seulement les gestes basiques, mais également les tâches, même les plus sophistiquées qui supposaient une expertise ou une qualification de haut niveau. Ainsi, des cabinets d'avocats, des bureaux d'études font appel, de plus en plus, à l'expertise d'une Intelligence artificielle qui vient remplacer un assistant, un chargé d'études.

L'intelligence artificielle rend ainsi possibles les capacités d'auto apprentissage et d'auto évaluation. En quelque sorte, la machine serait aujourd'hui capable de mesurer et d'évaluer, de raisonner, de combiner et de faire des choix. L'intelligence artificielle serait ainsi, peu à peu, une méthode de résolution de problèmes complexes, remplaçant l'être humain dans la mise en œuvre de certaines fonctions cognitives.

Oui, la machine semble, bel et bien, coloniser les facultés de raisonnement de l'être humain, ce qui semblait être un attribut impensable à remplacer. En effet, il apparaissait ainsi inimaginable qu'il soit un jour possible de se substituer à l'intellect, une faculté qui caractérise l'être humain, et pourtant, la machine informatique est en train de gagner ce terrain-là. Si bien que Bill Gates, le père de Microsoft, Stephen Hawking et plusieurs scientifiques associés ont manifesté leur vive crainte, en indiquant que « l'IA pourrait être la pire erreur de l'histoire de l'humanité. » « ... Ces ordinateurs pourraient devenir si compétents, qu'ils nous tueraient par accident, »[307] fin de citation. Ce serait, en quelque sorte, un pas de plus vers le transhumanisme, le rêve caressé de la société Google. C'est, en tout cas, ce que le célèbre physicien Stephen Hawking, a affirmé, dans une tribune, pour le quotidien britannique *The Independent*. Aux yeux de Stephen Hawking, nous serions comme aveuglés par le progrès et l'innovation, nous aurions fait l'impasse sur les limites « éthiques » et les garde-fous nécessaires au développement d'une telle technologie.

Alors, la question est de savoir si l'intelligence artificielle rivalise réellement avec l'esprit humain, si l'intelligence artificielle a quelque chose d'équivalent avec l'intelligence humaine. Dans ce chapitre, nous revenons ainsi sur les dimensions qui caractérisent l'esprit humain, nous redonnons une définition très étonnante de l'intelligence humaine, et montrons les limites irréductibles de la machine, en soulevant les grains de sables susceptibles de faire gripper l'intelligence artificielle.

Dans ce contexte d'imitation ou de réplique, l'homme n'a-t-il pas toujours eu le rêve de Pygmalion ou celui de Mary Shelley dans Frankenstein ou le Prométhée moderne, de créer cet autre soi, un narcisse à l'envers, qui contemple sa créature avec fierté ? Est-ce le créateur qui a du génie ou la créature ? S'il suffisait de donner des connaissances à un ordinateur pour qu'il devienne Mozart ou les Beatles, serait-on en train de créer des génies ou de pâles processeurs froids, capables de produire des suites de notes ? Ce serait là un sommet du narcissisme : créer un robot qui réplique Mozart ! En même temps, une suite de calculs de probabilités, est-ce cela le vrai

---

[307] http://www.hawking.org.uk/. Stephen William Hawking, né le 8 janvier 1942 à Oxford, est un physicien théoricien et cosmologiste britannique connu pour ses travaux sur les trous noirs et la cosmologie quantique.

génie, celui qui touche l'âme ? Si l'on pouvait créer des « robots Bach, » l'ego humain serait flatté, mais le « génie » ne peut se réduire au nombre et aux calculs, c'est-à-dire aux seuls aspects simplement quantitatifs, ni même se programmer, c'est également une suite d'expériences, d'accidents, de télescopages, de douleurs et de solitudes qui enfantent les génies. Il convient d'appréhender, en effet, que le génie comme la vie et la beauté (et tout ce qui relève du domaine sensible et esthétique) comportent des aspects numériques. L'erreur grossière des transhumanistes, c'est de croire que les seuls aspects numériques matériels expliquent l'ensemble de la réalité par une forme de réductionnisme matérialiste et mathématique. A l'inverse, l'erreur contraire peut être commise lorsque nous affirmons que le génie comme la vie n'ont pas de dimensions quantifiables, mais ne sont caractérisés que par des accidents. Prenons un exemple : la « bonne » musique » peut scientifiquement être distinguée d'une « mauvaise » musique en termes de fréquences, pulsations, harmoniques, niveaux sonores, etc. La musique sérielle ou dodécaphonique n'a plus de rythmes réguliers ni de consonances ni de tonalités. Il n'y a que dissonance.[308] Ce qui est dit ici sur la musique peut se transposer pour le génie, la beauté, l'art, etc. Et cela est parfaitement prévisible de par la profonde harmonie et la parfaire correspondance qui existent entre les attributs (sensibles) de la création et le logos, la Parole créatrice.

De la mécanisation des gestes à la mécanisation de l'intelligence

Dans le monde industriel, l'homme a suppléé, puis gommé les gestes humains répétés. La mécanisation, puis la robotisation des tâches manuelles ont peu à peu remplacé ce qui n'était pas jugé comme qualifiant et qu'il semblait assez simple de reproduire, pour le faire à la place de « l'ouvrier hyper spécialisé. » Ce fut, à l'évidence, un gain économique et une augmentation de l'efficience au sein de l'industrie.

Sans doute pensait-on que jamais la mécanisation ne pourrait se substituer aux tâches intellectuelles répétitives ou calculatoires, tant et si bien qu'il semblait jusqu'à présent inconcevable de remplacer l'homme. Pourtant, **la machine, peu à peu, est en train de**

---

[308] Voir l'article de Jean-Pierre Schneider, « Le phénomène de la musique » dans *Promesses* n° 79, janvier-mars 1987. https://www.promesses.org/le-phenomene-de-la-musique-2/.

coloniser les tâches qui supposaient une expertise ou une qualification de haut niveau.

C'est ainsi que l'un des plus grands cabinets américains, BakerHostetler,[309] s'est doté d'un programme permettant d'appuyer le travail de conseil des avocats, cette mission étant réservée jusqu'à présent à de jeunes diplômés. Cette intelligence artificielle (IA) n'est pas un moteur de recherche, elle ne fournit pas une liste de textes, mais recherche une réponse idoine, développant des arguments juridiques fondés sur des extraits et des exemples de cas concrets. De plus, la question peut être formulée oralement, donc en langage naturel, et la réponse ne se fait pas attendre. Au fond, cette IA fait l'économie d'une personne ressource, dédiée à cette recherche.

Dans les années 1980 et au début de mes activités professionnelles comme consultant, j'utilisais le papier pour aligner mes chiffres, les données issues de sondages, et cela prenait un temps infini et sans doute très onéreux pour nos clients, puis très rapidement des solutions informatiques ont émergé pour saisir et traiter les données des enquêtes.

Au fil de l'eau et du temps, les programmes informatiques se sont sophistiqués, permettant également d'appréhender l'analyse de textes (les verbatim). Dans les années 2000, j'avais utilisé au sein de notre bureau d'études spécialisé dans l'analyse de données socio-économiques, un programme qui permettait l'automatisation des tâches d'analyse. Ce programme offrait de nouvelles perspectives d'analyse pour alléger les tâches des chargés d'études, en proposant l'automatisation de commentaires, déclinés dans la production des résultats sous forme de tableaux.

Ainsi, l'intelligence informatique s'est également attelée à la mécanisation des tâches intellectuelles, des tâches de haut niveau. Le concepteur de l'outil m'avait alors indiqué qu'il s'agissait, selon lui, de

---

[309] https://www.bakerlaw.com/. Lire l'article du *Monde* du 1er janvier 2017 deMarine Miller : https://www.lemonde.fr/o21/article/2016/11/29/les-robots-ebranlent-le-monde-des-avocats_5039852_5014018.html.

libérer le chargé d'études, pour lui permettre de vaquer à des tâches plus valorisantes, de se consacrer à des activités de conseil apportant une plus-value à ses clients.

Aujourd'hui, l'intelligence informatique a décidé de s'intéresser, puis de s'attaquer à la fois aux tâches complexes administrées par des êtres humains, et enfin à la modélisation des comportements humains. Nous sommes ainsi passés de la mécanisation des gestes à la mécanisation de l'intelligence. Une nouvelle ère se dessine : celle de l'IA.

L'intelligence artificielle

L'invention du concept d'intelligence artificielle, nous le devons à John Mc Carthy,[310] un mathématicien qui est l'un des pionniers du dispositif d'algorithmes « d'évaluation » utilisés dans la programmation. Particulièrement inventif, John Mc Carthy est l'auteur d'un nouveau type de langage informatiques qui a permis de formaliser la logique et le raisonnement, sous forme d'un programme d'instructions.

L'IA est ainsi une méthode qui combine à la fois la puissance informatique et les algorithmes mathématiques, une puissance de calcul pour résoudre des problèmes à forte complexité.
Dans les médias, l'IA est souvent décrite comme une réplique du cerveau humain, souvent définie comme une forme d'imitation cognitive des facultés humaines.

Réduite à l'imitation, l'IA reste un artefact de modélisation du cerveau humain.

Est-ce le créateur qui a du génie ou la créature ? Mais nous reviendrons de manière critique sur la notion même d'IA, nous étaierons et argumenterons nos réserves, en ce sens qu'une puissance de calcul ne saurait être assimilée à la faculté de penser, de discerner. Il convient, pourtant, de revenir à l'émergence de ce concept d'IA, et de

---

[310] John McCarthy, mathématicien (1927- 2011), fut le concepteur d'un algorithme d'évaluation jouant un rôle majeur dans la programmation de l'intelligence artificielle.

comprendre en quoi il fascine tant les milieux scientifiques et même économiques.

En 1955, comme le rapporte l'article Interstices[311], « Newell et Simon conçoivent un programme (Logic theorist) qui permet de démontrer automatiquement 38 des 52 théorèmes du traité *Principia Mathematica* d'Alfred North Whitehead et Bertrand Russell (1913). C'est un résultat majeur et extrêmement impressionnant pour l'époque, puisque pour la première fois, une machine est capable de raisonnement. On considère légitimement ce programme comme la toute première intelligence artificielle de l'histoire. Quelques années plus tard, Newell et Simon vont généraliser cette approche et concevoir le GPS — General Problem Solver — qui permet de résoudre n'importe quel type de problème, pour peu que l'on puisse le spécifier formellement à la machine. À cette même époque, d'autres chercheurs vont défricher les domaines de la traduction automatique, de la robotique, de la théorie des jeux, de la vision. »

Les champs d'investigation de l'IA, par capillarité, vont dès lors s'étendre à une multitude de domaines scientifiques, de dimensions sociales et économiques, permettant de couvrir des terrains infiniment complexes et qui vont, apparemment, de « *l'intuition aux capacités de créativité* » de l'être humain.

Sur ce registre des IA, le calculateur informatique Alphago avait battu, en mars 2016[312], Lee Sedol, un des meilleurs joueurs mondiaux du jeu de GO, devenant ainsi le premier programme battant un joueur classé au niveau maximal (9e dan professionnel).

La spécificité (ou la singularité) du dispositif Alphago est d'utiliser un langage informatique, des algorithmes qui lui permettent, notamment, de renforcer l'autoapprentissage de la machine.

---

[311] Citation extraite de l'article : https://interstices.info/jcms/p_84122/l-intelligence-artificielle-mythes-et-realites. Texte publié le 15 juin 2015 par Nicolas Rougier.
[312] Voir l'article complet sur http://hightech.bfmtv.com/logiciel/demain-une-machine-supplantera-peut-etre-definitivement-l-homme-au-jeu-de-go-957599.html.

Pour résumer et faire simple, c'est ce qui permet de souligner la dimension d'IA développée dans cette machine qui serait ainsi, en partie, dotée « d'intuition et de créativité. » Les guillemets, ici, soulignent notre prudence, car les composants technologiques n'ont pas d'équivalent avec l'intuition et la créativité d'un être humain ; même si l'homme n'a pas les capacités de calculs de la machine, il reste doté d'esprit et de créativité, ce qui me semble être le propre de l'homme. La machine, n'ingurgitant que des programmes et des instructions, communiqués par l'homme. L'IA n'a, je le répète, ni âme ni esprit ni même d'intuition, et pas davantage de discernement et de sensibilité.

Une IA peut, en effet, calculer une probabilité d'événements, choisir entre des événements, une orientation possible, ce qui est ainsi le cas d'un GPS qui calcule un itinéraire, éventuellement le recalcule, en prenant en compte des circonstances, voire des imprévus, comme des bouchons ou des accidents. Mais pourtant, le GPS reste incapable de juger et évaluer, car juger et évaluer, c'est faire appel à la raison dans sa fonction de discernement, prenant en compte l'état de fatigue du chauffeur, le libre arbitre, son humeur, la gestion du temps, l'empressement ou non, l'envie d'un détour, d'une halte, d'une visite. Or, une IA peut-elle avoir du discernement, être dotée d'une vision systémique, qui prend en compte le désir, l'humeur, le besoin ? Une intelligence artificielle n'accomplit, par définition, que des tâches mécaniques, qui relèvent de la logique déductive, mais dénuées de toute intuition et de toute pensée réelle.

Dans ce contexte de mécanisation des facultés cognitives, l'être humain pourrait-il, à ce point, se laisser déposséder par la machine, se laisser déposséder de sa raison, y compris de sa propre conscience ?

Les dérives de l'intelligence artificielle

Les progrès scientifiques et les retombées technologiques sont la résultante d'un « donné » transmis par Dieu à sa créature. Mais, si les avancées du génie humain sont étonnantes, elles ne nous surprennent pas, en raison même de l'intelligence dont fait preuve l'être humain pour transformer la matière, combiner et inventer, à partir des éléments qui constituent la planète.

Dans cette perspective, le monde industriel n'a cessé d'évoluer, l'industrie est, en effet, aujourd'hui, dominée par l'automatisation, tout comme elle le sera demain par l'IA. Les robots, viennent, en effet, assembler, visser, souder, déplacer des composants, fabriquer des éléments ! Dans le domaine médical, certains imaginent que des diagnostics médicaux pourraient être effectués par des machines, dotées de capacités infiniment plus performantes que l'être humain.

Dans sa dernière encyclique, *Laudato si'*, le pape François proposait une lecture des progrès accomplis par l'humanité, mais le souverain pontife a lancé une forme d'alerte : « *les progrès scientifiques les plus extraordinaires, les prouesses techniques les plus étonnantes... s'ils ne s'accompagnent d'un authentique progrès social et moral, se retournent en définitive contre l'homme.* »

Sur un même registre d'inquiétude, des scientifiques comme Stephen Hawking et le professeur de sciences informatiques, Stuart Russel et les professeurs du MIT Max Tegmark et Frank Wilczek ont sonné l'alarme, à la suite des dernières évolutions connues dans le domaine de l'IA.

Alors faut-il s'inquiéter des développements et des formes nouvelles que revêt cette figure singée de l'IA ? En premier lieu, j'aimerais préciser à nos lecteurs que le fruit de cette conception de haute technologie est l'épilogue de l'intelligence humaine, en conséquence le génie est ici purement humain, le concepteur d'Alphago est Demis Hassabis.

Le grain de sable et l'intelligence artificielle

Néanmoins, il convient de noter, à l'instar de la réflexion partagée par Stephan Hawking, la nécessité d'avoir, finalement, quelques réserves sur le développement d'une société dont l'organisation sociale serait confiée à la seule technicité. **Jacques Ellul, théologien protestant**, que nous avons déjà cité, auteur de plusieurs livres sur la technicité, rappelait que la technique, dans toutes ses dimensions, n'est plus un instrument docile, un simple moyen : *« Elle a maintenant pris une autonomie à peu près complète à l'égard de la machine. »* Parce qu'elle obéit à ses propres lois, Jacques Ellul souligne ainsi que la technicité deviendra (et est devenue) le principe d'organisation de toutes nos sociétés.

Les nombreux essais sur la technicité écrits par Jacques Ellul étaient quasi-prémonitoires. Aujourd'hui, il faut aussi avoir conscience, sur ce registre, de l'envahissement des machines et de l'IA, que les salles de marchés sont dominées par les algorithmes mathématiques, les ordres d'achat et de vente sont passés par des machines. La machine informatique, dans les salles de marchés, a ainsi acquis sa propre autonomie, et ne met nullement le monde à l'abri de probables dérapages et de krachs boursiers, comme ce fut le cas lors du krach éclair du 6 mai 2010. Ce que rappelle Caroline Joly,[313] chercheur associé à l'Institut de Recherche et d'informations socio-économiques, dont nous citons l'extrait d'une de ses réflexions à propos de l'intelligence artificielle et des systèmes informatiques de plus en plus sophistiqués :

« Ce faisant, ... les systèmes informatiques dotés d'IA... adoptent des comportements difficiles à prévoir et, par conséquent, risqués. Comme ces robots traders sont tous connectés entre eux en réseau, dans un système financier global et informatisé, leurs actions – qu'elles relèvent d'une erreur d'encodage ou qu'elles soient fortuites – peuvent dès lors contaminer tout le système, dans une réaction en chaîne échappant au contrôle humain. C'est exactement ce qui s'est produit lors du krach éclair du 6 mai 2010. »[314] Ce fut le grain de sable qui grippa, en quelque sorte, la mécanique de l'intelligence artificielle, et fit déraper tout un système économique, adossé à une machinerie algorithmique.

---

[313] Caroline Joly est doctorante en sociologie à l'Université du Québec. Voir sa page Web professionnelle : http://centre-mcd.uqam.ca/cafca/573-caroline-joly.html.
[314] Nous avons extrait la citation de http://iris-recherche.s3.amazonaws.com/uploads/publication/file/Brochure-HFT-WEB-02.pdf. Article publié par Caroline Joly, chercheuse associée, l'extrait est en page 16 de cet article.

Intelligence artificielle, robotisation de la société et conséquences sociales

Une nouvelle génération de robots émerge et devrait posséder des capacités accrues d'apprentissage et d'autonomie. Outre l'essor comminatoire de l'IA, ce dont il faut **aussi** s'inquiéter, c'est le développement alarmant des robots dotés d'IA.

La fin du XXᵉ siècle et le début du XXIᵉ siècle ont vu la quasi-automatisation des milieux industriels, dont les gestes répétés, accomplis autrefois par des opérateurs, le sont aujourd'hui par des machines.

En Chine communiste, un industriel[315] a décidé, en 2015, de confier toutes les taches de fabrication et d'assemblage à des robots seuls, les techniciens hautement qualifiés et les ingénieurs, qui assurent les tâches de maintenance et de programmation, seront maintenus.

Ailleurs, au Japon, c'est une usine qui a confié sa ligne d'assemblage de pièces à des humanoïdes. Des robots qui feraient en quelque sorte les trois-huit, une entreprise qui ne craindrait plus ainsi les menaces de grève, les défaillances de l'homme dues à ses congés et autres maladies. Notons les arguments très « humanistes » de la direction de cette entreprise japonaise qui souhaite confier à la machine des tâches subalternes, afin de « libérer » les ouvriers pour des tâches valorisantes. *« Nous voulons libérer l'homme des tâches subalternes et répétitives pour qu'il puisse se concentrer sur des travaux créatifs et générateurs de valeur ajoutée. »* Derrière ces discours en apparence vertueux et intentionnés, ce sont plusieurs milliers d'emplois qui ont été supprimés dans ces usines, et c'est bien là la réalité démoniaque, cynique, froide et impassible du monde industriel pressé par l'efficience économique, et des mondes des économies numériques, de la digitalisation, de l'« ordinatisation » généralisée de la société.

Dans son livre *Le Capital,* Karl Marx indiquait que la réduction de la journée de travail serait la condition fondamentale de la libération de

---

[315] Article en référence : http://lexpansion.lexpress.fr/actualite-economique/foxconn-remplace-60-000-ouvriers-par-des-robots-en-chine_1796372.html. Article publié le 27 juin 2016.

l'homme.[316] L'humanisme marxiste avait alors une conception très critique du rapport de l'homme à la machine. Au fond, dans cette pensée marxiste, l'accomplissement de l'homme, son épanouissement ne pourraient être rendus possibles, et ne seraient assurés que si la machine affranchissait l'homme de « l'aliénation » que lui faisait subir l'outil industriel.

Dans le même esprit, le philosophe Simondon[317] indiquait qu'il « fallait permettre à l'homme de surveiller la machine, de la réparer au lieu d'être son auxiliaire, d'être contraint, d'être soumis à son rythme. » Or, nous nous voyons là tout un glissement de la société qui prône le développement d'une économie numérique, d'une robotisation qui viendra à libérer l'homme de l'assujettissement lié à des tâches jugées aliénantes et non épanouissantes.

De fait, nous sommes nuancés concernant l'optimisme « humaniste » de Marx. Ainsi, le remplacement de l'homme par des machines capables d'exécuter des tâches répétitives, pour le libérer, puis lui permettre de se consacrer à des tâches plus valorisantes ou intellectuellement supérieures, semble, a priori, légitime. Idéalement, ce serait même admirable, mais le système scolaire engage le cheminement inverse, celui du nivellement vers le bas : de plus en plus d'élèves, en troisième et en quatrième, ne savent, justement, plus faire de simples opérations arithmétiques, et construire une pensée structurée. En outre, et il convient de souligner cette autre réalité, des centaines de milliers de personnes, sans qualifications requises, ne sont pas en mesure d'exercer des emplois hautement qualifiés. Au cours de ma vie professionnelle, j'ai rencontré des entreprises qui m'indiquaient ne plus rechercher des opérateurs de niveau CAP, mais des opérateurs de niveau BTS.

---

[316] Karl Marx, *Le Capital* (1867), traduction de J. Roy, revue par M. Subel ; *Le processus d'ensemble du capital,* trad. M. Jacob, M. Subel, S. Voute, dans *Oeuvres,* tome II. Économie, II, Bibliothèque de la Pléiade, Éd. Gallimard, pp. 1487-1488.
[317] Gilbert Simondon (1924 - 1989), philosophe français du XXᵉ siècle. L'œuvre philosophique de Simondon traite de l'appartenance de l'homme au vivant, de la centralité philosophique du problème de la technique ou encore des nouvelles formes d'aliénation.

Alors, la réflexion qui consisterait à penser qu'un revenu universel minimal pourrait être une solution à imaginer pour répondre aux problématiques d'une civilisation libérant l'homme des contraintes d'univers industriels serait juste une fadaise. Le travail est, en effet, socialement structurant, même si ce dernier n'est pas toujours valorisant, comme la pénibilité qui, quelquefois, caractérise le monde du travail. Mais savoir être à l'heure, se discipliner, se responsabiliser, le monde du travail nous l'enseigne... La machine, libérant l'homme, lui enseignera-t-elle cette dimension de la vie sociale ? Nous posons une question essentielle qu'il convient d'explorer, à l'heure où justement nous assistons à une montée des violences au sein de la société !

La dématérialisation, la robotisation comme l'intelligence universelle entraîneront à terme la disparition des activités humaines.

Or, nous entendons des discours railleurs pour dénoncer les positionnements technophobes et les relativiser. Ainsi, les discours technophiles défendent le développement de l'économie numérique, laissent croire, finalement, qu'il n'y a pas grand-chose de commun avec le monde de la robotisation. Or, il s'agit bien d'un même monde. Si, en effet, l'économie numérique induira des emplois de production supplémentaires en supprimant les activités intermédiaires, il est fort probable que la robotisation comme la dématérialisation de certaines activités de services entraîneront, à terme, la disparition des activités humaines qu'elle avait générées. Nous l'expliquons à travers de simples exemples, pour démontrer l'absurdité de l'économie numérique.

Par exemple, la société Uber[318], qui a été largement contestée et désavouée par les compagnies de taxis, puis l'objet de commentaires multiples dans tous les médias, propose un service de co-voiturage urbain, rendant plus facile l'usage d'une voiture avec chauffeur, sans

---

[318] http://articles.fr.softonic.com/uber-vtc-cest-quoi.

avoir recours à une compagnie de taxis. Le développement d'une telle activité de covoiturage urbain aura nécessairement des effets néfastes sur les emplois au siège des compagnies de taxis, mais il y aura, selon les défenseurs optimistes et insouciants de l'économie numérique, « *au total, davantage de postes de professions de chauffeurs.* »

Ainsi, selon les mêmes tenants de l'économie numérique, l'emploi dans le transport sera développé et de plus grande valeur ajoutée. Certes, mais à terme, cet argument ne tient pas, et l'on peut imaginer, finalement, le développement non utopique, de véhicules sans chauffeurs, ces fameuses *Google Car,* testées à l'échelle de certains pays.

Ces concepts de voitures sans chauffeurs, dotés d'IA, ont eu d'autres prolongations technologiques, concepts technologiques qui ont ainsi vu l'émergence de bus[319] et de navettes sans conducteurs.

Le mariage de la robotique et de l'IA ouvre et offre des perspectives fascinantes, mais inquiétantes. Ainsi, des équipes d'ingénieurs font explorer à leurs machines des environnements dans lesquels ces machines auront à évoluer, des environnements (routes, usines, entrepôts...) à explorer librement, en apprenant de leurs échecs, jusqu'à apprendre le bon cheminement, le bon mouvement. Les ingénieurs travaillent aussi avec ces machines sur les capacités d'autoapprentissage, en imitant le fonctionnement d'un cerveau humain. Les résultats sont bien là, le péril que fait peser l'IA, qui pourrait prendre le pas sur l'humain, est réel, mais interroge l'absurdité de cette entreprise qui confierait le sort de l'humanité entre les mains de robots « humanoïdes. »

Ailleurs, des cabinets d'expertises comptables identifient les menaces augurées par la dématérialisation prochaine des factures adressées par les fournisseurs à leurs clients, estimant que ce sont les tâches de

---

[319]http://france3-regions.francetvinfo.fr/rhone-alpes/rhone/lyon/lyon-metropole/lyon-des-navettes-de-bus-electriques-sans-chauffeur-experimentees-confluence-1076457.html.

saisies qui, à terme, seront supprimées, entraînant une diminution conséquente des postes d'assistants comptables.

Le développement de l'IA, forme de gouvernement des bureaux et début d'une dégénérescence déshumanisante qui aliène l'homme

Or, le développement de l'IA évolue en grande partie avec le développement de la dimension normative et bureaucratique de notre société. Cette dimension normative gagne toute la société, installe un rapport prégnant et dominant de la technicité dans la recherche de solutions se faisant au détriment de la réflexion, de l'intelligence **et du cœur**. En quelque sorte, le développement rationaliste de la société, via la norme, nouvelle forme de catéchisme, induit son absorption par la machine ; elle alimente l'IA. La norme devient, en quelque sorte, la nourriture rationnelle de l'IA. La preuve, si besoin en est, tient au « temps » que consacrent ceux dont le métier était davantage ancré dans la relation, dans l'intelligence, et qui s'obligent, car ils y sont tenus, à passer du temps devant leurs écrans, pour remplir des notes ou consulter la machine, pour valider les choix qui seraient à faire. Une société techniciste, société qui peu à peu se déshumanise pour valoriser les écrans, les tâches de la bureaucratie, et celle bientôt d'**une IA qui deviendra demain le gouvernement des bureaux,** le produit d'une dégénérescence qui aliène l'homme.

L'intelligence artificielle reste un programme inerte, sans vie, sans faculté de créer et d'engendrer.

Lorsque j'étais étudiant, j'interrogeai un ami achevant ses études de psychologie, et je l'interrogeai, lui demandant ce que signifiait, selon lui, l'intelligence. Sa réponse a été simple mais étonnante, elle m'a fait pointer l'essence même de la vie. « Être intelligent, c'est faire le bien. » Une autre citation dans le contexte de notre réflexion, qui rejoint la précédente, est celle de Jiddu Krishnamurti : « Savoir, c'est ne pas savoir, et comprendre que jamais le savoir ne peut résoudre nos problèmes humains, c'est l'intelligence. »

Au fond, toute notre réflexion sur l'IA, et à l'instar des deux précédentes citations, nous fait en quelque sorte penser à une mythologie très ancienne, « le rêve d'Icare. » Toute l'histoire mythologique d'Icare découle de celle de son père Dédale.

Dédale était un artisan athénien dont le nom signifiait « l'ingénieux ». Pour avoir trahi son protecteur, le roi de Crète, Dédale et Icare, son fils furent enfermés dans le même labyrinthe, qu'il conçut plusieurs années auparavant. Toute évasion par voie terrestre était totalement inimaginable ; pour s'en échapper, il fallait concevoir un autre stratagème. Ils conçurent le fameux fil d'Ariane, puis pour s'échapper, par les airs du lieu où ils étaient enfermés, ils fixèrent respectivement des ailes à leurs dos au moyen de cire, mais avec la recommandation de ne pas s'élever trop haut, de peur que la chaleur ne fasse fondre la cire. Icare désobéit à cette recommandation rappelée par son père, et étourdi, grisé par sa toute nouvelle puissance, il s'éleva vers le soleil. Comme il s'en approchait, la cire de ses ailes fondit, et il fut précipité dans la mer.

Les ailes sont le symbole de l'envol, de l'immatériel, un peu comme le monde numérique, de l'élévation vers la divinité, mais à prétendre s'approcher des sommets du monde virtuel, l'on finit par dévaler et par descendre rapidement de son piédestal (un autre clin d'œil à la mythologie grecque).

Comme me l'écrivait un ami, « pour 20 ou 30 mégaoctets de mémoire, nous pouvons télécharger un logiciel de retouche photographique et transformer n'importe quel portrait en un tableau de Cézanne, alors que nous ne sommes pas Cézanne ! L'exploit des informaticiens est remarquable, il faut en convenir, mais enfin il a tout de même fallu que Cézanne leur inspire l'idée, que ni eux ni leurs ordinateurs n'auraient été capables de trouver ! - et Cézanne, c'était un être humain, ni IA ni robot... »

L'IA n'est donc pas l'intelligence, mais plutôt une performance, n'est pas la raison, mais un processus rationnel ; une technologie dotée d'une puissance de calculs et de combinaisons, mais qui reste en réalité un artefact. L'artificiel, en effet, n'est capable ni d'engendrer ni de croîtrc, l'artificiel est une production, mais éloignée du monde vivant, l'artificiel est un corpus organisé de connaissances, de savoirs, de programmes, l'artificiel dépendra toujours de son auteur, mais n'a ni âme ni vie ni même discernement.

Ainsi, il existe une différence fondamentale entre l'IA et un être humain. En nous inspirant du philosophe Kant, par analogie, nous pourrions dire qu'une machine ne saurait donner la vie à d'autres machines : « Dans une montre, une partie est l'instrument du mouvement des autres, mais un rouage n'est pas la cause efficiente d'un autre rouage ; une partie est certes là pour l'autre, mais elle n'est pas là par cette autre partie. »[320] La vision de Kant est loin d'une vision purement mécaniste, d'une vision matérialiste, le vivant pour Kant s'organise lui-même, le vivant a sa propre spontanéité, son propre projet. L'être humain ne saurait être ainsi réduit à une forme d'engrenage, l'être humain est libre de se mouvoir, sans être déterminé ni programmé.

Kant, réaffirme ainsi l'essence même de l'homme comme porteur d'un projet : l'être humain est, effectivement, un être organisé, s'organisant lui-même. Le philosophe, pensait ainsi que le modèle de la machine ne pouvait imiter certaines propriétés caractéristiques de la vie (comme l'auto-organisation, la capacité de se réparer, de s'autoréguler), mais certaines machines cybernétiques (comme le thermostat) sont aussi capables d'autorégulation, mais, là encore, ces machines ne peuvent le faire que dans le cadre d'une programmation préalable, qui résulte de l'intervention du concepteur du thermostat.

Or, l'IA résulte d'une programmation, même si la faculté a été donnée à la machine d'autoapprendre, l'IA ne doit son existence et sa programmation qu'à l'inventivité, au savoir-faire d'un ingénieur, tout simplement d'un être humain.

L'être humain, doté de conscience, n'est pas ainsi une machine, une matière inerte, un humanoïde, l'homme est un être organisé qui s'organise lui-même, capable de soins, d'engendrer, capable de

---

[320] Emmanuel *Kant, Critique de la faculté de juger.* 1790, § 65, Trad. A. Renaut, GF, p. 364-365.

sensibilité, de s'émouvoir, de se transcender, de se dépasser et de reconnaître l'existence du Créateur. **Mais, en se confiant dans la machine sans conscience, l'homme risque bien, pour citer François Rabelais, de ruiner son âme.**

31 Le fantasme de l'intelligence artificielle consciente

Le début de ce XXIe siècle est radicalement traversé par une double révolution numérique, celle d'une part de l'intrication de l'information et de l'organisation, et d'autre part de l'imbrication des sciences cognitives et des techniques informatiques.

La révolution numérique de l'information s'esquisse et se manifeste au travers de moyens qui avaient été à peine imaginés 50 ans plus tôt. Tant et si bien que nous avons le sentiment, « nous les simples humains, » de vivre une accélération phénoménale du temps, une accélération effrayante par l'ampleur du « système technicien » qui se dessine...

Dans à peine une décennie, serions-nous ainsi capables d'entrevoir, d'imaginer les nouvelles possibilités organisationnelles et « technoscientifiques » qui n'ont pas encore été imaginées à ce jour.

Soyons nonobstant assurés que la science et la technique déploieront dans quelques années de nouveaux prodiges qui fascineront l'homme, le submergeront au point que cette même technique est en passe demain probablement de le dominer.

Cette domination de la technique sur l'homme est hélas ! et inévitablement fortement prévisible, si l'homme ne tente pas de mettre les curseurs, les limites nécessaires pour entraver le développement de technologies susceptibles de noyer ou de vampiriser son âme. Une des technologies fascinantes qui n'est pas en réalité nouvelle, puisque née dans les années 1950, connaît une évolution dont l'ampleur avait déjà été pressentie dès l'origine de sa conception. En effet, en 1958, Herbert Simon, prix Nobel d'économie, fut le pionnier de l'intelligence artificielle. L'économiste avait notamment appréhendé la manière dont les activités humaines peuvent être automatisées. Dès les années 1950 l'homme démiurge était ainsi sur le point de donner naissance à une forme de Léviathan technologique sans conscience, « une science sans conscience ».

Reproduire l'intellect humain

Pour Herbert Simon, la faisabilité de reproduire l'intellect humain n'était pas impossible, dès lors que le processus cognitif de l'être humain est appréhendé, décrypté, analysé en profondeur, puis maîtrisé. Pour le prix Nobel de l'économie, l'IA copiant le cerveau humain, son réseau neuronal rend dès lors possible la modélisation de l'intelligence de l'être humain, et en conséquence, de l'améliorer, de corriger également la part d'irrationalité de l'esprit humain. Herbert Simon pensait même que la puissance de calcul de l'IA rendrait ainsi parfaitement capable de penser et de créer, y compris de réaliser des œuvres d'arts, de démontrer des théorèmes originaux en mathématiques, de composer de la musique, de dominer l'homme cérébralement dans des jeux où la part d'intelligence est largement convoquée comme les échecs ou le jeu de GO.

Plusieurs génies de la littérature ont été en mesure d'ailleurs d'anticiper cet avenir dystopique, de l'imaginer comme le fit Georges Bernanos en 1945, quand l'essayiste écrivit ce livre quasi-prémonitoire, *La France contre les robots*,[321] ou bien Jacques Ellul, qui écrivit cet essai sur le système technicien[322] qui fut un ouvrage référence dénonçant les interconnexions croissantes d'un monde informatique qui était seulement à ses balbutiements. Jacques Ellul, dans son analyse du monde technique, était allé au-delà de la simple critique du pouvoir des machines informatiques, il dénonçait à travers elles toutes les méthodes d'organisation de la vie sociale qui découleraient de leur usage. L'univers de l'intelligence artificielle, concept que

---

[321] *La France contre les robots*. Publié en 1947. Recueil de textes formant une violente critique de la société industrielle. Livre réédité par Le Castor Astral en 2015.
[322] Livre du théologien et philosophe Jacques Ellul, publié en 1977 dans la collection "Liberté de l'Esprit," et considéré comme le livre le plus abouti sur la technique.

n'appréhendait pas Jacques Ellul au moment où il écrivait ses essais sur la technique, est bien une plongée dans le monde de la vie sociale, prétendant la structurer, l'ordonnancer, l'architecturer.

Or, lorsque l'on appréhende l'œuvre du sociologue et économiste Herbert Simon, pionnier de l'intelligence artificielle, nous découvrons qu'il s'intéressait aux sociétés, à leur organisation sociale et économique, aux hommes et à la façon dont ils interagissent. Nous comprenons dès lors aujourd'hui les perspectives susceptibles d'être mobilisées via l'intelligence artificielle, pour exploiter et gérer des masses de données, pour structurer et organiser le pilotage de ces mêmes data, au moyen des techniques d'intelligence artificielle qui bouleverseront l'ensemble des secteurs d'activités touchant à la vie sociale et consumériste au point de les contrôler et de superviser la totalité des êtres humains addicts ou assujettis aux technologies.

La mathématisation de la pensée

Mais au-delà des avancées de cette technologie puissante en termes de capacités de calculs, c'est le fantasme des bricoleurs du génie technoscientifique qui est inquiétant et qui est ici l'objet de notre réflexion que nous souhaitons décliner.

En effet, Herbert Simon défendait la thèse d'une intelligence artificielle capable de penser, l'économiste soutenait effectivement l'idée que l'IA dite « forte » serait capable d'imiter la raison humaine.

Herbert Simon avait une conception philosophique matérialiste de la vie, puisqu'il considérait que l'ordinateur tout comme le cerveau humain sont des systèmes comparables, proches, capables de manipuler des symboles physiques. De fait et de par sa capacité à gérer des symboles, la programmation informatique rendait selon lui possible, tout comme le cerveau, de manipuler des données, d'intégrer par exemple la lecture d'un texte en langages codés, de comprendre, de décrypter puis d'analyser une situation, de déduire des solutions, des scenarii, ce qui a été réellement possible avec l'Alphago, le programme qui a battu l'un des meilleurs joueurs de GO au monde, un jeu pourtant intuitif et requérant une intelligence créative.

Le fantasme d'assurer « l'infaillibilité du raisonnement » avait été imaginé trois siècles plus tôt par le philosophe Leibnitz qui avait conçu un rêve incroyable, oui incroyable à l'heure des algorithmes, à l'heure de l'intelligence artificielle, celui de mathématiser la pensée et de créer une machine à raisonner. Le rêve de Leibniz, philosophe du XVIIe siècle (siècle où la technique n'était pourtant pas dominante), était de transformer l'argumentation en théorème, de convertir une discussion en un système d'équations et de proposer à un débatteur, en cas de difficulté argumentative, le recours à un *calculus ratiocinator,*[323] une machine à raisonner. Leibnitz décrivait ainsi le processus de la pensée humaine comme la simple manipulation mécanique de symboles, une idée reprise plus tard par le prix Nobel d'économie Herbert Simon, quand celui-ci conçut le concept d'Intelligence artificielle.

L'au-delà de l'humain

Dans ce futur univers dystopique, l'euphorie de certains prophètes de la technoscience de la Silicon Valley les conduit à prédire l'avènement de la singularité, l'homme cyborg, l'homme augmenté connecté à des puces informatisées, lui permettant d'accroître ses capacités cognitives. L'au-delà de l'humain est même imaginé puisque l'homme serait remplacé par sa machine, capable de conscience, ces machines conscientes feraient preuve d'adaptabilité, elles seraient la suite d'une évolution darwinienne de l'humain à l'humanoïde.

Or, nous y voilà, au cœur de notre sujet, avec le fantasme de la conscience qui serait la faculté susceptible d'être embrassée par une machine dont les pouvoirs cognitifs auraient été décuplés. Au point que rien ne distinguerait la machine dotée d'une IA forte et l'homme. Ce concept d'humanoïde doté de conscience a été mis en scène dans un film « Ex Machina »[324] sorti sur nos écrans en 2015, film d'Alex Garland. Dans ce film, un brillant codeur en informatique nommé

---

[323] *Calculus ratiocinator: Gottfried Leibniz, Characteristica universalis, Mathematical logic, Inference Engine, Cybernetics, Electronic engineering, Stepped Reckoner* de Frederic P. Miller (sous la direction de), Agnès F. Vandome (sous la direction de), John McBrewster.
[324]Film de science-fiction coécrit et réalisé par Alex Garland, sorti en 2015. https://fr.wikipedia.org/wiki/Ex_machina_(film).

Caleb va faire une expérience profondément perturbante, puisqu'il va devoir interagir avec un humanoïde apparaissant sous les traits d'une femme prénommée Ava, capable d'autonomie réflexive et émotionnelle. Pour s'assurer que cette machine est dotée ou non de conscience, Caleb va faire subir à l'automate IA un test, le test de Turing[325]. L'automate va ainsi confondre, troubler et dérouter le codeur en informatique, le persuadant que seule une vraie femme est dissimulée dans la machine, car rien ne saurait distinguer l'homme et l'humanoïde en raison de leurs facultés cognitives respectives à rentrer en dialogue.

Le fantasme de l'IA consciente

Ce film « Ex Machina » nous renvoie à un texte fameux et prémonitoire du philosophe Henri Bergson, texte écrit, tenez-vous bien, en 1888, puis énoncé lors d'une conférence à l'université de Birmingham sur la conscience en 1911. Le livre d'où est extrait le texte date de 1919.[326] Nous publions un court extrait de cette réflexion afin de comprendre la portée prémonitoire, intuitive, démonstrative de la pensée du philosophe.

« Pour savoir de science certaine qu'un être est conscient, il faudrait pénétrer en lui, coïncider avec lui, être lui. Je vous défie de prouver par expérience ou par raisonnement que moi qui vous parle en ce moment, je sois un être conscient. Je pourrais être un automate ingénieusement construit par la nature, allant, venant, discourant ; les paroles mêmes par lesquelles je me déclare conscient pourraient être prononcées inconsciemment. Toutefois, si la chose n'est pas impossible, vous avouerez qu'elle n'est guère probable. Entre vous et moi il y a une ressemblance extérieure évidente ; et de cette ressemblance vous concluez, par analogie, à une similitude interne. Le raisonnement par analogie ne donne jamais, je le veux bien, qu'une probabilité ; mais il y

---

[325] Test de Turing : test d'intelligence artificielle fondé sur la faculté d'une machine à imiter la conversation humaine.
[326] Texte d'Henri Bergson extrait de *La conscience et la vie*, édité par P.U.F., page 6.

a une foule de cas où cette probabilité est assez haute pour équivaloir pratiquement à la certitude ».

Voilà pourquoi l'IA n'est d'après nous qu'un pantin, un automate, certes savamment programmé, une forme de Golem,[327] mais un artifice d'être inachevé dépourvu de libre arbitre émotionnel, une créature humanoïde inachevée, une figure des temps modernes de type Frankenstein, mais sans aucun doute incapable de survivre à des conditions hostiles.

L'IA, cette « puissance cognitive, » cette pensée « calculante, » cette matière de flux animée par des algorithmes, ce réseau de neurones artificiels a la prétention d'être la copie dupliquée d'un modèle vivant, s'inspirant en tout point d'un cerveau humain.

Pourtant, cette raison artificielle reste factice et demeure, en quelque sorte, une contrefaçon de l'esprit, ce que j'appelle un pantin animé de manière totalement maquillée, car en réalité cette raison ne saura jamais totaliser la complexité de l'être humain et la subtilité de son esprit, être émotionnel dont justement l'âme émotive est la condition même de sa puissance créative ou réflexive. Ainsi, pour reproduire Mozart, encore fallait-il un Mozart à imiter !

Quand bien même l'homme ne serait pas un génie, l'émotion dans sa faculté de toucher, de ressentir, de vivre, d'aimer, est la condition même de la conscience, faisant de lui un être infiniment complexe et subtil, capable de se mouvoir et d'aller sur des champs là où il n'a pas été programmé, codé. L'être humain est aussi capable de se jouer des normes et du formatage pour lequel l'on aimerait le conditionner. La conscience, c'est la vie, la conscience est reliée à la vie qui l'anime, la vie est une rupture avec la matière inanimée quand bien même cette

---

[327] Le Golem caractérise le fantasme d'engendrer sa créature à son image. Le mythe du Golem puise sa source dans la tradition talmudique, cet avatar d'argile correspond en effet à une entité artificielle dont la ressemblance humaine épouse ses caractéristiques. Les sages initiés concepteurs de cette créature auraient eu le pouvoir d'animer son image à l'aide de rituels ésotériques et de combinaisons de lettres hébraïques. En quelque sorte sont insufflés des symboles et des codes pour animer l'être conçu par l'homme.

dernière serait animée par un flux de matières et de programmes savants, œuvre d'un démiurge qui veut donner la vie à sa créature morte, son Golem.

Pour reprendre l'extrait célèbre du *Discours de la méthode* de René Descartes, « même si l'organisme est une machine, si l'animal est une machine, ces machines sont infiniment plus complexes et subtiles que toutes celles que l'homme ne sera jamais capable de construire car elles sont faites de la main de Dieu, » effectuant des gestes subtils, levant les obstacles hissés par les contingences, surmontant les difficultés posées par le monde de la matière. Cette ingéniosité de la vie naturelle nous émerveille et résulte d'un donné du libre arbitre de la vie, de l'intelligence vivante et non artificielle.

En revanche, les opérations de calculs qui nous fascinent relèvent de modèles mathématiques, de l'inférence bayésienne[328], modèles de calculs statistiques qui autorisent la possibilité de modéliser des choix en début de processus et d'emmagasiner l'expérience apprise au fil des expériences apprises et mémorisées. Je comprends cependant les arguments adverses qui indiquent que tout cela relève bien d'une analogie avec l'esprit humain, dans sa dimension de libre arbitre et intuitive.

Mais en réalité, même si l'Intelligence artificielle introduit de facto et en apparence une dimension d'arbitraire et d'intuition, cela reste du calcul donnant l'illusion de faire face à une machine qui réfléchit. Tout ceci, chers amis lecteurs, relève bien en réalité de combinaisons savamment codifiées, programmées et mémorisées au fil des expériences (voir l'IA Alphago). L'IA est bel et bien construite autour de méthodes de calcul puis d'encodage, et non de la conscience. Une machine serait-elle ainsi capable d'inférence et de se projeter dans de nouveaux univers de connaissances ? Permettez-moi d'en douter. La voit-on pareillement remettre en cause Darwin et évoquer un Dieu

---

[328] Inférence bayésienne : calcul de l'incertitude allant du connu (les données statistiques) vers l'inconnu (les hypothèses). Selon Wikipédia, « le raisonnement bayésien s'intéresse aux cas où une proposition pourrait être vraie ou fausse, non pas en raison de son rapport logique à des axiomes tenus pour assurément vrais, mais selon des observations où subsiste une incertitude. »

créateur ? En fait, la machine est déjà savamment conditionnée à penser comme l'homme pense, enfermée dans des présupposés théoriques, incapables de nouvelles intuitions comme celles abordées par ces génies humains qui ne possédaient pas de visions claires de notre histoire contemporaine et de sa dimension technique, mais étaient parvenus cependant à l'esquisser, à ébaucher les contours d'un devenir, comme le fit le philosophe Henri Bergson ou le mathématicien Leibniz. La conscience, à l'opposé de l'IA, pense également au sens de vivre, il est donc impossible selon nous d'imposer à une conscience une autre motivation qu'elle-même, à moins de la conditionner...

Contrairement à un intellect artificiel, cette sensation de soi, ce sentiment d'être sont à la fois mystérieux et uniques ; vivre en conscience, c'est vivre son altérité face au monde. La conscience ne se fabrique pas, elle est un donné de la vie, une vie qui va agir, interagir et donner du sens pour assurer au-delà de l'existentiel cette dimension du bien-être. L'IA serait-elle en mesure d'agir pour elle-même, de se motiver pour son propre bien-être ? Puis, s'il fallait ajouter cet autre argument, la conscience propre à l'être humain, c'est en effet la recherche d'un bien-être dans sa plénitude et sa capacité de le préserver autour de soi, ce qui revient à la dimension de l'amour et du désir qui est intrinsèquement liée, selon nous, à la conscience.

Aux antipodes de l'amour et de la conscience, l'intelligence artificielle n'est en réalité qu'une série de programmes codés. Nous le répétons à nouveau, l'IA est construite autour de méthodes bayésiennes très utilisées en statistiques et dans les sciences qui relèvent de l'exploration des données (*data mining*), méthodes qui permettent d'imaginer des hypothèses, de scenarii de mouvements, de choix. Ainsi, l'intelligence artificielle dupliquée ne serait ici qu'une série de moules, d'uniformisation des pensées, des outils industriels préconçus du raisonnement, des méthodes de réactions aux décisions fondées sur des paramètres préétablis. Mais, en fin de compte, le risque est bien une emprise de l'intelligence artificielle sur les décisions réfléchies de l'homme sacrifiant sans doute la dimension réflexive relationnelle, le triomphe d'une raison froide, en définitive, sur la raison relationnelle... Pourtant, la conscience n'est pas comparable à l'intelligence artificielle, puisqu'elle est la faculté sensible de se percevoir, de s'identifier et de penser non dans le sens de calculer, de combiner, mais d'interagir avec le monde et de partager des émotions, la conscience n'est ainsi pas enfermée par le calcul. Nonobstant, loin de nous de nier les facultés de calculs propres à notre cerveau, mais cette faculté de calculs ne se réduit ni se résume à la conscience. Si certes l'homme peut « artificialiser » et dénaturer le sens de soi et imiter la dimension d'un esprit humain, cela restera pour autant de la mécanique calculatoire incapable de désir par elle-même, de volonté autoproduite, et de se mettre par elle-même en mouvement.

Si l'on poussait le raisonnement à l'absurde et affirmait qu'il serait possible à la machine d'être dotée de conscience, quel créateur adorera alors cette machine ? Sera-t-elle amoureuse, quel projet familial développera-t-elle ? L'IA est en réalité le résultat d'un découplement, d'une dissociation en réalité de l'intelligence et de la conscience, bien incapable dès lors d'être connectée à la transcendance et d'être reliée à l'autre dans un rapport empathique, même s'il était prouvé que deux machines reliées peuvent interagir. Une différence particulièrement sensible sur le plan strictement ontologique doit être ici soulignée : une machine est reliée à la matière, alors que l'homme est relié à la vie et de fait à son Dieu, lui-même qui « recherche des adorateurs en esprit et en vérité », autrement dit en conscience.

L'IA est en réalité un vide d'esprit, une absence spirituelle, une frustration pour un objet humanoïde. L'IA est conçue artificiellement et ne saurait être reliée à la transcendance. Certes, l'IA sera une machine dotée de l'apparence d'un corps, mais sans réelle conscience humaine, sans âme, sans vie réelle, sans esprit. En supposant même que l'on parvienne à construire un robot androïde dont la complexité s'approcherait de celle de l'homme, il lui manquerait toujours cette dimension ontologique et cette ouverture à la transcendance qui ne peut jaillir spontanément de la seule interaction avec des causes immanentes, dimension qui résulte de la nature même de cet être fait à l'image et à la ressemblance de Dieu. La beauté de l'homme ne réside-t-elle pas dans sa nature même, nature vivante qui en fait un être complexe et d'une complexité insondable pour le simple cœur humain ?

L'IA est ainsi conçue en langage binaire, mais ne repose pas uniquement sur un langage binaire, c'est le langage informatique.[329] L'homme est au-delà du binaire, la vie de l'homme est faite de nuances, d'erreurs, d'incertitudes, de sensibles, de ressentis. Pour nous, la conscience relève du monde vivant et non d'une mécanique binaire. La conscience ne se réduit pas à la connaissance, c'est-à-dire le monde des savoirs ; la conscience, c'est aussi une relation intériorisée qui embrasse tout l'homme capable d'interagir avec le vivant et le renvoyer à une dimension émotionnelle.

Un ordinateur pourrait-il alors s'apparenter à une dimension biologique quelconque ? La réponse est évidemment non, catégoriquement non ! Une IA sophistiquée dotée d'une dimension cognitive forte s'adosse de fait à un fonctionnement mécanique programmé par l'homme et de flux de particules, et à ce jour la conscience suppose la conscience de l'autre, une forme d'attirance aimante, qui ne résulte pas de la seule aimantation de deux objets.

Ainsi, cette prétendue raison qui forme l'encodage de l'intelligence artificielle n'est en réalité habitée que par la seule dimension de la mathématisation de la pensée, une forme d'abstraction sans âme, dénuée d'esprit, vide de conscience, privée de l'amour, dégagée de capacité relationnelle dans un sens fort.

Heidegger pensait lui-même que « le succès des machines électroniques à penser et à calculer » conduirait à la « fin de la pensée méditative. » Nous pourrions de facto donner raison au philosophe Heidegger, si en effet l'homme devait cesser de s'émouvoir pour emprunter le pas d'automates ne réagissant plus à la lobotomisation de la faculté de rêver, d'imaginer, de créer, de s'étreindre, de rire, d'aimer, car la conscience intense de soi, c'est cela et c'est bien au-delà de

---

[329] N.d.E. : Il convient de préciser que l'IA ne repose pas uniquement sur la logique binaire. Elle peut faire appel à la logique floue (*fuzzy logic*) construite précisément pour mimer les incertitudes de la pensée humaines et représenter les systèmes du monde réel. Des systèmes experts flous peuvent alors être construits heuristiquement à base d'IA. Voir l'article Erich Peter Klement et Wolfgang Slany, « Fuzzy Logic in Artificial Intelligence », CD Technical Report 94/67, Christian Doppler Laboratory for Expert Systems, 23 juin 1994.

penser, de cogiter, de raisonner, de traiter, d'analyser, de faire des choix.

Le « Je pense donc je suis » ne définit pas, d'après moi, toute la dimension de la conscience, le « je pense » est d'abord une information qui ne se résume pas un état de conscience, la conscience ne se réduit pas à la dimension du langage, de ce qui nomme. Enfant je ne maîtrisais pas encore le langage, la faculté de former des phrases, mais j'avais le sentiment déjà d'être, « d'être soi, » d'exister et c'était l'étreinte de ma mère qui éveilla ma conscience à la vie, son regard, son amour, son geste affectueux, les mots doux qu'elle m'adressait m'étreignant dans ses bras.

La machine peut-elle ainsi s'éveiller à la conscience sans l'étreinte de l'amour ? Non, définitivement non, car cet objet sans filiation naturelle et passé qui n'est pas étreint, ni embrassé ni aimé n'a pas été enfanté dans le mystère, conçu dans l'amour, n'a pas de faculté à s'éveiller, mais à rester plutôt inerte, mécanique.

La conscience de soi relève d'un mystère et n'appartient pas à la dimension de la seule raison rationnelle ou de la puissance de calcul, c'est un donné de l'esprit, un donné de la transcendance qui n'est pas celle de la matière, la conscience est d'abord coextensive à la vie comme le rappelle le philosophe Bergson, elle est aussi coextensive à la vie donnée par Dieu en tout être.

Il nous faut ainsi préférer les sentiers de la conscience aux autoroutes du monde des algorithmes, car la conscience ne vit toutes les dimensions de la densité que lorsqu'elle est dans les chemins de traverses et non dans les pas de l'automatisme séquencé.

La perte de conscience de l'être humain

Ce que nous avons à craindre, ce n'est pas tant la conscience factice d'une machine, mais davantage la perte de conscience de l'être humain. Cette perte de conscience se produira le jour où l'homme abandonnera à la machine ses facultés de direction et de choix, en s'imaginant que la machine, cette intelligence virtuelle est infiniment plus perspicace, clairvoyante ou pénétrante que ne pourrait l'être son esprit. Cette perte de conscience se déclenchera lorsqu'une partie de l'homme bradera à la machine sa conscience, afin que cette dernière effectue les comportements mécanisés d'un automate susceptible de lui faire obtenir un gain précieux de son temps, « libérant » l'humain à d'autres tâches qui, à ne pas en douter, seront les tâches futures, accomplies sans fin et demain par d'autres machines plus performantes. Serons-nous demain seulement des êtres passifs, « des zombies vides de substance ... participant aux flux dématérialisants et enivrants du cyberespace », comme le souligne le philosophe Jean-Michel Besnier dans son livre *L'homme simplifié*[330] ?

Mais voici déjà que des milliers et des milliers d'hommes abandonnent à la machine, à ce monde digital et numérique, la direction de leur vie en remettant la destinée de leur existence à un système, une forme de divinité virtuelle et planétaire qui choisira leurs emplois, leurs alter égo, leurs activités du soir. L'homme se dessaisissant peu à peu de ses tâches corvéables devient lui-même addict de ses robots domestiques. Une forme de nonchalance docile se profile dans cet horizon du « système technicien » où l'homme cède comme un petit poucet toutes les données de sa vie et se laisse peu à peu asservir par une créature qui lui échappe, qui prend le pouvoir au fil de l'eau. Ce monde moderne a précipité l'homme dans une multiplicité de dépendances, de jougs serviciels le liant et le subordonnant, grignotant peu à peu son autonomie. Une dictature douce est finalement en train de s'imposer.
Une entité mystérieuse se dresse au crépuscule d'une humanité qui rêve à l'enfantement d'un automate Golem ayant une assise sur la conscience humaine, pilotera ainsi leur vie, l'organisera et planifiera harmonieusement leurs activités, ne laissant ainsi rien au hasard.

La liberté est abdiquée au profit d'un pseudo-confort technonumérique qui est, en réalité, une servitude, d'une conscience paresseuse qui s'envole dans l'abîme, privant ainsi l'homme d'une quête de sa conscience reliée à Dieu. En définitive, l'IA est l'ultime système orwellien aspirant les données de nos vies sociales et

---

[330] Jean-Michel Besnier, *L'homme simplifié*, Editions Fayard, 2012.

comportementales, contrôlant, puis assujettissant l'homme au pouvoir d'une « pseudo-conscience » qui réfléchit pour eux mais les ankylose en les privant de leur libre arbitre, de la motivation qui les met en mouvement. Pire, demain un tel système discriminera nécessairement les rebelles, les insubordonnés, les indociles et les exclura (lire Apocalypse 13:16-17 : « elle fit que tous, petits et grands, riches et pauvres, libres et esclaves, reçussent une marque sur leur main droite ou sur leur front, et que personne ne pût acheter ni vendre, sans avoir la marque, le nom de la bête ou le nombre de son nom »). Au fond, cela rejoint le propos d'Idriss Aberkane, spécialiste des neurosciences, qui indiquait que si nous donnions un levier à un fou, nous serions alors responsables du supplément de destruction que nous aurions alors su lui conférer.

De fait, cette perte de conscience serait un immense gâchis, « une immense déperdition des forces humaines, qui a lieu par l'absence de direction et faute d'une conscience claire du but à atteindre ». Or, dans l'épître aux Romains, nous relevons ce texte magistral qui est une invitation à s'affranchir de cette nouvelle servitude que propose notre monde moderne et donne en réalité un chemin à la conscience humaine si nous recevons favorablement cette exhortation : « ... vous n'avez pas reçu un esprit de servitude, pour être encore dans la crainte, mais vous avez reçu un Esprit d'adoption, par lequel nous crions : Abba ! Père ! L'Esprit lui-même rend témoignage à notre esprit que nous sommes enfants de Dieu. » L'Esprit rend ainsi témoignage à notre conscience que nous sommes en réalité enfants de Dieu et non une matière inerte qui n'aurait finalement aucun sens.

32

« Le despotisme éclairé » de la technique, le nouveau conseiller du Prince !

« Le despotisme anonyme d'une oligarchie est quelquefois aussi effroyable et plus difficile à renverser que le pouvoir personnel aux mains d'un bandit. »

Joseph de Maistre, *Étude sur la souveraineté* (1794).

L'idéologie progressiste est habitée par la volonté de réformer structurellement l'organisation sociale, d'instaurer une transformation radicale dans les mentalités pour conduire le monde, puis le mener enfin à des réformes « libérales », promettant l'épanouissement et la valorisation des individus. Or, nous sommes pleinement convaincus que les avancées techniques seront au service de la complexité et de cette idéologie prométhéenne pleinement inspirée par le Siècle des Lumières, faisant de la dimension du progrès la matrice des prochains fantasmes humains, ouvrant ainsi de nouvelles perspectives d'asservissement des êtres humains, alors qu'on leur promettait la liberté.

Le despotisme éclairé par le Siècle des Lumières dans le contexte d'une idéologie de progrès

Le mot despotisme renvoie bien souvent à une figure humaine tyrannique (étymologiquement, le despote signifie en grec le maître de la maison), un maître qui a assujetti sa maison, autrement dit son peuple ou des peuples, à son pouvoir.

Sous le régime du despotisme, bien souvent comme simple sujet, l'être humain se voit privé de raison, de la faculté de penser par lui-même. Dans des contextes de despotisme, le peuple est sous l'emprise d'un pouvoir absolu dont le spectre ou l'auxiliaire s'appuie sur la dimension du rationnel et d'un contrôle absolu corollaire d'une surveillance maîtrisée, régulant la vie sociale, afin de sauvegarder la maîtrise de la gouvernance. Pourtant, le despotisme n'a pas toujours été tyrannique, et certains philosophes ont joué un rôle même modérateur.

Ainsi, les philosophes, comme Diderot et Voltaire, mirent la raison au cœur de la réflexion du pouvoir et firent la promotion, au travers de leurs écrits, d'une forme de dimension acceptable et éclairée du despotisme. Ces mêmes philosophes ont également promu une conception du progrès et une conception matérialiste de l'homme devenu individu et dont l'existence a été intentionnellement déracinée de tout socle spirituel.

La raison, selon ces philosophes, devait être seule souveraine, absolue et être au cœur de l'organisation des états. Il est vrai que ces penseurs firent usage des mots « despotisme éclairé » pour évoquer, en fin de compte, un autoritarisme bienveillant se substituant à toute forme de relation d'origine transcendantale. Dans ces contextes culturels œuvrant pour un progrès dans le monde et combattant toute forme d'obscurantisme, Voltaire, promoteur lui aussi de cet idéal philosophique, ne vantait-il pas son ami Frédéric II de Prusse ? Frédéric II, qui appréciait la compagnie de Voltaire, aimait à la fois l'art de la gouvernance bureaucratique en s'appuyant sur un appareil d'État très élaboré pour l'époque, et l'idéologie de progrès portée par le Siècle des Lumières. Les « Lumières » (philosophes), à l'instar de Voltaire, n'étaient-ils pas également guidés par ces mots qui ont à ce jour une coloration toujours très contemporaine forgée autour des concepts de l'individu, de la raison et du progrès ?

Le Siècle des Lumières s'est incarné dans la pensée progressiste s'opposant aux conceptions chrétiennes. Ce Siècle des Lumières continue d'insuffler son esprit au sein même de notre époque hyper matérialiste et dont la vacuité en est symptomatiquement le symbole. Or, la puissance idéologique portée par le progrès des idées s'incarne aujourd'hui dans la fulgurance des innovations technologiques au service désormais des « princes de ce monde », du progressisme et des pires fantasmes caressés par l'humanité se faisant l'égal de Dieu.

La technicité éclairée des algorithmes, devenue l'auxiliaire des pouvoirs

C'est bien dans ces contextes de « despotisme éclairé » que les souverains étaient appelés à guider leurs peuples vers la voie du progrès pour assurer leur bonheur. Ce type de discours au temps du Siècle des Lumières anticipait le progressisme contemporain. Si, certes, le despotisme n'est pas ce qui caractérise notre époque ni même l'idéologie progressiste, la technicité des algorithmes est bel et bien aujourd'hui l'auxiliaire éclairé des pouvoirs. Une technicité qui n'est pas loin pourtant d'aliéner la démocratie en la supplantant via l'excès des normes contingentant notre liberté, en la dominant par son influence. C'est également le développement intrusif sans précédent des technologies numériques et des algorithmes serviciels, séries d'instructions et de codes en vue d'obtenir des informations et des données sur nos comportements, ou un résultat optimisant le confort de leurs usagers, également de tous les citoyens.

Mais les applications au fil de l'eau issues de ces algorithmes priveront les citoyens d'initiatives, de pouvoir réflexif, de responsabilités, voire de libre arbitre à l'image de ces « GPS » qui forment, puis dirigent l'itinéraire à suivre, sans que nous ayons recours à un quelconque support, une carte « routière ». Les navigateurs connectés aux satellites affichent les données de géolocalisation pour se substituer à notre mémoire et à nos propres repères. Par son efficacité, l'assistant de navigation est devenu l'objet indispensable, nous lui laissons volontiers le pilotage, et incontestablement nous relevons le gain de temps et une facilité d'emploi, y compris pour planifier de nombreux itinéraires, intervenant même pour les rythmer et les gérer.

Or, notre monde contemporain est quasi aspiré par la dimension des moyens techniques qu'il emploie. Le pouvoir même dans les démocraties s'empare de ces nouvelles technologies, de ces algorithmes qui à terme seront utilisés comme des « assistants de navigation », des moyens de contrôle et des aides ultimes à la décision. Or, nous sommes bien sous la menace d'une nouvelle aliénation de nos libertés de pensée et de conscience à travers la dynamique, l'accroissement, l'hégémonie et la montée en puissance de la technique gérant toutes les données de la vie sociale. Nous pressentons la volonté de nos gouvernants de valoriser la technique et la raison comme les guides éclairés de leurs actions et des nôtres, avec la volonté en arrière-plan de maîtriser les choix qui orientent la vie sociale. Si pour Jacques Ellul, la technique était l'enjeu du siècle, nous pourrions ajouter, à l'instar du penseur, que la maîtrise des données, leurs gestions comme le pilotage de la vie sont aujourd'hui le nouvel enjeu, enjeu d'autant plus facilité avec le développement inouï des algorithmes et de la mathématisation de notre monde humain.

C'est le philosophe Heidegger avec Jacques Ellul qui percevaient dans la technique la volonté ultime de puissance, transformant radicalement notre environnement, modifiant structurellement les modalités mêmes de l'existence humaine. Si Nietzsche saisissait dans la technique le moyen final de dominer la nature, *a contrario* ni Heidegger ni Ellul ne plaidaient pour l'élan technique qui, selon eux, serait de nature à fragiliser l'être humain dans son essence et participerait ainsi aux déséquilibres entre le milieu naturel et l'homme.

S'il fut souvent reproché au philosophe Heidegger sa proximité avec l'idéologie nazie, ce que soulignait Jules Ferry pour persifler la critique du technicisme, force est de reconnaître qu'en revanche il ne partageait pas, contrairement aux présupposés de l'essayiste, auteur de *La révolution transhumaniste*, l'idée de puissance d'un régime caractérisé par l'apologie de la technologie. La technologie au cours du Troisième Reich fut, en effet, poussée jusqu'à son paroxysme, puisque c'est à travers la technologie, le complexe militaro-industriel que l'Allemagne nazie a bâti sa volonté de dominer les peuples, puis de les assujettir à la volonté de la toute-puissance de son idéologie. La technologie fut donc bel et bien au service de l'idéologie, elle le sera de nouveau dans le monde qui vient, notamment au nom de la gestion sociale dans le but à la fois de réguler les activités des populations et de les contrôler. Dans cette perspective, c'est toute la vie qui devra être gérée à la lumière de la technique, rien ne devra échapper à son despotisme éclairé, à la domination de son pouvoir, tout devra lui être soumis et les hommes finiront par vanter la supériorité de la machine et finiront même par lui reconnaître la faculté d'être leur nouvelle idole.

Dans son livre *La puissance du rationnel* publié en 1965, le philosophe Dominique Janicaud écrivait : « Nul ne peut contester qu'en un laps de temps relativement court (en comparaison de l'histoire et surtout de la préhistoire de l'humanité) les sciences et les techniques ont transformé notre planète au point d'ébranler des équilibres écologiques et ethnologiques immémoriaux, au point surtout de faire douter l'homme du sens de son existence et de ses travaux, jusqu'à faire vaciller sa propre identité. » Si, à l'inverse, pour le philosophe François Guéry, « l'humanité de l'homme commence par l'industrie », son humanité s'achève, selon nous, avec l'ère d'un monde technique qui est bien en passe de le dominer outrageusement, et dont il est prêt à abandonner sa faculté de penser au profit d'une machine qui le fera pour lui.

Le maître de la maison

Je partageais avec Anne, une personne de mon entourage familial, mes premières réflexions sur le despotisme technique, et notre partage la conduisit à me relater le travail qu'elle effectue auprès des enfants de 8 à 12 ans. Anne, en effet, anime des ateliers dont l'un des thèmes est centré sur la mélodie des couleurs. Dans le cadre de cet atelier, Anne fait travailler l'imaginaire des enfants en leur faisant écouter de la musique classique : Chopin, Vivaldi, Mozart... Je précise que les enfants sont issus de milieux très divers. Les enfants, en écoutant la musique, sont invités à produire des formes dessinées à partir de leur écoute musicale.

Pour animer le travail avec les enfants, Anne s'est inspirée de l'œuvre de Vassili Kandinsky, elle utilisa en effet la musique pour exprimer des sentiments intérieurs et l'aidant ainsi à projeter les sonorités au travers de figurations, de dessins, de peintures. Ce qui frappa Anne, ce fut de découvrir à la fois l'enthousiasme des enfants à se projeter, mais aussi la difficulté pour certains enfants à produire des formes, à être dans cette dimension inventive et créative. Anne l'expliquait par le pouvoir des écrans qui annihile, aliène aujourd'hui ce pouvoir de l'imaginaire. Anne fit le constat que les enfants prisonniers de leurs tablettes éprouvaient plus de difficultés à traduire une mélodie et à représenter une forme, à comprendre même les consignes qui leur étaient données.

Je songeais également, dans cette pensée concernant le despotisme de la technique, à cette autre réflexion échangée récemment avec un ami qui fut invité à une réunion de famille et dont il s'étonnait de voir les parents et non leurs enfants. Partageant son étonnement de ne pas croiser d'enfants dans le jardin, un proche lui indiqua qu'ils étaient tous dans une pièce au lieu d'être sur la pelouse à s'ébattre ou jouer au ballon, poussant leurs cris. Mon ami demanda à ce proche de le conduire à cette pièce afin de les saluer. Il découvrit en effet des enfants sages, mais rivés à leurs tablettes, « grands et petits » assis devant leurs consoles de jeux. Il n'y avait pas d'échanges entre eux, ils étaient bien silencieux, concentrés à manipuler leurs jeux vidéo. Ce qui est étonnant au travers de ces deux anecdotes, c'est le pouvoir de séduction, de captation qu'exerce sur les esprits de ces enfants le monde fascinant de la technologie, mobilisant toute leur attention, leur privant d'une dimension ludique plus épanouissante les mettant en contact avec la nature, avec le monde réel ou celui de la culture qui produit des émotions, de l'enchantement, de la joie partagée.

Le maître de la maison qui définit étymologiquement le despote prend une forme nouvelle et subtile, ce n'est plus un tyran qui martyrise les enfants, mais une technologie qui fascine, asservit les esprits, aliène leurs capacités d'imagination, d'abstraction, d'agilité intellectuelle dans le maniement des concepts. Les enfants exposés de plus en plus prématurément aux pouvoirs des écrans sont, par capillarité, confrontés aux difficultés de représentation du monde et, en définitive, de rencontre du réel. Ils deviennent alors les sujets du nouveau maître de la maison qui s'emploie également à imposer ses nouvelles lois auprès des parents qui délèguent à la technologie le pouvoir de divertir leurs progénitures, mais sont eux-mêmes d'ores et déjà les sujets de la technologie phagocytant, cannibalisant une grande partie de leur existence.

L'intelligence artificielle au service du Prince

L'intelligence artificielle ne sera-t-elle pas demain le nouveau conseiller du Prince, la raison du Prince ? L'algorithme ne sera-t-il pas une forme d'agent, des cabinets ministériels pour aider à la navigation des états ? La gouvernance ne sera-t-elle pas tentée de faire usage de moyens techniques pour orienter les populations ou profiler ses citoyens ? Profilage, reconnaissance faciale, traçabilité, ciblage, mais aussi arbitrage sont ainsi devenus les nouveaux termes de la modernité qui envahissent l'ensemble des sphères de la vie en société au travers de la fulgurance des moyens conférés par le développement hégémonique des algorithmes. Il est évident que la tentation des pouvoirs sera à terme de bénéficier de méthodes rationnelles et de cette technologie pour asseoir leurs dominations politiques. Dans les processus de décisions complexes, le recours à ces nouveaux conseillers du prince sera *de facto* incontournables. Ces outils dotés de puissance de calculs n'interviendront-ils pas dans les arbitrages sociaux ? Dans la vie sociale et cet univers complexe qui caractérise par exemple notre urbanisme, où les acteurs peuvent être multiples et contradictoires ? Dans ces négociations plurielles, la raison humaine peu à peu s'appuiera sur la puissance rationnelle de la machine qui pourrait bien être demain le despote éclairé, nouvel arbitre de toute vie sociale.

Le développement de ces techniques occupera demain, si ce n'est déjà dans un court terme, tous les espaces de la vie sociale, et aucun usager n'échappera demain ni à leur emploi ni même à leur pouvoir de séduction, d'influence, d'efficacité. C'est une tyrannie douce qui s'installe, au point, comme l'écrit Amblonyx Cinereus dans l'excellent blogue Cahier libres[331] « qu'une nouvelle laisse s'attache au cou » de chaque citoyen. Or, pour un ami que je nommerai Tha, « ces technologies s'accompagnent en coulisse d'une idéologie qui vise à étendre son hégémonie à toutes les strates de la vie de la cité », de notre smartphone à la ville intelligente (*smart city*).

---

[331] Cahierslibres.fr.

Nous entendons pourtant les arguments des promoteurs de ces machines artificielles qui revendiquent leurs capacités de plus en plus sophistiquées de pallier toutes les limites cognitives touchant à l'être humain. Si certes ces machines optimisent les performances et s'accompagnent finalement de rendements touchant à notre existence, ne sommes-nous pas en train tout simplement de leur vendre notre âme et d'assécher toute la dimension existentielle, ce qui fait en somme toute la dimension d'une vie ?

Nous évoquions le profilage des données laissées sur les smartphones et les sites fréquentés par les internautes qui sont autant de manifestations de nos usages, de nos habitudes, de nos comportements en société. Les algorithmes dessinent ainsi un profil, des typologies d'attitude, des comportements qui soit rentrent dans une norme, soit sont jugés disruptifs.

Ainsi, toute modification notable dans vos habitudes de navigation, d'achat ou bien dans la gestion de vos postures et relations virtuelles peut suffire à vous faire rentrer dans une catégorie d'individus, dans une typologie à cibler, profiler, voire contrôler, surveiller. Internet n'est pas réduit à la seule dimension des usages, c'est en réalité une partie de nous. Nous laissons quotidiennement des traces numériques qui configurent mécaniquement nos profils de consommations, classent nos habitudes, et ceux-ci sont ensuite redistribués à notre insu auprès d'autres acteurs et même l'État.

L'algorithme est ainsi « positionné » en quelque sorte pour définir des « normes » de comportements. En se basant sur vos habitudes d'achat, de navigation sur les sites internet, voire même vos relations sociales, vos comportements, la machine étiquette, catégorise, ordonne, structure le type d'individus qu'il conviendra soit d'influencer, soit de suivre, soit de contrôler, soit même d'anticiper ce qui adviendra même de son comportement.

L'algorithme est donc bien au service d'un pouvoir. Ce pouvoir revêt évidemment différents habits, celui de la finance, celui du monde marchand, celui du politique. Le progressisme contemporain réveille, selon nous, le Siècle des Lumières, ce Siècle des Lumières qui anticipait hier celui de la terreur animée par la Révolution française, était habité par la volonté d'arracher le monde aux idées chrétiennes. Or, la technologie est aujourd'hui au service des idées, elle en est apparemment la servante, mais pourrait bien assujettir demain docilement les esprits entre les mains d'un « monstre doux ».

Les avancées prodigieuses et en quelques années des algorithmes d'apprentissage statistique, qui sont désignés par le concept d'intelligence artificielle, transforment bel et bien les organisations sociales comme les systèmes de gouvernance politique. Nous voyons ainsi à quel point la Chine totalitaire et communiste en fait aujourd'hui un emploi qui pourrait bien inspirer le monde occidental tenté par la dimension de la surveillance et du contrôle sous prétexte de terrorisme et de crise climatique. Peu importe finalement la liberté de penser, il est nécessaire de vivre sous le joug des algorithmes pesant et soupesant les mouvements que nous entendons donner à notre vie. Point de salut, en dehors de la nouvelle religion de ce nouveau monde.

L'insatiété des peuples et de leurs gouvernements, les appétences frénétiques pour les nouveautés finiront par conduire les populations à se soumettre à des régimes de plus en plus opprimants et ainsi, comme dans la fable, « le monarque des dieux » finira bien par leur envoyer un despote « éclairé », qui sera non une grue, mais une machine qui les dévorera tous…

La révolution écologique

33 Écologie et ère numérique

L'écrivain Bernanos, auteur entre autres, du livre *La France contre les robots,* a dit un jour, pour reprendre les mots du philosophe Bertrand Vergely, auteur de l'essai *Le transhumanisme, la grande illusion*, que l'on ne comprend rien au monde moderne tant que l'on ne perçoit pas que tout est fait pour empêcher l'homme d'avoir une vie intérieure. Aujourd'hui, ajoute Bertrand Vergely, « il importe d'aller plus loin, et de se rendre compte que l'on ne comprend rien à la postmodernité si l'on ne prend pas conscience que tout est fait pour faire disparaître l'homme ». Derrière le terme de révolution numérique, l'on trouve la même promesse, baignée d'une nouvelle théologie, celle d'un « monde meilleur » sur terre, d'un monde où se réaliserait l'illusion d'une « nouvelle harmonie écologique » pour une communauté humaine enfin réconciliée avec elle-même [mais] nous préparant au transhumanisme.

L'oxymore

Rapprocher les termes écologie, ère numérique et transhumanisme, apparaît par ailleurs et d'emblée comme un oxymore. Trois termes antinomiques qui s'entrechoquent : d'un côté, la nature, un monde réel, de l'autre un environnement de matières et d'algorithmes, un monde virtuel. Il est d'ailleurs plutôt rare que les transhumanistes aient à s'exprimer sur cette thématique touchant aux domaines de l'écologie. Pourtant, les techno-progressistes pourraient rencontrer la faveur des écologistes, si ces derniers contribuaient par leurs recherches à sauvegarder le vivant, soyons précis, et avec un brin d'ironie, les organismes génétiquement modifiés, ou bien à prétendre que les solutions digitales résoudront les problèmes de la planète.

Pourtant, comme l'affirme Michel Henry, dans son livre *La barbarie*[332], « l'homme de l'ère technique ne sait plus prendre le temps de vivre. Ni goûter la beauté d'un paysage. Ni apprécier la valeur d'un acte. Ni saisir le sacré de la vie. Il ne sait plus se sentir vivre, s'éprouver vivant ... »

Nous sommes, nonobstant, réservés sur la probabilité que les transhumanistes réalisent, à terme, que, pour la première fois dans l'histoire de l'humanité, selon Rony Akrich – professeur d'études juives – « l'homme peut prendre conscience de l'unité de la vie, de l'unité du genre humain, du lien qui unit l'homme avec la terre, dans une perspective qui est une véritable préoccupation, ce qui n'a pas toujours été le cas dans les siècles précédents ».

Jamais le monde, en effet, n'a connu autant de signaux d'alertes, jamais l'homme n'a pris autant conscience d'un péril majeur qui concerne la pérennité même de son existence :

- la biodiversité est en danger ;
- les écosystèmes sont menacés dans leurs équilibres ;
- la société, dans ses valeurs, « est devenue liquide ».

Les digues lâchent, et ce sont, quelquefois, de véritables tsunamis qui amènent à des mutations sociales profondes, du fait de la vacuité morale, de la déréliction, de l'isolement des hommes entre eux, loin des solidarités nécessaires à leur protection. Le réel pourrait ainsi se rappeler très vite aux rêves les plus fous caressés par les progressistes du transhumanisme.

Une société devenue normative incluant la vie écologique

La tendance à la multiplication exponentielle des lois ne s'est absolument pas inversée, bien au contraire. Dans ce monde devenu hyper techniciste, inventif dans sa logorrhée normative, un nouveau

---

[332] Michel Henry (1922-2002), professeur de philosophie à Montpellier, a publié un essai philosophique en 1987 édité par Grasset, intitulé *La Barbarie*, Grasset, 1987 ; dernière réédition P.U.F.

terme s'est imposé, celui de la transition énergétique. Si je reconnais volontiers la fragilisation de notre monde tenant à nos modes de consommation, à une vie consumériste qui ne s'est donné aucune limite, j'admets qu'il existe en France une dangereuse dérive concernant l'inflation des lois, des réglementations, normes qui abordent tous les registres de la vie sociale, urbaine mais aussi écologique. La dimension normative, cette « logorrhée réglementaire » au sens techniciste uniformise de façon aveugle sans prendre en compte les réalités particulières, elle vient comme s'imposer, contraindre, elle est forcément coercitive et non participative quand elle nécessiterait plutôt l'écoute attentive des besoins, notamment dans ces débats qui touchent à cette vision de la transition écologique, un terme purement technocratique. Je veux pour exemple le nombre envahissant de normes s'appliquant sur le champ de l'urbanisme et qui s'avèrent inopérantes face aux formes plurielles et multiples des écosystèmes, d'attentes des habitants et de handicap que l'on rencontre.

Lorsque nous évoquons la dimension normative devenue coercitive, nous soulignons cette dimension de l'intelligence relationnelle mise à mal, cette dimension de l'écologie humaine qui repose sur l'échange constructif fondé sur l'écoute et la recherche du bien commun. Les processus bureaucratiques qui, en effet, ne font pas de l'homme le cœur même de toutes les réflexions à conduire et à mener pour son bien être conduisent à son mal être, la crise sociale et les conflits répétés que traverse la France en est l'illustration patente ! Dans les mêmes contextes, les procédures complexes qui touchent aujourd'hui au monde de l'entreprise ne sont de fait plus orientées sur la dimension relationnelle, mais sur un rapport rationnel engendrant des réflexes conditionnés. Les hommes sont face à leurs murs appliquant un mode d'emploi, oubliant qu'ils bâtissent un projet impliquant non des systèmes, mais bien d'autres hommes. Un pan de la dimension relationnelle est ainsi menacé par les excès d'un monde techniciste qui a placé le rationnel normatif au cœur de toutes ses stratégies supplantant le relationnel intelligent et participatif fondé sur l'écoute et la réponse aux besoins. Ainsi, la norme techniciste qui s'embarrasse de la bureaucratie a fini par oublier ce à quoi la norme était censée remédier, à savoir répondre aux besoins humains. Or, la civilisation transhumaniste se conjuguera avec la dimension normative, elle s'en nourrira, toute l'intelligence artificielle ne se nourrit en soi que de normes.

L'ère numérique se met au service de l'écologie

Il est évident que le monde numérique tentera de se draper de ses plus beaux atours, d'habits seyants pour séduire le monde écologique en vantant sa contribution à améliorer le sort de la planète en déployant des solutions en matière de proximité, de déplacements, de télétravail. Les outils numériques séduiront de toute évidence du fait de l'amélioration des échanges, du meilleur partage de l'information, de la communication instantanée avec, comme perspective, moins de déplacements, moins de gaspillage de papier et de temps, ce qui n'est pourtant pas démontré, plus de vie collaborative, plus de relations, mais surtout des relations virtuelles. Oui, le monde numérique tentera bien d'inverser les effets désastreux des crises environnementales en favorisant, en premier lieu, le développement local, notamment sur les territoires ruraux et en limitant les déplacements pendulaires, les déplacements quotidiens de la population vers les centres urbains. Or ce monde numérique ne répondra pas aux véritables enjeux d'une économie de proximité dépolluée de ses objets et capteurs numériques. Selon un rapport de l'ADEME[333], les émissions de gaz à effets de serre sont largement générées par le monde numérique, 28% dues aux infrastructures réseau, 25% dues aux centres de données, 40% via l'Internet mobile, 47% dues aux équipements tels que les ordinateurs, smartphones, tablettes, objets connectés, GPS...

Ailleurs, nous voyons bien ici et là émerger de multiples miroirs aux alouettes pour identifier les nouvelles solutions écologiques pour faire face aux crises climatiques comme la cryptomonnaie mondiale afin de

---

[333] « La face cachée du numérique. Réduire les impacts du numérique sur l'environnement », AEDEME, édition de novembre 2018. Accessible à l'adresse suivante :
https://www.ademe.fr/sites/default/files/assets/documents/guide-pratique-face-cachee-numerique.pdf.

limiter les consommations de CO_2. Or, comme nous l'avions écrit dans un précédent chapitre, la cryptomonnaie pourrait être une illusion de plus, portée par ce nouveau monde baigné dans les solutions techniques, qui elles-mêmes dénaturent la vie humaine et impactent la nature elle-même. Dans ce concert de bienveillance pour notre environnement, nous ne tarderons pas à entendre également parler d'écologie digitale. Or ces activités digitales (Internet, téléphonie...) produisent aujourd'hui dans le monde autant ou sinon plus de CO_2 que le secteur aéronautique[334] ! En 2037 selon, Eric Fuller, professeur à l'UC San Diego, et Reinhold Dauskardt, professeur à Stanford, si rien ne change, les ordinateurs consommeront plus d'électricité que le monde n'en produira.

Une société consumériste devenue dévorante, séduite par l'écologie digitale

La société consumériste est devenue dévorante, elle entend assouvir tous les appétits, ne mesure pas les conséquences d'une vie qui ne se donne pas de limites dans ses rapports éthiques avec la nature. Un monde consumériste, qui impose une lecture des besoins artificiels, comme reposant sur une nécessité, nous fait, dès lors, perdre de vue, la dimension responsable que devrait être la relation du consommateur avec cette même nature.

Nous ne percevons pas que nos excès impactent notre environnement, proche et lointain, nos voisinages et les autres habitants de la planète. Mais nos outrances technicistes, scientistes et boulimiques amènent et conduisent à une profonde déréliction, en nous enfermant, aujourd'hui, dans un système matérialiste et un système de consommation, et de consommation virtuelle, nous isolant les uns des autres. Nous perdons de vue ainsi les notions de solidarité et de

---

[334] Myrtille Delamarche, "Quand le stockage de données consommera plus d'énergie que le monde n'en produit... », 29 juin 2018, 16h58. https://www.usinenouvelle.com/article/wmf2018-quand-le-stockage-de-donnees-consommera-plus-d-energie-que-le-monde-n-en-produit.N714019.

partage, de partage des biens, de frugalité, et de capacité de secourir ceux qui sont dans le besoin.

Nous pourrions bien être bernés à terme par ces produits du transhumanisme au service d'une soi-disant écologie, d'une culture de la vie bio, mais une culture parfaitement artificielle, elle-même dévorante. Derrière le mythe transhumaniste s'avance masquée une gigantesque toile d'intérêts financiers. Les transhumanistes sont le pur produit d'une société consumériste où les puissances économiques et politiques qui rêvent le nouveau monde, une nouvelle écologie, celle d'une planète harmonieuse, aspireront à régner en maîtresses sur les ressources de nos naïvetés, de nos crédulités à penser que l'écologie digitale est une réponse aux problèmes climatiques.

34 De la mécanisation agricole à la haute technologie ?

Comme nous l'avions déjà indiqué dans ce livre, l'agriculture vit sans doute la plus importante mutation de son histoire, après celle du tracteur apparu à la fin de la Seconde Guerre mondiale. Dans le monde agricole, les technologies drones, GPS, « *Smart Ferme* », Intelligence Artificielle, tracteurs sans chauffeurs, envahissent, d'ores et déjà, les champs. De sa ferme connectée ou de son smartphone le paysan pilotera ses puissantes « machines high tech », assisté d'une enceinte IA qui lui fournira recommandations et solutions pour un désherbage efficace ou un ensemencement optimisé.

Les défis de l'agriculture du XXIe siècle

Les défis du XXIe siècle que doit affronter le monde agricole sont multiformes, pluriels. Il y a tout d'abord celui de la fameuse transition écologique. Les innovations technologiques autoriseront, en effet, dans la prochaine décennie une agriculture de plus en plus raisonnée, moins dévorante en termes de consommation chimique, moins vorace également en termes de consommation d'énergie.

Puis, il y a ce défi numérique qui va impacter considérablement et probablement transformer le monde agricole, les conditions mêmes de son exploitation. Depuis moins d'une décennie, un bouleversement agricole majeur est véritablement en train de s'opérer, une nouvelle révolution après celle du passage à une agriculture mécanique, puis celle qui touche à la dimension « chimique », le monde numérique va également modifier et métamorphoser littéralement « les rapports avec le sol ».

Si la révolution mécanique de l'agriculture avait en quelque sorte reconfiguré l'écosystème sol- homme-machine, avec la numérisation progressive enveloppant le monde agricole, c'est bien l'ensemble de la gestion de l'information qui conduira inévitablement à repenser le métier de l'agriculteur et à refonder en quelque sorte l'agriculture de demain. Le développement de l'intelligence artificielle fondée sur le recueil de données en temps réel et l'analyse prédictive amènera l'agriculture à une disruption avec les techniques que l'on rangera définitivement parmi les pratiques ancestrales ou médiévales. Nonobstant, ne risque-t-on, pas si cette agriculture sophistiquée est conduite à devenir hyper technicienne, d'aliéner la part de jardinier respectueux d'un environnement profondément enraciné dans l'humain ?

Il ne fait pas de doute que les outils numériques amélioreront sans doute la compétitivité des agriculteurs et leurs conditions de travail, mais ces mêmes outils soulèvent parfois dans le monde agricole quelques réserves, un certain scepticisme. Des agriculteurs que nous avons interrogés confessent ne plus vivre décemment de leur métier. « *Cette technologie de haute précision qui leur est promise contribuera-t-elle réellement à améliorer une qualité de vie ?* » s'interroge Hervé, agriculteur dans le département de l'Aisne qui doute de l'avenir concernant l'exploitation à moyen terme de sa ferme.

Certes, ces nouvelles technologies numériques couplées à ces autres technologies satellitaires, feront entrer littéralement l'agriculture dans le monde de la technoscience, une agriculture prédictive, précise « *au grain près* », et seront ainsi en mesure de prévoir ce qui va se passer dans leurs champs.

Avec l'apparition des fermes connectées, c'est le monde paysan dans son ensemble qui voit tous ses fondements bouleversés et y compris dans ce rapport de l'homme avec la nature, dont l'agriculteur est l'incontournable interface.

Les questionnements

Cependant, l'enthousiasme que suscite la fascination pour le monde numérique n'est pas sans questionnement et nous renvoie à cette réflexion de Charles Péguy sur l'outil. « Un respect de l'outil, et de la main, ce suprême outil (la main). – Je perds ma main à travailler, disaient les vieux. Et c'était la fin des fins. » Dans ce texte Charles Péguy évoque l'outil comme le prolongement de la main, mais un outil qui ne l'efface pourtant pas, ne la gomme pas, la main intelligente de l'homme demeurant son formidable outil.

De fait, les modifications fondamentales de l'agriculture contemporaine touchent bien au passage d'un outil dominé par la main de l'homme à l'homme dominé par son outil, cet outil du nouveau monde numérique qui est en passe de commander le geste de sa main. Or, face aux mutations prochaines, à l'avènement d'une technologie toute puissante, nous ferions bien de méditer sur cette réflexion de Charles de Foucault : « C'est quand l'homme abandonne le sensible que son âme devient démente. »

Dans les contextes technologiques des mutations qui touchent le monde agricole et aussi loin que porte ma mémoire d'enfant d'agriculteur, je me souviens d'arpenter avec mon père ou mon grand-père les sillons tracés par la herse, tirée par un cheval de trait. La ferme de mes grands-parents occupait à l'époque, dans les années 60, plus d'une dizaine de salariés ; la ferme vivante fourmillait, grouillait de tous ces bruits qui faisaient alors la vie du monde paysan. La mécanisation agricole était à ses débuts, elle soulageait la pénibilité des travaux des champs et, au fil du temps, allait prendre le relais du collier du cheval.

Le contraste saisissant

La force mécanique était en marche et allait révolutionner le monde agricole, modifiant considérablement le récit dépeint par Émile Zola, décrivant le travail des « *semeurs* » dans les champs dans son fameux roman ethnologique *La Terre*. Émile Zola, au début de ce roman, évoquait la figure de Jean qui, prenant une poignée de blé, d'un geste, à la volée, jetait la semence, alternant sa marche de pauses pour reprendre le souffle nécessaire à cet effort continu. Puis Émile Zola, poursuivant son récit, indiquait que de toutes parts on semait : « il y avait un autre semeur à gauche, à trois cents mètres, un autre plus loin, vers la droite ; et d'autres, d'autres encore s'enfonçaient en face, dans la perspective fuyante des terrains plats. C'étaient de petites silhouettes noires, de simples traits de plus en plus minces, qui se perdaient à des lieues. Mais tous avaient le geste, l'envolée de la semence, que l'on devinait comme une onde de vie autour d'eux. La plaine en prenait un frisson, jusque dans les lointains noyés, où les semeurs épars ne se voyaient plus ».

Formidable récit où l'humain est ici largement décrit dans la dimension du geste. Il ne s'agit pourtant pas d'exprimer un regret nostalgique, mais ici de souligner le changement de paradigme où le paysan, ce « cul-terreux, cet amoureux de la terre » comme le disait mon grand-père, n'est plus désormais ce jardinier paysagiste auquel il a été longtemps confiné. Quel immense fossé, disruption de l'histoire agricole, entre le geste de Jean décrit par Zola dont le semoir était noué sur le ventre, cheminant dans les labours, avec ce mouvement continu pour lancer sa semaille, et ce monde du progrès agricole dont la justesse de la distribution de la semence est pilotée, guidée aujourd'hui « *au grain près* » par le GPS.

L'objectif de ces guidages assistés par GPS est ainsi bel et bien d'optimiser et de rentabiliser les passages des tracteurs sillonnant les parcelles de terres. Toutefois, ces évolutions questionnent, malgré tout, l'avenir de l'agriculture dépendante de ces nouveaux outils qui, certes, arrachent l'homme de la corvée du sol, mais l'asservissent en inspectant, peut-être demain et de manière intrusive, son activité.

Ensemencer ainsi la terre ne relève plus du geste aléatoire, mais d'un geste mécanisé, devenu totalement rationnel. Le contraste est dès lors saisissant entre le travail de Jean au milieu du XIXe siècle et son semoir, et aujourd'hui l'activité de Jean au début du XXIe siècle, guidé par un système satellitaire. Mais certains paysans veulent résister à cette agriculture qui va jusqu'à tracer et demain contrôler le geste agricole, les intrants et la gestion de l'ensemencement au sein des parcelles de terres. L'ouragan technologique est bel et bien en marche dans le monde agricole, mais n'est-elle pas finalement en train de condamner les paysans dont les surfaces d'exploitations sont trop petites pour être capables d'absorber les investissements que suppose une telle révolution numérique ?

L'assistance de l'IA

Au-delà des technologies GPS, prétexte pour décrire la révolution en cours, d'autres technologies continueront la transformation du milieu agricole comme l'intelligence artificielle, la digitalisation, les drones, les « *smart fermes* », le tracteur autonome.

Le recours à l'intelligence artificielle permettra également de poursuivre cette course folle du « progrès » et renforcera l'avancée de la technoscience dans le monde agricole. Les algorithmes seront au service de l'agriculteur qui pourra s'appuyer sur les savants calculs de ses logiciels pour analyser rigoureusement la santé des sols, diagnostiquer les contaminations possibles, mais également combattre les proliférations bactériennes en comptant sur l'automatisation des réponses idoines apportées par les logiciels et ces fameuses machines apprenantes, afin de gagner en performance. Les nouveaux calculateurs numériques, les puissants algorithmes, la reconnaissance d'images et la vision par ordinateur apporteront de nouveaux outils de contrôle, d'identification concernant l'état, mais également les besoins des champs en temps réel à l'aide d'un simple smartphone.

Pour Dominique, agriculteur dans les Ardennes, « l'IA, comme la mécanisation, peut avoir des effets très utiles, en particulier pour sortir de l'agriculture chimique avec toutes ses conséquences sur la santé des populations (même si je crois que l'alimentation industrielle, avec ses procédés et ses conservateurs, est plus nocive que la simple culture chimique) et sur l'environnement. Les robots désherbeurs, par exemple, le binage autoguidé, l'inspection des parcelles par les drones, sont, en soi, de bonnes choses. Mais ces inventions ne sont pas faites dans cet esprit qualitatif, mais toujours dans l'idée quantitative d'augmenter la productivité. C'est donc la machine au service de la production, et non au service de l'homme, alors que les inventions médiévales ne demandaient pas, ou peu d'investissements et ont modifié en profondeur la pénibilité du travail ou de la vie. »

Mais la ferme connectée, c'est également celle des drones et des tracteurs autonomes.

Avec le GPS couplé à de multiples capteurs et signaux, les tracteurs d'une nouvelle génération grâce à l'implémentation d'une nouvelle architecture électronique manœuvreront avec une très grande précision. Dotés de cette technologie de conduite assistée, ces engins « de troisième type » communiqueront avec les véhicules autonomes et se coordonneront, par exemple, avec des moissonneuses-batteuses, elles-mêmes pilotées de façon automatique.

Les scénarios de l'agriculture de demain

Dans ces contextes aurons-nous encore besoin demain dans la « Smart Ferme » ou la « Smart Farm » de superviseurs humains pour contrôler un tel dispositif technique qui pourrait être contrôlé par lui-même ?

À la lecture de la colonisation technologique inévitable et engagée dans le monde agricole, deux scenarii sont possibles : soit nous voyons à terme l'émergence d'un entrepôt industriel en lieu et place de la ferme, abritant drones, robots et autres automates avec, en fin de compte, la disparition de l'agriculteur amoureux de sa terre ; soit nous aurons un agriculteur préservant sa dimension dans un écosystème équilibré maitrisant les outils garants de l'harmonie humaine dans son appel à cultiver et à entretenir le sol !

Il me semble important de prendre en compte le risque dystopique, mais probable de l'industrialisation agricole dans sa dimension extrême qui aura pour effet de dépeupler définitivement les villages du fait d'une déshumanisation totale en abdiquant le soin de laisser à la machine d'œuvrer à la place de l'homme...

Troisième partie :

Alternatives

35 Renoncer à la toute-puissance et plaider pour la fragilité

~ Ce chapitre est développé par Alain Ledain ~

« Lorsque je suis faible, c'est alors que je suis fort » (2 Corinthiens 12:10).

Dans ces contextes de changement de paradigme, aborder le thème de la fragilité, est-ce bien inspiré ? Ne devions-nous pas nous attendre à aborder celui de « la puissance » ?

Pourtant, dans notre propos, il ne s'agit pas ici de faire l'apologie de la fragilité... comme il ne s'agit pas, non plus, de la nier.

L'homme est par essence fragile, il est, à tout instant, confronté à cette réalité qui se caractérise par le handicap, la maladie et la mort. Ses fragilités peuvent être physiques, certes, mais aussi relationnelles, sociales, psychologiques ou spirituelles.

Pour reprendre l'accroche d'un colloque, nous sommes « *Tous fragiles, tous humains,* » même si nous ne sommes pas tous « *visiblement* fragiles, » c'est-à-dire atteints dans notre corps ou notre intelligence.

Plus ! À la condition humaine sont aussi attachées la faiblesse, l'incomplétude et la finitude. D'ailleurs, dans ce qui suit, et pour simplifier, nous inclurons ces vocables – faiblesse, incomplétude et finitude – dans le terme « fragilité. »

Mais qu'entend-t-on par ces derniers mots ? L'incomplétude renvoie à nos manques, la finitude à nos limites : nous vivons dans un espace et un temps donnés ; nous ne sommes pas complètement maîtres de nos vies.

L'apôtre Jacques parle de l'homme comme d'une « *vapeur qui paraît pour un peu de temps et qui disparaît ensuite* » (Jacques 4:14). Aussi nous exhorte-t-il à ne pas être présomptueux dans nos projets, et quant à notre devenir : « *Si Dieu le veut, nous vivrons, et nous ferons ceci ou cela* » (Jacques 4:15).

Sur un registre identique et touchant à notre fragilité, le roi Salomon écrivait : « *Ne te vante pas de ce que tu feras demain, car tu ne sais pas même ce qui arrivera aujourd'hui* » (Proverbes 27:1). Quant à cette autre figure biblique, Moïse, ce dernier priait : « *Enseigne-nous à bien compter nos jours, afin que nous appliquions notre cœur à la sagesse* » (Psaumes 90:12). Lui aussi nous rappelle que nous ne sommes pas immortels. Sénèque écrira beaucoup plus tard (entre 49 et 55) : « *Vous vivez comme si vous deviez toujours vivre ; jamais vous ne pensez à votre fragilité. Vous ne remarquez pas combien de temps est déjà passé, vous le perdez comme s'il venait d'une source pleine et abondante [...]* » (*De la brièveté de la vie*).

Quel tableau ! Devons-nous pour autant en être déprimés ?
Tout dépend de notre regard. Notre but est ici, précisément, de changer la perspective déprimante que nous pourrions en avoir.
Un autre point de vue est possible. Sa mise en perspective peut amener la paix et le repos de Dieu dans nos vies et dans celle de notre société... si nous le voulons bien, et si nous acceptons d'être réconciliés avec notre condition humaine et les limites à accepter, non comme une forme de servitude pesante, mais comme une aspiration à la dépasser, en nous rapprochant de notre Créateur, et en épousant la nature divine, au travers de Jésus-Christ.

Remarquable : en Jésus-Christ, Dieu s'est rendu fragile et vulnérable.

Il est étrange de noter que l'homme, tout au long de son histoire, a aspiré à dépasser ses propres limites, a souhaité transcender sa finitude, a aspiré à embrasser la toute-puissance que lui confère la technique, comme élément support de sa propre transformation. Inversement, Dieu fait exactement le chemin inverse, puisque Dieu embrasse la condition humaine, se fait roi serviteur, revêt la condition de l'homme.

Les Écritures nous enseignent que Christ, de condition divine, s'est fait pleinement homme. Ainsi, Dieu a rêvé l'Incarnation et l'homme, dans un processus contraire engageant le cheminement contraire, celui du déni de sa finitude, pour rêver d'épouser une condition divine, afin d'être si possible immortel. L'homme démiurge, mène l'introspection de son ADN, et décide de modifier, de combiner, d'associer une autre nature, afin de réparer son imperfection d'homme mortel.

Dans un contexte de posthumanisme, la fragilité et la vulnérabilité ont une résonance contraire des idéologies de dépassement portées par une époque bercée par le monde de la toute-puissance. Les mots fragilité et vulnérabilité sont, de la sorte, en opposition avec l'air du temps qui glorifie l'énergie et la vitalité, la croissance et la performance, les vainqueurs et les bien-portants. Une époque anxiogène et bien fatigante pour ceux qui ne s'estiment pas à la hauteur.

Et pourtant, c'est dans la fragilité et la vulnérabilité que le Dieu tout-puissant s'est pleinement révélé en Jésus-Christ.

Il a pleinement assumé la condition humaine étant un **vrai** homme – **absolument** homme et **absolument** Dieu. Dans son humanité, il s'est d'abord présenté comme un petit enfant (dans un état de faiblesse humaine), né dans une crèche (dans la faiblesse sociale), puis il s'est montré capable de pleurer (Jean 11: 35), de souffrir et de mourir sur une Croix.
« Ayez en vous les sentiments qui étaient en Jésus Christ lequel [...] s'est dépouillé lui-même, en prenant une forme de serviteur, en devenant semblable aux hommes ; et ayant paru comme un **simple** homme, il s'est humilié lui-même, se rendant obéissant jusqu'à la mort, même jusqu'à la mort de la croix » (selon Philippiens 2:5-8).

Dans Matthieu 25, Jésus s'identifie aux personnes en situation de manque ou grande fragilité : les assoiffés, les affamés, les étrangers, les malades, les prisonniers.

Vanterons-nous pour autant la fragilité et la vulnérabilité ? Non, ce serait tomber dans un piège.

En fait, la fragilité nous confronte à un double risque : la complaisance dans la fragilité et la négation de la fragilité.

La complaisance dans la fragilité

La fragilité n'est pas une fin en soi. Nous verrons qu'elle est un chemin où Dieu nous rencontre. Il ne s'agit pas de s'y complaire ; comme il ne s'agit pas, non plus, de la dramatiser, ni de s'y enfermer.

Elle ne doit pas mener à une posture victimaire (à se cacher derrière le masque de la victime), ni à y trouver son identité. Elle ne peut être un alibi pour ne plus avancer ni se remettre en cause.[335] « *Tu ne peux pas vivre sur ta blessure, tu n'es pas ta blessure, ton identité n'est pas dans ta blessure, mais elle se trouve dans le Christ.* »[336]

Notre propos ne vise pas non plus à attribuer au souhait de l'homme de dépasser ses propres limites une connotation négative systématique, en opposition avec l'humiliation de Dieu venant s'incarner dans un homme. Il ne s'agit pas de construire sur un motif théologique binaire s'énonçant par les contraires suivants :

Homme -> désir de dépasser ses limites et sa finitude -> rêve de toute-puissance -> mauvais

Dieu -> abaissement par son incarnation -> revêtement de la fragilité de la condition humaine -> bon

Cette opposition est bien trop radicale, même si elle a une part de vérité. Tout désir de déification chez l'homme ne doit pas être assimilé

---

[335] À notre époque, il y a une dérive compassionnelle qui fait de la victime une figure de l'innocence. **Un seul a été victime et sans faute : le Christ**. D'ailleurs, « *il était blessé pour nos péchés, brisé pour nos iniquités ; le châtiment qui nous donne la paix est tombé sur lui, et c'est par ses meurtrissures que nous sommes guéris* » (Esaïe 53:5).
[336] Prédication de Carlos Payan.

au rêve de toute-puissance comme dans les cas de Satan qui a voulu usurper Dieu, ou d'Adam qui a voulu s'approprier la connaissance du bien et du mal. Deux considérations doivent être prises en compte :

1) Dans son dessein créationnel originel - qui, malgré la chute, reste encore valide - Dieu a placé l'homme, faible, fragile, fini, « de peu inférieur aux anges » (Psaumes 8) et comme chef fédéral de la création. L'homme est prêtre et roi devant Dieu. C'est Dieu lui-même qui assigne l'homme à un tel statut, qui lui est conféré par sa création faite à l'image de Dieu. Donc, si Dieu a jugé bon d'attribuer à l'homme une si grande valeur au point d'appeler les hommes des « dieux », c'est que la déification de l'homme n'est pas mauvaise intrinsèquement. Elle ne l'est pas si elle découle d'une juste relation de l'homme à Dieu, d'une relation de dépendance. La déification n'est mauvaise que lorsqu'elle est recherchée sans Dieu ou contre Dieu ou à la place de Dieu.

2) L'Incarnation ne constitue qu'un aspect de la christologie. Mais après l'Incarnation, il y a eu :
- la crucifixion où Dieu a livré publiquement en spectacle les puissances et les autorités ; il les a donc vaincues ;
- la résurrection, par laquelle Jésus a été élevé à la droite du Père, à un nom plus élevé que ceux des anges.

Autrement dit, le motif théologique du « Christus Victor » (la victoire de Christ) ne doit pas être omis ni négligé. Sur cette victoire se fonde la victoire *en Christ* de l'homme régénéré qui, par la résurrection de Jésus d'entre les morts et par l'union du croyant en lui, reçoit - en partie - les bénéfices qu'il a perdus avec la chute d'Adam.

Historiquement parlant, d'ailleurs, la science a connu un bond au temps de la Réforme au moment où l'entreprise scientifique était conçue comme un moyen donné par Dieu dans sa grâce commune pour recouvrer les capacités et aptitudes que l'homme avait perdues en Adam.

À ce stade, la pensée du penseur Hamann telle que rappelée par John Betz éclaire admirablement notre présent propos :

« Si nous considérons maintenant les « Réflexions sur les cantiques chrétiens, » nous parvenons à comprendre que l'ultime objectif de la miséricorde divine est notre déification. Car

> Tout comme Dieu nous a fait miséricorde, afin d'être semblable à nous en toutes choses, ... de même l'homme devrait être exalté, élevé au-dessus de toute créature finie, et transfiguré en Dieu lui-même. Dieu devint fils de l'homme et héritier de la malédiction, de la mort et du destin des êtres humains ; l'homme devrait donc aussi devenir un fils de Dieu, seul héritier du ciel, et uni à Dieu aussi pleinement que la plénitude de la divinité a habité le corps de Christ.

Voici d'autres propos de la même veine :

> Jusqu'à quel niveau d'humanité, de faiblesse et d'abaissement Dieu ne condescend-Il pas à cause de nous ? ... Il s'est fait être humain afin de faire de nous des dieux. − − Il nous donne tout ce qu'Il possède − − Rien ne lui serait plus cher que son Fils et son Esprit − − tout ce qu'Il possède est à moi − − et en retour ? « Mon fils, donne-moi ton cœur. »

Il faut noter que Hamann n'hésite pas à employer justement le langage de la divinisation, *theosis*, à l'instar de Pères de l'Eglise comme Irénée et Athanase. Mais l'aspect le plus digne d'intérêt ici et qui s'avère le plus profond de toute sa pensée initiale, c'est le fait que cette insistance patristique sur la *theosis* se conjugue avec sa propre insistance sur la *kénose* (renonciation) en reprenant l'image heureuse du « merveilleux échange » (*commercium mirabile*) si particulier à Luther : « Est-il possible de concevoir un partage supérieur, un plus grand échange ? N'y a-t-il rien de plus étonnant que l'union de Jésus-Christ et de Dieu avec nous, puisqu'Il s'est volontairement réduit à rien (*sich vernichtigt*) afin de nous élever jusqu'au trône et à la majesté de Dieu ... ? »

Pour Hamann, l'interprétation luthérienne de l'échange − *commercium* − ne se limite pas nécessairement à la relation entre *homo peccator* et *Deus justificans*, ce par quoi la justice divine devient la nôtre, mais peut aussi, dans ses profondeurs proprement mystiques, être compris comme notre participation à la nature divine (2 Pierre 1:4). Car selon la conclusion naturelle de Hamann, seul ce niveau étonnant de gloire est en adéquation avec la profondeur de la miséricorde divine : « Qui aurait cru que Dieu se dirait honoré par notre obéissance et jouirait de sa gloire au travers de notre communion avec lui et notre participation à sa nature (?). » Par-delà l'idée que « cette participation à la nature divine était le propos ultime de l'Incarnation, » Hamann affirme aussi qu'elle est préfigurée par la relation entre notre corps et notre âme. A ceci près que l'union de l'âme avec Dieu – dessein du Créateur selon l'indication de l'Ecriture, dès le moment où Adam est doté d'un souffle de vie directement par le souffle de Dieu (Genèse 2:7) – cette union donc est « incomparablement plus parfaite. » « N'oublions jamais, nous dit Hamann, que notre nature, venue à l'être de par ce souffle de vie, a un lien très étroit d'appartenance à Dieu, de sorte qu'elle ne peut atteindre la perfection et le bonheur si ce n'est par le retour à son origine, à sa source... » Il dit encore, de manière similaire :

> Si (l'âme), par comparaison avec Dieu, n'est elle-même qu'un souffle de Dieu, combien ne devons-nous pas grandir au travers de lui, être bénis en lui... Quand les extrémités de nos membres et les limites de nos organes sensoriels, avec toutes leurs sensations, sont comparées à l'envol dont nos âmes ici même sont déjà capables, quelles visions et images excessives ne devons-nous pas avoir d'un être destiné à devenir Un en Dieu, comme le Père est dans le Fils, et le Fils dans le Père. (Jean 17: 21.)» [337]

Ceci étant posé, il faut manifester beaucoup de tact et de délicatesse pour rencontrer et aider les personnes qui ont vécu des circonstances si éprouvantes qu'elles n'arrivent plus à se livrer.

D'une manière ou d'une autre, nous ne pouvons pas nous plaire dans la souffrance, car **Dieu n'aime pas la souffrance**. Alors que la vie peut mettre à genou, il veut l'homme libre et debout. Pour s'en convaincre, il

---

[337] John Betz, *Au lendemain des Lumières : La vision postlaïque de J. G. Hamann.* Éditions La Lumière, juin 2017, pp. 110-112.

suffit de lire les Évangiles. Combien de personnes courbées Jésus n'a-t-il pas redressées lors de son ministère terrestre ! Mais avant toute guérison, Jésus pouvait poser une question : « *Que veux-tu que je fasse pour toi ?* » (Marc 10: 51), « *Veux-tu être guéri ?* » (Jean 5:6).

La négation de la fragilité

La fragilité ne doit pas être refusée ni niée, au risque de céder à la tentation de la toute-puissance. Nous allons y revenir plus loin.
« *Vous serez comme Dieu,* » (Genèse 3:5) propose le serpent, qui suggère à Adam et Ève de renoncer à leur humanité, en franchissant la **limite** posée par Dieu. Voulant s'échapper de leur condition humaine, voulant **tout sans aucune limite**, ils ont chuté et ils ont introduit la mort et la peur de manquer.

Dans le même esprit, lors de la tentation de Jésus, le diable dira : « Je te donnerai **toute cette puissance**, et la gloire de ces royaumes ; car elle m'a été donnée, et je la donne à qui je veux » (Luc 4:6a).

La fragilité et les limites sont normales. Nous n'avons pas à en avoir honte. Les limites sont une chance de don, de partage, de réciprocité et de complémentarité.

En ce sens, la relation homme-femme est très significative. Parce que je suis un homme (mâle), je suis « handicapé » du féminin. La différence sexuelle prouve que je n'ai pas tout, que je ne suis pas auto-suffisant : je ne peux pas faire advenir la vie à moi tout seul ![338] Il me faut accepter le manque, la limite, qui suscite le désir de l'Autre (le féminin) et la vie.

Nous devons aussi accepter la fragilité et la vulnérabilité, pour comprendre celles d'autrui. Toute personne doit être entourée, protégée.

---

[338] Même si, significativement, il existe un fantasme de parthénogenèse : « *Elle a fait un bébé toute seule,* » chante Jean-Jacques Goldman.

En ce qui concerne le chrétien, même s'il peut tout par Celui qui le fortifie (Philippiens 4:13), même s'il est plus que vainqueur par Celui qui l'a aimé (Romains 8:37), il n'en reste pas moins soumis aux périls, à la peine, à la faim, à la soif, au froid et au dénuement (2 Corinthiens 11:23-27).

Au plan social, « la dimension humaine d'une société se mesure à la manière dont elle traite la fragilité de ses membres »[339] et « anesthésier la fragilité, c'est tuer l'humanité. »[340]

Au plan spirituel, « la religion pure et sans tache, devant Dieu notre Père, consiste [entre autre] à visiter les orphelins et les veuves dans leurs afflictions... » (Jacques 1:27a), c'est-à-dire à apporter une aide aux plus fragiles.

Pourquoi ne pas céder à la tentation de la toute-puissance

Parce que la fragilité est attachée à la vie, à son côté imprévisible, non maîtrisable, l'homme recherche le risque zéro, quitte à brader sa liberté. Peut-être une explication à « *la rage sécuritaire*[341] » de ces dernières années.

Le risque zéro, c'est oublier que la vie est faite d'incertitude, de contingence[342] et d'accidentalité, et que la surprotection fragilise.[343] Il est impossible de tout maîtriser. Tout contrôler, tout prévoir, tout anticiper, c'est s'interdire l'émergence du radicalement nouveau, c'est réduire l'humain à l'état de robot, de machine, d'objet. Parfois, il faut savoir lâcher prise.

---

[339] Bernard Ugeux, directeur de l'Institut de Science et de Théologie des Religions de Toulouse.

[340] Gontran Lejeune. En complément : « Une société est forte de la place qu'elle donne aux plus fragiles. Les personnes ayant un handicap humanisent la société, elles invitent à la relation » (Association Simon de Cyrène).

[341] Titre d'un libre de Christian Charrière-Bournazel, ancien bâtonnier du barreau de Paris.

[342] Possibilité qu'une chose arrive ou n'arrive pas, éventualité.

[343] L'on en est même arrivé au concept de « guerre zéro mort » ! C'est un concept absurde même si la mort de soldats émeut à juste titre.

Le principe de précaution ne s'applique pas dans tous les domaines de la vie. Pour nous, chrétiens, dans les tempêtes de la vie, nous nous souvenons de cette parole de Jésus : « *N'ayez pas peur !* » (Marc 6:50). La sécurité n'est pas la première fonction d'un état. Sa première fonction est de protéger les plus faibles ; ce qui a pour <u>conséquence</u> la sûreté, comme attribut de la liberté, le combat contre la loi de la jungle, c'est-à-dire la loi du plus fort, celle de l'animal.

Le refus des limites...

... amène l'homme à la démesure sans aucun rapport avec la « *vie abondante.* »

Voilà qui explique le gigantisme, l'aspiration à toujours plus grand, plus haut – la plus haute tour du monde, la tour Burj Dubaï inaugurée le 4 janvier 2010 mesure 828 mètres de haut et a coûté 1,5 milliards de dollars[344] –, plus loin, plus vite et la tyrannie du « toujours plus. »

Il faut intégrer la notion de limites, sortir de certaines pensées, et en tirer toutes les conséquences ; par exemple, arrêter de vivre selon le modèle mercantile et consumériste, supposant les ressources de la terre pratiquement infinies, quasi-inépuisables et sans fin renouvelables.[345]

Nos besoins réels sont limités, nos appétits illimités. Ces derniers doivent être limités par notre volonté, et avec l'aide de Dieu, au risque de créer un désordre personnel et social.

La puissance, elle, nous confronte au risque de la « toute-puissance. » La caractéristique centrale des enfants est celle de la toute-puissance : « Je veux ici et maintenant ! Exécution immédiate, cela presse et ça n'est pas négociable. Ne me parlez pas de condition pour la satisfaction

---

[344] À Dubaï, l'immense tour se conjugue avec une dette publique abyssale : plus de 100 milliards de dollars !
[345] Les richesses à partager ont des limites. « Ce qui est en cause, c'est la logique même de notre fonctionnement économique, dont le dynamisme repose sur l'expansion indéfinie des revenus et de la consommation » (cardinal Vingt-Trois).

complète et totale de mon besoin ! Tout l'univers doit chercher à le satisfaire. » « Je suis la Loi, je fais la pluie et le beau temps. »

Dans la première enfance, la toute-puissance infantile est à son apogée, et tous sont sommés de se soumettre à cette toute-puissance. C'est ainsi que le bébé crie éperdument lorsqu'il a faim, et seule la tétée peut le satisfaire. Il pleurera jusqu'à satisfaction, ou, si la satisfaction ne vient pas, il pleurera jusqu'à épuisement complet. La mère ne pourra qu'obtempérer.[346]

L'époque de la toute-puissance infantile est celle de l'égocentrisme total et de l'intolérance à la frustration.

Lorsque l'enfant va grandir, la toute-puissance devra céder la place à la **réalité** et aux contraintes inhérentes à celle-ci. Chez l'enfant, cette acceptation ne sera ni immédiate ni naturelle. Il oscillera entre le déni d'une certaine réalité et la prise de conscience de son impuissance.[347]

Devenir adulte, c'est faire le deuil de la toute-puissance infantile, de l'immortalité et d'un monde dont on avait cru être le centre. C'est un travail d'humanisation qui ne se fait pas facilement et sans peine.

L'adulte a appris qu'il est **limité**,[348] qu'il partage **avec les autres** la même condition humaine, alors que les enfants se croient éternels et seuls au monde. Pour eux, l'Autre n'existe pas.

L'adulte accepte le manque et ne revendique pas sans cesse une totale satisfaction et un comblement parfait de ses besoins. L'adulte immature, lui, peut se transformer en bébé hurleur, sans oreille pour entendre, et sans bouche pour exprimer une requête. Il est prêt non à demander à autrui, mais à prendre de force ou à manipuler, c'est-à-

---

[346]   Inspiré   et   partiellement   repris   de   la   page   Internet :
http://incesteabusetviolence.blogspot.com/2011/01/la-toute-puissance-infantile.html.
[347]   Inspiré   et   partiellement   repris   de   la   page   Internet :
http://pierresultan.blogs.nouvelobs.com/tag/toute-puissance%20infantile.
Eduquer – du latin *educere* – signifie conduire hors de soi **pour introduire à la réalité**.
[348] Il a reconnu sa finitude ontologique.

dire à faire des autres des **objets** de satisfaction.[349].De plus, il refuse le principe de réalité qui inclut la nécessité de compter avec le temps.

La toute-puissance au plan spirituel

A. La toute-puissance de Dieu n'a rien de commun avec la toute-puissance infantile. Dieu risque par amour : il laisse libre de l'aimer ou de le rejeter. En fait, la toute-puissance de Dieu est indissociable de ses autres attributs : son amour, sa bonté, sa pureté, sa sainteté...

B. Être dans la volonté de toute-puissance, c'est souhaiter que tous se plient à nos ordres et exécutent nos quatre volontés, y compris Dieu, qui est sommé de répondre « *maintenant au nom de Jésus !* » Or, tous ne nous obéissent pas, et certains nous résistent. Il y en a même qui ne nous aiment pas !
Personnellement, je pense qu'il nous faut accepter de sortir de la volonté de toute-puissance et laisser Dieu nous dire : « *ma grâce te suffit.*[350] » Il faut bien l'admettre : le renoncement à ce que nous croyons être légitime n'est pas facile.

C. La foi véritable nous garde dans le concret de l'existence. Elle est ancrée non dans les désirs et l'imagination, mais dans la réalité objective qu'elle ne fuit pas. Elle nous fait devenir hommes – humains au plein sens du mot – et le rester « avec » et « pour les autres » en Jésus.
(Cette dernière phrase est inspirée de Dietrich Bonhoeffer.)

D. Lorsque l'on aide son prochain, il faut renoncer à user de la toute-puissance qui domine, contrôle et maintient la personne aidée dans la dépendance et l'infantilisme. Autrement dit, il

---

[349] Inspiré et partiellement repris de la page Internet : http://larevuereformee.net/articlerr/n225/les-racines-de-la-violence.
[350] 2 Corinthiens 12:9.

faut éviter de se croire maître par rapport au disciple, fort par rapport au faible, et bien-portant par rapport au malade.[351]

Humilité est le maître mot. « Que celui qui croit être debout prenne garde de tomber ! » (1 Corinthiens 10:12).

Jean Vanier, fondateur des Communautés de l'Arche,[352] nous invite à se souvenir que « la relation d'aide à un pauvre, un handicapé, un marginal est en réalité la relation d'un pauvre avec un autre pauvre car nous portons tous en nous une fragilité, une pauvreté. »

Plus : nul homme n'est le sauveur de son prochain. Nul amour, si ardent soit-il, n'est assez puissant pour guérir certains maux. La consolation apaise les souffrances, mais certaines guérisons n'appartiennent qu'à Dieu. Notre amour, si fort soit-il, n'est pas tout-puissant !

E. Même appelés à la plénitude de l'Esprit, nous restons dans l'incomplétude. Il ne s'agit pas d'être plein de soi, dans l'arrogance, le mépris, la suffisance et l'orgueil, fussent-ils "*spirituels*" ! Aucun chrétien n'est le Corps du Christ à lui tout seul : « *14 [...] le corps [du Christ] n'est pas un seul membre, mais il est formé de plusieurs membres. [...] 20 Maintenant donc il y a plusieurs membres, et un seul corps. 21 L'œil ne peut pas dire à la main : Je n'ai pas besoin de toi ; ni la tête dire aux pieds : Je n'ai pas besoin de vous* » (1 Corinthiens 12:14, 20, 21).

F. Lors de son ministère terrestre, Jésus agissait par la puissance du Saint-Esprit (Luc 4:14), mais dans une complète dépendance du Père, il a toujours renoncé à la toute-puissance.

---

[351] Inspiré et partiellement repris de la page Internet : http://www.missionvieetfamille.com/index.php/la-relation-daide/desirer-aider.

[352] L'Arche travaille étroitement avec des personnes ayant une déficience intellectuelle afin que chaque personne puisse découvrir et exercer pleinement son rôle dans la société.

Ainsi, lors de son arrestation, il dira à l'un de ses disciples[353] : « Penses-tu que je ne puisse pas invoquer mon Père, qui me donnerait à l'instant plus de douze légions d'anges ? » (Matthieu 26:53).

Avant cela, alors que des Samaritains refusèrent que l'on prépare pour Jésus un logement, « les disciples Jacques et Jean [...] dirent : Seigneur, veux-tu que nous commandions que le feu descende du ciel et les consume ? Jésus se tourna vers eux, et les réprimanda, disant : Vous ne savez de quel esprit vous êtes animés. » (Luc 9:54, 55).

À noter : dans le livre de l'Apocalypse, Jésus est souvent identifié à « *l'agneau qui a été immolé.* »[354] L'agneau ne symbolise pas la toute-puissance transhumaniste mais la douceur et la pureté.

La toute-puissance au plan social

Commençons par un fait : alors que le suicide représente 5% des décès dans la population générale, il représente 14% des décès chez les médecins. Comme l'analyse fort bien le théologien Jean-Marie Gueullette, les médecins dépriment, car « *tout le monde attend d'eux des prouesses, voire l'impossible.* » On les croyait tout-puissants, ils ne le sont pas !
La toute-puissance peut s'exprimer par la domination, le pouvoir (politique, spirituel...), la puissance recherchée pour elle-même, l'argent, le sexe, le sentiment d'être le maître du monde ou du moins l'un d'entre eux.

« Le pouvoir absolu corrompt absolument » (Lord Acton).

Rappelons l'expérience vécue par Nebucadnetsar (Daniel 4). Ce roi fut comparé à un arbre vu jusqu'aux extrémités de la terre, dont la cime s'élevait jusqu'aux cieux, et dont tout être vivant tirait sa nourriture. Il finit par se dire : « *N'est-ce pas ici Babylone la grande, que j'ai bâtie, comme résidence royale, **par la puissance de <u>ma</u> force et pour la***

---

[353] Celui ayant emporté par l'épée l'oreille d'un serviteur du souverain sacrificateur.
[354] Entre autres Apocalypse 5:6, 12 ; Apocalypse 13:8.

gloire de __ma__ magnificence ? » (Daniel 4:30). Il apprit à ses dépens que le Très Haut domine sur le règne des hommes, et qu'il le donne à qui il lui plaît.

Il y a obligation, pour chaque être humain, de renoncer à la toute-puissance. Ce renoncement à la toute-puissance est fondateur des sociétés humaines. Il réclame toute notre vigilance de citoyens et d'êtres humains. Seul Dieu dispose de la puissance éternelle, de la toute-puissance, et aucun homme ne peut se permettre de rivaliser.[355]
Renoncer à la toute-puissance amène à savoir comment poser, s'imposer et imposer des **limites** : c'est la notion d'interdit, ce qui est parlé (dit) entre (inter) nous, et qui nous permet de vivre ensemble.[356]
Il n'est pas inutile d'émettre ici une critique, sur la technique qui entrouvre des possibles vertigineux, fascine et se présente comme la seule possibilité de progrès et de développement pour toute société. A travers elle, l'homme idolâtre sa force, sa puissance.

C'est ainsi qu'en Occident nous tentons, par elle, d'asservir et de dominer la nature, la vie (par les manipulations génétiques de l'embryon) et la mort (par l'euthanasie).

Pourtant, il convient de se poser ces questions : **tout ce qui est possible doit-il être entrepris ?** Tout ce qui est permis est-il bon ? Je ne le crois pas. On revient à la question des limites, de l'autolimitation.

La technique fascine autant qu'elle effraie : l'histoire a démontré que les sciences et le progrès technique étaient compatibles avec la barbarie. Toute puissance, qu'elle qu'en soit sa nature, suppose une

---

[355] Illustration : Hérode (Actes 12:21-23 : « A un jour fixé, Hérode, revêtu de ses habits royaux, et assis sur son trône, les harangua publiquement. Le peuple s'écria : Voix d'un dieu, et non d'un homme ! Au même instant, un ange du Seigneur le frappa, parce qu'il n'avait pas donné gloire à Dieu. Et il expira, rongé des vers. »).

[356] Les deux derniers paragraphes sont inspirés et partiellement repris de la page Internet : http://www.irenees.net/fr/fiches/analyse/fiche-analyse-73.html.

sagesse qui la contrôle, un discernement quant à ses dangers et un amour profond pour l'humain et le prochain.[357]

Doit-on, pour autant, renoncer aux sciences et techniques ? Évidemment non, car elles ont contribué à l'amélioration des conditions de vie et montré la grandeur de Dieu à travers sa création. Ceci étant, elles ne doivent pas être laissées à elles-mêmes, mais orientées selon des principes bibliques. « *Science sans conscience n'est que ruine de l'âme* » (François Rabelais)[358].

Le renoncement à la toute-puissance, une bonne perspective quant à la fragilité et à la pauvreté

Les pauvres des béatitudes[359] sont ceux qui se savent en manque. Et ils sont heureux, car c'est le manque qui les met en route, qui les met en mouvement vers l'eau.

Ésaïe 55:1 : « Vous tous qui avez soif, venez aux eaux, même celui qui n'a pas d'argent ! Venez, achetez et mangez, venez, achetez du vin et du lait, sans argent, sans rien payer ! »

Apocalypse 21:6b : « A celui qui a soif je donnerai de la source de l'eau de la vie, gratuitement. »

À l'inverse :
Apocalypse 3:17 : « Parce que tu dis : Je suis riche, je me suis enrichi, et je n'ai besoin de rien, et parce que tu ne sais pas que tu es malheureux, misérable, pauvre, aveugle et nu, je te conseille d'acheter de moi de l'or éprouvé par le feu, afin que tu deviennes riche, et des vêtements blancs, afin que tu sois vêtu et que la honte de ta nudité ne

---

[357] La puissance de Dieu est inséparable de ses autres attributs, notamment sa sagesse et son amour.
[358] Cette citation de Rabelais, "Science sans conscience n'est que ruine de l'âme" est tirée de *Pantagruel*, son œuvre majeure.
[359] Matthieu 5:3 : « Heureux les pauvres en esprit, car le royaume des cieux est à eux ! »

paraisse pas, et un collyre pour oindre tes yeux, afin que tu voies »
(extrait de la lettre à l'ange de Laodicée).

Luc 6:24-25 : « Mais, malheur à vous les riches... Malheur à vous qui
êtes rassasiés... »[360]

La soif est un signe de vie.[361] Quand on se pense en situation de
complétude ou de plénitude, il n'y a pas de place pour l'inattendu, il n'y
a pas de place pour Dieu.

Aujourd'hui, le manque n'est plus supporté, ou est mal comblé. Nous
devenons avides, et encombrons nos vies d'objets, d'images, de sons,
de bruit, de nourritures, de boissons, au point d'en être quelquefois
dépendants, addicts. Nous vivons alors dans l'excès de tout, dans le
« toujours plus, » dans le trop.

---

[360] Il ne faut pas voir cependant ici une image unilatérale de la faiblesse et de la pauvreté. Ces
deux attributs sont spirituels et décrivent un état de cœur et ne correspondent pas nécessairement
à la faiblesse et la pauvreté physiques. Sinon, il y aurait une contradiction dans l'Écriture avec
Abraham, Job, Joseph, Salomon qui étaient riches, prospères, et dont il est dit explicitement et
textuellement que c'est Dieu lui-même qui les a bénis.
En réalité, la Bible enseigne bien que Dieu est la source de la richesse et de la prospérité
matérielles (Deutéronome 8:18), qu'il récompense l'obéissance à son alliance par des
bénédictions matérielles (Deutéronome 28), et que la transgression de son alliance est sanctionnée
par la pauvreté. Il y a donc une relation entre l'obéissance communautaire et la prospérité
communautaire. Voir aussi Proverbes 10:4; 18:9, etc. Ainsi, le message de la Bible est dual : le
travail honnête est béni par Dieu, mais les richesses ne doivent pas être recherchées en elles-
mêmes (Psaumes 28:22; 15:16). Par conséquent, la richesse elle-même n'est pas quelque chose
que Dieu abhorre, mais c'est la richesse acquise par des moyens injustes et motivée par l'amour
de l'argent et la convoitise qui représente une malédiction, et Dieu met en garde contre la
convoitise et l'amour de l'argent, ce qui n'est pas la même chose. Cette distinction est à faire
entre la richesse, d'une part, et l'amour de la richesse ou le désir de s'enrichir, d'autre part, car
notre critique du consumérisme ne doit pas se lire comme coïncidant avec un certain socialisme
antichrétien.
Cet enseignement double à propos de la prospérité se retrouve dans l'enseignement de l'Église
médiévale comme chez les premiers Protestants, ainsi que chez les Réformateurs. Mais l'on n'en
retrouve plus les traces aujourd'hui, l'éloge de la pauvreté en soi en conformité avec la culture
marxiste si prégnante en ayant pris la relève. Les lecteurs intéressés par une introduction à la
pensée économique chrétienne se tourneront avec profit vers l'ouvrage de Gary North, *An
Introduction to Christian Economics,* The Craig Press, 1973, d'où nous avons tiré les remarques
ci-dessus (p. 219).
[361] Être le sel de la terre, c'est donner soif, c'est susciter le désir et donc la vie.

De plus, nos manques doivent être immédiatement satisfaits.

Nous n'apprenons plus à réorienter nos manques et donc nos désirs, nous n'apprenons plus le renoncement, nous n'apprenons plus à faire le deuil de nos pertes. Nous ne voulons plus avoir soif, nous ne voulons plus avoir faim, nous voulons être comblés, voire « gâtés pourris »... ce qui nous mène, quelquefois, à l'amertume et à la morosité. Nous ressemblons alors à ces enfants qui boudent, parce qu'ils n'ont pas obtenu satisfaction.

Un changement de perspective est impératif, car « Malheur à vous qui êtes rassasiés... » « Quand le manque manque à quelqu'un, il ne se sent pas très bien.[362] »

Le manque transcendé peut nous amener plus loin et à être autrement. Il est source de vie.

Lors de son ministère terrestre, Jésus a côtoyé les pécheurs, les malades, les blessés de la vie, les pauvres, les enfants, les exclus, car c'est auprès d'eux qu'il pouvait déployer son amour et sa puissance.

La fragilité est le lieu privilégié par lequel Dieu offre à l'homme son intervention. C'est par les échardes dans notre chair, dans les fragilités et les faiblesses de notre humanité que Dieu manifeste sa puissance (2 Corinthiens 12:9).

C'est ainsi que, contrairement à toute logique humaine, la plus grande fécondité va naître, là où il y avait stérilité. C'est ce que nous observons dans le Premier Testament, notamment avec Abraham – père d'une multitude – et Sarah, ou avec Anne, la mère du prophète Samuel. Dans le Second Testament, Elisabeth, qui était stérile, va donner naissance au plus grand prophète qu'une femme ait porté : Jean-Baptiste (Luc 1:7 et Matthieu 11:11).

« Bienheureux les fêlés car ils laisseront passés la lumière » (Michel Audiard[363]).

---

[362] Jacques Lacan.

[363] Dialoguiste, scénariste et réalisateur français de cinéma, également écrivain et chroniqueur de presse.

Dieu n'aime pas nos fragilités en tant que telles dans le sens de notre inclination au mal quand il s'agit de combler une frustration ou un manque. Ce qu'il aime, c'est notre attitude de pauvreté (pour reprendre la première béatitude), c'est-à-dire notre attitude de disponibilité, de dépendance vis-à-vis de lui. Alors seulement, l'être fragile que nous sommes peut devenir fécond et porter du fruit.

Pour qu'il y ait une place pour l'action de Dieu dans notre vie, il faut de la disponibilité devant l'inattendu ; ce qui suppose confiance en Dieu et espérance.

Comme il serait dommage de vivre ce que nous observons par ailleurs : l'exigence de garanties extravagantes auprès des hommes politiques et des compagnies d'assurances, pour porter nos vies sans trembler.

Confiants en Dieu et en ses ressources, affrontons la vie et notre condition humaine. Tolérons les aléas et les imprévus. Ne comptons pas que tout ira bien, mais grandissons, toujours enracinés dans l'espérance, et sachant prendre des risques. *« Ce ne sont pas les risques qu'il faut supprimer – cela on ne le peut pas, les risques sont consubstantiels à la vie dans le temps –, mais c'est l'espérance qu'il faut retrouver »* (Chantal Delsol).

Osons, soyons audacieux.

Et dans un monde de performance et de compétitivité, dans lequel bon nombre d'hommes et de femmes sont courbés, inquiets, fatigués, sommés de se conformer au monde des « objets » virtuels, sommés de n'être que des individus monétisés, et de réussir le bonheur consumériste, dans cet âge d'or du monde numérique, n'oublions pas cette réalité, nous sommes humains... juste humains ! Et c'est immense !
Retenons cette « nouvelle *équation mathématique* » pour résoudre la problématique existentielle, une note mathématique finalement chargée d'espérance : que nos relations soient « l'alliance de nos faiblesses, la multiplication de nos projets, la soustraction de nos problèmes, et la somme de nos promesses. » Cette équation-là est

supérieure à tous les algorithmes qui déconstruisent l'homme, une équation qui renverse les projets démiurgiques de la toute-puissance.

36 Repenser l'écologie

La biodiversité, un message fort contre une technicité sauvage et radicale

Les idéologies mortifères ou de mort gagnent du terrain, partout dans le monde, dévastant quelquefois des traditions millénaires ; la dimension anthropologique d'un être humain, né d'un rapport sexué, est remise en question, et demain l'être humain sera n'importe quelle marchandise, que l'on commandera sur Internet, comme cela se pratique aujourd'hui dans certains pays nordiques ou d'autres pays.

Le changement climatique[364], en partie, interroge nos modes de consommation et nos modèles de croissances ; le consumérisme et les

---

[364] N.d.E. : Comme indiqué dans une note précédente, il est nécessaire de faire une distinction entre le changement climatique et l'émission de CO_2. Il faut également faire la distinction entre le changement climatique et d'autres phénomènes affectant la biodiversité.

L'auteur s'appuie sur la portée universelle du péché autant sur l'environnement que dans le cœur de l'homme pour affirmer son point de vue. Mais l'universalité des conséquences de la Chute doit être mise en rapport avec l'universalité des effets de la Rédemption. L'Écriture désigne ce principe qui prévaut dans toute l'histoire de la rédemption : « Là où le péché abonde, la grâce SURABONDE ». Autrement dit, s'il faut prendre conscience des effets dévastateurs universels du péché du premier Adam, il faut également introduire les effets surabondants de la rédemption accomplie par le second Adam dans notre conception du monde, dans notre philosophie de l'histoire et dans notre vision eschatologique. De quelle manière la grâce surabonde-t-elle et dépasse-t-elle en qualité et en quantité le péché ? Est-ce seulement un triomphe intérieur de la grâce, dans le cœur des croyants lorsqu'ils naissent à la vie d'en haut ? Ou bien doit-on s'attendre à voir dans le temps et l'espace, dans l'histoire et dans les nations, les effets de la rédemption suite à l'obéissance communautaire des rachetés ? Là est la véritable question.

Le soupir et la décrépitude de la création tout entière souffrant les douleurs de l'enfantement (Romains 8:22) se manifestent essentiellement par la présence de la corruption entraînant la mort physique, qui nous rappelle le verdict divin sanctionnant le péché du premier couple humain. Faut-il impérativement interpréter ce passage comme voulant dire que la création doit être marquée par des bouleversements planétaires irréversibles à grande échelle à l'approche du second retour de Christ ? Non, car depuis la chute d'Adam, ce même soupir monte de la création comme une lame de fond, sans empêcher la manifestation de la puissance restauratrice de la grâce dans l'histoire à divers moments clés, notamment lors de la Réforme. Certes, toutes les fois où les lois de Dieu sont bafouées au regard de la nature, nous en verrons les effets délétères. Mais toutes les fois où le peuple de Dieu se repent, le cherche et fait de lui son Dieu, la bénédiction sur les semailles est également promise, et cela se vérifie dans l'histoire.

endettements des états font également craindre de véritables tempêtes sociales, car les sociétés ne sont pas prêtes à modifier les comportements, et à accepter les diktats de la finance, d'une finance qui est déjà virtuelle.

Ces éléments constitutifs d'un changement de paradigme sont en réalité intriqués, interdépendants, et interagissent entre eux, sur l'ensemble de la biodiversité. L'écologie ne se réduit donc pas à la seule nature, mais l'écologie est autant environnementale qu'humaine. Le jardinier qui cultive la terre est une composante lui-même de l'écosystème. En entretenant le sol, le jardinier contribue à la floraison, à l'émergence des fruits qui émaneront du sol, dont il a pris soin. Si ce jardinier ne prend pas soin du sol, s'il choisit d'intensifier son exploitation, il peut aussi ruiner la vie qui découle même de son jardin. Or, à une échelle plus grande que le jardin, celle de notre planète, c'est bien l'ensemble des écosystèmes qui sont menacés, et cette citation, extraite du magazine *La vie,* confirme la problématique à l'aune d'un jardin : « Sans la biodiversité, l'homme n'est rien ; sans la biodiversité, l'homme disparaît » (Mahaut Hermann).

À travers ces éléments que nous avons énumérés précédemment, nous prenons conscience que nous ne sommes pas loin d'une faillite généralisée. Cette faillite est autant économique, culturelle, anthropologique, sociale que climatique. Jamais, il n'y a eu autant de corrélations entre différents phénomènes, qui, par leur conjugaison, peuvent entraîner des maux irréversibles, pour une grande partie de notre humanité.

C'est dans ce contexte que ce chapitre aborde la nécessité de repenser l'écologie, et plus précisément la question : quelle écologie pour demain ?

Quand on parle d'écologie, de quoi parle-t-on ?
Le mot écologie, comme vous le savez sans doute, est formé de deux racines grecques :

- « éco » qui correspond au nom « oikos» désignant « la maison »,
- « logos », signifiant la parole, le discours, la raison, la science.

Ainsi, la dimension écologique couvre largement une notion d'habitat, de milieu. Un habitat qui n'exclut pas l'homme, mais l'inclut nécessairement, puisque l'homme est une partie intégrante de cette maison que forme notre planète.

Il est regrettable que le mot écologie ait dérivé, ait été également colonisé, amalgamé par des courants de pensée politiques. Car, l'écologie, par définition, est une dimension amplement transversale et dépasse les clivages droite/gauche. Nous habitons tous la même maison, nous sommes tous concernés par son architecture, quand, notamment, les colonnes, les piliers, les pans de cette « maison oikos » sont menacés de s'effondrer.

Cette dimension de l'écologie est, dès lors, nécessairement universelle. Implicitement, l'écologie est l'évocation d'un patrimoine commun, d'un bien commun, puisque, à partir de l'étymologie, il s'agit bien de l'habitat, de notre maison, d'une maison commune, où la coexistence harmonieuse devrait être un principe qui s'impose à tous.

Il est également fâcheux de noter cette approche, segmentant la vision écologique, qui place, par ailleurs, le point focal sur le seul aspect de l'environnement. Cette vision de l'écologie est quelquefois étriquée, parcellaire, elle en occulte toutes les facettes. Il convient, selon nous, de ne pas avoir de vision réductrice ou caricaturale du mot écologie.

L'écologie, dans son acception sémantique la plus large, couvre des champs comme l'humain et l'environnement, l'homme et son milieu.
La dernière encyclique du pape François doit être considérée comme une œuvre magistrale. Cette pensée majeure inspire largement mon propos, tout comme le livre *Nos limites* de Gaultier Bès[365].

---

[365] Gaultier Bès est professeur agrégé de Lettres, il est le coauteur du livre *Nos limites* avec Marianne Durano et Axel Rokvam. Le livre partage le manifeste d'une écologie intégrale.

À travers l'approche du pape François et du jeune philosophe Gauthier Bès, l'un des initiateurs de ce formidable mouvement des Veilleurs, reconnaissons une démarche de réflexion, une avancée forte sur tous les aspects que devrait couvrir l'écologie intégrale qui touche autant à l'humain qu'aux conditions de vie et à la gestion même de la planète.

Ainsi, la notion même d'écologie devrait avoir une dimension universelle, sans céder :

- à une forme de religion panthéiste et idolâtre, fascinée par la nature qui nie la différence, l'ascendance et la spécificité de l'identité humaine dans l'univers,
- encore moins à l'idéologie anthropophobe, une conception malthusienne qui se représente l'expansion de l'humanité, la multiplication des êtres humains comme une menace.

L'interdépendance de la biodiversité et des écosystèmes

Au fond, nous percevons là, deux grandes dérives extrêmes de l'écologie dans sa vision justement réductrice :

- Celle d'une forme de philosophie panthéiste, fascinée par la nature, qui relativiserait l'existence humaine. L'homme, selon cette approche, serait une espèce comme les autres. Chaque chose dans la nature serait alors digne d'un culte.
- Et celle d'une conception eugéniste, hostile à la croissance des populations, prônant le contrôle des naissances.

Nous considérons, nonobstant, qu'à juste titre, l'homme, dès sa conception, évoluant au sein d'un écosystème, en est étroitement lié, sans être assimilable à une forme d'immanence, qui écraserait son identité et sa spécificité. Pour autant, nous considérons que nous sommes liés à notre planète. Nos actes et nos gestes, notre activité, orientée vers le « bien » ou le « mal », ont des effets non contestables ; tout est, dès lors, interdépendant.

C'est bien le vivant qu'il faut alors s'efforcer de préserver, de sauvegarder. Or, nous voyons bien que si l'homme est minimisé dans une approche de l'écologie, il y aurait là comme un non-sens, une incohérence, d'un point de vue philosophique ou sinon moral.

Dès lors, la vision écologique devrait être intégrale ; elle devrait mettre en perspective les interdépendances entre l'homme et son milieu, et non isoler les approches, leurs conséquences.

Dans cette vision d'interdépendance de la biodiversité et des écosystèmes, nous ne devrions pas seulement nous préoccuper des OGM (Organismes Génétiquement Modifiés) ; mais nous devrions aussi nous soucier des Organismes Humains Génétiquement Modifiés, c'est-à-dire des OHGM. L'écologie, qui se définit étymologiquement comme la maison, inclut, dès lors, les habitants de cette maison, du stade embryonnaire à la fin de vie de l'homme. L'homme est une âme vivante, et non n'importe quelle matière, que l'on pourrait malmener, transformer, modifier, améliorer.

Nous sommes ainsi frappés du paradoxe, entre les efforts mis en œuvre pour préserver les habitats naturels menacés de dévastation et le manque quelquefois d'intérêt, de sensibilisation portée pour promouvoir les « conditions morales » sans lesquelles l'homme lui-même court à sa propre fin, à sa propre destruction.

Nous ne pouvons, dès lors, ne pas comprendre la notion d'écologie sans cette dimension d'interdépendance morale, interdépendance morale entre l'homme et son milieu, l'humain et l'urbain, l'espèce humaine et son environnement. Vous notez le terme « morale » utilisé. Je ne crois pas ainsi que l'on puisse dissocier écologie et éthique, la morale, la dimension du bien dans une approche raisonnée de la gestion de notre planète, de notre environnement.

Habiter, cohabiter avec son milieu suppose l'impérieuse nécessité :
- de savoir cohabiter harmonieusement,
- d'assurer la cohésion respectueuse et solidaire,
- de protéger la pérennité de l'existence humaine, loin d'un horizon menaçant.

La pérennité suppose que sur ce champ nous intégrions cette dimension d'éthique qui pose les conditions morales d'une vie commune, j'évoque bien les conditions morales et non normatives.

Les conditions morales mettent en valeur l'éveil de la conscience, la part réflexive. Au fond, cette capacité de toucher notre esprit, de l'amener à se sentir concerné, c'est l'ambition même, la finalité de l'encyclique du pape François, de toucher le cœur même de notre humanité.

La morale, en matière d'écologie, souligne les notions de frugalité, de sobriété, de maîtrise, à l'envers d'un rapport boulimique, d'une consommation qui ne se freine pas, d'achat compulsif où la carte bleue agit parfois comme un véritable antidépresseur.

Les défis de l'écologie repensée

Nous avons perdu de vue notre relation à la nature et notre intime interdépendance avec tout ce qui constitue la maison commune, ce qui fait notre habitat.

Notre humanité s'est fourvoyée dans le technicisme et ce qui l'accompagne, une hyperconsommation, gage de croissance. Notre humanité, dans son appétit dévorant, a mis :

- sa confiance absolue dans les dogmes du libéralisme, de la mondialisation, du libre-échange,
- sa certitude dans le progrès technologique comme une réparation de son infirmité liée aux limites biologiques qui font l'homme,
- sa foi dans la science, au service du confort absolu de l'homme. Cette foi est devenue une croyance discrétionnaire, qui est en passe de devenir une religion de l'homme, pour les tenants de l'idéologie transhumaniste.

Nous sommes dans des contextes :
- de crise économique,
- de crise climatique,
- de crise sociale,

- de crise culturelle.

Nous sommes, en quelque sorte, mis au défi de repenser l'écologie, nos modes d'habiter, d'habiter autrement, notre rapport à la création et à la nature. Mais il ne s'agit pas, comme je l'ai souligné en préambule, de souligner notre seul rapport à la nature, il s'agit bien de mettre l'accent sur notre rapport aux autres, sur notre façon de vivre la relation aux autres, ce respect dû à chacun, cette nécessité de savoir tendre la main, d'entraider, de secourir.

Nous ne pouvons pas dissocier les rapports d'interdépendances entre les humains, d'une part, et les rapports d'interdépendance avec notre milieu, d'autre part ; il s'agit bien d'un tout, d'un ensemble, nous sommes tous une des composantes de cet ensemble. Nos gestes, nos actes, notre façon d'agir ont une incidence. L'adage ne dit-il pas que « c'est la goutte d'eau qui fait déborder le vase » ? Chacun, dès lors, doit avoir cette conviction qu'il n'agit pas de manière isolée et indépendante des autres, sans conséquences[366].

---

[366] La raison de cette interdépendance entre l'homme et son milieu est que, d'une part, Adam a été créé comme chef fédéral, représentant de l'humanité et gestionnaire de la terre, et que la création entière doit son existence et son maintien à une relation d'alliance avec Dieu qui s'appuie sur sa loi – loi morale, spirituelle, mais aussi physique, biologique, médicale, économique, politique. La création entière se situe donc dans un rapport d'alliance avec Dieu, qu'elle le veuille ou non, qu'elle en soit consciente ou non. Le respect de la loi assure à l'homme et à la création qui est placée sous son mandat le bonheur et la bénédiction, tandis que la transgression de la loi amène à la fois une sanction découlant de la rupture de l'ordre créé, rupture engendrant ses propres effets néfastes, et une sanction personnelle venant de la main de Dieu en tant que Juge. Voilà pourquoi il y a une étroite relation entre le monde physique et le monde spirituel. Voir par exemple Joël 1:7-13. Et de nombreux autres passages de l'Écriture décrivent la sécheresse et la stérilité des récoltes ou l'effondrement de l'économie comme des conséquences directes du péché d'Israël. Ce principe de malédiction est par exemple mis en avant dans Jérémie 3:2-3. Inversement, quand le peuple de Dieu revient à lui dans la repentance et se détourne de son péché, Dieu répand la bénédiction matérielle, la pluie physique, les récoltes abondent de nouveau, la terre produit ses fruits, le désert reverdit. Terminons par l'exemple de la croissance des récifs coralliens sur les îles Fidji. D'après les informations fournies par l'organisation chrétienne américaine The Sentinel Group qui a produit les documentaires DVD « Transformations, » mais également un DVD plus récent sur le réveil dans les îles Fidji, de nombreux témoins oculaires chrétiens ont rapporté que les îles Fidji ont connu une sorte de renaissance, suite à un mouvement national de repentance et de réconciliation : les poissons longtemps absents des côtes sont revenus en abondance, et les récifs coralliens qui étaient en dégénérescence sont revenus à la vie avec une vitesse de croissance quasiment instantanée. Ce dernier point particulier mérite d'être souligné, car la vision uniformitariste nous a habitués à des taux de croissance très lents des récifs coralliens (même si

Nous faisons un. « En détruisant l'environnement, l'humanité se détruit elle-même ; en le préservant, nous nous préservons nous-mêmes, nous préservons notre prochain et les générations futures. »

Notre conscience morale doit, dès lors, être éveillée, relativement à nos rapports avec les autres, sur nos rapports de domination et d'exploitation de notre environnement. Au-delà de la conscience morale, c'est aussi la conscience spirituelle.

La démarche écologique que nous prônons comme intégrale doit reposer sur un mouvement ontologique fondé sur la relation, l'échange, la participation, la conscience à rebours d'un monde « prométhéen » faiseur d'un homme nouveau.

Ce mouvement de l'écologie intégrale, qui replace l'homme comme une composante essentielle de son milieu, est enfin un formidable réveil de l'esprit, qui est l'expression d'un refus, celui d'être encarté, celui d'être formaté, protestation légitime contre le piège de se laisser enfermer dans le monde des idéologies et des univers virtuels, des univers désincarnés.
« Mais Dieu se rit des prières qu'on lui fait pour détourner les malheurs publics quand on ne s'oppose pas à ce qui se fait pour les attirer. Que dis-je ? Quand on l'approuve et qu'on y souscrit[367]. »

François Huguenin-Maillot, commentant l'encyclique du pape François (*Laudato si'*), écrivait, à propos du consumérisme, « qu'il aliène l'homme par un matérialisme qui lui donne l'illusion de la liberté et

---

des études plus poussées comme celles d'Ariel Roth ont mis en lumière la possibilité de formation plus rapide des récifs coralliens en seulement quelques milliers d'années). Or, ici, nous avons la chance d'observer (ce qui est le propre de la science expérimentale) de nos propres yeux une œuvre miraculeuse de la Providence, qui nous donne une petite idée de la Création originelle, où le Dieu vivant crée et recrée EN UN INSTANT par la puissance de sa Parole ! Il importe donc de tenir compte de cette interaction entre le spirituel et le physique dans notre interprétation de l'histoire, car sinon nos développements et conclusions vont être erronés.
[367] Citation extraite du livre IV de l'*Histoire des variations des églises protestantes* (œuvres complètes, éditions Vivès, p. 145).

l'empêche de voir qu'il est prisonnier de ce que Charles Taylor a nommé "désirs inauthentiques" ».

Il est facile, ajoute François Huguenin-Maillot, « de fabriquer des désirs factices que l'homme s'approprie en lieu et place des désirs naturels plus exigeants, plus difficiles à atteindre, mais plus épanouissants et humanisants, que sont le désir de la vertu et du bien, du donner et du recevoir. Comme si l'accumulation des biens de consommation ensevelissait le cœur de l'homme sous une masse de détritus, recouvrant la perle qui est en chacun ».

« L'abondance, la profusion ont rétréci notre horizon, ont barré l'accès à la profondeur intérieure où se fait la rencontre avec l'autre ou avec Dieu. » D'où cet éloge de la sobriété, que souligne François Huguenin, « une vertu tellement étrangère à notre époque ».

Or, les tenants d'une écologie politique ont une approche normative, dénonçant surtout les effets, mais ne s'attaquant pas directement aux racines du mal, aux origines mêmes d'une société consumériste, qui ne s'est donné aucun frein à son appétit, à ses convoitises. N'est-il pas frappant de noter qu'aucun discours ne vient, ici, valoriser les notions de frugalité, de sobriété ? Ainsi, un certain discours ambiant « déplore les effets mais en chérit les causes, en ne les dénonçant pas ».

Cette écologie intégrale défendue que nous promouvons n'est pas une idolâtrie de la nature, mais elle est en revanche à rebours du désir de dénaturation de l'homme.
L'écologie intégrale que nous valorisons vise plutôt :
- à prendre soin de la nature, faune et flore,
- à éviter cette tentative de déconstruire l'homme tel qu'il est, de défaire l'homme relativement à la réalité de son identité biologique.

Or, toute tentative de dénaturation a forcément un impact sur son environnement, dont l'un des effets produit est celui d'un consumérisme sauvage ; l'un des avatars, le désir sans limites !

C'est pourquoi la conception de l'écologie que je partage est celle d'un « bioconservateur » qui est une antithèse du transhumanisme. Il n'y a donc pas, en effet, d'écologie sans anthropologie qui respecte l'homme, comme le devoir de prendre soin de lui et du plus fragile, de respecter la nature, et la nature de l'homme, tel qu'il est, sans chercher à le modifier pour l'idéaliser, l'améliorer ou l'augmenter.

L'écologie dans une perspective biblique

Rappelons-nous que le premier habitat de l'homme, après la création, est un jardin, l'Éden. Il est frappant de noter que cet habitat n'est pas surdimensionné, n'est pas non plus une prison dorée, le jardin est à hauteur d'homme, l'homme n'est ni confiné ni écrasé par le gigantisme, une mise en distance, c'est la proximité, le proche, le prochain qui constituent la matrice du jardin.

Dans ce jardin, l'Éden, l'homme est dans un espace de liberté, un espace également de libre arbitre, un espace qui n'est pas dans la démesure, la disproportion. Ce jardin est dans une échelle de proximité, de relations à trois dimensions : le Créateur, la créature, la création.

Dans cette dimension de la création, il semble bon de rappeler que la création est, d'abord, un acte d'amour : Dieu crée, pour se donner un autre à aimer. La création relève, avant tout, d'un acte relationnel. Avec la dimension de la relation, Dieu crée la liberté, et non des pantins déterminés, la création serait, ainsi, contre nature, puisque la création procède d'un don, d'une grâce, d'une liberté, de l'amour, et ne relève aucunement d'un hasard ou d'un déterminisme[368].

---

[368] L'acte créateur de Dieu est pourtant, dans un sens, tout ce qu'il y a de plus déterministe, car il est issu d'une volonté libre pleinement déterminée, possédant en elle la science de l'accomplissement futur de toutes choses. Le psalmiste disait : « Et sur ton livre étaient inscrits tous les jours qui m'étaient destinés, avant qu'aucun d'eux n'existât » (Psaumes 139:16).
Quand nous disons que la création ne relève d'aucun déterminisme, nous voulons parler de la nécessité des lois comme corollaire du hasard, une nécessité aveugle issue mécaniquement des lois existantes. Il s'agit bien là d'un déterminisme, mais purement mécanique et physico-chimique, non intentionnel, non volitif, tandis que le déterminisme de Dieu, sa prédétermination, ne se situe pas au même niveau – mécanique – que la contingence, elle est métaphysique ; et si

Rappelons que Dieu fait émerger, au début de cette création libre, la lumière, puis l'univers de l'état informe[369], du « tohu bohu »[370] des ténèbres. Dieu sépare, comme le rappelle Alain Ledain, auteur du livre *Regards d'un chrétien sur la société* ; Dieu différencie, distingue ; il sépare les éléments constitutifs de l'univers, en commençant par les corps célestes, pour achever avec la création sexuée de l'homme ; Dieu pose le principe de l'altérité et de la différenciation ; il crée des espèces, et confère à la flore et à la faune « un espace d'existence », en leur attribuant des fonctions et un rôle. Dieu n'est pas non plus un tout dans la création. Il transcende la création, il s'en distingue, il en est le Créateur.

---

elle aboutit à l'accomplissement de tout ce que Dieu a déterminé par avance, elle n'enfreint pas la liberté des hommes, du fait que même si Dieu est la cause première, il laisse opérer les causes secondes parmi lesquelles le libre arbitre des hommes pour atteindre ses desseins. Sa prescience est telle qu'elle englobe même les causes secondes contingentes qu'il ne contraint pas, mais laisse libres dans leur opération. Ici encore, l'on retrouve le paradoxe entre le libre arbitre humain et le déterminisme divin. Comment comprendre ce paradoxe ? Nombreux sont les théologiens et philosophes à s'y être penchés sans avoir réussi à fournir une explication rationnelle complète et cohérente intégrant toutes les données bibliques. Nous ne pouvons que l'accepter comme un mystère.

[369] Pour être exact, il ne s'agit pas d'un chaos, mais plutôt d'un état informe, vide de la terre. Voici l'explication du Dr Douglas Kelly, tirée de *La doctrine biblique de la création et le dessein intelligent*, Éditions La Lumière, mars 2011, 270 pages, pp. 77-78 :

« A l'origine, la terre nouvellement créée était « informe » (*tohu*) et « vide » (*bohu*). Le terme hébraïque *tohu* (sans forme, désolation) est également utilisé dans Ésaïe 45:18, où il nous est dit que la terre n'a pas été créée dans le but d'être *tohu*. Comme nous le dit Aalders, *tohu* signifie littéralement « vide » :

« Ce mot apparaît aussi ailleurs dans l'Ancien Testament. Parfois il est traduit par « vanité » ou « chose vaine » (1 Samuel 12:21; Ésaïe 40:17, 23 ; 59:4). Ailleurs, il est traduit par « chaos » ou « désert sans issue » (Psaumes 107:40; Job 12:24). Il est évident que ce mot qualifie en premier lieu un état de désolation dû au vide. Il dépeint ainsi la solitude et l'abandon d'un désert stérile. »

« Désolation » ou « vide » est associé à un mot de sens similaire, *bohu*, traduit par « vide » dans la version Louis Segond. *Bohu* n'est utilisé que dans deux autres versets de l'Acnien Testament : Ésaïe 34:11 et Jérémie 4:23. Jérémie réfère à l'état « chaotique » de la terre primitive (et il s'en sert comme menace de jugement sur le pays d'Israël). La traduction proposée par Aalders, « sans forme », semble adaptée au contexte. « Ce mot signifie que la terre n'avait pas encore la configuration qui est la sienne aujourd'hui. » Ou bien encore, selon E. J. Young, *tohu* et *bohu* « ...décrivent la terre comme un lieu inhabitable ». »

[370] *tohu bohu*, termes hébraïques issus de la Torah et désignant l'état informe et vide originel de l'univers.

Dieu crée l'univers pour qu'il soit habité, comme le rappelle le livre d'Ésaïe, au chapitre 40, verset 22. À l'origine de la création, l'homme vit dans un cadre harmonieux, un lieu d'absolu bien être, qui est qualifié dans les Écritures comme un jardin de délices. En effet, l'Éden signifie en hébreu un jardin de délices, un lieu d'harmonie.

Non seulement l'être humain, homme et femme, est en harmonie avec lui-même, mais il l'est avec les animaux, et il est également en communion avec son Créateur, avec qui il échange, avec qui il parle. Dieu ne lui est pas caché, il lui est pleinement révélé. La transcendance coexiste avec l'homme, et non une immanence à laquelle l'homme rendrait un culte. La nature n'est pas divinisée ; la nature est au service d'un dessein, d'un projet à partir duquel l'homme créera, organisera, structurera, aménagera, transformera.

Genèse 2:8-10 : « L'Éternel Dieu planta un jardin en Éden, à l'Orient, et il y mit l'homme qu'il avait modelé. L'Éternel Dieu fit pousser du sol toute espèce d'arbres séduisants à voir et bons à manger, et l'arbre de Vie au milieu du jardin, et l'arbre de la connaissance du Bien et du Mal. Un fleuve sortait d'Éden pour arroser le jardin et de là il se divisait pour former quatre bras. »

Or, nous prenons conscience que notre monde évacue, aujourd'hui, toute idée de transcendance, tout rapport avec la transcendance, comme si Dieu n'existait pas ou n'avait jamais existé.

Débarrassé de l'idée de Dieu, l'homme devient pour lui-même la mesure de toutes choses. Dans le récit de la Genèse, la première inversion du rapport à la proximité, du rapport à la relation, s'inscrit dans la création d'une ville : au-lieu de se disperser, de dupliquer l'échelle du jardin, les hommes se déploient, s'empilent sur un espace confiné, ils croient atteindre la liberté, en voulant conquérir le ciel. Ils s'inscrivent même dans une contre diversité, en fabriquant leurs villes, avec des matériaux non différenciés, du bitume et des briques, là où Dieu avait pourtant créé la diversité et mis à sa disposition les ressources infiniment riches et variées.

Il convient aussi d'avoir en perspective que les termes Babel et Babylone sont sémantiquement équivalents, ont les mêmes racines étymologiques, Babylone affichant l'image d'un empire marchand et totalitaire, Babel, la ville uniforme, étant l'affichage d'une ambition démesurée de l'homme, celle d'atteindre la « porte du ciel ». L'Éden, le jardin, est l'échelle de la proximité. La première société conviviale qui prône l'altérité, la différenciation complémentaire est soudainement balayée par le rêve de la démesure : atteindre les sommets, les cimes sans les racines, ces racines qui fondent, ancrent les sociétés, afin que ces dernières ne chancellent pas.

« La nature n'a d'autre raison d'existence que d'être au service de l'homme », une vision technicienne et dévastatrice à terme.

Il est ainsi curieux que l'historien Lynn White, dans *Les racines historiques de notre crise écologique*[371], affirme de façon quasi-péremptoire que les origines de nos crises sont « largement religieuses », que « la crise écologique que nous connaissons s'approfondira tant que nous n'aurons pas rejeté l'axiome chrétien selon lequel la nature n'a d'autre raison d'existence que d'être au service de l'homme ». Mais dans cette assertion brutale, l'auteur semble méconnaître l'épisode du pêché, cette soif manifestée par l'homme de se libérer de ce qu'il pensait être comme une servitude, de ne pas être l'égal de Dieu.
À travers le livre de la Genèse, s'exprime également la façon dont Dieu structure, organise l'univers et lui a donné un ordre, en procédant à une série de distinctions, de terme à terme : Dieu/l'homme ; l'ordre/ le *tohu bohu*, le jour/la nuit, l'homme mâle/femelle, l'homme/les animaux ; les animaux/les végétaux ; la terre/l'eau/le ciel.

Dans le livre de la Genèse, la création du monde procède par éléments séparés. Pour respecter l'ordre introduit par Dieu, il convient de maintenir cette séparation, au risque de retourner au chaos, au *tohu bohu*, à une forme de confusion. Or, implicitement selon les Écritures,

---

[371] Lynn White, *Les racines historiques de notre crise écologique* (1967). Traduction, notes et dossier bibliographiques par Jacques Grinevald. Genève, I.U.E.D., 1984. Réédition revue dans *Crise écologique, crise des valeurs ? Défis pour l'anthropologie et la spiritualité*, Labor et Fides, 2010.

l'un des enseignements majeurs que l'on peut ici extraire, en partant de la lecture du livre de la Genèse, montrant définitivement la vision écologique de la création, c'est que ce qui a été différencié ne saurait être mélangé. La création ne saurait faire l'objet de transgressions, en mêlant, à nouveau, ou en confondant, ce qui a été, à l'origine de la création, « séparé », ce qui entraînerait la confusion, celle de « ne pas distinguer la main droite et la main gauche », tel que le rapporte le livre du prophète Jonas, qui décrit une ville plongée dans la confusion.

Livre de Jonas, chapitre 4, verset 11 : « Et moi, je n'aurais pas pitié de Ninive, la grande ville, dans laquelle se trouvent plus de cent vingt mille hommes, qui ne savent pas distinguer leur droite de leur gauche ? »

Or, nous voyons clairement que le génie génétique transgresse ces différenciations, qui sonnent comme autant d'interdits – rapprocher, fondre ce qui a été séparé. Nous voyons ainsi poindre ces forçages de la technoscience, qui entend rapprocher le vivant et la matière, le végétal et le vivant. Il est utile de rappeler que le Premier Testament mentionne un grand nombre d'interdits concernant les mélanges, les unions tirées du milieu naturel ; la Bible rappelle, par exemple, l'interdiction de tisser ensemble le lin et la laine (végétal et animal).

Quelle écologie pour demain ?

Pour revenir au livre de la Genèse, nous notons dans l'hébreu l'emploi du verbe *shamar*, qui signifie garder, veiller sur, protéger, conserver. L'homme est ainsi appelé à veiller avec soin sur la nature, à l'image d'un jardinier qui cultive son jardin.

En usant de techniques pour aménager son environnement, l'homme s'emploie à aménager, à organiser et à structurer la terre, à cultiver, comme le jardinier entretient, prend soin de son jardin. En binant, bêchant, sarclant la terre, le jardinier entretient le sol, le fertilise, fait prospérer le sol pour nourrir, et bien au-delà de ses seuls proches.

Ce travail d'organisation et de transformation est une vocation à laquelle l'homme est appelé, mais il est appelé à prendre soin, c'est le sens même de *shamar*. Il veille et il protège, afin de ne pas abîmer, en surexploitant le sol. D'ailleurs, la Bible, dans l'un des cinq livres du *Pentateuque*, dans le livre du *Lévitique*, ne parle-t-elle pas du repos de la terre, d'une mise en jachère, qui est une pratique courante chez les agriculteurs ? Pour autant, l'intensité du progrès peut impacter de manière négative, et se faire au détriment du bien commun.

Nous vivons une forme de révolution concernant la civilisation humaine : nous assistons à une inversion accélérée des rapports de force entre la civilisation humaine et l'environnement naturel ; durant des millénaires, l'homme a développé une activité de transformation, en apprenant à surmonter la pénibilité, les menaces liées à l'environnement naturel, à limiter la peine et à tirer profit des ressources que la nature lui a mises à sa disposition ; mais aujourd'hui, ce rapport à la nature, où il convenait pour l'homme de tenter de dominer, devient un rapport de puissance. Il y a comme un effet de bascule déraisonnable. Le développement s'est fait sans conscience, et souvent au détriment des plus pauvres et des plus fragiles, faisant, ici et là, naître d'autres cataclysmes écologiques, résultant de conflits, de guerres, d'exclusions ethniques ou religieuses, se traduisant, également, par des déplacements de populations fragilisées et pauvres vers les continents riches.

Aujourd'hui, la croissance de la civilisation a atteint un degré critique, il devient prégnant que l'épopée du progrès technique s'est de nos jours accompagnée d'une tragédie humaine sans précédent.
Il s'agit, dès lors, de protéger la nature des effets néfastes d'une technologie sans conscience. Le progrès de notre civilisation doit donc être repensé et adapté, en vue d'une meilleure intégration à long terme dans la biosphère.

Les pistes de ce changement peuvent être engagées à différentes échelles :

Une prise de conscience planétaire : en partant de la nécessité pour les nations riches d'être solidaires des nations les plus pauvres, en contribuant à apporter les ressources nécessaires à la survie et au bien-être, sans pour autant reconstruire un modèle consumériste et matérialiste, l'inspiration d'une démarche de type permaculture nous semble l'organisation la plus idoine, la plus satisfaisante.

Une prise de conscience locale : à la plus petite échelle, dans le cadre de la vie associative. Et c'est aussi un sujet d'espérance, des initiatives citoyennes sont portées par des hommes et des femmes qui, par leurs gestes insignifiants (la goutte d'eau), peuvent changer le monde. Je pense à ces associations de permaculture, de jardins partagés, de lutte contre les gaspillages alimentaires, de réseaux de solidarité, de coopératives citoyennes.

Il existe des réponses concrètes pour inverser ce rapport à une technicité sauvage, un consumérisme sans éthique. Ainsi, des hommes et des femmes, inventent de nouveaux rapports à la nature dans une dimension de respect des écosystèmes, mais, également d'équité dans les rapports aux autres en partant d'une échelle locale, en s'appropriant un lieu comme nous l'avons fait à l'îlot Saint-Gilles (à Reims), où nous inventons une forme de vie sociale. La socialité d'un lieu est aussi importante que l'entretien du lieu proprement dit. Notre espace est un lieu ouvert. Voulant ainsi éviter « l'entre nous », nous voulons affirmer ce lieu comme un espace de convivialité, de bienveillance, de relations avec les voisins, au-delà de leurs croyances, de leurs convictions, de leurs positions sociales, de leurs statuts. C'est la création d'un monde commun, dépassant les clivages qui anéantissent l'urgence de nous réunir, pour sauvegarder l'idée d'un patrimoine social et naturel commun.

À partir d'un jardin partagé avec les habitants d'un quartier de la ville de Reims, nous nous sommes employés à valoriser la vie d'un lieu qui était en friche. Après avoir débroussaillé, puis transformé cette friche, nous avons créé un jardin, installé un compost, récupéré l'eau de pluie, mis en place des toilettes sèches, pratiqué le paillage, afin de gêner le développement des mauvaises herbes, bref une somme de petits gestes qui définissent ce que l'on appelle la permaculture. Le mot est un peu savant, le concept a été à l'initiative des Australiens Bill Mollison et David Holmgren, qui ont considéré que la dimension sociale est aussi importante qu'un dispositif écologique qui veut s'inscrire dans la durée. Pour les initiateurs, la permaculture est bien plus qu'une agriculture permanente, mais « c'est de la culture permanente ».

La permaculture s'inscrit ainsi comme une nouvelle conception de l'habitat, une nouvelle pratique de vie inspirée de l'éthique, de l'écologie naturelle, de valeurs transmises par la tradition.

La permaculture n'est pas un mode de pensée, mais un mode d'agir qui prend en considération la biodiversité. L'objectif des associations qui fondent un principe de gouvernance autour de la permaculture est de permettre à des habitants de concevoir une forme de société conviviale, un habitat durable, une forme de résistance, de résilience à la modernité où le tout techniciste triomphe.

La permaculture ne relève pas d'une démarche idéologique, mais s'inscrit dans le réel, dans le paysage, le quotidien, une autre façon de vivre avec les autres, une autre alternative de vie dans l'environnement d'une cité, d'un village. Voilà une piste concrète d'une autre écologie pour demain. Une forme d'économie de la bienveillance, de la relation aux autres, une autre forme de jardin qui a inspiré l'association « Cultures à l'îlot Saint-Gilles » à Reims qui, au-delà des clivages sociaux, idéologiques, décide de réinventer une société conviviale, reposant sur l'envie de partager des biens en commun qui ne sont pas seulement les fruits, les légumes, mais aussi la culture, l'habitat, en faisant émerger un projet de béguinage, pour lutter contre l'isolement des personnes avançant dans l'âge. Ainsi, la dimension d'interdépendance de l'homme dans son milieu est mise en valeur. **Le projet des jardins partagés que nous voyons fleurir partout en France prennent alors tout son sens. C'est une forme d'utopie, mais dont la dimension incarnée est nécessaire pour amener un peu de rêve dans un monde gagné par le technicisme et l'urbanisme, occultant le paysage, la nature verdoyante et apaisante, la relation aux autres.**

37 Vision sociale et économique dans une perspective biblique

« Le système technicien » s'est constitué, selon Jacques Ellul, comme véritable milieu, comme déterminant, en regard d'un environnement de plus en plus déshumanisant. L'homme s'est affranchi, au fil de son histoire, de son jardin, de ce modèle social dans lequel il est né, pour aller conquérir, tour à tour, la matière, et fonder la ville. Peu à peu, l'homme s'est asservi à la technique, en perdant de vue le sens de l'autre, de sa proximité avec la nature, en embrassant le monde technique.

C'est tout une dimension de l'être qui s'est alors trouvée aliénée. Les préjudices de la technoscience et du système technicien n'affectent pas seulement la nature, mais les dommages sont également, et avant tout, d'ordre relationnel.

Ainsi la ville, toujours selon Ellul, est le lieu même où la technique devient un mégasystème. Mégasystème qui entremêle : capteurs, intelligence artificielle, robots, bornes reliant usagers et urbanisme, détournant l'homme de sa vraie vocation d'homme fait à l'image de son Créateur, en lien avec les autres.

Au lieu de cela, tout est fait pour l'atomiser et l'isoler, comme pour le rendre dépendant de cette machinerie de la « Smart City, » de la ville intelligente. Or, dès demain, ce sont les connexions entre citoyens et la ville qui vont s'intriquer, s'accentuer, s'amplifier. C'est bel et bien toute une architecture quasi-organique qui se dessine, intriquant demain les usagers et le système numérisé de la ville, unifiant, connectant, reliant toutes les composantes de la ville, associant habitants et habitat, au risque de piétiner l'écologie, en prétendant artificiellement la défendre, via ses artefacts, promouvant de prétendues énergies durables. Outre cet aspect que je souligne dans ce préambule, il convient aussi de relever les dimensions toujours croissantes de la ville, dont l'ambition demeure l'expansion, impliquant a fortiori l'étalement urbain, l'éloignement de tout cet espace vital que constitue la nature.

Dieu avait pourtant, dans sa sagesse, donné des bornes à la ville.

La ville est ainsi devenue une création de l'homme, à l'envers du jardin où l'homme avait été pourtant placé ; or, ce projet d'urbanisme préfigure l'éloignement de l'homme de tout projet en contact avec la création, de tout projet en relation avec son Créateur, pourtant dans les Écritures, il convient de relever ce passage, étonnant et méconnu par beaucoup, indiquant que Dieu préconisa de fixer, de borner la ville d'une « ceinture verte, » ce qui ne signifie pas en conséquence le rejet de la ville comme projet collectif, mais il convenait de la délimiter, pour préserver une qualité de vie[372].

Il est dès lors explicitement recommandé aux Hébreux de créer des lieux ouverts à la périphérie de la ville, un espace pour tout ce qui est vital, en dehors de l'habitat humain : « Ordonne

---

[372] En défendant la dimension du jardin, il reste cependant à prendre en compte le fait que le jardin d'Éden n'était que la configuration idéale de départ, dans un monde sans péché, configuration qui était appelée à se développer, intégrant l'état de péché (que Dieu, dans sa prescience, avait anticipé), pour devenir plus tard... des villes et des nations. Le jardin d'Éden était le lieu originel fait pour Adam et Ève, mais il n'est pas le modèle à prendre pour la gestion de la cité et des nations (excepté dans les aspects relationnels qui ont été soulignés) dans le cadre d'un monde entaché par le péché, et encore moins dans le monde à venir. Ce serait sinon promouvoir une sorte de primitivisme, un état de nature utopique, tel que le concevait Jean-Jacques Rousseau. Non. L'Écriture parle bien des hommes de Dieu – en qui résidait l'Esprit de Christ – et qui attendaient la « cité à venir », aux fondements inébranlables, qui n'est pas faite de main d'homme. Remarquons ici que l'Écriture parle d'une **ville** à venir, et non d'un **jardin**. En effet, c'est bien une ville que nous attendons, la Jérusalem céleste. Cela signifie que le développement historique des villes fait partie du projet de Dieu pour l'humanité, ayant un sens eschatologique.
Si l'on ne regarde qu'aux conditions édéniques et prélapsariennes pour en tirer des conséquences et des enseignements économiques et politiques, il est aisé de faire fausse route, car l'on court-circuite alors le fait qu'il nous faut nous placer dans une perspective postlapsarienne qui est marquée par le péché de l'homme et un cadre humain imparfait, et donc régulée par la loi de Dieu. La loi de Dieu, dans son détail, doit nous fournir les réponses précises aux besoins de notre monde contemporain, car elle tient compte de l'état de péché de l'humanité.

aux fils d'Israël de donner aux Lévites, sur leur part de leurs possessions, des villes pour y habiter, outre un espace ouvert autour de ces villes, vous en donnerez aux Lévites. Les villes leur serviront pour l'habitation, et leur espace ouvert sera pour leurs animaux, et pour leurs biens, et pour tout ce qui est vital » **(Nombres 35:2-3).**

Il faut également souligner ce passage, comme une autre recommandation à l'endroit des habitants, prescrivant l'inaliénabilité de cet espace ouvert : « Et l'espace ouvert aux abords de leurs villes ne peut être vendu ; elle est leur propriété inaliénable »[373] (**Lévitique 25:34**). Ceci devait constituer un modèle fondamental pour préserver les qualités d'une échelle urbaine à hauteur d'homme. Toute augmentation d'habitants supposait, de fait, la nécessité d'orientation de la migration vers d'autres espaces, pour créer de nouvelles villes, toujours à hauteur d'hommes.

Ainsi, toujours selon l'enseignement de la Torah, les cités doivent permettre à leurs habitants d'être en proximité avec la nature et leur donner l'occasion de cultiver la terre, de disposer d'un espace vital. Les habitants de la cité se devaient de mettre en pratique la bénédiction promise suivante : « Et chacun demeurera sous sa vigne et sous son figuier » (**Michée 4:4**).

Les villes restent confrontées à une forme d'urbanisation sans frein. Ce phénomène cause de nombreux problèmes : insécurisation des villes du fait de l'accroissement des populations, de l'allongement des distances entre habitat et lieu de travail ou toute autre vie sociale, disparition des terres agricoles, destructions des milieux naturels et de la biodiversité, extinction de plusieurs espèces qui font la faune et la flore...

---

[373] Ce point, extrêmement important, fait écho au dixième commandement proscrivant la convoitise des biens d'autrui, qui se trouve dans Exode 20:17 : « Tu ne convoiteras point la maison de ton prochain ; tu ne convoiteras point la femme de ton prochain, ni son serviteur, ni sa servante, ni son bœuf, ni son âne, ni aucune chose qui appartienne à ton prochain. » En d'autres termes, l'Écriture définit et défend la propriété privée, point central attaqué par tous les systèmes économiques antichrétiens d'inspiration marxiste.

Tout progrès est vain, sans vision solidaire et collective.

Les mutations profondes associées à ce système technicien amènent de nombreux dysfonctionnements économiques et sociaux, obligent ainsi à repenser le monde, la cité, selon d'autres perspectives et dans une vision de proximité, la vision du prochain.

Ces dysfonctionnements ne s'arrangent pas avec la montée en puissance de la codification au sein de la cité, de la vie économique et de la vie sociale (la législation de plus en plus pesante, les normes), de la fragmentation ou l'hyperspécialisation des tâches, qui rendent possible l'avènement des robots et des IA, l'effacement des responsabilités individuelles se reportant sur d'autres et sur des dimensions toujours plus collectives, la multiplication d'outils formatés et artificiels du dialogue social, substitut de la rencontre, de l'échange, de l'ouverture aux autres.

Comment de fait créer les conditions de l'épanouissement dans sa cité et sa vie sociale ? Quelles alternatives économiques sont possibles ? Existe-t-il des modèles qui prennent leur source dans une réelle dimension spirituelle et revalorisent l'homme au sein de la cité, de son quartier et d'une plus grande proximité se rapprochant de l'échelle du jardin ?

Ainsi, le progrès est vain, sans vision solidaire et collective, sans la vision de la proximité... Il n'y a d'enchantement que dans la dimension spirituelle, l'enrichissement croisé, partagé, fertilisé dans une communion de services, qui donne la capacité à un corps pleinement proche et solidaire de s'épanouir et d'inventer pour le bien-être de tous, au-dedans et à l'extérieur.

L'essence de cette dimension sociale est à trouver dans l'Évangile et la loi, les Écritures dans leur totalité, les promesses d'une incarnation de Dieu dans la réalité quotidienne.[374]

La crise qui ne se limite pas à l'économie est endémique, elle s'étend aujourd'hui à toute la planète, à toutes les nations, riches ou pauvres. La crise sociale, vécue par le monde urbain, n'est-elle pas la résultante finalement de multiples transgressions, violations de lois fondées sur la compassion, la justice, sur la miséricorde, fondement d'une économie de partages ? Or, j'entends, trop souvent, des prédications qui dénoncent le monde. Or, nous sommes le monde, et nous l'alimentons, si nous ne changeons pas nos habitudes, si nous ne les modifions pas, en les construisant à partir d'un nouveau souffle qui nous transforme de l'intérieur et, de facto, changera notre environnement. N'oublions jamais, que nos gestes ont une part de responsabilité dans la déconstruction de notre humanité, je le rappelle, chaque fois qu'une personne à table, qui plutôt que de parler à son proche, se connecte à son portable.

La Bible est une source d'inspiration pour la vie sociale et économique. Sans vouloir se livrer à une exégèse fouillée et à des développements théologiques, la profondeur de quelques textes bibliques met en évidence des réponses concernant l'éthique de la vie économique et sociale, qui touche à de multiples dimensions, comme l'urbanisme, la production, les dettes, les emprunts, la propriété foncière, les échanges, la distribution équilibrée, la répartition des richesses, l'exploitation même de la terre, dans une perspective d'équité, de justice sociale, pour répondre aux besoins de tous et notamment des plus pauvres, des plus démunis.

---

[374] C'est bien dans les Écritures entières qu'il convient de trouver les réponses de Dieu, c'est-à-dire dans l'Évangile et la loi, et pas seulement l'Évangile qui privilégie l'aspect individuel et intérieur, tandis que la loi privilégie l'aspect collectif et civil. Par ailleurs, il y a la promesse de l'incarnation de Dieu dans notre vie quotidienne, mais il y a aussi l'affirmation de son intronisation et de son règne dans le monde. Il est nécessaire de remettre en tension les dimensions de l'incarnation et celle de la résurrection, de l'ascension et du règne actuel de Christ jusqu'à la fin du monde.

Même le développement durable y est abordé, ce qui signifie que « rien n'est nouveau sous le soleil » et que bon nombre d'enseignements bibliques feraient bien d'inspirer les nations de ce monde. Ainsi, toute culture intensive est proscrite dans le Premier Testament (Lévitique 25), les Israélites sont encouragés à vivre exactement comme des intendants économes, des gérants habités par l'éthique, l'amour du prochain.

Lorsque les textes des Écritures, notamment du Premier Testament sont analysés, mis en perspective, apposés et comparés entre eux, nous voyons se dessiner ou poindre l'existence bien réelle d'une économie normative (la règle biblique), un ensemble de recommandations relatives à la bonne conduite économique et de facto à la bonne gestion, qui devrait découler d'une gouvernance juste de la nation.

La lecture du livre de la Genèse évoque un épisode de crise qui plonge toute l'Égypte dans la famine et l'intelligence dont a fait preuve Joseph dans sa gouvernance, pour organiser une réponse anticipée et préventive, afin d'affronter la famine. Ce texte en référence se trouve dans Genèse 41:56.

À la suite de l'interprétation d'un rêve, Joseph va déduire que sept années de surproduction vont précéder sept années de crise.

Il conseille alors au Pharaon de prélever une certaine proportion sur les surproductions des récoltes emmagasinées et accumulées en Égypte (la vision des sept vaches grasses).

« La famine régnait dans tout le pays. Joseph ouvrit tous les lieux d'approvisionnements, et vendit du blé aux Égyptiens... »

Joseph avait su, à l'époque, anticiper et avait organisé des lieux de stockage pour faire face à la famine, organisé la logistique de stockage, créé des lieux d'approvisionnement... Or, nous voyons bien les caractéristiques d'une économie qui n'épargne plus et qui est prise en défaut, par la dévastation sans précédent qu'impacte l'endettement abyssal des nations.

Il y a une attention toute particulière que portent les Écritures à la situation des plus précaires. Ainsi, les Écritures révèlent un véritable code de bonne gestion, de gouvernance économique. Si nous lisons les textes d'Exode 23 (versets 10 à 11) et le Lévitique 25:22, nous avons là un enseignement sur la prévention de la pauvreté. Un théologien évoque à propos de ce livre « une solution rationnelle que propose le livre du Lévitique, pour sauver la prospérité d'Israël de l'âpreté au gain, de l'avarice et de la cupidité de ceux qui savent, mieux que les autres, tirer profit des produits de la grâce auxquels, chacun, même le plus endetté, contribue, et peut encore contribuer par son activité. Faute de cela, l'or s'accumule dans les coffres, le blé pourrit dans les greniers, et il n'y a plus personne pour renforcer les digues, le jour où la tempête menace de les emporter. »

Lévitique 25:22 : « ... Quand vous ferez la moisson dans votre pays, tu laisseras un coin de ton champ sans le moissonner, et tu ne ramasseras pas ce qui reste à glaner. Tu abandonneras cela au pauvre et à l'étranger. Je suis l'Éternel, votre Dieu. » Ce texte de Lévitique révèle l'économie normative et codifiée, l'économie juste et en quelque sorte compatissante.

Outre la mise en jachère des terres et la mise à disposition de ce reste aux plus démunis - « tu laisseras un coin de ton champ sans le moissonner, et tu ne ramasseras pas ce qui reste à glaner, » le texte de Deutéronome 15:1-2 aborde toute la dimension de la dette : « Au bout de sept ans tu feras remise. Voici en quoi consiste la remise. Tout détenteur d'un gage personnel qu'il aura obtenu de son prochain, lui en fera remise ; il n'exploitera pas son prochain, ni son frère, quand celui-ci en aura appelé à l'Éternel pour remise. Tu pourras exploiter l'étranger, mais tu libéreras ton frère de ton droit sur lui. Qu'il n'y ait donc pas de pauvre chez toi. Car l'Éternel ne t'accordera sa bénédiction que dans le pays que ton Dieu te donne en héritage pour le posséder. »

La Bible encourage la vie sociale et la solidarité envers tous.

Concernant la vie sociale, il y a dans le discours biblique une manière pressante de ne pas fermer notre cœur à notre prochain, les Écritures, notamment les Évangiles, donnent la même exhortation, et invite à pratiquer la miséricorde.

Pareillement, dans les Proverbes, il est fait mention, dans les domaines qui touchent à la précarité, du traitement fait aux plus démunis : « Celui qui opprime le pauvre pour réaliser un gain, ou qui fait des cadeaux aux riches, finira dans la pauvreté » (22:16). Deux dimensions dans ce verset nous sont ainsi révélées : d'une part, celui qui opprime le pauvre le fait dans le but de s'enrichir encore. Comme il semble insensé de donner davantage au riche, à rebours de la miséricorde ! La sanction est immédiate pour ces postures qualifiées d'absurdes, elles aboutissent à la déchéance matérielle de celui qui pratique de manière insensée de tels actes.

Dans la tradition de l'Église, Basile, un des pères et docteurs de l'Église, proscrit la pratique du prêt à intérêt, il condamne franchement une forme de cupidité, en dénonçant comme comble d'inhumanité, le fait de ne point se « contenter du capital », et « de profiter de la détresse de ce qui est dépourvu du nécessaire pour recueillir, revenus et ressources... » **Basile, évêque de Césarée, était, entre autre, très engagé contre la famine qui sévissait à son époque, il s'était inscrit, littéralement, dans les recommandations du Lévitique 25 : « Quand un de vos compatriotes, tombé dans la misère, ne pourra plus tenir ses engagements à votre égard, vous devrez lui venir en aide, afin qu'il puisse continuer à vivre à vos côtés... Vous agirez de cette manière, même envers un étranger, un hôte résidant votre pays. Vous ne lui demanderez pas d'intérêt, sous quelque forme que ce soit...**

Montrez par votre comportement que vous le respectez, et permettez-lui ainsi, de vivre à vos côtés... »[375]

Je suis également frappé par cette autre dimension de justice sociale, d'équité et de non-gaspillage, très présent dans le Premier Testament, ces règles d'équité, d'égalité, de juste traitement, de non-gaspillage, d'éthique sociale. Examinons ce texte étonnant d'**Exode 16, versets 14-15 :** « Le soir, il survint des cailles qui couvrirent le camp ; et, au matin, il y eut une couche de rosée autour du camp. Quand cette rosée fut dissipée, il y avait à la surface du désert quelque chose de menu comme des grains, quelque chose de menu comme la gelée blanche sur la terre. Les enfants d'Israël regardèrent et ils se dirent l'un à l'autre : Qu'est-ce que cela ? Car ils ne savaient pas ce que c'était. Moïse leur dit : C'est le pain que l'Éternel vous donne pour nourriture. Voici ce que l'Éternel a ordonné : Que chacun de vous en ramasse ce qu'il faut pour sa nourriture, un omer par tête, suivant le nombre de vos personnes ; chacun en prendra pour ceux qui sont dans leur tente. Les Israélites firent ainsi ; et ils en ramassèrent les uns plus, les autres moins. On mesurait ensuite avec l'omer ; celui qui avait ramassé plus n'avait rien de trop, et celui qui avait ramassé moins n'en manquait pas. Chacun ramassait ce qu'il fallait pour sa nourriture. Moïse leur dit : Que personne n'en laisse jusqu'au matin ».

---

[375] Nous avons là un très bon exemple d'enseignements économiques de la Bible. Signalons la thèse de doctorat récente du catholique Denis Ramelet portant sur « Le prêt à intérêt dans l'antiquité préchrétienne : Jérusalem, Athènes, Rome - Etude juridique, philosophique et historiographique », soutenue à la Faculté de droit, des sciences criminelles et d'administration publique de l'Université de Lausanne (UNIL), et récompensée par le Prix Bippert 2015 ainsi que par le Prix du Journal des Tribunaux 2015. Il s'agit d'une analyse historiographique et philosophique, avec des incursions bibliques. Il est possible de récupérer un certain nombre d'articles de recherche de Denis Ramelet ici : http://unil.academia.edu/DenisRamelet.
Voir aussi ces deux articles sur sa thèse :
http://www.lectures-francaises.info/2016/04/06/moyen-age-contre-pret-a-interet/
http://www.agefi.com/nc/quotidien-agefi/suisse/detail/edition/2014-12-04/article/denis-ramelet-le-juriste-vient-de-soutenir-une-these-de-doctorat-sur-le-pret-dans-lantiquite-prechretienne%2A--387553.html .
Ce genre d'études et de recherches, très rares dans les milieux chrétiens, montre l'importance de se réapproprier l'enseignement pratique de la loi dans son détail exhaustif touchant à la totalité des sphères humaines. La Chambre de Commerce Chrétienne Internationale (ICCC) se fait un point d'honneur à enseigner une vie libre de toutes dettes.

Ainsi, l'économie normative, inspirée des écritures, prenant sa source dans une loi de justice, manifeste une forme de prévention contre les effets liés à l'attachement aux richesses, des phénomènes de thésaurisation contre-productive, d'inégalité et d'exploitation qui en résultent - **« Malheur, s'écrie Ésaïe, à ceux qui ajoutent maison à maison, et joignent champ à champ, au point de prendre toute la place et de rester les seuls habitants du pays » (Ésaïe 5:8).** L'expropriation spéculative, dont la cupidité est ici l'enjeu, est clairement dénoncée, condamnée dans les Écritures.

Cette règle de justice prévaut également dans le Second Testament, ainsi nous lisons dans Romains 8.13-15 : « ... Car il s'agit, non de vous exposer à la détresse pour soulager les autres, mais de suivre une règle d'égalité : dans la circonstance présente, votre superflu pourvoira à leurs besoins, afin que leur superflu pourvoie pareillement aux vôtres, en sorte qu'il y ait égalité, selon qu'il est écrit : Celui qui avait ramassé beaucoup n'avait rien de trop, et celui qui avait ramassé peu n'en manquait pas.»[376]

En conséquence, l'économie normative, telle qu'elle est affichée et décrite dans le Premier Testament, a également ses prolongements dans les débuts de l'Église, comme le confirme par ailleurs Actes 2:48 : « La mise en commun des ressources, en termes de travail, comme de rétribution directe. »

La mise en commun n'est-elle pas aussi la mise en commun des talents, des intelligences ? Comme nous le rappelions plus haut, le talent est vain, sans l'aventure humaine et collective. Il n'y a d'enchantement que dans la dimension spirituelle, l'enrichissement croisé, partagé, fertilisé, dans une communion de services qui donne la capacité à un corps pleinement solidaire de s'améliorer et d'inventer pour le bien-être de tous, au-dedans et à l'extérieur. Ainsi, cette conclusion est également à mettre en perspective avec le texte suivant de 1 Corinthiens 12:27, pour

---

[376] Ce texte de Romains 8:13-15 enseigne bien les distinctions ainsi que le droit à l'accumulation des richesses. Voilà ce qu'il faut remarquer en premier lieu. Il ne peut pas être utilisé pour être interprété dans le sens d'un égalitarisme économique. L'exhortation biblique est ici non pas que les chrétiens les plus aisés deviennent pauvres, mais qu'ils fassent profiter de leur prospérité aux membres du corps qui sont pauvres et démunis, par amour et par esprit de justice.

faire de nos entreprises ces communautés de talents, inspirées par le souffle des Écritures.

« Car, comme le corps est un et a plusieurs membres, et comme tous les membres du corps, malgré leur nombre, ne forment qu'un seul corps, ainsi en est-il de Christ. Nous avons tous, en effet, été baptisés dans un seul Esprit, pour former un seul corps, soit Juifs, soit Grecs, soit esclaves, soit libres, et nous avons tous été abreuvés d'un seul Esprit. Ainsi le corps n'est pas un seul membre, mais il est formé de plusieurs membres. Si le pied disait : parce que je ne suis pas une main, je ne suis pas du corps, ne serait-il pas du corps pour cela ? Et si l'oreille disait : parce que je ne suis pas un œil, je ne suis pas du corps, ne serait-elle pas du corps pour cela ? Si tout le corps était œil, où serait l'ouïe ? S'il était tout ouïe, où serait l'odorat ? Maintenant, Dieu a placé chacun des membres dans le corps comme il a voulu. Si tous étaient un seul membre, où serait le corps ? Maintenant donc, il y a plusieurs membres, et un seul corps.

L'œil ne peut pas dire à la main : je n'ai pas besoin de toi ; ni la tête dire aux pieds : je n'ai pas besoin de vous. Mais bien plutôt, les membres du corps qui paraissent être les plus faibles sont nécessaires ; et ceux que nous estimons être les moins honorables du corps, nous les entourons d'un plus grand honneur. Ainsi nos membres les moins honnêtes reçoivent le plus d'honneur, tandis que ceux qui sont honnêtes n'en ont pas besoin. Dieu a disposé le corps de manière à donner plus d'honneur à ce qui en manquait, afin qu'il n'y ait pas de division dans le corps, mais que les membres aient également soin les uns des autres. Et si un membre souffre, tous les membres souffrent avec lui ; si un membre est honoré, tous les membres se réjouissent avec lui. Vous êtes le corps de Christ, et vous êtes ses membres, chacun pour sa part ».

38 Pour une économie de proximité

La mondialisation a agi comme un mirage, une forme de chimère nous laissant penser à une croissance exponentielle et infinie. Or la libéralisation des échanges de biens, de capitaux et des hommes, conjuguée à un environnement envahi de plus en plus par la dimension du gain à tout prix a inévitablement favorisé les délocalisations massives du monde industriel à forts capitaux, vers les pays à plus faible coût de main-d'œuvre. Ce monde nous a ainsi entraînés vers des circuits longs, a jeté à la périphérie bon nombre d'activités économiques, entraînant une polarisation et une concentration des capitaux qui déséquilibrent les écosystèmes de nos territoires, notamment nos bourgs ruraux. Nous sommes ainsi passés d'un rapport à la personne à l'économie des masses, du sacré à la matérialité, du bien-être à la consommation débridée.

Les années 1960

Ce constat m'a de fait plongé dans mes souvenirs d'enfant, un enfant de la campagne, un enfant du monde rural. Je me souviens que nous avions une maison et un grand jardin. Nos parents nous avaient confié un lopin, une parcelle de leur jardin, afin d'y cultiver nos carottes, nos radis et tomates. Nos parents souhaitaient nous transmettre l'amour de la terre et des plantes. Nous avions peu de déchets et aucune consommation d'emballage, le seul emballage que nous consommions était le papier paraffiné du boucher qui nous emballait la viande. Notre lait, nous allions le chercher à la ferme dans des bidons, et l'eau, nous étions nombreux dans le village à le puiser au puits. Nous étions à deux mille lieues de cette société hyper consommatrice qui est venue, en réalité, entacher, souiller une qualité de vie.

Dans ce même village, il y avait plusieurs corps de métiers, un charpentier, un forgeron, des épiciers, une boulangerie, un cordonnier et, bien entendu, des fermiers, plusieurs fermiers, éleveurs ou cultivateurs. Nos villages étaient peuplés, la vie était animée, aucun habitant ne connaissait non plus le chômage. Non, la vie de notre village n'était pas l'ennui, n'anéantissait pas non plus nos rêves d'enfants épris de liberté. À ce propos, personne ne semble souligner finalement que ces années-là, ces années soixante, nul n'éprouvait dans les villages le chômage. La terre de ces villages produisait une qualité de vie et de véritables richesses, ces richesses étaient humaines, les églises étaient aussi pleines le dimanche à la messe.

Dans ces villages, la vie sociale conduisait à nous mêler, riches et pauvres. Il n'y avait pas de différences, nous avions les mêmes terrains de jeux, les mêmes centres d'intérêt. « On ne gagnait rien, on ne vivait de rien, on était heureux. Il ne s'agit pas là-dessus de se livrer à des arithmétiques de sociologue. C'est un fait, un des rares faits que nous connaissions, que nous ayons pu embrasser, un des rares faits dont nous puissions témoigner, un des rares faits qui soit incontestable. »[377] Notre monde était celui de la proximité, or en quelques décennies, nous sommes entrés dans une forme de nouveau modèle social, par une mutation qui, subrepticement, est venue bouleverser les conditions de la vie dans nos campagnes.

Le bouleversement

Nos villages se sont dépouillés des richesses artisanales, dépeuplés de ces métiers d'autrefois. Les artisans ont disparu, les épiciers ont été absorbés par les géants de la distribution qui se sont installés à la périphérie des villes ; les paysans n'ont plus vécu largement de leurs revenus, devenus entre-temps les sujets des contraintes imposées par le Marché européen et aujourd'hui, pour beaucoup d'entre eux, ne vivent plus de leurs ressources. Il y a à nouveau ces mots à résonance prophétique de Charles Péguy[378] qui résonnent en moi et qui illustrent les sentiments qui me traversent à propos des mutations de ce nouveau monde et de son Dieu Mammon : « Il y a eu la révolution chrétienne. Et il y a eu la révolution moderne. Voilà les deux qu'il faut compter. Un artisan de mon temps était un artisan de n'importe quel temps

---

[377] Charles Péguy, *L'argent*, 1913.
[378] *Op.cit.*

511

chrétien. Et sans doute peut-être de n'importe quel temps antique. Un artisan d'aujourd'hui n'est plus un artisan. »

Dans ces contextes, l'évolution du monde de l'éducation porte aussi cette responsabilité de détourner les élèves talentueux en leur enseignant comme une forme de régression, de recul, la honte d'embrasser les carrières orientées sur les savoir-faire manuels. Les élèves peu doués étaient ainsi orientés dans ces classes dites de transition. Ces élèves en classe de transition étaient préparés à des métiers que l'on ne voulait plus honorer. Certains parents, dans leur amour-propre, n'auraient pas aimé une orientation dans cet univers des manuels, persuadés qu'il n'y avait pas là d'avenir social pour leurs enfants ni de valorisation possible de leurs talents. Le système éducatif est ainsi responsable d'une mise en distanciation des élites et des hommes et des femmes qui forment ce que l'on a communément appelé le « peuple ». Ce monde élitiste, mais dévoyé a brisé le lien, la relation pour créer des classes, ceux qui réussissent et ceux que « l'on croise dans les gares »[379].

Nous avons été gagnés par les mirages de l'argent, de l'économie du gain, de la compétitivité, de la performance, de la conquête mondiale. Cette économie-là a mis de la distance en s'éloignant définitivement de la dimension de l'humain, en mettant également à l'écart la proximité où les ressources locales constituaient l'essentiel des richesses. Ces richesses locales qui promouvaient un échange garantissant les équilibres de nos écosystèmes.

Or ce sont nos écosystèmes qui ont été abîmés par l'industrialisation des multinationales, la mondialisation, les idéologies du progrès, le consumérisme et ses miroirs qui ont désenchanté la socialité des villages, de ces bourgs à taille humaine.

La tendance du monde moderne épris d'argent, de consommation et de progrès technologique le porte naturellement vers une globalisation

---

[379] « Dans une gare, on croise des gens qui réussissent et des gens qui ne sont rien » - le Président de la République, Emmanuel Macron.

croissante, écartant l'être humain de tout rapport à la proximité, de toute agora, de tout enracinement à sa terre, mais aussi à ses humus, lui faisant miroiter les appâts d'un bien-être ancré dans la seule et suffisante matérialité s'enfermant dans la consommation individualiste devenue aujourd'hui virtuelle, cette consommation qui apparaît comme la principale responsable de nos maux, comme une empreinte toxique abîmant le milieu humain et tout un pan de l'écologie humaine.

La remise en cause

Or, après avoir chéri l'économie mondiale, les pouvoirs publics remettent en cause les modèles qui sont venus conditionner les nouvelles habitudes qui ont dessiné à ce jour nos modes de vie. Or le discours politique, qui nous enjoint de vivre un autre modèle, nous ordonne d'adopter d'autres mœurs, ne passe pas ; ce discours-là est rejeté. L'orientation proposée, celle de la transition énergétique, est tout simplement décalée par rapport au modèle économique qui s'est installé via l'invasion consumériste, qui s'est aujourd'hui profondément amarrée dans les univers de notre vie sociale et éducative.

Le refus de se laisser entraîner dans une forme de renonciation à l'aisance sociale tient sans doute de ce décalage entre les paradoxes et les signaux transmis par une élite totalement déconnectée du réel et qui, elle-même, n'est absolument pas prête à embrasser le modèle qu'elle nous propose. C'est ce décalage qui est devenu insupportable pour les gens pauvres, ceux qui vivent dans la précarité, ceux qui ont été mis à distance et se déplacent avec leurs voitures émettrices de pollutions, alors que leurs élites au pouvoir se déplacent en grosses cylindrées pour rejoindre la préfecture de Paris en pleine manifestation des gilets jaune, sans avoir fait eux-mêmes usage du bus pour assurer leurs déplacements. Le contraste est ici saisissant et interpellant et conduit à encore davantage d'incompréhension entre le « faites ce que je vous dis et ne faites pas ce que je fais » !

Pourtant, les élus politiques qui se sont engagés dans une réflexion sur l'élaboration d'un nouveau modèle de développement face à l'urgence écologique n'ont absolument pas tort. Mais il nous semble que l'absence d'exemplarité et de vécus témoignés n'amènera pas les changements nécessaires. Les changements nécessitent des réformes structurelles et culturelles, de la pédagogie, mais aussi la renonciation à l'envahissement de la technologie dans nos espaces de vie. Le changement est aussi un changement de comportement de nos élites dont les paradoxes de vie ne témoignent pas de cohérence et d'intégrité morale et ne donnent pas envie d'adhérer à leurs programmes. Ma mère me disait toujours que l'exemple vient d'en haut, et nécessairement je pense à la personne de Christ qui est venu pour servir et non être servi. L'enseignement évangélique de ce point de vue devrait inspirer nos élites qui se laissent griser, puis caressés par l'amour de la richesse et du pouvoir. Jésus a su résister aux propositions du diable, à ce monde de la toute-puissance et de l'argent facile. Jacques Ellul évoquait dans ses discours la nécessité de fuir l'emprise du monde, celle de l'argent facile. Jacques Ellul, dès 1946, écrivait qu'« il convient que l'homme ait le strict nécessaire pour vivre (et il faut lutter pour que tous les hommes l'obtiennent), mais il faut que l'homme cesse d'avoir pour idéal de toujours gagner plus et vivre dans plus de confort. On peut être assuré que lorsque l'abondance totale régnera, l'homme connaîtra la plus grande tentation de reniement de Dieu qu'il n'a jamais connue. D'autant plus qu'il faut savoir à quel prix l'homme achètera cette abondance[380] ».

Les incohérences de ces nouveaux programmes écologiques

Or il me semble qu'il existe une forme d'incohérence entre le discours hyper technologique promouvant l'avènement d'un monde pollué par les drones, les IA, les automates, les robots et la transition écologique à laquelle ce monde nouveau nous appelle. Il ne va donc pas de soi de conduire une idéologie de progrès et des programmes qui fondent l'espérance sur le progrès technique sans curseur. Il ne va pas de soi d'aller vers une transition écologique sans la fonder sur une économie respectueuse de l'homme et de son écosystème. Il ne va pas de soi de fonder la transition énergétique sans renonciation aux tentations et

---

[380] Jacques Ellul, *Vivre et penser la liberté,* Éditions Labor et Fides, p. 235. Livre posthume à paraître en janvier 2019.

aux sirènes de la monétisation de la vie, de la modernité et sa consommation de masse. Il me semble qu'aucun programme en soi de transformation du monde n'est en réalité possible sans conversion du cœur, sans éveil de la conscience.

L'économie de proximité est, à notre sens, à rebours d'un environnement qui appellerait à la modernisation de la vie sociale qui s'articulerait sur une aspiration à toujours posséder plus de technologie.

Oui à une économie de proximité affranchie de l'idéologie matérialiste

Il est urgent de revenir à la dimension de la proximité, de la proximité affranchie de l'idéologie matérialiste, de revenir à la seule liberté contre la logique des mondes virtuels, de la marchandisation de la vie et du pouvoir de l'argent. Il est enfin urgent de reconstruire la proximité, d'abord en revenant à ses origines fondées sur la dimension du lien, du face-à-face, de l'économie fondée sur l'échange, sur la relation, et dans sa dimension économique, de revenir à des circuits courts sans intermédiation complexe.

Or oui, il est nécessaire d'endiguer les excès des pollutions émanant des activités consuméristes et polymères qui ont recours à l'usage des fossiles savamment enterrés par la nature et que l'homme s'est employé en quelques décennies à déterrer pour satisfaire ses nouveaux besoins. Or le monde économique est tenaillé par son envie de croissance et sa crainte de ne plus fonder son espérance dans une croissance exponentielle qui le conduira tôt ou tard face à un mur infranchissable, car les ressources ne sont pas épuisables dans cette croyance d'un progrès technologique qui n'aurait pas de fin.

Cette mutation majeure demandera du temps, car elle dépend aussi, en partie, de l'évolution du cœur, de nos attitudes et de nos gestes incarnés dans le quotidien. Mais il s'agit, sur le long terme, de promouvoir non un programme idéologique, mais d'encourager l'initiative à la plus petite échelle, celle par exemple de la commune ou de l'intercommunalité. Il faut, en effet, non seulement encourager une économie de proximité, mais surtout une économie de subsidiarité favorisant des initiatives humaines, et non en les barrant par le poids des palissades administratives. Ne bridons ni nos maires, ni la petite entreprise, ni les citoyens épris de socialité et qui entendent être libérés des carcans et du joug de la bureaucratie tatillonne et déshumanisée. À ce propos, il conviendrait aussi d'humaniser nos administrations et de réapprendre le lien avec le citoyen, d'être là aussi en proximité et non correspondre avec l'administration sur ses sites internet, ce qui ajoute encore de la distance, et ceci devient insupportable.

L'économie doit permettre d'éviter au maximum la mise en distance des activités sociales, professionnelles, familiales et de privilégier la vie économique strictement locale, la consommation et le recours aux services et produits locaux, de faire renaître les activités artisanales honorées par un système éducatif, de remettre en cause les conceptions promues par Adam Smith qui promouvaient la parcellisation et l'hyper spécialisation des tâches amenant plus tard l'avènement d'une société robotique. L'efficacité économique a été au détriment de l'humain, mais qui veut l'entendre et le comprendre ? À ce propos, même Adam Smith prit conscience des travers d'une activité réduite à l'hyper spécialisation, ainsi l'économiste confessait qu'« un homme qui passe toute sa vie à remplir un petit nombre d'opérations simples, [...] n'a pas lieu de développer son intelligence ni d'exercer son imagination à chercher des expédients pour écarter des difficultés qui ne se rencontrent jamais ; il perd donc naturellement l'habitude de déployer ou d'exercer ces facultés et devient, en général, aussi stupide et aussi ignorant qu'il soit possible à une créature humaine de le devenir ; l'engourdissement de ses facultés morales le rend non seulement incapable de goûter aucune conversation raisonnable ni d'y prendre part, mais même d'éprouver aucune affection noble, généreuse ou tendre et, par conséquent, de former aucun jugement un peu juste sur la plupart des devoirs même les plus ordinaires de la vie privée. Quant aux grands intérêts, aux grandes affaires de son pays, il est totalement hors d'état d'en juger, et à moins qu'on n'ait pris quelques peines très particulières pour l'y préparer... »[381]

L'économie de proximité ne peut dès lors fonctionner sans redonner du sens à l'artisanat, à la subsidiarité, à l'intelligence locale, aux maires et à leurs habitants libérés des carcans de l'administration qui paralysent les initiatives capables d'apporter des solutions locales aux plus proches des besoins des habitants. L'économie de proximité est une économie de l'écoute des besoins non pour viser le désir, mais le bien-être attaché au bien commun. L'économie de proximité est celle de l'humain et de l'intelligence qu'il peut produire dans ses relations et dans son travail. Il est temps non de développer un programme, mais d'éveiller une prise de conscience et de susciter l'initiative des hommes, et non d'imposer des idéologies sans rencontrer la personne et de l'amener ainsi au changement consenti et volontaire.

---

[381] « Les causes de la richesse des nations ». https://fr.wikisource.org/wiki/Page:Smith_-_Recherches_sur_la_nature_et_les_causes_de_la_richesse_des_nations,_Blanqui,_1843,_II.djvu/454.

39 Nouvelles perspectives

Ce livre n'est nullement une projection futuriste de la déconstruction de l'homme, mais bien celle de notre monde aujourd'hui traversé par des crises multifactorielles qui mettent en péril l'avenir de la civilisation humaine. Je ne projette pas de regard pessimiste, au contraire, cela peut être l'éveil de toutes les consciences, pour aller vers d'autres modèles que ceux imposés par les diktats de la financiarisation, d'une vision progressiste et consumériste du monde.

Il existe en effet, bel et bien, d'autres modèles urbains, agricoles et économiques qui pourraient être promus, mais au lieu de cela, ce sont bien les pans d'une société humaine qui s'écroulent sous nos pieds, faute d'imaginer d'autres alternatives, de penser une autre société à l'échelle locale, de désirer l'avènement d'une société fondée sur toutes les dimensions d'une écologie humaine de solidarité et de proximité.

« Small is beautiful »

Mon dogme, non politique, n'est pas, selon moi, de réfléchir de manière globale, mais de manière locale, à l'échelle d'un quartier, sur des initiatives citoyennes (de type disco soupe, incroyables comestibles, jardins partagés, intégration de cultures dans la ville, développement de consignes, diffusion de la permaculture, de consommer sans déchets). Mais, s'il fallait réfléchir dans une perspective plus globale, il conviendrait alors, et en premier lieu, de freiner le développement d'une technoscience sans curseur et des mégalopoles qui peuvent générer d'incroyables problèmes écologiques et déstabiliser les écosystèmes.

Les théories d'une fin de l'histoire ou plutôt de l'effondrement de nos civilisations, et je le crois avec certitude, ne relèvent plus du domaine prospectif, mais s'appuient sur des éléments bien réels, factuels, des indices mesurables, des études documentées. Il ne s'agit donc ni d'une vision eschatologique ni d'une idéologie pessimiste, décrivant notre monde à la façon d'une théologie décliniste, ou inversement futuriste (promesse d'un progrès constant conduisant à un bonheur messianique généralisé, une conception défendue par Teilhard de Chardin, comme nous l'avions évoqué dans les racines théologiques du transhumanisme, en pages).

L'effondrement avancé de nos civilisations humaines tient, en réalité, à l'ensemble d'une société devenue hyper complexe, du fait de facteurs économiques, urbains, climatiques, interdépendants et globaux, d'où un risque de fortes perturbations mondialisées en cascade.
Nous l'avons déjà appris à nos dépens, en 2008, lors de la grande crise économique, les cascades de comportements individuels peuvent désormais conduire à l'effondrement de pans entiers de l'économie industrielle. Ainsi, la crise des subprimes a été la démonstration de cet enchaînement, une avalanche d'impayés, comme un effet domino, conduisant à l'effondrement du marché immobilier, financier, et de l'industrie du bâtiment. Mais je pourrais ici restituer d'autres exemples qui pourraient toucher demain des domaines incluant également ou probablement la dimension sanitaire.

La raréfaction des ressources n'est pas une idée nouvelle.

Pour argumenter à nouveau l'hypothèse d'un effondrement généralisé de notre civilisation, des chercheurs du Massachusetts Institute of Technology (MIT), dans un rapport célèbre, écrit en 1970 et publié en 1972 (idée relayée par d'autres chercheurs), ont mis en évidence les limites physiques de notre planète, limites liées à notre capacité exponentielle de développement. Dans ce rapport, étayé et argumenté, les risques de pénuries, liées à l'appauvrissement et l'artificialisation des sols, sont largement commentés, expliqués et démontrés du fait des interactions, d'exploitation sans bornes des ressources naturelles qui peuvent entraîner des pénuries graves, et en conséquence une crise économique durable. Le rapport de ces chercheurs mettait en évidence la fin inéluctable de l'utopie d'un développement économique exponentiel, en raison de l'épuisement probable des matières premières (énergie, ressources minières, épuisement des ressources halieutiques...). Les périls mentionnés dans ce rapport concernent, en premier lieu, la population confrontée à des risques de déplacements, des migrations résultant de conflits armés, et de crises climatiques majeures (sécheresses, ouragans, inondations...).

Il est alors envisageable de prédire l'effondrement généralisé de notre civilisation « thermo-industrielle, » du fait d'une démarche urbaine, économique et agricole non raisonnée, conduisant à l'assèchement sans précédent des rivières, des lacs, des écosystèmes, entraînant une pénurie prévisible des sources énergétiques, et conduisant à des conséquences négatives, relativement à notre environnement. N'est-ce pas à nouveau Pierre Rabhi qui affirmait dans une de ses conférences que « ce qui détruit la planète, c'est le superflu qui n'a pas de limite » ? En fait, notre civilisation n'est absolument pas marquée par le progrès, puisque, intrinsèquement, le mal et le bien se sont entremêlés. Mais la vision, contrairement à ceux qui me classent dans cette catégorie, est autre. Il s'agit, au contraire, de professer nos engagements individuels comme des effets cascades inversés : en tant que chrétiens, nous sommes appelés à être « sel et lumière » et à manifester une autre façon de vivre, loin de la société de Mammon[382] !

Ainsi, notre civilisation, notamment occidentale, s'est fourvoyée dans le technicisme et ce qui l'accompagne, une hyper consommation, gage de croissance. La conception quasi-aveugle du progrès dans son appétit dévorant a mis :

- sa confiance absolue dans les dogmes du libéralisme, de la mondialisation, du libre-échange,
- sa certitude dans le progrès technologique, comme une réparation de son infirmité liée aux limites biologiques qui font l'homme,
- sa foi dans la science au service du confort absolu de l'homme. Cette croyance discrétionnaire est en passe

---

[382] Mammon, dans le Second Testament de la Bible, symbolise la richesse matérielle comme l'avarice, souvent personnifiée en divinité, Jésus condamne explicitement l'enrichissement, né de la convoitise conduisant l'homme à consacrer toute son attention. Saint Augustin dit : *lucrum punice Mammon dicitur*, expression qui désigne le gain ; précisons que Mammon est la richesse convoitée qui provient du commerce, des affaires, et non des biens héréditaires ; c'est donc la recherche de la richesse avec avidité que Jésus condamne explicitement. Luc 16:13 : «Nul serviteur ne peut servir deux maîtres. Car, ou il haïra l'un et aimera l'autre ; ou il s'attachera à l'un et méprisera l'autre. Vous ne pouvez servir Dieu et Mammon. »

de devenir une religion de l'homme pour les tenants de l'idéologie transhumaniste.

Cependant, nous rejetons clairement l'affirmation d'Abraham Maslow, selon qui : « Planifier notre avenir devrait consister à diminuer la population mondiale. » Nous croyons, surtout, à la nécessité de revoir nos modèles, de rejeter l'idéologie consumériste sans partages, et le monde d'un capitalisme hégémonique gouverné par la seule finance.

Notre conscience morale doit, dès lors, être éveillée, relativement à nos rapports avec les autres, sur nos rapports de domination et d'exploitation de notre environnement. Au-delà de la conscience morale, c'est aussi la conscience spirituelle.

La démarche écologique que nous prônons comme intégrale doit reposer sur un mouvement ontologique fondé sur la relation, l'échange, la participation, la conscience, à rebours d'un monde « prométhéen » faiseur d'un homme nouveau.

« Ce n'est pas dans la matière que nous allons trouver la joie. »

L'univers prométhéen est, en effet, le monde de la matière, fondé sur une idéologie purement matérialiste. Or, « ce n'est pas dans la matière que l'on va trouver la joie, même si la matière nous est indispensable. Nous sommes faits pour vivre dans la beauté, que ce soit la beauté de la nature ou celles des créations de l'homme »[383]. - Pierre Rabhi, *De la création de Dieu.*

Ce livre, *La déconstruction de l'homme,* ne s'inscrit nullement comme un livre attaché à une histoire passée ou dépassée, mais bien comme une forme d'avertissement sur notre manière même de vivre notre quotidien. Puissions-nous repenser nos actes et nous attacher à l'amour du prochain, à un bien-être collectif dans les vraies dimensions

---

[383] Extrait d'un entretien avec Pierre Rabhi, agriculteur et essayiste, dans la revue *L'éléphant,* n°8.

de la frugalité et de la solidarité à l'autre, en renonçant à une forme de frénésie du progrès et d'ivresse de posséder, qui nous poussent vers la dilapidation de nos richesses et la déconstruction de l'homme.

Pourtant, nous n'avons pas à baisser les bras, mais à œuvrer à l'échelle même de notre quartier, et à l'instar des disciples qui rivaient leur yeux vers la nuée dans laquelle Jésus s'éclipsait, les anges les interpellant : « Pourquoi vous arrêtez-vous à regarder au ciel ? » Notre mission a été ainsi d'encourager à entrer dans la dimension de l'incarnation des actes, et de manifester le royaume de Dieu au-dedans de nous, tout comme les miracles et les prodiges de ceux qui aiment le prochain et sont attachés à respecter la création, et à fuir le monde individualiste, les surplus de la société de consommation, comme une forme de résistance et de résilience à l'unification techno-économique qui écrase l'homme et le soumet à la seule dimension de la matière, alors que nous sommes aussi reliés à la vie, à la vie de l'Esprit, au souffle divin.

****

« Dieu se rit de ceux qui déplorent les effets dont ils chérissent les causes. » - Bossuet[384].

---

[384] Selon certaines sources, cette phrase qui aurait été prêtée à Bossuet pourrait être en réalité un conseil donné oralement par Jules Lemaître à ses auditeurs, les adjurant de renoncer à « respecter les causes dont on déplore les conséquences » dans ses mémoires, intitulés *Histoire égoïste* (éditions de la Table Ronde, 1976, p. 154, et dans la collection Folio, 1978, p. 241) : Jules Lemaître dénonçait en effet « ceux qui maudissent les conséquences de causes qu'ils vénèrent. »

Table des matières